エッセンシャル・キネシオロジー
機能的運動学の基礎と臨床

電子書籍付

原書第3版

監訳
弓岡光徳 大阪人間科学大学特任教授
溝田勝彦 令和健康科学大学教授
村田 伸 京都橘大学教授

Essentials of Kinesiology
for the Physical Therapist Assistant

Third Edition

Paul Jackson Mansfield
Donald A. Neumann

ELSEVIER

南江堂

ELSEVIER

Higashi-Azabu 1-chome Bldg. 3F
1-9-15, Higashi-Azabu,
Minato-ku, Tokyo 106-0044, Japan

ESSENTIALS OF KINESIOLOGY FOR THE PHYSICAL THERAPIST ASSISTANT
Copyright © 2019 by Elsevier, Inc. All rights reserved.
Previous editions copyrighted 2014, 2009.

ISBN：978-0-323-54498-6

This translation of *Essentials of Kinesiology for the Physical Therapist Assistant, Third Edition* by **Paul Jackson Mansfield and Donald A. Neumann** was undertaken by Nankodo Co., Ltd., and is published by arrangement with Elsevier Inc.

本書，**Paul Jackson Mansfield and Donald A. Neumann** 著：*Essentials of Kinesiology for the Physical Therapist Assistant, Third Edition* は，Elsevier Inc. との契約によって出版されている．

エッセンシャル・キネシオロジー原書第3版（電子書籍付）―機能的運動学の基礎と臨床 by **Paul Jackson Mansfield and Donald A. Neumann.**

Copyright © 2020, Elsevier Japan KK. Reprinted 2022, 2024. 2nd edition © 2015. 1st edition © 2010

ISBN: 978-4-524-22653-5

All rights reserved. No part of this publication may be reproduced or transmitted in any form or by any means, electronic or mechanical, including photocopying, recording, or any information storage and retrieval system, without permission in writing from the publisher. Details on how to seek permission, further information about the Publisher's permissions policies and our arrangements with organizations such as the Copyright Clearance Center and the Copyright Licensing Agency, can be found at our website: www.elsevier.com/permissions.

This book and the individual contributions contained in it are protected under copyright by the Publisher (other than as may be noted herein).

注意

本翻訳は，エルゼビア・ジャパンがその責任において請け負ったものである．医療従事者と研究者は，ここで述べられている情報，方法，化合物，実験の評価や使用においては，常に自身の経験や知識を基盤とする必要がある．医学は急速に進歩しているため，特に，診断と薬物投与量については独自に検証を行うものとする．法律のおよぶ限り，Elsevier，出版社，著者，編集者，監訳者，翻訳者は，製造物責任，または過失の有無に関係なく人または財産に対する被害および／または損害に関する責任，もしくは本資料に含まれる方法，製品，説明，意見の使用または実施における一切の責任を負わない．

本書を，私の母と父に捧げる．

PJM

翻訳者一覧

監 訳

弓岡 光徳（ゆみおか みつのり）　大阪人間科学大学保健医療学部理学療法学科特任教授
溝田 勝彦（みぞた かつひこ）　令和健康科学大学リハビリテーション学部理学療法学科教授
村田 伸（むらた しん）　京都橘大学健康科学部理学療法学科教授

翻 訳

溝田 勝彦（みぞた かつひこ）　令和健康科学大学リハビリテーション学部理学療法学科教授［第1章，第2章，第13章］
熊丸 真理（くままる まり）　麻生リハビリテーション大学校専任教員［第3章］
井上 博子（いのうえ ひろこ）　前 Riverside Physical Therapy Clinic［第4章，用語解説］
村田 伸（むらた しん）　京都橘大学健康科学部理学療法学科教授［第5章］
弓岡 まみ（ゆみおか まみ）　大阪人間科学大学保健医療学部理学療法学科助教［第6章］
崎田 正博（さきた まさひろ）　京都橘大学健康科学部理学療法学科教授［第7章］
村田 潤（むらた じゅん）　長崎大学大学院医歯薬学総合研究科保健学専攻准教授［第8章］
大田尾 浩（おおたお ひろし）　西九州大学リハビリテーション学部リハビリテーション学科教授［第9章］
石井 禎基（いしい よしき）　姫路獨協大学医療保健学部理学療法学科教授［第10章］
山野 薫（やまの かおる）　大阪人間科学大学保健医療学部理学療法学科教授［第11章］
弓岡 光徳（ゆみおか みつのり）　大阪人間科学大学保健医療学部理学療法学科特任教授［第12章］

序　文

　本書『エッセンシャル・キネシオロジー──機能的運動学の基礎と臨床』の目的は，キネシオロジー kinesiology（身体運動学：人体の運動の研究）において，すでに確立されている基本的知識を示すことである．本書では，筋骨格系の構造と機能を中心に述べているが，これらは理学療法士アシスタント physical therapist assistant（PTA）（訳注：米国において，理学療法士は修士または博士号をもち，直接，患者に対し評価と治療を行う．PTA は専門の過程を修め，理学療法士の指示のもとに，患者に対し治療を行う）にとって，あらゆる面で不可欠な内容である．健常人の運動を詳細にわかりやすく説明することにより，多くの一般的な代償方法や治療技術，異常運動パターンについて考えることが可能になる．本書は，骨，関節，支持靱帯，筋のリアルな描画を取り入れ，理学療法士・PTA が関係する臨床上の事例をも多く含んだ内容となっている．

　理学療法士であれ PTA であれ，キネシオロジーは理学療法を実施するうえで中核となるものである．キネシオロジーの確実な理解のためには，筋骨格系の解剖と機能の正確な知識が基本となる．筋骨格系の解剖学の知識があってはじめて，正常および異常運動の基礎を理解することが可能となるのである．この知識がなければ，理学療法士・PTA は機能異常や，動作困難，可動域制限や痛みを伴う運動を的確に治療することができない．

読　者

　本書は，主に PTA 養成校の学生および理学療法の学位を求めている人を念頭に置いて書かれているが，読者対象はそれだけにはとどまらない．すでに臨床に携わっている理学療法士・PTA や，臨床とキネシオロジーとを明確に結びつけようと模索する他分野の学生や専門家にとっても価値のあるテキストであろう．

ユニークな共著者

　共著の2人が，それぞれの経験を持ち寄ることにより，包括的で，解剖学的な内容に富み，あるいは臨床に結びついたキネシオロジーのテキストを理学療法分野に送り出すことが可能となる．Paul Jackson Mansfield は理学療法の臨床に16年間従事し，現在は Milwaukee Area Technical College の PTA 養成課程の責任者である．Mr. Mansfield は，キネシオロジー，筋骨格解剖学，整形外科学，上級運動療法，神経筋疾患のリハビリテーションの各講座を，養成課程で幅広く教えている．彼はこれらの経験を通して，その講座の必要性，臨床との関連，そして学生に対して効果的に教える方法について，見識を深めた．

　Dr. Donald A. Neumann は，30年間の理学療法の臨床経験を積んだ後，現在は Marquette University 理学療法学部の教授である．Dr. Neumann は30年以上キネシオロジーを教授しており，またベストセラーのテキスト『Kinesiology of the Musculoskeletal System: Foundations for Physical Rehabilitation』(Mosby Elsevier)(邦題『筋骨格系のキネシオロジー』(医歯薬出版))の著者である．Dr. Neumann 自身，PTA の経験があり，PTA 学生および，臨床家の任務と必要性を理解している．

　本書『エッセンシャル・キネシオロジー』は，この2人の著者の豊かな経験の賜物である．Mr. Mansfield は，全体の方向性と臨床との関連性についての知見を，一方 Dr. Neumann は，根拠のある科学的背景と長年の教育的経験を提供した．

コンセプト

　本書で使用される図の多くは，既述の Dr. Neumann による大著から引用したものである．このテキストでの成功が励みとなり，このたび PTA を対象とした版を出版することとなった．著者らは PTA 学生の特殊なニーズを満たすために，莫大な時間を費やして思考を重ね，コンセプトを作り上げた．そのうえで，図の美しさ，文章の明快さ，細部にわたる整合性，臨床との関連性の強調などが保たれるよう，一所懸命に取り組んだ．

PTA教育への寄与

　PTA学生は，理学療法についてほとんど何も知らないところから出発し，最終的には新卒のPTAにかけられた期待に応え，さらには期待を上回る能力を身につけるという短い旅（一般的に2年間の過程）を耐え抜かなければならない．このことは，PTA養成課程の教育に携わったことのある人は皆知っている．過密なカリキュラムをこなさなければならないので，学生は，複雑で種々の事柄が入り組む臨床に進む前に，まず人の運動の基本を熟知しておかなければならない．PTA養成課程において，キネシオロジーは理学療法の知識と実践の基礎をなす土台である．本書を使う学生と教員が，著者らが準備した知識と説明を受け入れ，基礎を構築し支えるために必要なものは提供されているということを，理解していただけることを心から望む．

学問的アプローチ

　本書『エッセンシャル・キネシオロジー』は，Dr. Neumannの『筋骨格系のキネシオロジー』を単に簡略化したテキストではない．読めばすぐに，本書が適当に手を抜いて編集された本ではないということがよくわかるであろう．本書は，Dr. Neumannの偉大なテキストの単なる縮小版ではなく，はるかに中身の濃い内容となっている．著者らは，理学療法教育を受けるあらゆるレベルの学生が本書を使用し，学習意欲が高まることを切に望む．素晴らしいアートワーク（訳注：本文以外のイラストなどの図版）とわかりやすく適切な説明は，学生がモチベーションを発揮して，学んだことを最大限に活用するのに役立つであろう．

　学生と教員双方へ寄せる著者らの大きな期待が，多くの方々と共有され，理学療法の職域が成長し続ける刺激となることを望む．専門の職域は，その教育内容の濃さによって発展するものである．今日のPTAの教育は，理学療法の職域全体として，迅速で継続性のある教育の進歩に伴って発展する必要がある．

構　成

　本書は，キネシオロジーを段階的に解説している．各章は身体の部位ごとに構成され，骨の解剖と機能の解説をはじめに扱う．次に，関節と関連支持組織について，詳細だがわかりやすい説明が続く．その後，筋の構造と機能が示される．ここでは起始と停止，作用，神経支配が解説される．各部位で取り上げられる筋はそれぞれ，解剖学的に詳細で，巧妙かつ理解しやすく図示されている．

　各章は解剖から始まり，筋と関節が一体になって正常に機能することの説明へと続く．その後，疾患や外傷によりこの関係が崩壊し，異常運動に陥る過程の説明へと進む．これによって，それまでの内容が理学療法を実施するうえでなぜ重要なのかを説明する最終段階へと進む．さらに臨床例，推論，座学と臨床間のギャップを埋めるのに役立つ図等を盛り込んだ囲み記事が，各章に多数配置されている．

　第1～3章では，キネシオロジー，生体力学の基礎，関節構造，筋の解剖および生理における基本的な用語の，信頼性があり，かつ関連する背景を示した．第4～11章では，身体の各部位に関して特殊な解剖学とキネシオロジーの原理に焦点をあてたが，まさにここの部分が本書の心臓部である．第12，13章では，歩行，咀嚼，換気について，それぞれに必要なキネシオロジーの基礎を詳しく説明し，それまでの章の内容を取り入れて，総合的に説明した．

本書の特色

- **優れたアートワーク**：質・量ともに優れた写真とイラストが，本書を素晴らしいものにしている．良質な多数のイラストと写真が，このテキストのために準備されたのである．
- **筋の図解**：個々の筋および関連する筋群を，ユニークな図で示した．図解により，筋や筋群と，それぞれの付着部，神経支配，作用の組み合わせがわかりやすくなった．この方法は教育，および臨床との関連づけにとって，効果的なものである．
- **共著者**：あわせて40年の臨床経験，25年の教育経験から導き出された著者らの専門知識により，PTA教育において信頼でき，また特色のある解説が示されている．
- **臨床との関連**：本書は，キネシオロジーの概念を理学療法の臨床と一貫して結びつけている．はじめに人の運動についての基礎的な知識を提示し，次に臨床に関連した情報と特徴を，重ね合わせるように解説した．

特色を知る

- **カラフルでわかりやすく豊富な図**：本書の中には400枚近くの高品質でフルカラーの画像が収められており，画像自体の出典を示して本書の理解を助けた．
- **筋のわかりやすい図解**：図と一致した文章を対にしたユニークなレイアウト（詳細は既述）により，読者の手元に必要な情報を効果的に示した．
- **囲み記事**：「臨床的な視点」「考えてみよう！」は内容を補足し，キネシオロジーの概念と理学療法の臨床への応用とを，絶えず結びつけている．

- **要約**：各章に，主要な概念をまとめた一覧や表を掲載し，読者が学習をするうえで，とても使いやすくした．
- **確認問題**：各章末には，試験準備の自己評価として役立つ，20〜30問の多肢選択式または正誤式の問題を掲載した．
- **キーワード**：キネシオロジーの専門用語は内容をよく理解するための鍵となるので，各章にキーワードの一覧を配し，解説文の中では太字で記載している．
- **用語解説**：各章の鍵となる専門用語は，巻末の用語解説で50音順に編集して解説しており，便利な用語辞典として利用できる．
- **学習目標**：各章のはじめには学習目標の一覧を示し，これにより素早く内容把握ができる他，試験対策の手っ取り早いチェックリストにもなるものとした．
- **本章の概要**：各章のはじめに主要な見出しを示し，章の構成が概観できるものとした．

われわれは，活動的なPTA養成過程において，教員が学生に教授するために必要なすべての情報や素材が，本書から得られることを期待して執筆した．その内容が明確で，また体系化されており，適切な方法で提示されるならば，学生の学ぶことができるものに限度はないと考えている．本書はまさにこのことを前提として編集された．

Paul Jackson Mansfield
Donald A. Neumann

原著編集協力者

Peggy Block, PT, MHS
Retired Professor Emeritus, Physical Therapist Assistant Program, West Kentucky Community and Technical College, Paducah, Kentucky

Susan Bravard, PT, MS
Program Chair, Physical Therapist Assistant Program, Mercy College of Health Sciences, Des Moines, Iowa

Megan Growe, MS
Adjunct Faculty, Physical Therapy Assistant Program Solex College, Chicago, Illinois

Larry B. Lee Leong, PT, MBA, MS
Physical Therapist, PTA Program, Gurnick Academy of Medical Arts, San Mateo, California

Stephanie Taylor, PTA, MAE
Professor, Physical Therapist Assistant Program/Allied Health Division, Madisonville Community College, Madisonville, Kentucky

著者紹介

（写真：Miranda Johnsen）

Paul Jackson Mansfield（DPT）は，Marquette University 理学療法修士課程を卒業し，その後 the College of St. Scholastica で博士課程を修了した．彼は整形外科分野，スポーツ医学，神経筋疾患のリハビリテーションを含む理学療法のさまざまな分野で活動し，特に脊髄損傷のリハビリテーションに力を注いだ．Dr. Mansfield は 2001 年に Milwaukee Area Technical College（MATC）にて理学療法士アシスタント（PTA）に対する教育を開始し，課程責任者となる．PTA カリキュラムの範囲内においてキネシオロジー，整形外科，運動療法，神経筋疾患リハビリテーションのコースを広範囲に教えている．

在任期間中，Dr. Mansfield は Department of Educational Research and Dissemination の課程責任者となった．彼はこの間，学業を向上させるのを助けるために最新の神経学的教育研究に基づき，最良の教育実践と教育戦略に重点を置いた多数の専門発展コースを教えた．彼は，理学療法教育の最良の実践を調査するために，フィンランドとドイツに行くのに選出されている．2012 年，Dr. Leah Dvorak と『Essentials of Neuroanatomy for Rehabilitation』という教科書を共同執筆した．また，絵本を書いている．

Dr. Mansfield は，妻 Heather と 5 人の子供たちと一緒に Wisconsin 州に住んでいる．余暇はホッケーや野球，ドラム演奏，サルサを楽しんだり，子供たちと遊んで過ごしている．

Donald A. Neumann（PhD，PT，米国理学療法協会特別会員）は，理学療法士アシスタント（PTA）として彼のキャリアをスタートし，Miami-Dade Community College にて学位を取得した．数年の臨床経験後，University of Florida より理学療法学の学士号を授与され，臨床経験および大学院での研究後，University of Iowa より，運動科学（exercise science）の博士号を授与された．1986 年に，Marquette University の理学療法学部の正教授として教職員に加わり，1994 年に Marquette University にて「Teacher of the Year Award」を受賞し，2006 年には Carnegie Foundation によって「Wisconsin's College Professor of the Year」に指名された．両賞とも理学療法の学生へのキネシオロジー（身体運動学）の教育アプローチを評価され，与えられたものである．

Dr. Neumann は米国理学療法協会から多数の国家賞を受賞したが，それは彼の研究，教育，国際貢献，学術的活動が認められた結果である．彼は British Gray's anatomy（41 版および 42 版）の股関節の章を執筆している．彼の研究と教育プロジェクトは，長年にわたり，National Arthritis Foundation と Paralyzed Veterans of America によって資金の提供を受けたものである．彼は，2017 年に Elsevier より出版された『Kinesiology of the Musculoskeletal System: Foundations for Physical Rehabilitation』の著者である．2002 年に Lithuania の Kaunas Medical University で，2005 年と 2006 年に Hungary は Budapest の Semmelweis Medical University でキネシオロジーを教えるために，3 つの Fulbright 奨学金を受けた．2007 年には Lithuania での彼の理学療法教育への多大な影響が評価され，Lithuania Academy of Physical Education から名誉博士号が与えられた．

Dr. Neumann は，Wisconsin 州で妻 Brenda と一緒に暮らしている．息子 Donald Jr.（愛称 Donnie）と継娘 Megann も，Wisconsin 州に住んでいる．仕事以外では，さまざまなジャンルの音楽鑑賞やギター演奏，ハイキング，3 人の孫の成長を見守ること，天気の変化などを楽しんでいる．

謝　辞

　ここに，いろいろな方法で本書の完成を支えてくれた多くの人々に感謝することができる，喜ばしい機会を与えていただいた．

　このように大きなプロジェクトを抱えた誰しもが，友人や家族の支えなしでは事が成しえないことを知っている．私の美しい妻 Heather に特別の感謝を捧げたい．私が本を書くために喫茶店に姿を隠している間，妻は済ませる必要があるあらゆることをこなしてくれた．

　共同執筆者であり恩師でもある Dr. Donald Neumann の，本書執筆中の英知と指導に深く感謝する．師の理想教育への果てしない探求は，人を鼓舞するのと同じくらい影響を与えやすい．キネシオロジーの「重要なこと」に関する喫茶店での2人の話し合いは，私の大好きな討論の一部である．

　私の子供である Beckett, Hannah, Megan, Daniel, そして Rachael にも感謝したいと思う．君たちの笑顔やハグ，笑い声は，常に私の目を輝かせてくれる．学び続け，自分が成しえる最高へと自身を駆り立て続けなさい．

　私の教育に対する愛情と尊敬を信じている，私の両親 Jack と Betty Mansfield へ．2人が与え続けてくれた愛と支援に感謝を捧げる．兄弟の Dan と姉妹の Julie にも「大声」を送りたい．この仕事の間中，最大のチアリーダーでいてくれたことに感謝する．

　仲間の Holly Pitz に感謝する．「船」を立ち直らせ編成してくれてありがとう．君は私が毎日学ぶ素晴らしい教師だ．君が，私とわれわれのプログラムのために行ってくれたすべてに感謝する．同僚である Dean, Eric Gass, すべてを成し遂げるのに必要な手助けをしてくれてありがとう．あなた達が行うことは素晴らしく，あなた達が上役であることは幸運である．

　優秀な学生の Lisa Peterson, 君は私の本の不明確な点，誤り，改善すべき領域を徹底的に探してくれた．君は見事な PTA になるだろう．君の激務すべてに感謝する．

　私が知る限り誰よりもジャンプシュートのメカニクスを理解している，Jim Seewald にも感謝する．カッティング動作に関する股，膝，足関節のメカニクスを検討するため，幾晩も夜更かししてくれてありがとう．肘を中に入れ，最後まで入れておきなさい．素晴らしい編集者の Maria Broeker と Janish Paul に感謝する．あなた達の激務と献身が，本書をさらに素晴らしいものに導いてくれた．

Paul Jackson Mansfield

　私は妻の Brenda に，彼女が執筆に理解を示してくれたことに対して感謝する．また本書を完成させる困難なプロセスを通して，並外れた忍耐力を発揮してくれた Paul Mansfield に感謝する．最後に Elisabeth Rowan-Kelly の，本書の中でずっと生き続ける素晴らしいアートワークの数々に感謝する．

Donald A. Neumann

監訳者序文

　本書「エッセンシャル・キネシオロジー原書第3版(電子書籍付)―機能的運動学の基礎と臨床」を第1版,第2版に続き,リハビリテーションに関わる読者にお届けできることをたいへんうれしく思います.

　原著の序文にも書かれているように,キネシオロジーは,理学療法や作業療法を実施する上で中核となるものです(**Kinesiology is the heart of physical therapy practice**).キネシオロジーを理解するには,筋骨格系の解剖と機能の正確な知識が基本となります.理学療法士や作業療法士は,この筋骨格系の解剖と機能の正確な知識に基づき,正常運動と異常運動の違いや代償運動について理解することで,一人一人の患者に対して的確な治療アプローチを行うことが可能になります.

　本書で使われているイラストの多くは,『Kinesiology of the Musculoskeletal System: Foundations for Physical Rehabilitation, 3nd ed』(発行:Elsevier,著:Donald A. Neumann)(邦題『筋骨格系のキネシオロジー　原著第3版』(発行:医歯薬出版,監訳:P. D. Andrew先生・有馬慶美先生・日高正巳先生))より引用されていますが,本書は,このDr. Neumannの大著を単に簡略化したテキストではなく,初学者がいかに明確にキネシオロジーを理解し,その知識を理学療法や作業療法の臨床と結び付けられるかに重点を置いています.

　第3版の翻訳者チームは,第1版,第2版と同じメンバーで,さらに正確でわかりやすい文章になるように心がけて翻訳しました.また,第3版で使用されているイラストは,第2版と同様フルカラーで約400枚以上となっており,読者の視覚的理解を大いに助けてくれるでしょう.

　それでは,よりグレードアップした「エッセンシャル・キネシオロジー原書第3版(電子書籍付)―機能的運動学の基礎と臨床」をぜひリハビリテーションに関わる読者のお手元に置いていただき,患者の評価と治療に役立てていただければ,監訳者として望外の幸せです.

監訳者　弓岡光徳　溝田勝彦　村田　伸

目次

第1章　キネシオロジーの基本原理 — 1
運動学 — 2
- 用語 — 3
- 骨運動学 — 4
- 関節運動学 — 8

運動力学 — 11
- トルク — 11
- 生体力学的てこ — 12
- 牽引線 — 13
- ベクトル — 16

まとめ — 16
確認問題 — 17
参考文献 — 19

第2章　関節の構造と機能 — 21
軸性骨格と付属性骨格 — 21
- 骨：解剖と機能 — 22
- 骨の種類 — 24

関節の分類 — 24
- 不動関節 — 24
- 半関節 — 24
- 可動関節：滑膜関節 — 25

結合組織 — 28
- 結合組織の構成 — 28
- 結合組織の種類 — 30
- 機能的考察 — 30

まとめ — 31
確認問題 — 32
参考文献 — 33

第3章　骨格筋の構造と機能 — 35
筋の基本的な性質 — 36
- 筋活動の種類 — 36
- 筋の用語 — 37
- 筋の解剖 — 38

筋節：筋の基本的な収縮単位 — 38
筋の形態と機能 — 40
- 横断面積 — 40
- 形態 — 40
- 牽引線 — 41

筋の長さ-張力関係 — 41
- 自動的な長さ-張力関係 — 42
- 他動的な長さ-張力関係 — 43
- 多関節筋での長さ-張力関係 — 45

筋の力-速度関係：速さについて — 46
患者に対し治療上の原則を守ることが重要 — 46
- 筋の硬さ — 46
- 筋組織のストレッチ — 46
- 筋力の強化 — 47
- 自動的スタビライザーとしての筋 — 48

まとめ — 48
確認問題 — 48
参考文献 — 50

第4章　肩複合体の構造と機能 — 51
骨学 — 52
- 胸骨 — 52
- 鎖骨 — 52
- 肩甲骨 — 52
- 近位から中間部の上腕骨 — 52

関節学 — 54
- 胸鎖関節 — 54
- 肩甲胸郭関節 — 56
- 肩鎖関節 — 57
- 肩甲上腕関節 — 58
- 肩複合体の相互作用 — 60

筋と関節の相互作用 — 61
- 肩複合体の神経支配 — 61
- 肩甲帯の筋 — 61
- 整理して考えよう — 67
- 肩甲上腕関節の筋 — 71
- 整理して考えよう — 82

まとめ — 86
確認問題 — 86

参考文献 ·· 88

第5章　肘・前腕複合体の構造と機能 ── 89
骨学 ·· 90
　　肩甲骨 ·· 90
　　遠位上腕骨 ·· 90
　　尺骨 ·· 90
　　橈骨 ·· 91
肘の関節学 ·· 93
　　一般的な特徴 ··· 93
　　肘関節の支持構造 ···································· 94
　　運動学 ·· 95
前腕の関節学 ··· 96
　　一般的な特徴 ··· 96
　　上・下橈尺関節の支持構造 ······················· 96
　　運動学 ·· 96
　　前腕骨間膜による力の伝達 ······················· 98
肘・前腕複合体の筋 ······························· 100
　　筋の神経支配 ······································· 100
　　肘関節の屈筋 ······································· 100
　　肘関節の伸筋 ······································· 104
　　前腕回外筋・回内筋 ······························ 109
まとめ ·· 113
確認問題 ·· 113
参考文献 ·· 115

第6章　手関節の構造と機能 ── 117
骨学 ·· 117
　　遠位の橈骨と尺骨 ·································· 118
　　手根骨 ·· 118
関節学 ·· 118
　　関節構造 ··· 118
　　手関節の靱帯 ······································· 120
　　運動学 ·· 122
筋と関節の相互作用 ······························ 124
　　手関節筋の神経支配 ······························ 124
　　手関節筋の機能 ···································· 124
まとめ ·· 132
確認問題 ·· 132
参考文献 ·· 133

第7章　手の構造と機能 ── 135
骨学 ·· 136
　　中手骨 ·· 136
　　指節骨 ·· 138
　　手のアーチ ··· 138
関節学 ·· 139
　　手根中手関節 ······································· 139
　　中手指節関節 ······································· 142
　　指節間関節 ··· 145
筋と関節の相互作用 ······························ 146
　　手の神経支配 ······································· 146
　　手の筋の機能 ······································· 146
　　手指の外在筋と内在筋の相互作用 ············ 157
手の関節変形 ······································· 159
　　一般的な変形 ······································· 159
　　尺側偏位 ··· 160
まとめ ·· 161
確認問題 ·· 162
参考文献 ·· 163
付録 ··· 165

第8章　脊柱の構造と機能 ── 169
正常な弯曲 ··· 170
重心線 ·· 171
骨学 ·· 172
　　頭蓋骨 ·· 172
　　標準的な椎骨 ······································· 172
　　椎間板 ·· 173
　　椎骨と椎間板の表記 ······························ 173
　　さまざまな椎骨 ···································· 174
　　脊柱の支持構造 ···································· 179
運動学 ·· 180
　　頭頸部 ·· 180
　　胸腰部 ·· 186
　　機能的考察 ··· 191
　　腰仙関節と仙腸関節 ······························ 194
筋と関節の相互作用 ······························ 196
　　頭頸部と体幹の筋の神経支配 ·················· 196
　　頭頸部の筋 ··· 197
　　背面にある頭頸部の筋 ··························· 199
　　体幹の筋 ··· 202
　　その他の関連する筋：腸腰筋と腰方形筋 ········ 206
まとめ ·· 213
確認問題 ·· 214
参考文献 ·· 216

第9章　股関節の構造と機能 ── 217
骨学 ·· 218
　　腸骨 ·· 218
　　坐骨 ·· 219
　　恥骨 ·· 220
　　寛骨臼 ·· 220
　　大腿骨 ·· 220
関節学 ·· 223
　　一般的な特徴 ······································· 223
　　股関節内の支持構造 ······························ 223
　　股関節外の支持構造 ······························ 223

股関節の伸展の重要性································ 224
　　　運動学·· 225
　筋と関節の相互作用·· 230
　　　股関節の筋と神経支配································ 230
　　　股関節の筋·· 232
　まとめ··· 255
　確認問題··· 255
　参考文献··· 257

第10章　膝関節の構造と機能 ── 259
　骨学··· 260
　　　大腿骨遠位部·· 260
　　　脛骨近位部·· 260
　　　腓骨近位部·· 262
　　　膝蓋骨·· 262
　関節学··· 262
　　　一般的な特徴·· 262
　　　正常なアライメント···································· 264
　　　支持構造··· 264
　　　運動学·· 270
　筋と関節の相互作用·· 273
　　　膝関節の筋の神経支配································ 273
　　　膝関節の筋·· 274
　　　膝関節の内旋筋と外旋筋······························ 285
　まとめ··· 286
　確認問題··· 288
　参考文献··· 289

第11章　足関節と足部の構造と機能 ── 293
　用語··· 294
　歩行周期の概要··· 294
　骨学··· 294
　　　脛骨遠位部と腓骨······································ 294
　　　足部の骨·· 295
　足関節と足部の関節学··· 295
　　　一般的な特徴·· 295
　　　足関節と足部の運動学································ 296
　　　足関節と足部の近位の関節························· 299
　　　足部の遠位の関節······································ 304
　筋と関節の相互作用·· 308
　　　足関節と足部の筋の神経支配······················· 308

　　　足関節と足部の外在筋································ 310
　　　足部の内在筋··· 323
　まとめ··· 323
　確認問題··· 327
　参考文献··· 328

第12章　歩行の基礎知識 ── 331
　用語··· 332
　歩行周期の詳細··· 333
　　　立脚相·· 333
　　　遊脚相·· 337
　　　矢状面における歩行のまとめ······················· 338
　　　前額面における歩行のまとめ······················· 338
　　　水平面における歩行のまとめ······················· 339
　異常歩行··· 340
　まとめ··· 346
　確認問題··· 346
　参考文献··· 347

第13章　咀嚼と換気のキネシオロジー ── 349
　顎関節·· 349
　　　骨学および関連構造··································· 350
　　　運動学·· 353
　筋と関節の相互作用·· 356
　　　顎関節の筋··· 356
　顎関節のまとめ··· 358
　換気··· 358
　　　肺気量·· 358
　　　吸気と呼気··· 359
　　　換気時における筋の作用···························· 360
　換気のまとめ·· 363
　確認問題··· 363
　参考文献··· 364

用語解説 ── 367

確認問題の解答 ── 373

和文索引 ── 375

欧文索引 ── 381

第 1 章

キネシオロジーの基本原理

▶ 本章の概要

運動学
  用語
  骨運動学
  関節運動学

運動力学
  トルク
  生体力学的てこ
  牽引線
  ベクトル

まとめ
確認問題
参考文献

▶ 学習目標

- 一般に使用される解剖学とキネシオロジー(身体運動学)における用語の定義を述べることができる．
- 一般的な身体運動を述べることができる．
- 骨運動学の運動と関節運動学の運動の違いを述べることができる．
- 関節運動学の運動の原理を述べることができる．
- 一般的な運動における運動面と回転軸を分析できる．
- 力，トルク，レバーが，生体力学的な運動にどのように作用するか述べることができる．
- 生体力学的な3種類のてこを挙げ，それぞれの利点と欠点を説明できる．
- 筋の牽引線が，ある特定の生体力学的な運動をどのようにして起こすか分析できる．
- 運動を記述するために，筋力のベクトルがどのように用いられるか説明できる．

🔑 キーワード

内がえし	関節運動学	身体運動学	橈屈
運動学	起始	伸展	頭側
運動力学	キネシオロジー	水平外転	トルク
遠位	近位	水平内転	内旋
回外	屈曲	水平(横断)面	内側
外旋	牽引線	正中線	内的トルク
外側	後退	浅	内的モーメントアーム
外転	後部	前額面	内転
回転運動	合力	前部	内力
回転軸	骨運動学	前方突出	背臥位
外的トルク	矢状面	外がえし	背屈
外的モーメントアーム	質量中心	他動運動	尾側
回内	自動運動	力	腹臥位
開放運動連鎖	尺屈	底屈	分回し
解剖学的肢位	自由度	停止	閉鎖運動連鎖
外力	上方	適合性	並進運動
下方	深	てこ	ベクトル

キネシオロジー kinesiology（身体運動学）という語は，ギリシャ語の"動くこと"を意味する"kinesis"と，"研究すること"を意味する"logy"にその語源がある．本書『エッセンシャル・キネシオロジー——機能的運動学の基礎と臨床』は，筋骨格系の解剖学的および生体力学的相互作用に焦点をあてた，キネシオロジーへの指針となるものである．

本書の主な目的は，理学療法を学ぶ学生とセラピストに，筋骨格系のキネシオロジーに関する基本的な知識を提供することである．

正常運動と異常運動の構造的，および機能的な概念の背景として，神経支配を含む筋骨格系の詳細なレビューを紹介する．ここでの考察は，一般に用いられる治療についての洞察を提供し，思慮深い議論を引き起こすことを目的としている．

運動学

運動学 kinematics は，運動を生じる力は考慮に入れないで，身体の運動を記載する生体力学の一部門である．生体力学においては，**身体** body という語はかなり大ざっぱに使われており，全身，個々の骨のような特定の部分，あるいは，腕のような一領域を表したりする．一般に，運動の種類は2つある．並進運動と，回転運動である．

並進運動 translation は，身体のある部位がそれ以外のすべての部位と同じ方向に動くときに生じる．この運動は，例えば本をテーブル上に滑らせるときのように直線上で生じ（**直線運動** rectilinear motion），あるいは，友人に投げたボールが弧を描くように曲線上で生じる（**曲線運動** curvilinear motion）．図 1.1 は，歩行時に生じる曲線運動を示し，全身が前方移動するときの，頭部の正常な上下の並進運動を示している．

回転運動 rotation とは，ある回転軸を中心とした身体の弧状の運動をいう．**回転軸** axis of rotation とは，身体の回転が起こる**回転中心** pivot-point である．図 1.2 は，肘の回転軸を中心とした前腕の回転を示す．

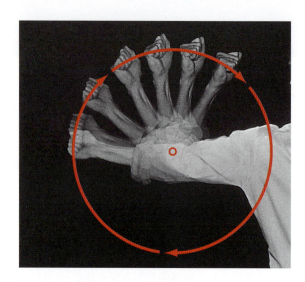

図 1.2　肘の回転軸まわりの前腕の回転
(Neumann DA: Kinesiology of the musculoskeletal system: foundations for physical rehabilitation, ed 2, St Louis, 2010, Mosby, Fig. 1.3 より)

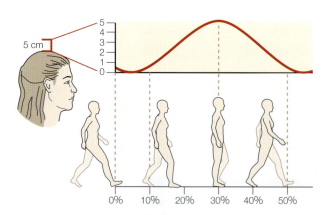

図 1.1　歩行時における頭頂部の移動
歩行時，頭頂部が上下に曲線状に移動することを示す．
(Neumann DA: Kinesiology of the musculoskeletal system: foundations for physical rehabilitation, ed 2, St Louis, 2010, Mosby, Fig. 1.2 より)

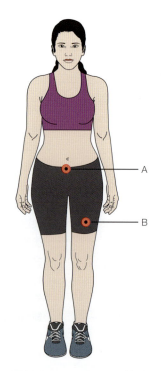

図 1.3　全身の質量中心（A）と大腿の質量中心（B）
(Neumann DA: Kinesiology of the musculoskeletal system: foundations for physical rehabilitation, St Louis, 2002, Mosby, Fig. 4.1 より)

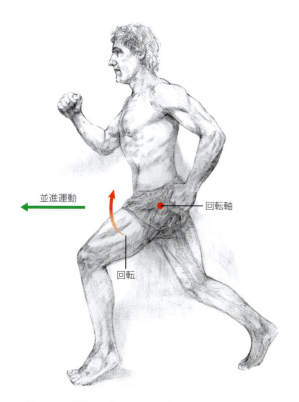

図1.4　下肢の回転によって生じる身体の前方移動

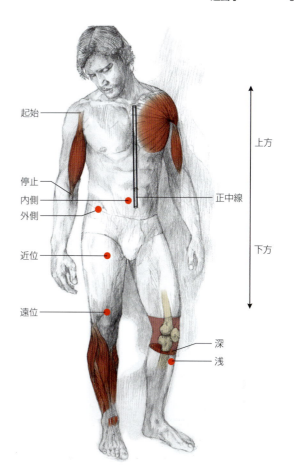

図1.5　解剖学用語

　一般に全身運動は，身体の**質量中心** center of mass あるいは重心の並進運動として説明されることが多い(**図1.3**)．歩行は，前方へ向かう全身の並進運動によって生じる．このとき，全身の運動または並進運動は，四肢を回転させる筋が原動力となっていることに気づくと興味深い．この概念を，**図1.4**に示す．この図では，両股関節の回転軸を中心に，筋が足を回転させることによって生じる走行運動(前方への質量中心の並進運動)が表されている．身体のほぼすべての関節の機能的な運動が，回転を通して起こっていることに気づくことが重要である．

　身体運動の種類には関係なく，運動は**自動** active と**他動** passive とに分類される．**自動運動** active movement は，筋が刺激されるか活動することで生じる．例えば，人が自分の腕を頭上に上げるとき，この運動は自動運動と考えられる．一方，**他動運動** passive movement は，筋の活動以外で生じる運動で，これには重力や，靱帯を伸ばした際に起こる抵抗，あるいは他人から押されるといったことも含まれる．例えば，セラピストが力を加えて，さまざまな可動域で患者の手足を動かすとき，この運動は他動運動と考えられ，したがって他動運動とは，一般の臨床用語でいうところの，**他動可動域運動** passive range of motion である．

用語

　キネシオロジー(身体運動学)を研究するには，運動，位置，解剖学的特徴のある部分を表すための特殊な用語が必要となる．これらの用語のいくつかを，**図1.5**に示す．

- **前部**：身体の前方
- **後部**：身体の後方
- **正中線**：身体の中心を縦に走る仮想の線
- **内側**：身体の正中線に近いほう
- **外側**：身体の正中線から遠いほう
- **上方**：上方，頭部のほう
- **下方**：下方，足部のほう
- **近位**：体幹に近いほう
- **遠位**：体幹から遠いほう
- **頭側**：頭部のほう
- **尾側**：足部または尾部のほう
- **浅**：身体の表面(皮膚)のほう
- **深**：身体の内部(中心)のほう
- **起始**：筋または腱の近位の付着部
- **停止**：筋または腱の遠位の付着部

- 腹臥位：うつ伏せの姿勢
- 背臥位：仰向けの姿勢

骨運動学

▶ 運動面

骨運動学 osteokinematics は，身体の3つの基本面（矢状面，前額面，水平（横断）面）に関連した骨の運動を説明するものである（図1.6，Box 1.1）.

- 矢状面 sagittal plane：身体を左右に分ける面．一般に，屈曲と伸展の運動は矢状面で起こる.
- 前額面 frontal plane：身体を前後に分ける面．ほとんどの外転と内転の運動は前額面で起こる.
- 水平（横断）面 horizontal (transverse) plane：身体を上下に分ける面．肩や股の内・外旋や体幹の回旋等，ほとんどの回旋運動は水平面で起こる.

▶ 解剖学的肢位

図1.6 の解剖学的肢位 anatomic position は，解剖学的説明を行う際や，回転軸，運動面を説明するうえでの基準となる．本書においても，ほとんどは解剖学的肢位を前提として解説した.

▶ 回転軸

関節の回転軸 axis of rotation とは，関節運動の回転中心といえる．したがって回転軸は，運動面に対して常に垂直である．伝統的に身体の運動は，3つの回転軸，前-後方向の軸，内側-外側方向の軸，垂直方向の軸（長軸ともいわれる）のまわりで起こると説明される（図1.7）.

前-後方向の回転軸は，関節の凸部を貫いて，前-後方

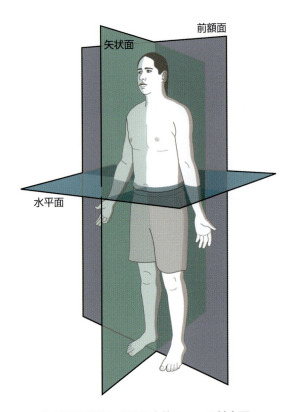

図1.6 解剖学的肢位における人体の3つの基本面
(Neumann DA: Kinesiology of the musculoskeletal system: foundations for physical rehabilitation, ed 2, St Louis, 2010, Mosby, Fig. 1.4 より)

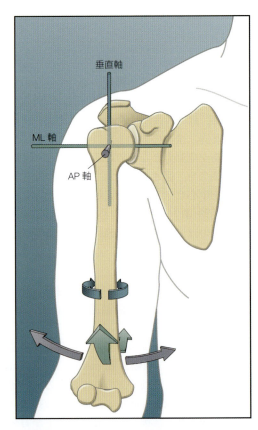

図1.7 回転軸および関連する運動面を強調した右の肩甲上腕（肩）関節
屈曲と伸展（緑色の曲線矢印）は，内側-外側方向（ML）の軸まわりに生じる．外転と内転（紫色の曲線矢印）は，前-後方向（AP）の軸まわりに生じる．内旋と外旋（青色の曲線矢印）は垂直方向の軸まわりに生じる．(Neumann DA: Kinesiology of the musculoskeletal system: foundations for physical rehabilitation, ed 2, St Louis, 2010, Mosby, Fig. 1.5 より改変)

Box 1.1　一般的な骨運動学用語

矢状面	前額面	水平面
● 屈曲と伸展	● 内転と外転	● 内旋と外旋
● 背屈と底屈	● 側屈	● 軸性回旋
● 前屈と後屈	● 尺屈と橈屈	
	● 外がえしと内がえし	

(Neumann DA: Kinesiology of the musculoskeletal system: foundations for physical rehabilitation, St Louis, 2002, Mosby, Table 1.2 より)

用語の多くは，身体の特定の領域に特有なものである．なお通常，**親指** thumb とは呼称せず，第1指あるいは母指という用語を使用する（足では母趾ともいう）.

向に向き，股関節の外転や内転のように，前額面で生じる運動を可能にする．

内側-外側方向の回転軸は，関節の凸部を貫いて，内側-外側方向に向く．内側-外側方向の回転軸は，肘関節の屈曲や伸展のように，矢状面での運動を可能にする．

解剖学的肢位において，垂直(長軸)方向の回転軸は，重力方向に向く．しかし，運動が解剖学的肢位以外で起こる場合があるが(しばしば長軸を回転中心として起こるといわれる)，これは，長軸が骨幹に沿っているからである．長軸を回転中心とした運動は，水平(横断)面で起こる．一般的にこれらは回旋運動とよばれ，左右に身体をよじる体幹の回転や，肩の内側-外側への回転でみられる．これらの軸の概要を，表1.1に示す．

▶ 自由度

自由度 degrees of freedom とは，関節に許された運動面の数をいう．関節は，3つの基本面に対応して，1〜3の自由度をもつ．図1.7に示すように，肩関節は自由度3であるが，これは3つの基本面のすべてにおいて自由に動きうることを意味する．一方，手関節は2つの基本面のみで運動可能なため，自由度2とみなされる．肘関節(腕尺関節)のような関節は，わずか1つの基本面のみで運動可能であり，自由度1であるとみなされる．

▶ 基本的運動

身体の運動に関しては，関節や身体の部位の動きを記述するのに役立つ特有の用語が用いられる．

1. 屈曲と伸展

屈曲および伸展運動は，内側-外側方向の回転軸まわりの矢状面で起こる(図1.8)．通常，**屈曲** flexion とは，ある骨が他の骨の屈側面に近づく際の骨の動きをいう．**伸展** extension は，屈曲の反対の運動で，2つの骨の伸側面が近づくことである．

2. 外転と内転

外転 abduction は，前額面での身体部位の運動で，正中線から離れる運動をいう．一方，**内転** adduction は，正中線に向かう前額面での運動をいう(図1.9)．

例外が手部と足部で生じるが，これらについては別章で述べる．

表1.1 回転軸および関連する運動

回転軸	運動の面	運動の例
前-後方向	前額面	股の外転-内転
		肩の外転-内転
内側-外側方向	矢状面	肘の屈曲-伸展
		膝の屈曲-伸展
垂直(長軸)方向	水平面	肩の内旋-外旋
		体幹の回旋

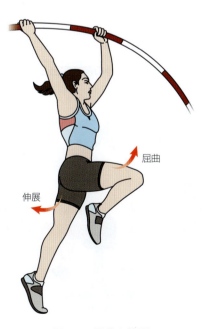

図1.8 屈曲と伸展

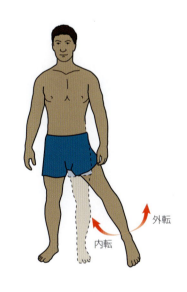

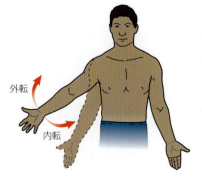

図1.9 外転と内転

3. 回旋

回旋は，骨（または複数の骨）が長軸の回転軸まわりに回転する運動をいう．例えば，頭部と体幹を左右へ回転する運動は，回旋運動と考えられる（**図1.10A**）．四肢の動きは，さらに内旋と外旋に分けられる．

内旋 internal rotation とは，骨の前面が正中線に向かう回転をいう．**外旋** external rotation とは，骨の前面が正中線から離れる回転をいう（**図1.10B**）．

4. 分回し

分回し circumduction とは，2つの基本面を通って円を描く運動をいう．したがって，分回し運動を行うためには自由度2以上が必要である．もしある関節が"空中で円を描く"ことが可能であれば，その関節は"分回し運動ができる"というのが一般的である（**図1.11**）．

5. 前方突出と後退

前方突出 protraction は，地面に平行である水平面で，正中線から離れていく骨の並進運動をいう．**後退** retraction は，逆に，水平面で正中線に向かう骨の運動をいう．これらの用語は，一般には肩甲骨や顎の動きの記述に用いられる（**図1.12**）．

6. 水平内転と水平外転

これらは一般に，水平面での肩の動きを表す（**図1.13**）．肩が外転位（約90°）で，両手を合わせる上肢の

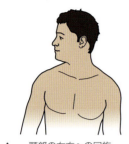

A　頸部の右方への回旋

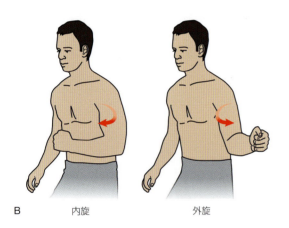

B　　　内旋　　　　　　外旋

図1.10 頭頸部の回旋（A）と肩の内旋と外旋（B）

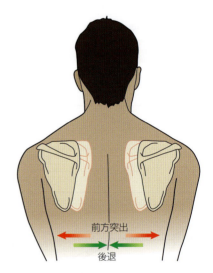

図1.12 肩甲骨の前方突出と後退

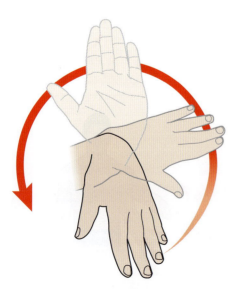

図1.11 手関節の分回し

図1.13 水平内転と水平外転

運動は，水平内転 horizontal adduction という．両手を合わせた上肢が正中線から離れる運動は，水平外転 horizontal abduction という．

7．回内と回外

回内 pronation とは，例えば腕を自然に下ろしている際，手掌を後方に向ける前腕の回転運動である．回外 supination は，手掌を前方に向ける運動である（**図 1.14**）．多くの場合，これらの動きは，身体の前で握ったり持ったりするような活動に手を対応させようとするときに起こるため，回外は手掌を上方に回転させ，回内は手掌を下方に回転させること，と説明される．回内と回外という用語は足部でも用いられる（詳細は第 11 章を参照）．

8．橈屈と尺屈

橈屈と尺屈は，手関節の前額面での動きを指す（**図 1.15**）．橈屈 radial deviation とは手が外側，つまり橈骨のほうへ動くことで，尺屈 ulnar deviation とは手が内側，つまり尺骨のほうへ動くことである．動きはすべて解剖学的肢位で記述されていることに注意する．

9．背屈と底屈

背屈と底屈は，足関節の矢状面での動きである（**図 1.16**）．背屈 dorsiflexion とは足部を上方へ持ち上げる動きをいい，一方，底屈 plantar flexion とは足部を押し下げる動きをいう．

10．内がえしと外がえし

内がえしは足底が内側を向く前額面での動きである．外がえしは逆に，足底が外側を向く運動である（**図 1.17**）．

▶骨運動学：すべては相対的な関係

一般に，2 つの骨の接合が関節を構成する．したがって関節の運動は，どちらの骨の動きであるかによって，2 つの観点から考えられる．近位の骨が相対的に固定した状態での遠位の骨の運動を，**開放運動連鎖** open-chain motion という．反対に，遠位の骨が相対的に固定または静止した状態での近位の骨の運動を，**閉鎖運動連鎖** closed-chain motion という．

図 1.18 は，膝の屈曲を用いてこれら 2 つの異なる運動の観点を表す．A は膝における大腿骨に対する脛骨の屈曲を表し，脛骨（遠位）が相対的に固定された大腿骨（近位）に対して動いていることを示す．この運動は，開放運動連鎖である．B もまた膝の屈曲を表すが，この場合，

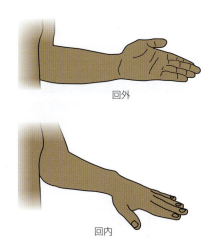

図 1.14　前腕の回外と回内

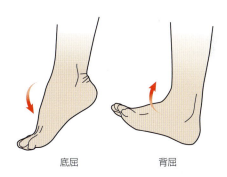

図 1.16　足関節の底屈と背屈

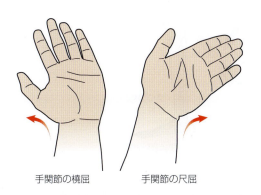

図 1.15　手関節の橈屈（橈側偏位）と尺屈（尺側偏位）

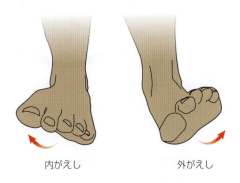

図 1.17　足部の外がえしと内がえし

大腿骨(近位)が相対的に固定された脛骨(遠位)に対して動いている．この運動は，閉鎖運動連鎖であり，また膝における脛骨に対する大腿骨の屈曲ともいう．

これら2つの動きは一見異なるが，どちらの運動も，膝の屈曲の程度は同じである．唯一の違いは，どちらの骨が相対的に動き，どちらの骨が相対的に静止しているか，ということである．

関節運動学

関節運動学 arthrokinematics は，関節面で起こる運動を説明するものである．この概念は，動いている骨の経路のみを説明する骨運動学とは異なる．骨と関節の関係を，水平面でドアが蝶番を軸にして回転することに例えれば，水平面の動きは骨運動に，蝶番の動きは関節運動に該当する．

考えてみよう！>> 開放運動連鎖と閉鎖運動連鎖

開放運動連鎖と閉鎖運動連鎖という用語は，関節運動中においてどちらの骨の動きなのかを示すために，臨床上しばしば用いられる．開放運動連鎖は，近位の骨が相対的に固定された状態での，遠位の骨の運動を指す(図1.18A)．一方，閉鎖運動連鎖は，遠位の骨が相対的に固定された状態での，近位の骨の運動を指す(図1.18B)．

閉鎖運動連鎖を利用した運動は，理学療法で広く用いられる．実際この運動はとても機能的で，体重を負荷できるという利点がある．また，われわれが日常行う動作や運動に単純なものは少なく，身体の各関節が複合して行われる場合が多いため，生体力学的に無理がないという利点もある．

一般に関節面の形状は曲面であり，一方が相対的に凹面，他方が相対的に凸面を有することが多い(図1.19)．関節のこの凹凸関係によって，**適合性** congruency と安定性を高めることで，骨と骨との間での運動が可能になる．関節面で生じる運動は特有の法則に従うが，これは関節の凹面が固定された凸面に対する動きなのか，その逆なのかによって異なる(後述)．

▶ 基本的な関節面の運動

関節面には，**転がり** roll，**滑り** slide，**軸回旋** spin の3つの基本的な運動が起こりうる．

①転がり：回転する一方の関節面上の多数の点が，他方の関節面の多数の点と接する(図1.20A，21A)．
　例：タイヤが舗装道路を回転する．
②滑り：一方の関節面の1点が，他方の関節面の多数の点と接する(図1.20B，21B)．
　例：タイヤが，凍結した舗装道路を回転しないで横滑りする．
③軸回旋：一方の関節面の1点が，他方の関節面の1点と接した状態で回転する(図1.22)．
　例：独楽(こま)が，床の1点で回転する．

1. 転がり-滑りの力学

関節包内の関節面で起こる関節運動学的な動きは，特有の法則に従う．わずかな動きではあるが，これらは正常な関節機能にとって必要な要素である．

法則①　凹面に対して凸面が動く場合
凹の関節面に対して凸の関節面が動く際，転がりと滑りは反対方向に生じる．

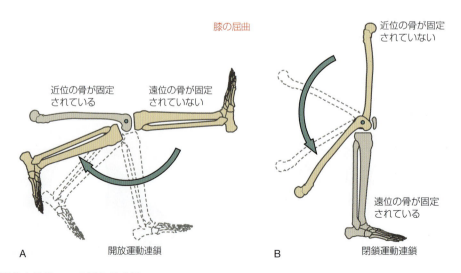

図1.18　膝を屈曲させる2つの異なる方法
A：開放運動連鎖，または大腿骨に対する脛骨の膝の屈曲．B：閉鎖運動連鎖，または脛骨に対する大腿骨の膝の屈曲．(Neumann DA: Kinesiology of the musculoskeletal system: foundations for physical rehabilitation, ed 2, St Louis, 2010, Mosby, Fig. 1.6 より)

運動学　9

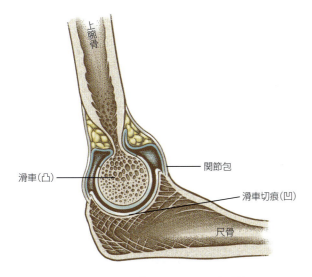

図1.19　関節面の凹-凸関係を示す腕尺（肘）関節
（Neumann DA: Kinesiology of the musculoskeletal system: foundations for physical rehabilitation, ed 2, St Louis, 2010, Mosby, Fig. 1.7 より）

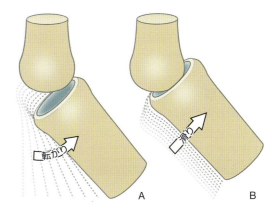

図1.21　凸面に対して凹面が動く際の関節運動
転がり（A）と滑り（B）は，同じ方向に生じる．（Neumann DA: Kinesiology of the musculoskeletal system: foundations for physical rehabilitation, ed 2, St Louis, 2010, Mosby, Fig. 1.8 より）

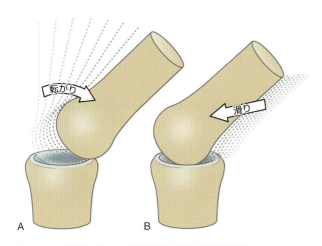

図1.20　凹面に対して凸面が動く際の関節運動
転がり（A）と滑り（B）は，反対方向に生じる．（Neumann DA: Kinesiology of the musculoskeletal system: foundations for physical rehabilitation, ed 2, St Louis, 2010, Mosby, Fig. 1.8 より）

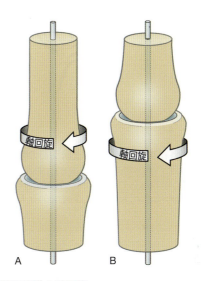

図1.22　関節運動の軸回旋
（Neumann DA: Kinesiology of the musculoskeletal system: foundations for physical rehabilitation, ed 2, St Louis, 2010, Mosby, Fig. 1.8 より）

　図1.20Aは，固定された凹側の関節面上で，凸側の関節面が転がるのを示す．この図で重要なことは，骨が完全に関節の外へ転がり出るということである．図1.20Bは，関節運動学的な転がりに通常伴う，反対方向への滑りを表す．転がりと反対方向への滑りの組み合わせにより，関節面の安定性を保つ．

> **法則②　凸面に対して凹面が動く場合**
> 静止している凸の関節面に対して凹の関節面が動く際，転がりと滑りは同じ方向に生じる．

　図1.21Aは，関節運動学的な滑りがない状態で，凹側の関節面が，相対的に固定された凸側の関節面の下側を転がる様子である．しかしこれでは図1.20Aと同様に，関節脱臼を起こしてしまう．関節面の安定性を保持するためには，この動きに対し同方向への滑りを伴わなければならない．図1.21Bに示されるように，同方向への滑りにより，適切な関節面の適合性と安定性が保たれる．

2．軸回旋の力学

　関節運動学的な軸回旋は，長軸の回転軸を中心として起こり，軸回旋が凹側の関節面に対して生じているのか，あるいは凸側の関節面に対して生じているのかは，関係

しない(図1.22).関節運動学的な軸回旋の例は,近位腕橈関節である.回内および回外運動の際,橈骨頭は自身の長軸の回転軸を中心として,軸回旋する.

▶ 機能的考察

通常,関節面の関節運動学的な転がりと滑りは,意識的な努力は必要ではなく,自然に起こる.これは関節が適切に機能するためには,不可欠である.しかしながらさまざまな理由で,正常な関節の動きが機能異常に陥る可能性がある.適切な転がり-滑りの関節運動が必要となる典型的な例は,肩(肩甲上腕関節)の外転である.図1.23は,肩甲上腕関節が外転する際の正常な動きと異常な動きとを対比させたものである.適切な肩甲上腕関節の外転(図1.23A)では,凸の上腕骨頭の上方の転がりに,下方の滑りを伴う.これらの逆の動きが,上腕骨頭を関節窩の凹面にしっかりと保持する.

図1.23Bでは,下方の滑りがない状態での上方の転がりの結果を示す.相殺する下方の滑りがないと,上腕

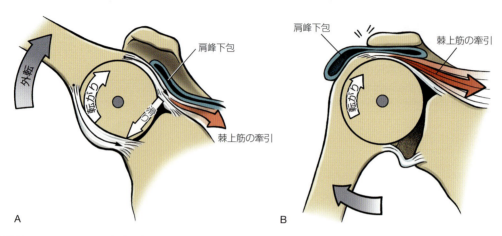

図1.23 肩が外転するときの肩甲上腕関節の関節運動
A:凹面に対して凸面が動くときの適切な関節運動.上腕骨頭の上方への転がりは,下方への滑りによって相殺される.B:下方への滑りによる相殺なしで,上方への転がりが生じた結果.(Neumann DA: Kinesiology of the musculoskeletal system: foundations for physical rehabilitation, ed 2, St Louis, 2010, Mosby, Fig. 1.9 より)

臨床的な視点 >> 関節モビライゼーションと関節運動学

セラピストは,関節可動域が十分でない例にしばしば直面する.多くの原因がありうるが,関節運動学的に不適切な動きが生じたことが一因となった可能性がある.関節モビライゼーションは,正常な関節運動を回復させるのに役立つ方法として,多くのセラピストが用いる治療手技である.

図1.24は,肩の外転が不十分な患者に対して,セラピストが関節モビライゼーション手技を実施しているところを示す.治療の目標は肩の外転を改善することであるが,上腕骨の近位部付近で,セラピストの手により下方へ圧がかけられる.肩を介して下方へ圧を加えることで,徒手的に下方への滑りを与え,これにより上腕骨の外転時に,正常に転がりが生じるようにする.

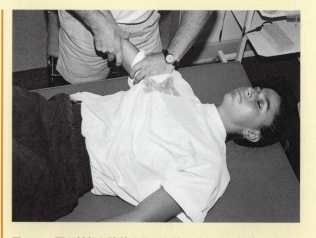

図1.24 肩の外転を改善するのを助けるために関節モビライゼーションを実施するセラピスト
上腕骨頭の上方の転がりが正常に生じるように,徒手による圧が下方への滑りを与える.(Shankman G: Fundamental orthopedic management for the physical therapy assistant, ed 2, St Louis, 2004, Mosby, Fig. 22.38 より)

骨頭は上方へ並進し（転がり），肩峰下包に存在する精巧な構造と**衝突** impinge する．この比較的一般にみられる現象は，インピンジメント症候群として知られ，しばしば肩関節の腱炎や滑液包炎を引き起こす原因となる．

運動力学

　運動力学 kinetics とは，運動を力の原理によって説明する力学の一分野である．それに対しキネシオロジーは，人体の筋骨格系の解剖学的・生理学的特徴を理解したうえで，空間的・時間的変化の中で人の運動をとらえる分野である．身体運動学的観点からは，**力** force とは運動を起こし，変更し，停止させうる**押す力** push，または**引く力** pull とみなされる．それゆえ，力は身体の運動と安定に必要な，根本的な原動力を提供するものといえる．

　身体運動に関して，力は内力と外力とに分類される（**図 1.25**）．**内力** internal force は，身体内部で発生する力である．一般に，内力は筋収縮によって発生する能動的な力であるが，緊張のように靭帯や筋が伸ばされることによってしばしば発生する受動的な力も，同様に内力とみなされるべきである．**外力** external force は，身体外部で生じる力である．例として，重力，スーツケースやバーベル等の外部負荷，そして運動に対するセラピストによる抵抗等が挙げられる．

トルク

　トルク torque とは，回転を起こす力と考えられる．ほとんどすべての関節運動は回転軸を中心として起こるため，関節に作用する内力と外力はトルクとして表される．関節で発生するトルクの量は，①外力の量，②回転軸と力の間の距離によって決まる．この距離はモーメントアームとよばれ，回転軸と力の垂直交線の距離（訳注：回転軸と力の作用線を結んだ垂線の長さ）である．力とモーメントアームの積は，回転軸のまわりで発生するトルク（回転力）に等しい．

　筋等の内力によって発生するトルクは**内的トルク** internal torque とよばれ，重力のような外力によって発生するトルクは**外的トルク** external torque とよばれる（**図 1.26**）．身体または体節の運動は，関節のまわりの内的トルクと外的トルクの競合の結果として生じる．

力 × モーメントアームの長さ＝トルク
筋力 × 内的モーメントアームの長さ＝内的トルク
外力 × 外的モーメントアームの長さ＝外的トルク

考えてみよう！＞＞筋力

　筋力を測定するとは，実際には個人の産生トルクを測定することである．トルクは筋力だけではなく，特定の筋や筋群によって使われるモーメントアームの長さも考慮に入れたものである．個人の機能的な筋力を決定する際，両方の要因とも等しく重要である．
　セラピストは，個人の筋力を測定するために，徒手筋力検査を行う．力の産生と対応する筋の内的モーメントアームは，筋の長さと関節角度に大きく左右されるため，より信頼性ある測定値を得るために，標準的で特異的な肢位（関節角度）が用いられる．

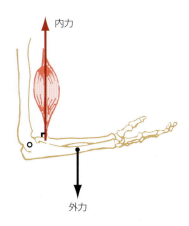

図 1.25　矢状面での上肢
上腕二頭筋による内力と，重力による外力を示す．(Neumann DA: Kinesiology of the musculoskeletal system, foundations for physical rehabilitation, ed 2, St Louis, 2010, Mosby, Fig. 1.15A より)

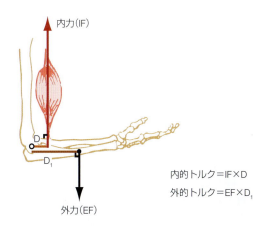

内的トルク＝IF×D
外的トルク＝EF×D₁

図 1.26　肘の内側-外側方向の回転軸まわりに発生する内的トルクと外的トルク
内的トルクは，内力（上腕二頭筋による）と内的モーメントアーム（図のD）の積である．外的トルクは，外力（重力）と外的モーメントアーム（図のD₁）の積である．(Neumann DA: Kinesiology of the musculoskeletal system: foundations for physical rehabilitation, ed 2, St Louis, 2010, Mosby, Fig. 1.17 より改変)

生体力学的てこ

内力と外力の相互作用が，最終的に人体の運動と姿勢を制御する．先に述べたように通常，内力は筋活動から生じるが，外力は重力等のように外部から生じる．骨のてこの機構を介して，これらの競合する力は，関節の回転軸にある回転中心や作用点と相互に作用する．

これらのてこの機構（**生体力学的てこ** biomechanical lever）を介して，内力と外力は内的トルクと外的トルクに変換され，最終的に関節の運動や回転を起こす．

▶3種類のてこ

てこには，第1種，第2種，第3種の3種がある．てこの概念は，元は道具の設計のために定義されたものであるが，この概念は筋骨格系にも同様にあてはまる．**図1.27**は，身体における3種のてこの仕組みを示す．

1. 第1種てこ

第1種てこ first-class lever は，回転軸（支点）が内力と外力の間にあることから，シーソーに類似しているといえる．例として，頭部の重量を支える頸部の伸筋が挙げられる（**図1.27A**）．筋の力は，**内的モーメントアーム** internal moment arm（IMA）として使用されることに注目しよう．というのも，重力（頭部の質量中心に作用する）は，対照的に**外的モーメントアーム** external moment arm（EMA）として作用するからである．

2. 第2種てこ

第2種てこ second-class lever は，回転軸が骨のてこの一端にあり，外的モーメントアームよりも内的モーメントアームのほうが常に長い．このてこの仕組みは，比較的小さい力でより大きな外的負荷を持ち上げることができるため，しばしば**質の高いてこ** good leverage を提供するといわれる．**図1.27B**は，第2種てこの仕組みの例として，底屈筋を手押し車と比較している．第2種てこで提供される質の高いてこの作用によって，体重は，底屈筋が生み出す比較的小さな力で，より容易に持ち上がる．第2種てこが提供する強いてこの作用は限られた運動の範囲である．例えば，人がつま先立ちするとき，身体はわずか10～15cmしか持ち上がらない．

3. 第3種てこ

第3種てこ third-class lever も，回転軸が骨のてこの一端にある．しかし，内的モーメントアームは外的モーメントアームよりも常に短い（**図1.27C**）．第3種てこの仕組みでは，重力が筋よりも高いてこ比をもつ．言い換えれば，小さい外的負荷を持ち上げるのに，外的負荷の重量よりも相対的に大きな筋の力が必要となる．第3種てこは作用効率が悪いてこだが，最小の筋の短縮でかなりの速さと広い運動範囲を生み出す．例えば，腕をまっ

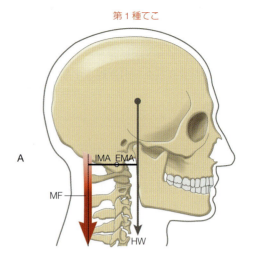

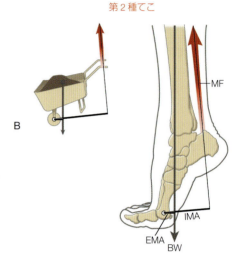

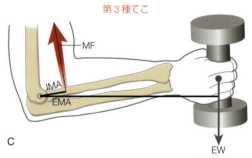

図1.27 第1種てこ（A），第2種てこ（B），第3種てこ（C）の仕組み

小さな白色の円が各関節の回転軸を表すことに注目しよう．BW：体重，EMA：外的モーメントアーム，EW：外部の重さ，HW：頭部の重さ，IMA：内的モーメントアーム，MF：筋の力．（Neumann DA: Kinesiology of the musculoskeletal system: foundations for physical rehabilitation, ed 2, St Louis, 2010, Mosby, Fig. 1.23 より）

すぐ伸ばした位置から素早く肘を曲げると，手で肩に触れられる．これには，肘関節で約140°の動きが必要で，通常は終わるのに1秒もかからない．この概念は章が進むにつれて検討される．

▶生体力学的てこ：力，速さ，可動域のどれを優先させるか？

内的モーメントアームが外的モーメントアームより長い筋骨格系のてこ(第2種てこ)は，小さな筋の(内的)力がより大きな外的負荷を動かすことができるため，質の高いてこの作用(または力の有利性)をもつといわれる．対照的に，内的モーメントアームが外的モーメントアームより短いてこ(つまり第3種てこ)は，速さと可動域に関して有利で，骨の遠位端(肘に対する手部)が，筋収縮よりも長い距離をより速く動くことを意味する．

速さと距離に有利なてこはすべて，筋力の需要が増えることと引き換えに，速さと距離の有利性を得る．逆に，力に有利なてこはすべて，てこの遠位端の距離と速さが減少することと引き換えに，力の有利性を得る(第1種てこは支点の位置によって，第2種または第3種てこのどちらか一方と同様に機能しうる点に注意しよう)．**表 1.2**では，第1種てこ，第2種てこ，第3種てこそれぞれの，生体力学的な利点と欠点を比較した．

力学的要求に従って，身体の関節は第1種てこ，第2種てこ，第3種てこのうちのどれかに設計されている．骨の遠位端が速く大きく移動する必要がある筋と関節は，通常，第3種てことして設計される(**図 1.27C**)．それに対し，速さと距離の有利性よりも力の有利性を得ようとする筋と関節は，通常，第2種てことして設計される(**図 1.27B**)．

身体における骨のてこの仕組みは，開放運動連鎖で機能するとき第3種てこが圧倒的多数を占める．というのも，生理学的な筋収縮の速さよりも，通常，四肢の遠位端を速く動かす必要があるからである．例えば，**上腕二頭筋** biceps の収縮は毎秒 10 cm 程度しかないが，手は毎秒およそ 60 cm の速さで垂直に持ち上げることができる．これと逆の状況は，実用的でないばかりでなく，生理学的にありえない．物体を押したり，大きな力を与えたりするには，手や足を大きく速く動かす必要があり，歩行時や走行時に足を素早く進める場合も同様である．

前述のように，身体の多くの生体力学的てこは第3種てこであるため，ほとんどの場合，筋は持ち上げる負荷よりも大きな力を発揮しなければならない．筋は通常，てこの遠位端を速く大きく動かすために，高い**力という税金** force tax を自ら望んで支払う．一方，関節(の接合部)は，その高い負担に耐えられなければならない．その方法は，関節面と骨面から伝わる大きな筋力を分散することである．この目的のために，ほとんどの関節(の接合部)は，比較的厚い関節軟骨によって覆われ，滑液包をもち，滑液を含む．これらがなければ，筋が生み出す大きな力によって，関節を構成する靱帯，腱，骨に過度の摩耗と靱帯の断裂を招き，関節の変性や骨関節炎に至る可能性がある．

牽引線

筋の**牽引線** line of pull は，**力線** line of force ともよばれるが，筋の力の方向を表し，しばしばベクトル(矢印)として表現される．筋の牽引線と関節の回転軸との関係により，特定の筋が生み出す作用が決定される．筋の牽引線を分析することによって，学生やセラピストが単なる暗記に頼ることなく，身体のあらゆる筋のさまざまな作用を把握できるようになる．

以下では，肩の筋を例に解説する．

表 1.2 てこの種類による生体力学的利点と欠点

てこの種類	利点	欠点	例
第1種てこ	さまざま(軸の配置による)	さまざま(軸の配置による)	・頭部を伸展する僧帽筋上部線維 ・シーソー
第2種てこ	比較的小さな筋力による	てこの遠位端は，筋の短縮(収縮)よりも動きが遅い	・足関節を底屈する腓腹筋(つま先での立位) ・一輪車
第3種てこ	てこの遠位端での移動(可動域)と速さにおいて，非常に好都合	比例して，より大きな筋力が必要	・肘を屈曲する上腕二頭筋 ・膝を伸展する大腿四頭筋

考えてみよう！ >> その仕事に最適な筋の選択：上腕二頭筋 vs 腕橈骨筋

身体の大部分の筋骨格系てこは，第3種てことして機能するが，第3種てこを用いる筋はそれぞれ異なり，したがって，内的モーメントアームの長さも異なる．そのため，同じ第3種てこであっても，筋によっては力あるいは速さと距離のどちらかに，わずかに有利になる可能性がある．

図1.28は，2つの異なる肘の屈筋（上腕二頭筋と腕橈骨筋）を比較することで，この概念を示した．どちらの筋も，肘の軸から38 cm離れたところで4.5 kgのおもりを支持する．おもりを支えるために，どちらの筋も170 kg・cmの内的トルクを産生する．上腕二頭筋の内的モーメントアームはわずか2.5 cmしかないために，68 kgの力を出さなければならない（**図1.28A**）．しかし，腕橈骨筋の内的モーメントアームは7.5 cmと長いため，力に関して有利であり，23 kgの力しか必要としない（**図1.28B**）．

図1.29は，さらにこれら2つの筋を，速さと距離に関して比較している．図示したように，上腕二頭筋は2.5 cmの収縮によって手を38 cm持ち上げるが（**図1.29A**），腕橈骨筋は（同じく2.5 cm収縮するが），ちょうど13 cm（1/3の距離）しか持ち上げない（**図1.29B**）．もし両方の筋が同じ速さで収縮すると，上腕二頭筋は手（とおもり）を腕橈骨筋の3倍の速さで持ち上げることになる．明らかに，上腕二頭筋は把持した物体の移動と速さに関して有利であり，一方，腕橈骨筋は力をより必要としないという利点がある．

神経系は，とりかかろうとしている仕事に力が必要か，あるいは速さと可動域が必要かによって，その仕事に最も効率的な筋を決定し活動させる，ということは興味深い．

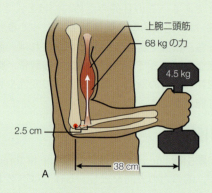

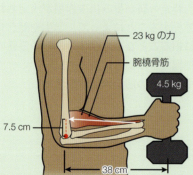

図1.28 第3種てこの作用

違う長さの内的モーメントアームをもつ，2つの異なる肘の屈筋の例．同じ重さを持ち上げるのに，上腕二頭筋の小さい内的モーメントアーム（A）では，腕橈骨筋の筋力（B）の3倍を必要とする．腕橈骨筋の3倍の力の有利さは，内的モーメントアームの長さが3倍であることによる．

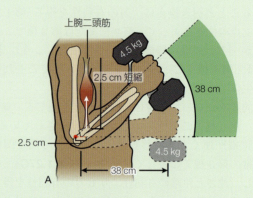

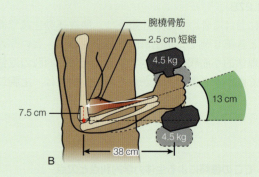

図1.29 異なる長さのモーメントアームをもつ2つの筋が，同じ量だけ短縮したときに生じる，前腕の遠位端での速さと距離の違い

A：上腕二頭筋が2.5 cm短縮（収縮）するとおもりを38 cm上方へ持ち上げる．B：対照的に，腕橈骨筋が2.5 cm短縮しても，おもりはわずか13 cmしか持ち上がらない．

運動力学　15

▶ 内側-外側方向の回転軸に関する牽引線

関節の内側-外側方向の回転軸に対して前方への牽引線をもつ筋は，矢状面で屈曲を生じる．この例は，図1.30Aにおいて赤矢印で示されている三角筋の前部線維である．

逆に，例えば三角筋の後部線維のように，内側-外側方向の回転軸に対して後方へ向かう牽引線は，矢状面で伸展を生じる（図1.30B）．

▶ 前-後方向の回転軸に関する牽引線

関節で，前-後方向の回転軸に対して上方または外側を通る牽引線をもつ筋は，前額面で外転を生じる．この例は，図1.31Aにおいて赤矢印で描かれている三角筋の中部線維である．

対照的に，図1.31Bにおいて赤矢印で描かれている大円筋のような筋は，前-後方向の回転軸と比較して相対的に下方および内側へ向かう牽引線をもつ．この牽引線は，前額面での内転を生じる．

▶ 垂直方向の回転軸に関する牽引線

筋はしばしば骨に巻きついているため，牽引線に関して特定の方向を述べることは容易ではない．このことは，垂直方向の回転軸のまわりに機能する筋に関しては，特に明白である．しかし，いったん垂直方向の回転軸に

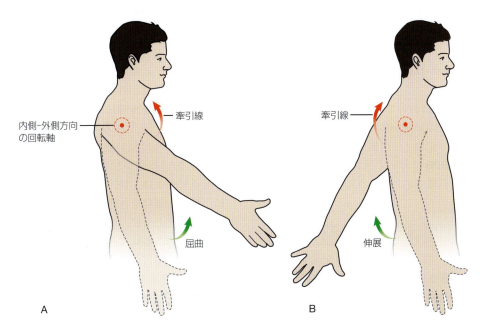

図1.30　矢状面の屈曲(A)と伸展(B)を生じる内側-外側方向の回転軸まわりの牽引線

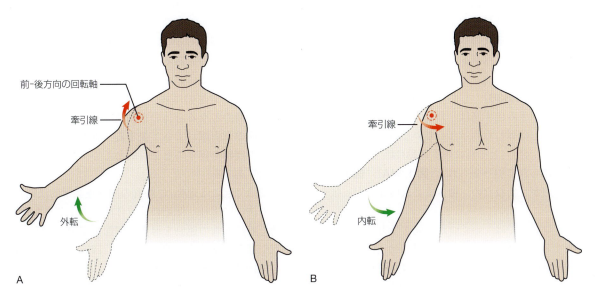

図1.31　前額面の外転(A)と内転(B)を生じる前-後方向の回転軸まわりの牽引線

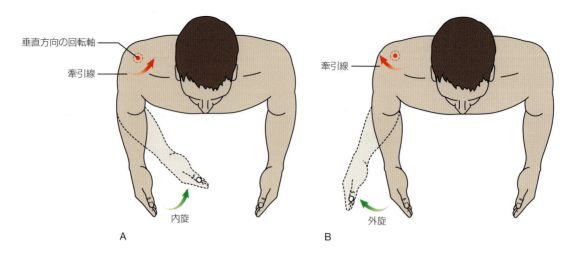

図1.32　水平面の内旋(A)と外旋(B)を生じる垂直方向の回転軸まわりの牽引線

関する筋の牽引線がわかれば，その機能を予測することは比較的容易である．

例として，図1.32Aにおいて三角筋の前部線維について考えた場合，赤矢印で描かれた牽引線で示したように，この筋は垂直軸のまわりに内旋を生じることがわかる．対照的に，図1.32Bにおいて三角筋の後部線維は，赤矢印で描かれた牽引線で示したように，肩の外旋を生じる．

ベクトル

ベクトル vector は，力の大きさと方向を表すために用いられる．力の大きさはベクトル線の相対的な長さで示され，方向は矢印の向きで示される．

図1.33は，2つの異なる筋が同じ骨を引っ張っているところを表し，2つの異なる力を緑色で示した．これら2つの筋のベクトルを合わせた力が，**合力** resultant force（黒矢印）である．合力とは，文字通り個々の力のベクトルを合わせた結果とみなせる．

この例では，それぞれのベクトルが同等なため，合力ベクトルは2つの合成ベクトルの中央に正確に導かれており，これは2人がロープで物体を同じ力で引っ張るのに例えられる（図1.33B）．しかし，キネシオロジーの研究では，作用を生み出す筋は，力と牽引線のどちらの点からも，しばしば等しく釣り合っていない．筋力が釣り合わない場合，合力（とそれに続く運動）は，力の強い筋のほうへ曲げられて引っ張られる（図1.34A）．図1.34Bは同様に，力が2倍なため，物体は2人の側へ引っ張られる．

キネシオロジーでは，いくつかの筋が多方向へ引く影響を研究するために，しばしばベクトルが用いられる．例えば，三角筋の前部線維と後部線維は，潜在力はほぼ等しいが，向きが反対の牽引線（ベクトル）をもつ．このようなバランスのうえに成り立つ筋系が不調をきたすこ

とは，臨床的にはめずらしいことではない．例えば，三角筋の後部線維が外傷や疾病で弱化すると，三角筋の前部線維は肩の運動時に生み出される力において，これまでよりずっと支配的な役割を担うこととなる．その結果，肩の動きは強い筋のほう（この場合，三角筋の前部線維のほう）へ引かれることとなる．

セラピストは，筋力の潜在的な不均整をみつけるために，患者の運動を注意深く観察しなければならない．時間の経過とともに，姿勢は強い筋群のほうへ偏るようになり，このことにより，すべての領域の運動で，痛みを伴った機能障害が生じる可能性がある．

まとめ

キネシオロジー（身体運動学）において，身体は筋を原動力として，骨というレバー（てこ）を回転させる生物学的な機械とみなされる．これらの筋骨格系てこの中には，大きなトルクを発生するように設計されているものもあれば，高速あるいは長い距離を生み出すように設計されているものもある．

身体あるいは体節が，一平面上のみを動くことはめったにないが，運動は3つの基本面を用いて説明される．筋が原動力となる身体の自動運動は，関節の回転軸に対する筋の牽引線によって決まる．本書の大部分は，この概念の理解を促すことを目的として，筋の種々の機能に焦点をあてる．

関節で起こる運動は，特有の関節運動学的法則に従い，この法則により，関節の遠位体節がさまざまな運動面で動く際にも骨の運動を導き，関節を安定させる．骨の配列や靱帯の支持等の他の要因が，四肢や体節の可能な動き（自由度）を決定する．

本書は個々の関節や身体の各領域のキネシオロジーについて論じることになるが，キネシオロジーに関する研

究は，筋骨格系の形態や機能の適用に焦点をあてるものである．単一の筋が単独で作用することはほとんどなく，ある関節の運動が他の関節に影響を与えないということもない．本章で論じた原則が，身体のさまざまな関節や領域に適用されることを学習するにつれて，次第に理解が深まるものとなるはずである．

確認問題

1 ▶ 前-後方向の回転軸まわりに起こる運動はどれか.
  ⓐ 肩の外転
  ⓑ 尺屈
  ⓒ 肘の伸展
  ⓓ aとb
  ⓔ bとc

2 ▶ 筋の牽引線が股関節内-外旋の回転軸の後方を通る場合，起こる運動はどれか.
  ⓐ 股関節の外転
  ⓑ 股関節の伸展
  ⓒ 股関節の内旋
  ⓓ 股関節の屈曲

3 ▶ 関節の凸面が，相対的に静止している凹面に対して動くとき，関節運動学的な転がりと滑りはどのようになるか.
  ⓐ 同じ方向に生じる
  ⓑ 反対方向に生じる

4 ▶ 筋の近位付着部を意味する用語はどれか.
  ⓐ 尾側
  ⓑ 停止
  ⓒ 頭側
  ⓓ 起始
  ⓔ aとb

5 ▶ てこの仕組みのうち，常に質の高いてこの作用を提供して，外的負荷を小さい力で持ち上げるのはどれか.
  ⓐ 第1種てこ
  ⓑ 第2種てこ
  ⓒ 第3種てこ

6 ▶ 筋が産生するトルクは，どれによって算出されるか.
  ⓐ 筋力÷内的モーメントアームの長さ
  ⓑ 筋力×外的モーメントアームの長さ
  ⓒ 筋力÷外的モーメントアームの長さ
  ⓓ 筋力×内的モーメントアームの長さ

7 ▶ 閉鎖運動連鎖の説明で，正しいのはどれか.
  ⓐ 開放運動連鎖よりも常に大きな可動域を提供する
  ⓑ 関節の遠位の骨が，静止している近位の骨に対して動くときに生じる
  ⓒ 関節の近位の骨が，固定された遠位の骨に対して動くときに生じる
  ⓓ 一般に，患者の治療には使われない

8 ▶ 正しいのはどれか.
  ⓐ 手関節は肘に対して浅部である
  ⓑ 手関節は肘に対して近位である

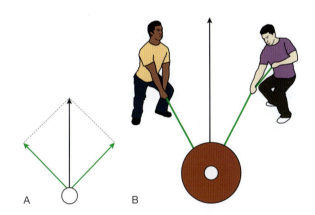

図1.33 2つの同じ大きさのベクトル（緑色の矢印）が生み出す合力（黒色の矢印）（A）と2つの力のベクトルが，2つのベクトルのどちらかに偏ることなく，その中央で重荷を動かす例（B）

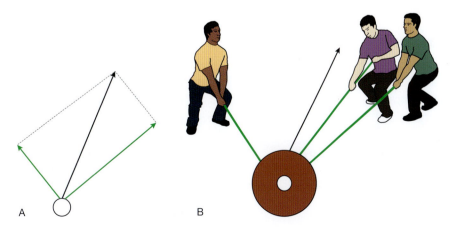

図1.34 強いベクトルのほうへ偏った合力（黒色の矢印）を生み出す，大きさが等しくない2つのベクトル（緑色の矢印）（A）と強いほうへ引かれる合力を示す例（B）

c 手関節は肘に対して頭側である
d 手関節は肘に対して遠位である
e aとb

9 ▶ 肩の内旋は，どの回転軸のまわりに生じるか．
a 前-後方向
b 内側-外側方向
c 長軸（垂直）方向
d 相反方向

10 ▶ 骨運動学は，何を記述するか．
a 関節面の間で生じる運動
b 3つの基本面に関する骨の運動
c 関節を通して筋から伝達される力
d 内的モーメントアームに作用する筋収縮の力

11 ▶ 正しいのはどれか．
a 筋の近位の付着部は停止という
b ベクトルは力の大きさと方向を表す
c 股の屈曲は前額面で生じる
d 閉鎖運動連鎖とは，固定された近位の骨に対して遠位の骨が動くことをいう
e cとd

12 ▶ 正しいのはどれか．
a 膝の屈曲は前額面で生じる
b 第2種てこは可動域と速さに有利である
c 座位から立位への移行は閉鎖運動連鎖の一例である
d 第2種てこは一輪車に類似している
e cとd

13 ▶ 前額面で生じる運動はどれか．
a 肩の内転
b 股の屈曲
c 前腕の回内
d aとc
e bとc

14 ▶ 長軸（垂直軸）まわりに生じる運動はどれか．
a 肩の内旋
b 肩の伸展
c 股の屈曲
d 股の外転

15 ▶ 矢状面で生じる運動はどれか．
a 股の伸展
b 肩の屈曲
c 肩の内旋
d aとb
e a〜cのすべて

16 ▶ 垂直方向の回転軸まわりに生じる運動はどれか．
a 肩の内旋
b 肩の外旋
c 頭頸部の回旋
d aとb
e a〜cのすべて

17 ▶ 前-後方向の回転軸まわりに生じる運動はどれか．
a 股の伸展
b 前腕の回外
c 股の外転
d 肩の内旋

18 ▶ 内側-外側方向の回転軸に対して前方を通る筋の牽引線によって生じる運動はどれか．
a 股の屈曲
b 肩の伸展
c 底屈
d 肩の内転

19 ▶ 肩の内転筋に対する拮抗筋はどれか．
a 肩の外転筋
b 肩の屈筋
c 肩の伸筋
d 肩の内旋筋

20 ▶ 第3種てこは，力よりも速さと距離において有利である．
a 正しい
b 誤り

21 ▶ 内側-外側方向の回転軸まわりに対して前方を通る筋は，矢状面での運動を生じる．
a 正しい
b 誤り

22 ▶ 筋力という用語は，単に筋が産生できる力を指し，産生トルクは意味しない．
a 正しい
b 誤り

23 ▶ 合力とは，組織の弾性によって失われる力の合計をいう．
a 正しい
b 誤り

24 ▶ 第1種てこは，距離において常に有利である．
a 正しい
b 誤り

25 ▶ 他動運動とは，筋活動によって生じる身体運動以外の，身体運動を生じる力をいう．
a 正しい
b 誤り

26 ▶ 自由度2の関節は，3つの基本面すべてにおいて随意運動ができる可能性がある．
a 正しい
b 誤り

27 ▶ 関節が分回し運動を行うには，少なくとも2つの基本面での運動が可能でなければならない．
a 正しい
b 誤り

28 ▶ 静止している関節の凸面に対して凹面が動くとき，関節運動学的な転がりと滑りは同じ方向に生じる．
   ⓐ 正しい
   ⓑ 誤り

29 ▶ 手部が固定されていない状態での肘の屈曲や伸展のような運動は，閉鎖運動連鎖の一例である．
   ⓐ 正しい
   ⓑ 誤り

30 ▶ 座位から立位になる場合は，閉鎖運動連鎖の一例である．
   ⓐ 正しい
   ⓑ 誤り

31 ▶ 肘関節90°屈曲位のとき，前腕の回外とは手掌が床に向くように手掌を下方に回す運動をいう．
   ⓐ 正しい
   ⓑ 誤り

参考文献

Cameron, M.H. (2012) Physical agents in rehabilitation: from research to practice (4 th ed.). St Louis: Elsevier.

Greene, D. & Roberts, S. (2005) Kinesiology: movement in the context of activity (2nd ed.). St Louis: Mosby.

Kolt, S.K. & Snyder-Mackler, L. (2007) Physical therapies in sport and exercise. Philadelphia: Churchill Livingstone.

Mosby's medical dictionary. (2005) (7 th ed.) Philadelphia: Mosby.

Neumann, D.A. (2012) Arthrokinematics: flawed or just misinterpreted? Journal of Orthopaedic and Sports Physical Therapy, 34, 428-429.

Neumann, D. (2017) Kinesiology of the musculoskeletal system: foundations for physical rehabilitation (3rd ed.). St Louis: Elsevier.

Rasch, P. (1989) Kinesiology and applied anatomy. Philadelphia: Lea & Febiger.

Smith, L.K., Weiss, E.L. & Lehmkuhl, L.D. (1983) Brunnstrom's clinical kinesiology. Philadelphia: FA Davis.

第 2 章

関節の構造と機能

▶ 本章の概要

軸性骨格と付属性骨格
　骨：解剖と機能
　骨の種類
関節の分類
　不動関節
　半関節
　可動関節：滑膜関節

結合組織
　結合組織の構成
　結合組織の種類
　機能的考察

まとめ
確認問題
参考文献

▶ 学習目標

- 軸性骨格と付属性骨格の構成を述べることができる．
- 骨の主な構成要素を，明確に述べることができる．
- 主な5種類の骨を述べることができる．
- 関節を大きく3つに分類し，それぞれの解剖学的な例を挙げることができる．
- 滑膜関節の構成要素を説明できる．
- 可動性（自由度）と安定性の観点から，7種類の滑膜関節を述べることができる．
- 7種類の滑膜関節について，それぞれの解剖学的な例を挙げることができる．
- 結合組織の主な3種類の素材を述べることができる．
- 腱と靱帯が，関節構造をどのように支持しているか説明できる．
- 関節を安定させるために，筋がどのように役立つか説明できる．
- 関節の固定による結合組織への影響について述べることができる．

🔑 キーワード

海綿骨	骨端	軸性骨格	皮質（緻密）骨
可動関節	骨内膜	髄管	付属性骨格
関節軟骨	骨膜	半関節	不動関節
骨幹			

　関節 joint は，骨運動において回転中心として作用する，2つまたはそれ以上の**骨の接合** articulation，あるいは**連結** junction である．身体全体，あるいは個々の体節の運動は，それぞれの関節で骨が回転することによって生じる．関節は，その解剖学的な構造によって，可動域や自由度等，あらゆる潜在的な機能が決定される．

　本章では，個々の体節と身体全体の運動を理解する基礎を築くために，関節の基本構造と機能を概観する．

軸性骨格と付属性骨格

　骨格系の骨は，軸性骨格と付属性骨格という2つのカテゴリーに分類される．**軸性骨格** axial skeleton は，頭蓋骨，舌骨，胸骨，肋骨，および仙骨と尾骨を含む脊柱からなり，身体の中心の骨性の軸を形成する．**付属性骨格** appendicular skeleton は，付属器または四肢の骨からなる．肩甲骨と鎖骨を含むすべての上肢の骨と，骨盤を

含むすべての下肢の骨は付属性骨格の一部である．

図2.1では，軸性骨格と付属性骨格を区別し，身体の主な骨を示した．

骨：解剖と機能

骨は身体の硬い骨格をつくり，筋によってこの仕組みを可能にする．骨には，皮質（緻密）骨と海綿骨（図2.2）という，主な2つの組織がある．

皮質（緻密）骨 cortical (compact) bone は，密度が比較的高く，通常は骨の最外部を形成する．皮質骨は非常に強固で，特に骨の長軸方向の圧力を吸収することに関して強力である．

海綿骨 cancellous bone は多孔性で，通常は骨の内側部を構成する．孔が多くクモの巣のような構造なため，骨が軽くなるだけでなく，力学的支柱に類似した構造となり，関節軟骨に覆われた荷重面への力の方向を変える．

骨を健康で完全な状態に保つために重要となる構造上の特徴が，ほとんどの骨に共通して存在する．図2.3では，骨の主な構成要素を示した．

骨幹 diaphysis とは，骨の中央の軸（幹）となる部分であるが，空洞の厚い管状で，荷重による負荷に耐えられるよう大部分が皮質骨からなる．**骨端** epiphysis は，骨

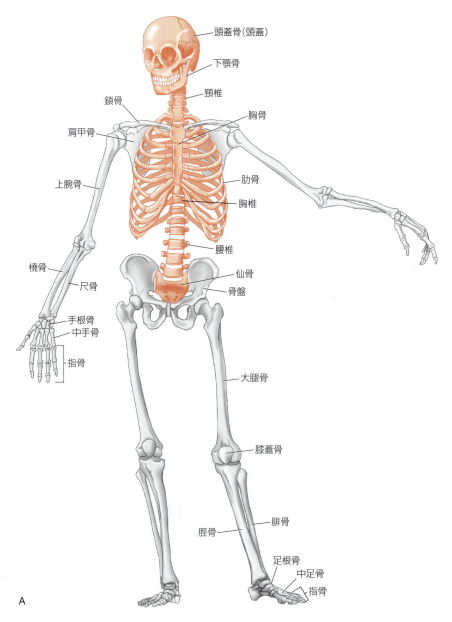

図2.1　軸性骨格（赤色）と付属性骨格（灰色）
A：前面．

軸性骨格と付属性骨格　23

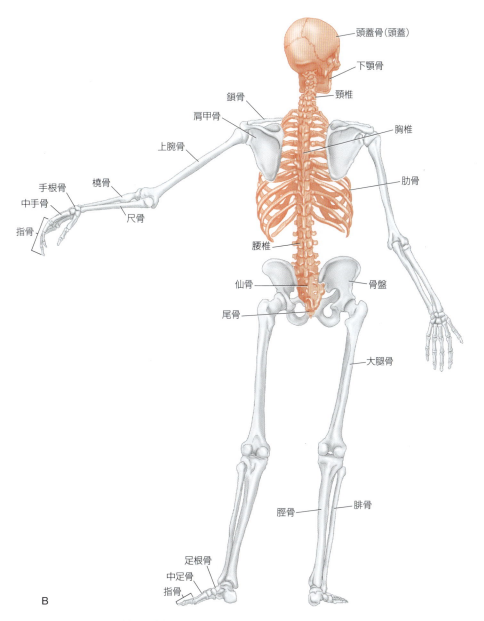

図 2.1　軸性骨格（赤色）と付属性骨格（灰色）（続き）
B：後面．（Muscolino JE: Kinesiology: the skeletal system and muscle function, St Louis, 2006, Mosby, Figure 4.2 より）

幹（幹）に続いて広がった部分である．各長骨には，近位および遠位の骨端がある．骨端は，主に多孔性の海綿骨からなる．各骨端は，通常は他の骨と接合して関節を形成し，荷重による力を身体の各部に伝達する．**関節軟骨** articular cartilage は，それぞれの骨端の関節面を覆い，関節において衝撃吸収（緩衝）装置としての役割を果たす．

長骨は，**骨膜** periosteum という薄いが丈夫な膜に覆われている．血管と神経が非常に多く分布するこの膜は，筋と靱帯を骨にしっかり付着させる．**髄管** medullary canal（**髄腔** medullary cavity）は，長骨の骨幹にある中心部の空洞の管である．ここは，**骨髄** bone marrow を格納し，栄養を運ぶ動脈が通る．**骨内膜** endosteum は，髄管の表面を覆う膜である．骨の形成や修復にとって重要な多くの細胞が，骨内膜の中にある．

骨は，内力や外力に応じて常に再構築（リモデリング）される動的な組織である．これは，臨床的に重要な事実である．というのも，骨は，荷重および筋収縮により生じる力によって強くなる一方で，関節固定や荷重制限が続いたり，あるいは床上安静が続いている人たちにみられるような不活動の状態が長期にわたって続くと，非常に弱くなるからである．

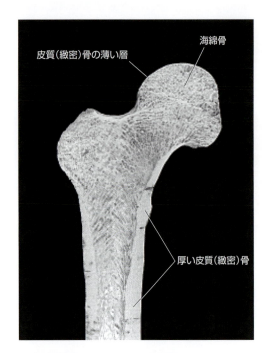

図 2.2 大腿骨近位部の内部構造（断面）
骨幹部を取り囲む皮質（緻密）骨の厚い領域と，内部の大部分を占める格子のような海綿骨がみられる．（Neumann DA: An arthritis home study course. The synovial joint anatomy, function, and dysfunction, Lacrosse, WI, 1998, The Orthopedic Section of the American Physical Therapy Association より）

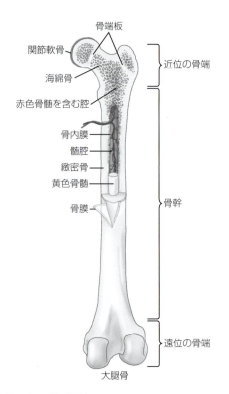

図 2.3 骨の主な構成要素
（Muscolino JE: Kinesiology: the skeletal system and muscle function, St Louis, 2006, Mosby, Fig. 3.2 より）

骨の種類

骨は構造や形状によって，**長骨** long bone，**短骨** short bone，**扁平骨** flat bone，**不規則骨** irregular bone，**種子骨** sesamoid bone という，5つの基本分類に分けられる（**図 2.4**）．

付属性骨格の大多数は，長骨である．長骨は文字通り長く，明瞭な長軸または幹にあたる部分がある．通常，長骨の骨幹の両端には広がった部分があり，他の骨と接合して関節を形成する．身体には多数の長骨があり，大腿骨，上腕骨，中手骨，橈骨等が挙げられる．

短骨は短く，通常はその長さ，幅，高さが等しい．手根骨は，短骨のよい例である．

肩甲骨や胸骨のような扁平骨は，平ら，または少し弯曲している．扁平骨には幅広い面があり，しばしば，筋が広範囲に付着する．

不規則骨には，文字通り多種多様な形状と大きさをもつものが含まれる．不規則骨の例として，椎骨，顔と頭蓋の骨の大部分，および種子骨が挙げられる．

種子骨は不規則骨の下位のカテゴリーで，小さくて丸い外観がゴマの種子に似ることから名づけられた．種子骨は，腱（筋の両端にある結合組織）の中にあり，腱を保護し，筋の力を増大させるのに役立つ．例えば**膝蓋骨** patella（knee cap）は，身体の中で最大の種子骨であるが，大腿四頭筋の腱の中に埋まっている．膝蓋骨によって，四頭筋の力線と回転軸との距離（内的モーメントアーム）は長くなる．その結果，膝蓋骨は四頭筋のトルク産生を増加させる．また膝蓋骨は，膝の屈伸時に生じる圧迫力や剪断力の一部を吸収し，大腿四頭筋腱を保護する．

関節の分類

関節は一般に，解剖学的構造，および可能となる運動によって分類される．これに従い，身体の関節は**不動関節** synarthrosis，**半関節** amphiarthrosis，**可動関節** diarthrosis の3つに分類される．

不動関節

不動関節 synarthrosis とは，ほとんど可動性がない，もしくはまったく可動性がない骨の連結である．例として，頭蓋の縫合や遠位脛腓関節がある．

不動関節の主な機能は，骨をしっかりと結びつけ，ある骨から他の骨へ力を伝達することである（**図 2.5**）．

半関節

半関節 amphiarthrosis とは，主に線維軟骨とガラス（硝子）軟骨からなる関節である．これらの関節は動きの範

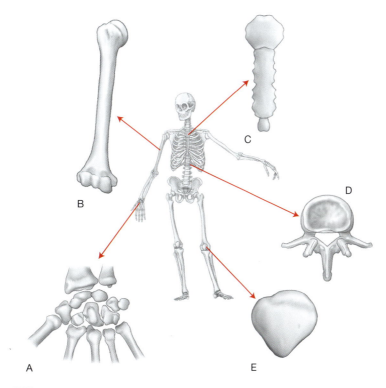

図 2.4　主な 5 種類の骨の特徴
A：短骨，B：長骨，C：扁平骨，D：不規則骨，E：種子骨．(Muscolino JE: Kinesiology: the skeletal system and muscle function, St Louis, 2006, Mosby, Fig. 3.1 より)

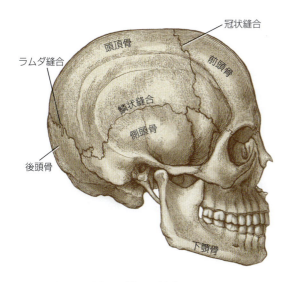

図 2.5　不動関節の例：頭蓋骨の縫合

(Neumann DA: Kinesiology of the musculoskeletal system: foundations for physical rehabilitation, ed 2, St Louis, 2010, Mosby, Fig. 9.2 より)

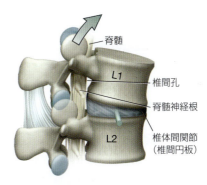

図 2.6　半関節の例：腰椎椎間関節

(Neumann DA: Kinesiology of the musculoskeletal system: foundations for physical rehabilitation, ed 2, St Louis, 2010, Mosby, Fig. 9.29 より)

囲は限られているが，緩衝という重要な役割がある．例えば，脊椎の椎体間の関節は比較的動きは少ないが，椎間円板を構成する線維軟骨の厚い層は，この領域にたびたび伝達される大きな圧迫力を吸収し，分散させる（**図 2.6**）．

可動関節：滑膜関節

可動関節 diarthrosis とは，2 つ以上の骨による関節で，ここには滑液を満たした関節腔がある．可動関節には滑膜があるため，しばしば**滑膜関節** synovial joint ともよばれる．可動（滑膜）関節は 7 種類あり，それぞれに固有の機能がある．一方，すべての滑膜関節には，以下の 7 つの共通要素がある（**図 2.7**）．

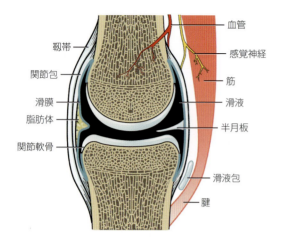

図 2.7　典型的な可動（滑膜）関節の構成要素
（Neumann DA: Kinesiology of the musculoskeletal system: foundations for physical rehabilitation, ed 2, St Louis, 2010, Mosby, Fig. 2.2 より）

- **滑液** synovial fluid：関節に滑らかさと栄養を与える．
- **関節軟骨** articular cartilage：圧迫力を分散させ，吸収する．
- **関節包** articular capsule：関節を取り囲み，連結する結合組織．
- **滑膜** synovial membrane：滑液を生産する．
- **関節包靱帯** capsular ligament：過度の関節の動きを制限する，結合組織の厚くなった部分．
- **血管** blood vessel：関節に栄養を供給する．
- **感覚神経** sensory nerve：疼痛と固有受容性感覚に関する信号を送る．

▶ **滑膜関節の分類**

解剖学では，滑膜関節をそれぞれに固有な構造上の特徴によって分類し，各構造によって機能が決まる．以下の例は，身体にある大部分の関節の構造と機能を理解するのに役立つであろう．

1. 蝶番関節

蝶番関節 hinge joint（図 2.8）は，ドアの蝶番に似ており，単一の回転軸のまわりで，1つの面においてのみ運動が可能である．例として腕尺関節（肘），手指や足指の指節間関節が挙げられる．

2. 車軸関節

車軸関節 pivot joint（図 2.9）は，ドアノブの回転に似ており，単一の長軸方向の回転軸のまわりの運動が可能である．上橈尺関節や，第1および第2頸椎間の環軸関節がその例である．

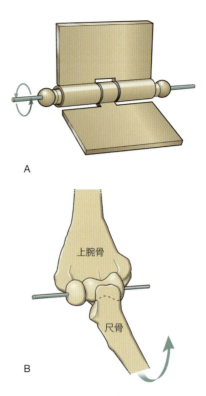

図 2.8　蝶番関節(A)の例である腕尺関節(B)
ピンは回転軸を表す．（Neumann DA: Kinesiology of the musculoskeletal system: foundations for physical rehabilitation, ed 2, St Louis, 2010, Mosby, Fig. 2.3 より）

3. 楕円関節

楕円関節 ellipsoid joint（図 2.10）は，楕円状の細長い凸の面と，その面に適合する凹の面の組み合わせである．この構造では，2つの面での運動が可能である．橈骨手根（手）関節は，楕円関節のよい例である．

4. 球関節

球（臼状）関節 ball-and-socket joint（図 2.11）は，球状の凸面とそれに適合するカップの形をしたくぼみからなる関節である．肩甲上腕（肩）関節と股関節はどちらも球関節で，3つの運動面すべてにおいて，広い可動域を有する．

5. 平面関節

平面関節 plane joint（図 2.12）は，2つの比較的平坦な骨面間でつくられる関節である．一般に平面関節は，運動の範囲は限られるが，骨による制限がないためしばしば多方向への滑りや転がりが可能である．手根間関節はほとんどが平面関節であるが，それぞれの関節の運動がごくわずかであっても，いくつかの運動が合わさることによって，かなりの運動が可能になることを示す，よい例である．

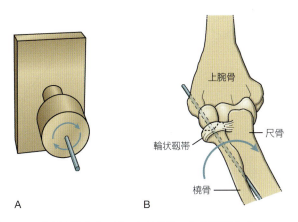

図 2.9 車軸関節(A)の例である近位の腕橈関節(B)
ピンは回転軸を表す．(Neumann DA: Kinesiology of the musculoskeletal system: foundations for physical rehabilitation, ed 2, St Louis, 2010, Mosby, Fig. 2.4 より)

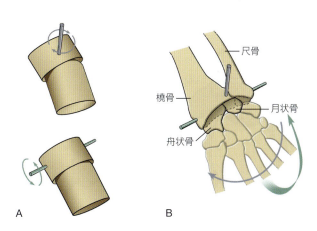

図 2.10 楕円関節(A)の例である橈骨手根(手)関節(B)
交差したピンは2つの回転軸を表す．(Neumann DA: Kinesiology of the musculoskeletal system: foundations for physical rehabilitation, ed 2, St Louis, 2010, Mosby, Fig. 2.5 より)

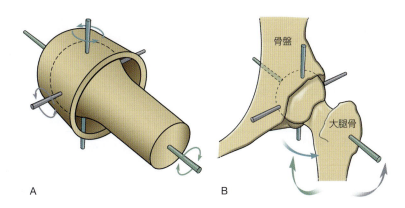

図 2.11 球(臼状)関節(A)の例である股関節(B)
交差した3本のピンは3つの回転軸を表す．(Neumann DA: Kinesiology of the musculoskeletal system: foundations for physical rehabilitation, ed 2, St Louis, 2010, Mosby, Fig. 2.6 より)

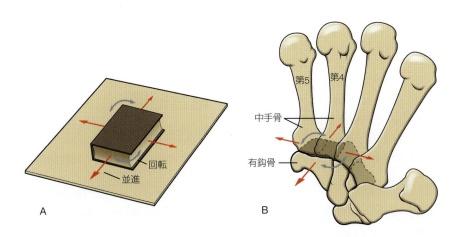

図 2.12 平面関節(A)の例である手根中手関節(B)
平面関節は2つの平らな面が接することでできている．テーブル上での本の滑り(並進，回転)(A)によって，第4および第5手根中手関節(B)の滑りと転がりの組み合わせを表す．(Neumann DA: Kinesiology of the musculoskeletal system: foundations for physical rehabilitation, ed 2, St Louis, 2010, Mosby, Fig. 2.7 より)

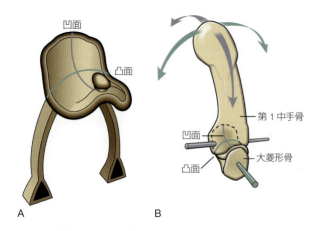

図2.13 鞍関節(A)の例である母指の手根中手関節(B)
ピンは2つの回転軸を表す．(Neumann DA: Kinesiology of the musculoskeletal system: foundations for physical rehabilitation, ed 2, St Louis, 2010, Mosby, Fig. 2.8より)

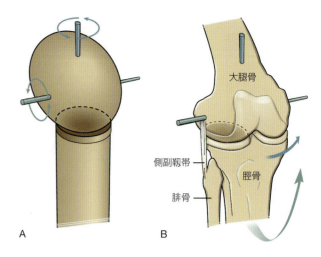

図2.14 顆状関節(A)の例である脛骨大腿(膝)関節(B)
ピンは2つの回転軸を表す．(Neumann DA: Kinesiology of the musculoskeletal system: foundations for physical rehabilitation, ed 2, St Louis, 2010, Mosby, Fig. 2.9より)

表2.1 滑膜関節の種類

関節	自由度	主な運動	人体以外での例	解剖学的な例
蝶番関節	1	屈曲と伸展	ドアの蝶番	腕尺関節 指節間関節
車軸関節	1	1つの回転軸を中心とした転がり	ドアノブ	上橈尺関節 環軸関節
楕円関節	2	屈曲-伸展，外転-内転	凹状のくぼみと平らな楕円の組み合わせ	橈骨手根関節
球(臼状)関節	3	屈曲-伸展，外転-内転，内旋-外旋	凹状のカップと球状の凸面の組み合わせ	肩甲上腕(肩)関節 股関節
平面関節	不定	代表的な運動は滑りか回転，あるいは両方を含む	テーブル上を滑る(並進，または回転する)本	手根間関節 足根間関節
鞍関節	2	2平面上での運動．一般的には軸回旋を除く	馬の背中に載っている鞍	母指の手根中手関節 胸鎖関節
顆状関節	2	2平面上での運動	浅い凹状のカップと球状の凸面の組み合わせ	脛骨大腿(膝)関節 中手指節関節

(Neumann DA: Kinesiology of the musculoskeletal system: foundations for physical rehabilitation, St Louis, 2002, Mosby, Table 2.2より改変)

6. 鞍関節

一般に**鞍関節** saddle joint(図2.13)は，主に2つの面で，大きな動きが可能である．鞍関節を構成する骨には，それぞれ2つの面がある．一方は凹面，他方は凸面で，馬の乗り手が鞍に座っているような形状をしている(図2.13A)．相互に弯曲しているこれらの面は互いにほぼ直交しており，関節面が結合すると非常に安定する．例としては，胸鎖関節と母指の手根中手関節がある．

7. 顆状関節

脛骨大腿(膝)関節(図2.14)や，手指の中手指節関節をはじめとする**顆状関節** condyloid jointは，大きくて丸い凸状の面と，比較的浅い凹状の面からなる関節である．これらの関節は，たいてい自由度2である．このような場合，通常は関節の構造と同様に，運動が第三の面(訳注：運動可能な2つの面以外の面)で起こるのを靱帯が防ぐ．

滑膜関節の種類を，表2.1に示す．

結合組織

結合組織の構成

身体の関節を支持する**結合組織** connective tissueはすべて，線維，基質，細胞という3種類の生体内の素材からなる．これらの生体内の素材は，関節が求められる力学的な要請に基づき，さまざまな比率で混ざっている．

▶線維

関節の結合組織には主に3種類の**線維** fiberがあり，これらはⅠ型コラーゲン，Ⅱ型コラーゲン，エラスチン

という.

- Ⅰ型コラーゲン線維は厚く頑丈で，伸びに耐えるようにできている．これらの線維は，主に靱帯，腱，線維皮膜を構成する．
- Ⅱ型コラーゲン線維は，より細くてⅠ型線維に比べ硬くない．この線維はガラス軟骨のように，構造全体としての形状や硬さを保つために，弾力的で編み込まれたような構造をしている．
- エラスチン（弾性）線維は文字通り弾力性に富む．これらの線維は引っ張りの力（張力）に対して強く，自然な長さよりも伸ばされることに対しては，さらに強さを増す．その結果，組織が壊れる前にエラスチン線維によって組織がかなりたわむため，損傷予防に役立つ．

▶ **基質**

コラーゲンとエラスチン線維は，間質液で満たされた**基質** ground substance（図 2.15）に埋め込まれている．基質は，主にグリコサミノグリカン，間質液，溶質からなる．

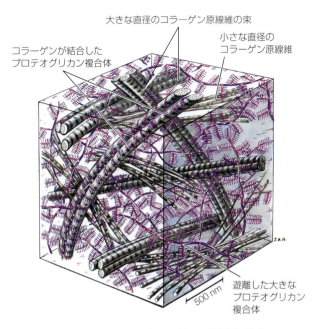

図 2.15　関節軟骨（硝子軟骨）の基質の組織学的構成
交錯しているコラーゲン原線維と間質液が間質を占めている．（Standring S: Gray's anatomy: the anatomical basis of clinical practice, ed 39, St Louis, 2005, Elsevier より）

 考えてみよう！ ＞＞＞ 患者の関節を保護する方法

人体の関節には，驚くほど大きな力がかかる．例えば正常歩行においては，股関節には通常，体重の 3 倍の力がかかる．どのようにして，こんなことが起こりうるのだろうか？　その理由であるが，実際には体重の 3 倍の力を支えているわけではない．股関節にかかる力の大部分は，筋収縮の力によって生じる．これを一般に，**関節反力** joint reaction force とよぶ．われわれの四肢を動かし安定させる筋力は，関節面を越えて伝達される．

健常人にとっては，これらの力は十分に耐えられるものである．なぜなら，その力は，滑液に囲まれた厚い関節軟骨によって弱められ，その力によって骨を構成するスポンジ状の構造と関節周囲の他の組織に，若干の"弾力性"が生まれるからである．

健常な関節軟骨は，力を弱めたり吸収することに加え，関節の表面積を増加させる．表面積が増加すると，実際に軟骨へかかるストレスが減弱する．疾病や外傷，あるいは単純な使いすぎによって軟骨が摩耗し，比較的小さなストレスにさえ耐えられなくなる可能性がある．防御機構をもたない骨や周囲の軟部組織へ過度のストレスが繰り返しかかると，しばしば炎症や関節全体の疼痛，あるいは**関節炎** arthritis（ギリシャ語の，関節を意味する"arthros"と，炎症を意味する"itis"からなる）を誘発する．結果，重症の関節炎は関節可動域を減じ，正常では関節を安定させるのに役立つ軟部組織すべてを弱化させてしまう．そのうち関節の脱臼（分離）や，亜脱臼（非常にゆるくなる）を生じる．疼痛の増加や機能の減弱が限界に達すると，関節形成術や人工関節で関節を置換しなければならなくなる（図 2.16）．

セラピストは患者に対し，必要以上に大きくなる筋収縮の力から関節を保護する方法を指導することがある．例えば，股関節の関節炎に対する関節保護の原則として，ゆっくり移動すること，身体をうまく使うこと，重い物を持ち上げないようにすること，相対的な可動性を維持するためストレッチをすることが挙げられる．これらの原則は，関節でのストレスの他，摩耗や裂傷を減じるのに役立つ．

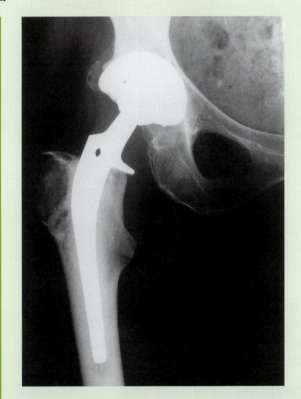

図 2.16　全人工股関節置換術の X 線像

（Neumann DA: Kinesiology of the musculoskeletal system: foundations for physical rehabilitation, St Louis, 2002, Mosby, Figure 12.52 より．Michael Anderson, MD, Aurora Advanced Orthopaedics, Grafton, WI の厚意による）

表2.2 関節を構成する結合組織の種類

	力学的特徴	解剖学的位置づけ	線維の種類	臨床との関連
交織結合組織	骨と骨を結合し，関節の不必要な動きを抑制する	靭帯と関節包の強い外層を構成する	主にⅠ型コラーゲン．エラスチン線維は少ない	足関節の外側側副靭帯の断裂は，距腿関節の内側-外側方向の不安定を生じる
関節軟骨	関節面を介して伝達される圧縮力や剪断力に抵抗し分散する	滑膜関節を構成している骨の末端を覆う	Ⅱ型コラーゲン線維に富む．軟骨を骨に定着させるのに役立つ	関節軟骨の摩耗は，関節への圧縮力を分散させる効果をしばしば減じ，骨関節炎や関節痛につながる
線維軟骨	圧縮力や剪断力に抵抗し分散させることによって，衝撃を緩和することで関節を支持し，安定させる	脊椎の椎間円板および膝の半月板を構成する	多方向へ走るⅠ型コラーゲン線維束	脊柱の椎間円板の裂傷は，中央の髄核を脱出させ，脊髄神経や神経根を圧迫する
骨	身体の主要な支持構造を形成する．身体を動かし安定させるために，筋力を伝達する強固なてことして機能する	筋骨格系の内的てこを形成する	Ⅰ型コラーゲンが特殊な配列をし，硬いミネラル塩が結合する（主にカルシウム）	脊椎の骨粗鬆症は，ミネラルと骨内容物の喪失を招き，椎体骨折へつながる

（Neumann DA: Kinesiology of the musculoskeletal system: foundations for physical rehabilitation, St Louis, 2002, Mosby, Table 2.3 より改変）

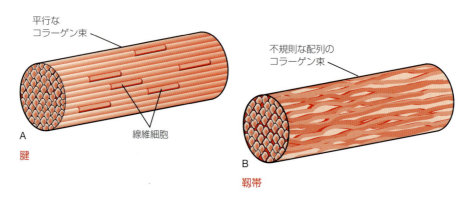

図2.17 腱と靭帯の線維組織の対比
A：腱の中のコラーゲン束は互いに平行で，筋力を効果的に伝達できる．B：靭帯の中のコラーゲン束は交差しており，多方向からの張力に応じられる．（Neumann DA: Kinesiology of the musculoskeletal system: foundations for physical rehabilitation, St Louis, 2002, Mosby, Fig. 2.12 より）

　これらの素材によってできた基質中の線維は，一生涯で何百万回にもわたって関節にかかる負荷を間質液が分散させるため，損傷を免れる．

▶細胞

　関節の結合組織内の**細胞** cell は，主に関節を構成する組織の維持と修復の役割を果たす．組織の特性は，その組織にある細胞の種類によって決まる．

結合組織の種類

　一般に，4つの基本的な結合組織が関節構造を形成する．それは，交織結合組織（交織密性結合組織），関節軟骨，線維軟骨，骨の4種類である．これらの組織の基本構造と機能を，**表2.2**に示す．

機能的考察

▶腱と靭帯：関節構造の支持

　腱と靭帯における線維の組成はよく似ている．しかし，靭帯の線維配列は腱の線維配列と異なる．これらの2種類の組織の線維構造の違いによって，それぞれの主な機能を説明できる．

　腱は筋を骨に結合させ，筋の力を骨の運動に変換する．腱組織は主に，平行に並ぶコラーゲン線維からなる（**図2.17A**）．線維が平行に並んでいるため，筋の力が関節運動に変わるとき，筋のエネルギー損失を最小に抑えて筋の力を骨に効率的に伝達できる．

　一方，靭帯は骨と骨を連結し，主に内外の力に耐えて関節の構造を維持する役割がある．靭帯のコラーゲン線維は，不規則に交差する形で並ぶ（**図2.17B**）．この不規則な配列によって，関節を健全に保つと同時に，異なる

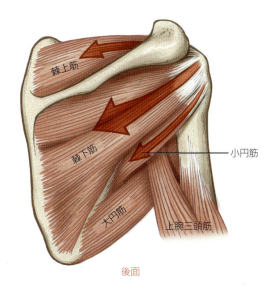

図2.18　右肩の後面
肩甲上腕関節を安定させる，棘上筋，棘下筋，小円筋を示す．
(Neumann DA: Kinesiology of the musculoskeletal system: foundations for physical rehabilitation, ed 2, St Louis, 2010, Mosby, Fig. 5.51 より)

方向からの張力にも対応する．

▶関節の自動的安定化

骨の立体構造と靱帯の網目構造によって多くの場合，関節は大きな静的安定性を得る．しかし，特に体節が動くときは，それ以上の安定性が必要となる．これを動的安定性といい，たいてい筋の働きが加わることで得られ，関節のスタビライザー（自動的安定装置）としての役割を果たす（**図2.18**）．

靱帯等による他動的支持構造が不十分な関節を安定させるために，多くのリハビリテーションプログラムでは，支持機能としての筋系を強化することを目的とする．筋は，害を及ぼしうる外力に対して，靱帯ほど素早く反応することはできないが，外力の程度に合わせてよりうまく反応できる．詳細は，第3章を参照しよう．

▶固定が関節の結合組織に与える影響

結合組織は，関節を保護し，支え，健全に保つ．一般的な身体活動では，結合組織は筋骨格系に日常的に加わる力に応じたり抵抗したりする．しかし，例えば床上安静やキャスティングによって関節が固定されると，関節の結合組織は全体的にかなり硬くなり，結合組織の負荷に耐える能力は低下する．

骨折等の外傷の治癒を促進するためには，一定期間の関節の固定は必要である．しかし，固定によりちょっとした外力で損傷したり，関節を含む体節が不安定な状態に置かれたとき，反応できなくなる可能性がある．結合

> **考えてみよう！ >> 長期間の固定と加齢の影響：異なる条件を比較した結果**
>
> 長期間の固定による生理学的影響と，加齢による生理学的影響はよく類似しており，結合組織に関しては特に類似する．
>
> 高齢および関節を長期間固定された例では，関節周囲の結合組織に3つの共通の変化が生じる．それらを以下に示す．変化が大きい場合，相互に関係する3つの変化は，それぞれに同様な一連の機能障害を生じる可能性がある．
>
> - **結合組織の弱化**：結合組織が弱化すると，裂傷や微小外傷が蓄積し，外力に抗する関節の能力を著しく減じる．これにより特定の関節，部位，体節を安定させるために，非定型的な姿勢をとり始め，ついには異常姿勢を生じる可能性がある．
> - **結合組織の脱水**：結合組織の脱水は，弱化や硬化，あるいはその両方を生じうる．結合組織が関節にかかる力を吸収し分散させることができるのは，主に基質内の間質液による．もし結合組織が脱水状態になると，関節の線維性（液性でない）要素が損傷する可能性は高まる．
> ガラス軟骨と関節軟骨は，通常，かなりの体液を含む．これらの組織が脱水状態になると，関節裂隙が狭くなり，関節圧縮力を分散させる力が著しく低下する．したがって，著しい脱水により骨-骨間での圧縮力が増加し，ついには関節炎，骨棘，あるいは骨折まで生じることになる．
> - **結合組織の硬化**：結合組織の硬化は，固定と加齢の両者にみられる可動域の減少の主要な要因と考えられる．これは臨床的に重要である．というのも，可動域の減少は関節拘縮や異常姿勢につながるからである．その結果，これらの機能障害は不良姿勢と組織の短縮という悪循環を起こし，機能制限や寝たきりになる可能性すらある．
> セラピストは，早期から体重負荷運動，自動および他動可動域運動，機能的な運動，患者教育を進めることで，これらの悪循環が起こるのを防ごうとする．

組織の強度と関節の安定性を回復させるためには，比較的早期からの体重負荷と，それぞれに特有の筋力増強運動を取り入れたリハビリテーションプログラムが必要である．

まとめ

身体には多種類の関節があり，それぞれに特有の機能がある．関節の可動性と相対的な安定性は，関節を構成する骨の構造だけではなく，周囲の筋と結合組織からも影響を受ける．

関節の構造と機能をよく調べると，関節の安定性と運動性には二律背反的な関係があることがわかる．例えば，肘（腕尺）関節は，非常に安定した関節である．その

骨の立体配置と靱帯の網目構造によって，関節は十分な支持を得る．しかし，肘の安定性は可動性を犠牲にすることで成立しており，肘(腕尺)関節は1つの面でしか運動できない．

これとは対照的なのが，肩甲上腕(肩)関節である．この関節は球(臼状)関節で，靱帯の網目構造が比較的ゆるいため，3つの面すべてにおいて，広範囲の運動が可能である．この構造のため，肩甲上腕関節は身体で最も不安定な関節の1つであり，損傷を受けやすい．肩甲上腕関節に特有の不安定性を補うため，広い可動域全体にわたって自動的に関節を安定させられるように，身体は筋力を利用して損傷を防ぐ．

本書を読む際は，身体のあらゆる関節が適切に機能するためには，可動性と安定性が調和する点をみつけなければならないということを覚えておこう．次章以降では，身体の各関節ごとに章立てされているが，そこではこの調和点がどのようにつくり出されるかが示されている．

確認問題

1 ▶ 以下の骨のうち，付属性骨格でないのはどれか．
　ⓐ 大腿骨
　ⓑ 肩甲骨
　ⓒ 仙骨
　ⓓ 腓骨
　ⓔ aとc

2 ▶ 一般的に最も緻密で，骨の最外側部を形成する骨組織はどれか．
　ⓐ 海綿骨
　ⓑ 皮質骨

3 ▶ 椎体間関節はどの関節分類の一例か．
　ⓐ 半関節
　ⓑ 不動関節
　ⓒ 可動関節
　ⓓ 顆状関節

4 ▶ 関節反力という用語を最もよく説明しているのはどれか．
　ⓐ 靱帯のような受動的な構造によって生じる力
　ⓑ 関節運動の方向を制御する力
　ⓒ 筋収縮によって生じる関節内の圧縮力
　ⓓ 筋が伸長する間，2つの関節面が互いに引き離されるとき生じる力

5 ▶ 最も動きが少ない関節はどれか．
　ⓐ 可動関節
　ⓑ 不動関節
　ⓒ 顆状関節
　ⓓ 半関節

6 ▶ 自由度1の関節はどれか．
　ⓐ 楕円関節
　ⓑ 球(臼状)関節
　ⓒ 蝶番関節
　ⓓ 鞍関節
　ⓔ bとc

7 ▶ 伸張されたとき抵抗性があり，それによって損傷を予防する結合組織はどれか．
　ⓐ Ⅰ型コラーゲン線維
　ⓑ Ⅱ型コラーゲン線維
　ⓒ エラスチン
　ⓓ グリコサミノグリカン

8 ▶ 脊柱の椎間円板は，主にどのような種類の結合組織からなるか．
　ⓐ 交織結合組織(交織密性結合組織)
　ⓑ 関節軟骨
　ⓒ 線維軟骨
　ⓓ 骨

9 ▶ 骨と骨を連結させ，主に内外の力に抵抗する機能を有する構造はどれか．
　ⓐ 腱
　ⓑ 靱帯
　ⓒ 関節軟骨
　ⓓ 滑液包

10 ▶ 肩甲上腕(肩)関節は，どのような種類の関節か．
　ⓐ 鞍関節
　ⓑ 球(臼状)関節
　ⓒ 楕円関節
　ⓓ 車軸関節

11 ▶ 正しいのはどれか．
　ⓐ 車軸関節は通常，自由度3である
　ⓑ 海綿骨は多孔性で，通常，骨の内側部を覆う
　ⓒ 基質は通常，含水量がない
　ⓓ 腱は，骨を骨に連結する

12 ▶ 骨は，自身を再構築する能力が十分でなく，動的ではない組織である．
　ⓐ 正しい
　ⓑ 誤り

13 ▶ 頭蓋骨の縫合は，半関節のよい例である．
　ⓐ 正しい
　ⓑ 誤り

14 ▶ 以下の結合組織のうち，一般的に靱帯と関節包の強靱な外層を構成するのはどれか．
　ⓐ 関節軟骨
　ⓑ 交織結合組織
　ⓒ 線維軟骨
　ⓓ 骨

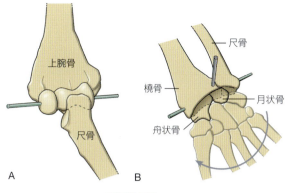
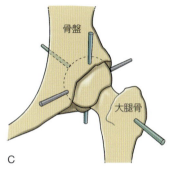
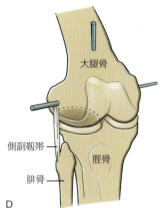

上の図をみて，15〜20に答えよ．

15 ▶ 図に示された関節のうち，2つの面のみで運動が生じるのはどれか．
- **a** A
- **b** BとC
- **c** CとD
- **d** BとD

16 ▶ 図に示された関節のうち，最も可動性があるのはどれか．
- **a** A
- **b** B
- **c** C
- **d** D

17 ▶ 図に示された関節のうち，屈曲と伸展が可能なのはどれか．
- **a** AとB
- **b** BとC
- **c** CとD
- **d** A〜Dのすべて

18 ▶ 図に示された関節のうち，1つの面のみで運動が可能なのはどれか．
- **a** A
- **b** AとC
- **c** B
- **d** D

19 ▶ 図に示された関節のうち，前額面での運動が不可能なのはどれか．
- **a** D
- **b** AとD
- **c** AとC
- **d** BとC

20 ▶ 図に示された関節のうち，3つの基本面すべてで運動が可能なのはどれか．
- **a** A
- **b** B
- **c** C
- **d** D
- **e** BとC

参考文献

Abrahams, P., Logan, B., Hutchings, R., et al. (2007) McMinn's the human skeleton (2nd ed.). St Louis: Mosby.

Benjamin, M., Kaiser, E. & Milz, S. (2008) Structure-function relationships in tendons: a review. Journal of Anatomy, 212(3), 211-228.

Couppe, C., Suetta, C., Kongsgaard, M., et al. (2012) The effects of immobilization on the mechanical properties of the patellar tendon in younger and older men. Clinical Biomechanics, 27(9), 949-954.

Dudley-Javoroski, S., Saha, P.K., Liang, G., et al. (2012) High dose compressive loads attenuate bone mineral loss in humans with spinal cord injury. Osteoporosis International, 23(9), 2335-2346.

Frost, H.M. (2004) A 2003 update of bone physiology and Wolff's Law for clinicians. Angle Orthodontist, 74, 3-15.

Gartner, L.P. & Hiatt, J.L. (2007) Color textbook of histology (3rd ed.). Philadelphia: Saunders.

Gunn, C. (2007) Bones and joints: a guide for students (5th ed.). Edinburgh: Churchill Livingstone.

MacConaill, M. & Basmajian, J. (1969) Muscles and movements: a basis for human kinesiology. Baltimore, MD: Williams & Wilkins.

Neumann, D. (2017) Kinesiology of the musculoskeletal system: foundations for physical rehabilitation (3rd ed.). St Louis: Elsevier.

Svensson, R.B., Hassenkam, T., Hansen, P., et al. (2011) Tensile force transmission in human patellar tendon fascicles is not mediated by glycosaminoglycans. Connective Tissue Research, 52(5), 415-421.

Waugh, C.M., Blazevich, A.J., Fath, F., et al. (2012) Age-related changes in mechanical properties of the Achilles tendon. Journal of Anatomy, 220(2), 144-155.

Whiten, S. (2007) The flesh and bones of anatomy. Philadelphia: Mosby.

第 3 章

骨格筋の構造と機能

▶ 本章の概要

筋の基本的な性質
 筋活動の種類
 筋の用語
 筋の解剖
筋節：筋の基本的な収縮単位
筋の形態と機能
 横断面積
 形態
 牽引線

筋の長さ-張力関係
 自動的な長さ-張力関係
 他動的な長さ-張力関係
 多関節筋での長さ-張力関係
筋の力-速度関係：速さについて
患者に対し治療上の原則を守ることが重要
 筋の硬さ
 筋組織のストレッチ
 筋力の強化
 自動的スタビライザーとしての筋

まとめ
確認問題
参考文献

▶ 学習目標

- 筋の求心性収縮, 遠心性収縮, 等尺性収縮を説明できる.
- 筋全体を構成する解剖学的要素を説明できる.
- 筋収縮の滑走説を説明できる.
- 筋の横断面積, 牽引線, 形態が筋の機能をどのように決定するのか説明できる.
- 筋の自動的な長さ-張力関係を説明できる.
- 筋の他動的な長さ-張力関係を説明できる.
- 多関節筋による力の産生が活動時の長さに影響を受ける理由を説明できる.
- 筋組織のストレッチの原則を説明できる.
- 筋力強化の原則を説明できる.

🔑 キーワード

アクチン-ミオシン架橋	求心性収縮	筋線維束	他動不全
エクスカーション	共同筋	筋内膜	停止
遠位付着部	近位付着部	筋肥大	同時収縮
遠心性収縮	筋外膜	筋腹	等尺性収縮
横断面積	筋原線維	拘縮	フォースカップル
滑走説	筋周膜	自動不全	ベクトル
起始	筋節	主動作筋	
拮抗筋	筋線維	スタビライザー	

ほぼすべての身体的リハビリテーションプログラムには, 筋のストレッチ, 筋力強化, 筋の再教育が必要となる. 自動的な力の産生が可能な唯一の組織として, 筋は最終的にすべての自動運動を生み出し, キネシオロジー (身体運動学) における基本的な役割を担う. また筋は関節で作用し, 姿勢をコントロールして安定させる. 特に靱帯のような組織が疾患や外傷によって弱化した場合, セラピストはしばしば, 深部に位置する関節を安定させ

るために，筋力強化を行うことを指導する．

本章では，骨格筋の構造と機能の基本的な概要と，身体運動学を学ぶうえで関係する，筋の重要な特徴を解説する．

筋の基本的な性質

筋は，神経系から信号を入力されて，活動を開始する．筋はいったん刺激されると，収縮力，または引く力を発生する．骨を引っ張ることによって，筋は運動を生み出すのである．筋は筋長が短くなるか，伸びるか，一定の長さのままかどうかに関係なく，収縮することによって役割を果たすことを理解しよう．

キネシオロジー（身体運動学）の基本的な原則は，筋が収縮するときには，最も自由な（または，最も拘束されていない）部分が動くということである．筋が遠位付着部を近位付着部へ引っ張っているか，またはその逆かどうかに関係なく，この原則はあてはまる（図 3.1）．

筋活動の種類

筋は以下の①～③のうちの，どれか1つによって力を発生する．

①短くなること（収縮すること）
②伸びに対する抵抗
③一定の長さの保持

これらの筋活動はそれぞれ，①**求心性** concentric，②**遠心性** eccentric，③**等尺性** isometric とよばれる．

▶求心性収縮

筋が力を発生するが，同時に短くなることを，**求心性収縮** concentric contraction（訳注：原書では収縮 contraction を活動 activation としている）という．その結果，近位付着部（起始）と遠位付着部（停止）との距離が縮まる．求心性収縮の間，筋が生み出す内的トルクは，外力が生み出す外的トルクよりも大きい（図 3.2A）．

▶遠心性収縮

筋が力（縮もうとする力）を発生するが，同時により強い外部の力によって引っ張られて伸びることを，**遠心性収縮** eccentric contraction という．遠心性収縮の間，外的トルク（しばしば重力によって発生する）は，内的トルクを上回る．ほとんどの場合，重力や手に持った重量物

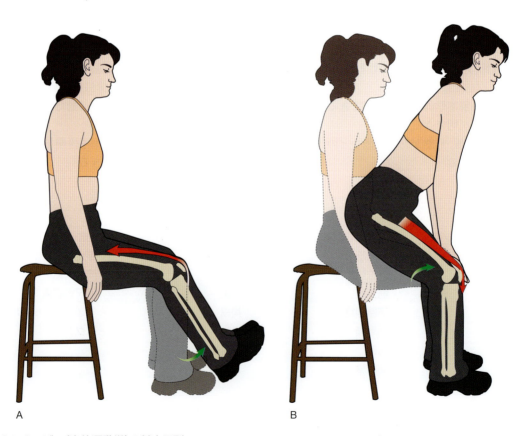

図 3.1 キネシオロジー（身体運動学）の基本原則
筋が収縮すると，運動力学的に最も自由な（固定されていない）体節が動く．図では，開放運動連鎖および閉鎖運動連鎖のそれぞれにおける，膝伸筋の収縮を示した．A：脛骨（遠位体節）が，最も自由に動くことができる．B：大腿骨（近位体節）が，最も自由に動くことができる．

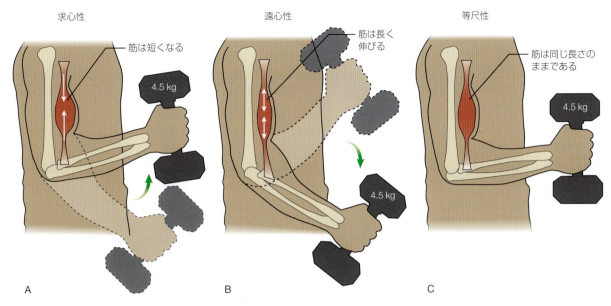

図 3.2　筋収縮の3つのタイプ：求心性(A)，遠心性(B)，等尺性(C)

が筋活動を"上回っている"形となるが，実際には，筋の伸びは制御されている．例えば，ゆっくりとバーベルを下ろす動作では，肘屈筋群が遠心性活動を行い，下ろす速さを制御する．結果的に，筋の起始と停止は離れる（図3.2B）．

▶等尺性収縮

筋が力を発生するが，同時に一定の長さを保つことを**等尺性収縮** isometric contraction という（図3.2C）．等尺性収縮は筋が産生する内的トルクと外的トルクが等しいときに生じる．等尺性収縮の結果，運動や関節角度の変化が起こることはない．

筋の用語

筋または筋の動きを説明する場合には，専門的な用語を用いる．以下，それらの用語と定義を概説する．

近位付着部と遠位付着部という用語は，筋が骨に付着する相対的な位置を表す．**近位付着部** proximal attachment（**起始** origin）（訳注：以下，近位付着部を起始と訳す）とは，解剖学的肢位において，身体の正中線あるいは中心部に最も近い付着部を指す．**遠位付着部** distal attachment（**停止** insertion）（訳注：以下，遠位付着部を停止と訳す）とは，身体の正中線または中心部から最も遠い付着部を指す．

主動作筋 agonist とは，ある特定の運動に最も直接的に関係する筋または筋群である．例えば大腿四頭筋（膝関節伸展の筋群）は，膝関節伸展の主動作筋である．**拮抗筋** antagonist とは逆に，主動作筋の作用に対抗する筋または筋群である．通常，主動作筋が自動的に収縮する

> **考えてみよう！＞＞＞遠心性収縮：物体を下ろす力**
>
> 遠心性収縮は，力を発生しつつ筋の長さを増す際に生じる．遠心性収縮はほぼ例外なく，重力方向へ落下する速度を制御するために用いられる．結果として，身体や体節の一部を，効果的に重力方向へ向ける．立位から座位へ身体を下ろす際，身体の一方へ腕を下ろす際，あるいはベンチプレスでバーベルを自分の胸に下ろす際等に，遠心性収縮が必要となる．
>
> ある作用が"下ろす"と記載される場合，その作用を制御する筋が遠心性に収縮していることは，ほぼ間違いない．遠心性収縮においては，重力が運動の原動力であり，筋の遠心性収縮は身体の下降速度を減じるために用いられる．

場合，拮抗筋は他動的に伸ばされる．例えば肘関節の屈曲時には，上腕二頭筋は主動作筋として肘関節を屈曲させるが，上腕三頭筋（肘関節伸筋群）は拮抗筋として働き，他動的に伸ばされる．したがって，あまりにも硬い拮抗筋は伸びが悪いため，主動作筋の作用を著しく制限する．

主動作筋と拮抗筋が等尺性収縮をしている場合は，**同時収縮** co-contraction が起こっている．多くの場合，筋の同時収縮は関節を安定させるので，関節を保護することになる．同様に，他の筋がより効果的に活動できるように体節を固定したり，動かない状態に保つ筋は，**スタビライザー** stabilizer とよばれる．

特定の動きのために共同して働く一群の筋は，**共同筋** synergists とよばれる．重要な身体運動のほとんどは，

筋の共同を必要とする．**フォースカップル(偶力)** force-couple とは，2つ以上の筋が異なる方向の力を発生するが，一定方向に回転するトルクを発生する際の共同の働きである．図3.3は，3つの異なる肩甲骨周囲筋によって発生するフォースカップルが，肩甲骨を上方回旋させることを表す．

筋には弾性があり，長くなったり短くなったりする．このような筋の長さの変化は，筋の**エクスカーション** excursion という．筋は一般的に，静止長の半分の長さまでの伸縮が可能である．例えば静止長が 20 cm の筋は 10 cm まで収縮し，また，30 cm まで伸びうる．

筋の解剖

図3.4は骨格筋の主な構成要素を示し，Box 3.1 ではこれらの要素を詳しく説明した．全体としての筋は，主に3つの構成要素からなり，そのまわりは，それぞれの機能を補助する特殊な結合組織によって囲まれる．

筋節：筋の基本的な収縮単位

筋節(サルコメア) sarcomere は，筋線維の基本的な収縮単位である．各筋節は，主にアクチンとミオシンという2種類の蛋白質のフィラメントで構成される．これらは筋収縮を引き起こす活動的な構造である．筋の収縮については，**滑走説** sliding filament theory とよばれるモデルがある．滑走説によると，アクチンフィラメントがミオシンフィラメントを通り越して滑走することによって活動を起こす力が発生し，個々の筋節が短縮すると考えられる．

図3.5は筋節を示し，アクチンフィラメントとミオシンフィラメントの物理的な配置を強調したものである．太いミオシンフィラメントは多数の突起をもち，これが薄いアクチンフィラメントと結合して**アクチン-ミオシン架橋** actin-myosin cross bridge をつくる．本質的にミオシン頭部は，ぴんと立った"ばね"状で，その"ばね"はアクチンフィラメントと結合するときに曲がり，**動力行程** power stroke を生み出す．動力行程はミオシンフィラメントを通り越してアクチンフィラメントを滑走させ，その結果として力が発生し，個々の筋節が短縮する(図3.6)．筋節は1本の筋線維全体を通して縦に連結しているため，筋節の同時収縮は筋全体を短くする．

各ミオシンフィラメントは多数の頭部をもち，各アクチンフィラメントは多数の結合部位をもつ．筋節の最大限の短縮には多数の動力行程が必要となるということを理解しよう．実際，筋の収縮力は，主にアクチン-ミオシン架橋の数で決まる．このことは，筋長の重要性に関する項目で後述される．

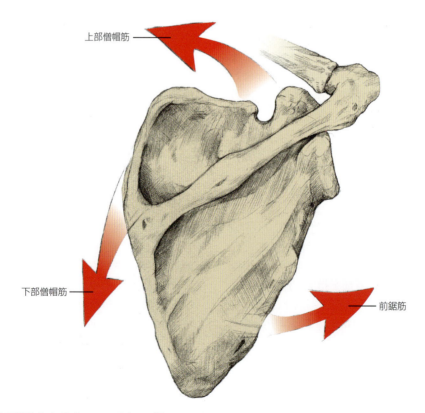

図3.3　肩甲骨の上方回旋をもたらすフォースカップル
3つの筋すべてが異なる牽引線を有するが，すべて肩甲骨を同一方向に回旋させる．

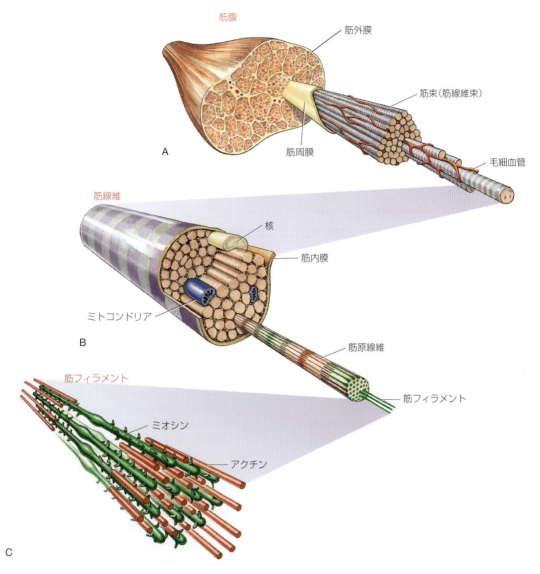

図3.4　骨格筋を構成する基本構造および結合組織
筋腹から，収縮性蛋白質であるアクチンとミオシンまでを示す．A：筋外膜に囲まれた筋腹，および筋周膜に囲まれた筋束を示す．B：個々の筋線維（筋内膜によって囲まれる）の構成を示す．C：筋フィラメント（主に収縮性蛋白質であるアクチンとミオシンからなる）を示す．（Standring S: Gray's anatomy: the anatomical basis of clinical practice, ed 39, New York, 2005, Churchill Livingstone より改変）

Box 3.1　骨格筋の構成要素

- **筋腹** muscle belly：筋腹とは，筋の大部分または体に相当し，多数の筋束からなる．周囲の結合組織である**筋外膜** epimysium は，筋の外層や筋腹を囲み，筋の形状を保持する．
- **筋束（筋線維束）** fasciculus：それぞれの筋束は，多数の筋線維からなる．周囲の結合組織である**筋周膜** perimysium は，個々の筋束を囲む．筋束を支持しながら，神経と血管が走行する．
- **筋線維** muscle fiber：筋線維とは，実際には多数の核をもつ1個の細胞である．1本の筋線維の中に，筋のすべての収縮要素が含まれる．周囲の結合組織である**筋内膜** endomysium は，それぞれの筋線維を囲む．収縮力を腱に伝達する，比較的密で網目状のコラーゲン線維からなる．
- **筋原線維** myofibril：それぞれの筋線維は，筋原線維からなる．筋原線維の中には収縮性の蛋白質があり，各筋節の中に包まれる．

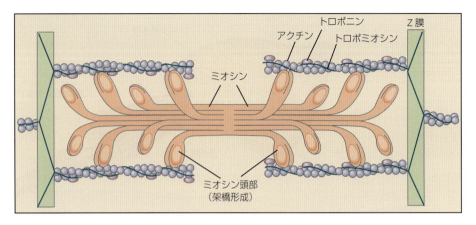

図 3.5　ミオシン頭部がアクチンフィラメントと結合することにより架橋を形成する筋節
その他の蛋白質であるトロポニンとトロポミオシンも示す．トロポニンにはアクチンフィラメントをミオシン頭部に触れさせる役割があり，それによって架橋形成が可能となる．（Levy MN, Koeppen BM, Stanton BA: Berne and Levy principles of physiology, ed 4, St Louis, 2006, Mosby より改変）

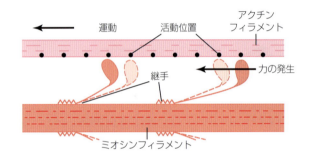

図 3.6　ミオシン頭部がアクチンフィラメントに付着し，離れる際に生じるフィラメントの滑走
このプロセスは滑走説として知られている．収縮力は，サイクルの動力行程の間，発生する．（Guyton AC, Hall JE: Textbook of medical physiology, ed 10, Philadelphia, 2000, Saunders より）

> **考えてみよう！ ＞＞ 大腿四頭筋の横断面積：力からトルクまで**
>
> 　一般に，最大に活動している筋は筋組織 1 cm² あたり，約 3.5 kg の力を発生する．これは驚くべきことに，異なる人の，異なる筋においてもほとんど違いがない．
> 　大腿四頭筋は，平均横断面積が約 156 cm² である．1 cm² あたり約 3.6 kg の力を発生するので，大腿四頭筋の最大努力性収縮は約 560 kg の力（約 156 cm²×約 3.6 kg/cm²＝約 560 kg）を理論的に発生するはずである．これはフォルクスワーゲンバグ（訳注：日本では"ビートル"の愛称をもつ軽量車）を蹴り上げるのに十分な力である！　膝蓋骨による内的モーメントアーム（約 3.8 cm）を考慮すると，大腿四頭筋によって提供される平均膝関節伸展トルクは約 2,100 cm・kg（約 3.8 cm×約 560 kg）となる．このトルクの大きさは，健康で丈夫な若い男性であれば，期待できる数値である．

筋の形態と機能

　横断面積，形態，牽引線の 3 つの要素が，筋の機能を決定する．

横断面積

　筋の生理的な**横断面積** cross-sectional area は筋の厚さを示し，力を生み出すのに使われる収縮要素の総計を，間接的かつ相対的に示す．筋の横断面積が大きいほど，生じる力も大きい．この単純な事実により，大きな筋をもつ人ほど，大きな筋力を生み出せることがわかるであろう．

形態

　筋の形態は，筋の作用を知る重要な指標である．一般に，長いひも状の筋は大きな可動域をもち，厚く短い筋は大きな力を産出する．ほとんどの筋は，4 つの基本的な形態に分類できる．その 4 つとは，**紡錘状** fusiform，**三角形** triangular，**偏菱形** rhomboidal，**羽状** pennate である（図 3.7）．

　腕橈骨筋のような紡錘状筋は，互いに平行に走る筋線維をもつ（図 3.7A）．これらの筋は一般に，大きな可動域をもつ．

　中殿筋のような三角形の筋は，大きな起始部をもち，小さな停止部に収束する（図 3.7B）．大きな起始部は，力を発生させるための強力な固定基盤として働く．

　菱形筋や大殿筋のような偏菱形の筋は，広範囲の起始と停止をもつ（図 3.7C）．その名の通り，これらの筋は通常，大きな偏菱形か，正方形がつぶれたような形をしている．筋の横断面積によって異なるが，付着部が広範

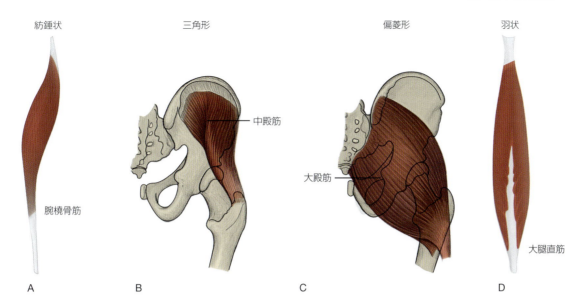

図 3.7　骨格筋の 4 つの一般的形状：紡錘状（A），三角形（B），偏菱形（C），羽状（D）
（Patton KT and Thibodeau GA: Anatomy & physiology, ed 7, St Louis, 2010, Mosby より）

囲であることによって，関節の固定や大きな力の発生の両方に適している．

羽状筋は羽の形に似ており，筋線維が中央の腱に斜めに付着する（**図 3.7D**）．筋線維が斜めの方向に走行することによって，筋の潜在能力を最大限に引き出す．同程度の大きさの紡錘状筋に比べ，羽状筋にはより多くの筋線維が含まれる．しかし，筋線維が斜めに走っているため，関節可動域やエクスカーションは制限される．羽状筋は，体重の支持や，前進のために大きな力を要求される大腿直筋や腓腹筋でみられる．

羽状筋は，同じ角度をもつ筋線維の固まりが中央の腱に付着する数によって，単羽状筋，双羽状筋，多羽状筋に分類される．

牽引線

筋力は方向と大きさを有するので，**ベクトル** vector として表すことができる．筋力の方向は，筋の牽引線（または力線）で表される．牽引線が回転軸を横切る場所によって，筋の作用する方向が決まる．肩関節の内側-外側方向の回転軸の前方を横切る牽引線で表される筋力は，肩を屈曲させる．逆に，肩関節の内側-外側方向の回転軸の後方を横切る筋の牽引線は，肩を伸展させる（**図 3.8**）．このことは第 1 章でも述べた．

筋の長さ-張力関係

筋が活動できる長さとは，筋がどの程度伸びるか，あるいは短くなるか，ということを表すものである．筋の長さ-張力関係は，筋力に大きく影響する．この事実は，

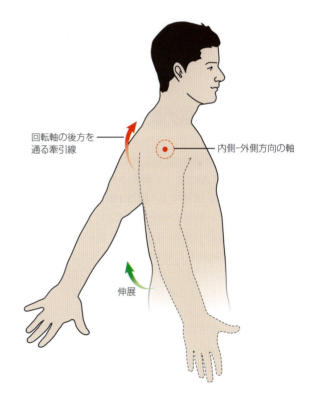

図 3.8　肩の筋の牽引線
肩の筋の牽引線は，内側-外側方向の回転軸の後方を通る．この筋の活動により，肩の伸展が生じる．

多くの臨床活動（筋の検査や強化，あるいは関節の固定や制御のためにスプリントや装具を使用する場合等）で，広く認識されている．さまざまな例を，本章および本書全体で示す．

臨床的な視点 ＞＞筋の牽引線に対する外科的な変更

上腕三頭筋は，肘関節では内側-外側方向の回転軸の後方を通るため，肘を伸展させる．三頭筋の3つの筋頭のうち，1つの筋頭の停止を外科的に変えることによって，牽引線は肘の内側-外側方向の回転軸の前方に移動する．その結果，この部分は肘の屈筋に変わる（図3.9）．

これは腱移行術として知られるが，肘の屈筋や母指の対立筋のような，key muscleとなる筋に麻痺がある人に対して行われる．しかし成功するには，移行に適した場所の近くに，丈夫で健康な筋がなければならない．またセラピストは，移行筋の新しい動作の方法を患者に再教育しなければならない．

腱移行術は，医学がキネシオロジー（身体運動学）の原理を用いる優れた例である．ここで用いられるのは，筋の最終的な作用は回転軸に関連する牽引線によって決まるという原理である．

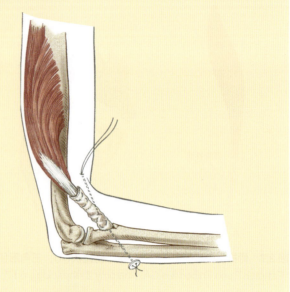

図3.9 上腕三頭筋の前方移行術
筋の牽引線が回旋中心線よりも前方にあるため，上腕三頭筋の機能は肘伸展から肘屈曲に変更される．（Bunnell S: Restoring flexion to the paralytic elbow, J Bone Joint Surg Am 33(3): 566-571, 1951 より）

自動的な長さ-張力関係

筋では，太いミオシンフィラメントに対して細いアクチンフィラメントが滑走することによって力が生み出される．このプロセスによって産生される力の総計は，筋節の長さに大きく依存する（図3.10）．筋節の長さは，アクチン-ミオシン架橋の数を決めるので，重要である．図3.11はなぜ筋節が中間の長さのときに最も大きな力が発揮できるのか，また筋節が短い場合や長い場合（ストレッチされている場合）は，なぜ十分に発揮できないのかを説明している．この図の例は，荷車を引く男性の人数が前出のアクチン-ミオシン架橋を表している．筋節が長い場合，筋出力には限られたアクチン-ミオシン架橋しか使われない．図3.11Aによると，3人のうち，ただ1人が荷車を引いている．図3.11Bは筋節が中間の長さになっている．3人の男性すべてが荷車を引いている図に象徴されるように，最大限のアクチン-ミオシン架橋が動員されている．図3.11Cは，筋が短い場合を示している．筋節が最も短い場合，アクチンフィラメントのほとんどの供給場所は覆われてしまい，（供給されずに）著しく制限される．

単一の筋節の長さ-張力関係をみることによって，全体としての筋の長さ（伸びの程度）が力の産生にどのように影響を及ぼすのかがわかる．例えば，肘関節屈曲における異なる角度ごとの，肘関節屈筋の力の違いについて

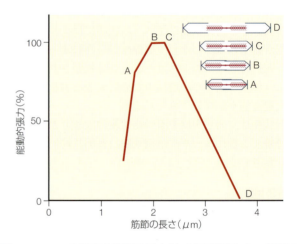

図3.10 4つの特定の筋節の長さ（右上）に関連した，筋節の自動的な長さ-張力関係

A：アクチンフィラメントが重なるので，架橋形成の数は減少する．BおよびC：アクチンフィラメントとミオシンフィラメントは，最大の数の架橋が形成される位置にある．D：アクチンフィラメントはミオシン頭部の範囲外に位置しており，架橋形成は制限される．紺色はアクチンフィラメントを，赤色はミオシンフィラメントを表す．（Gordon AM, Huxley AF, Julian FJ: The length tension diagram of single vertebrate striated muscle fibers. J Physiol 171: 29, 1964 より改変）

考えてみよう．筋節レベルにおける長さ-張力関係と同様に，肘関節屈筋の力は釣鐘状（逆U字）の曲線によっ

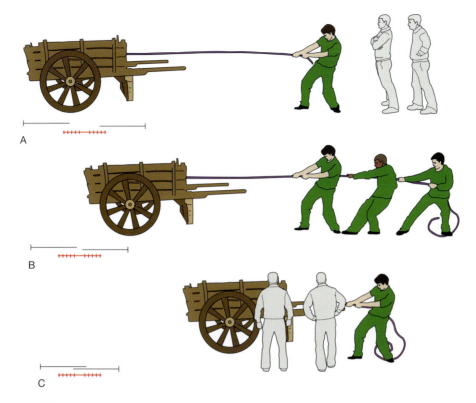

図3.11 筋節の長さに関連した力の産生の例：荷車を引く人々
それぞれの場合，荷車を引いている男性（緑色）は，筋力を発生するアクチン-ミオシン架橋の利用パーセンテージを示す．図の左側の黒色と赤色の刻み目のついた線は，それぞれアクチンフィラメントとミオシンフィラメントを表す．A：伸びた位置にある．B：最適の長さ．C：短くなった位置にある．筋節の長さが非常に長いとき（A）や短いとき（C）には，収縮力を生み出す能力は減少する．

て表される（**図3.12**）．肘関節屈曲における筋力は，完全屈曲（筋が最も短くなった状態），さらに完全伸展（筋が最も伸びた状態）で，最小となる．肘関節屈曲における筋力は，肘屈曲の中間域（70〜80°）で最大となり，これは，アクチン-ミオシン架橋が最大に重なり合う角度である．すべての筋群と同様に，肘関節屈筋群の力は臨床的にはトルクとして表されるので，筋力と内的モーメントアームの両方を考慮する必要がある．

重要なことは，筋力は通常，中間の長さで最大となり，最短時と最長時では最小となるということである．

他動的な長さ-張力関係

筋は，主要な自動的な力を産生するといわれるが，筋には弾力性があり，他動的にも力を発生する．このように筋は，輪ゴムのような性質ももつ．輪ゴムと同じく，筋は伸ばされると弾性力を発生させる．

大きな力を必要とする運動競技では，筋のストレッチ，蓄積エネルギー，放出エネルギー能力を利用し，それにより活動の力や速度を増大させる．**図3.13**は，投球動作の4つの相を例示し，筋がどのようにエネルギーを生成・蓄積・使用することができるのかを示している．

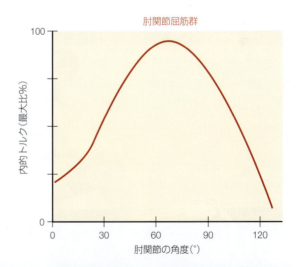

図3.12 肘関節の角度による，肘関節屈筋群が産生する内的トルクの変化を示す曲線
内的トルクの最大値は肘屈曲70〜80°のところであり，大きな内的モーメントアームと同様に，最大のアクチン-ミオシン架橋形成を生じる角度である．（Neumann DA: Kinesiology of the musculoskeletal system: foundations for physical rehabilitation, ed 2, St Louis, 2010, Mosby, Fig. 3.12 より）

考えてみよう！ ＞＞ 最大筋力を発揮させるクイックストレッチ

大きな力を必要とする場合，多くは筋の弾性を利用する．例えばジャンプを考えてみよう．自分の身体を持ち上げるジャンプでは，飛び上がる前に両股関節，両膝関節，両足関節を屈曲させる．素早く屈曲することで，股関節伸筋群，膝関節伸筋群，足底屈筋群等，ジャンプ力に関わるすべての筋群が素早くストレッチされる（クイックストレッチ）．

素早く輪ゴムを伸ばしたときのように，クイックストレッチは筋に弾性を与え，求められた動作（この場合はジャンプ）を行う際に，蓄えられたエネルギーを放出させる．

セラピストは，特定の筋群のパフォーマンスを引き出したり改善したりする際に，しばしばクイックストレッチを用いる．もう 1 つの例として，**プライオメトリクス** plyometrics を挙げるが，これは，トレーニングやパフォーマンスを改善するためにアスリートが頻回に用いる特殊なエクササイズである．プライオメトリクスでは，行おうとする動作の直前に筋群のクイックストレッチを取り入れることによって，力の産生を強化する．

図 3.13 筋のエネルギー保存とリリース
筋がどのようにエネルギーを他動的に保存し，その後リリースするかについて，投球動作を例に分析する．A：投げ始め．B：右肩が最大外旋していることが示されている．肩の内旋筋群は完全に伸張され，はね返る準備ができている．C：上肢は高速で前方に飛び出す．D：ボールは放され，投球動作は終了する．（Fortenbaugh D, Fleisig GS, Andrews JR: Baseball pitching biomechanics in relation to injury risk and performance, Sports Health 1[4]: 314-320, 2009 より）

臨床的な視点 >> 自動不全と他動不全

多関節筋は複数の関節をまたいで極端に短くなったり伸びたりするため，筋が収縮しているにもかかわらず，しばしば機能不全を生じる．この機能不全の原因を説明するのに役立つ，2つの専門用語がある．自動不全，他動不全である．

自動不全 active insufficiency とは，ある運動を行う際に，多関節筋である主動作筋が短くなりすぎているために，有効で十分な力を産生できず，目的の運動が達成されないことをいう．**他動不全** passive insufficiency とは，拮抗筋が2関節以上で過度に伸ばされることによって，意図した運動が全可動域に及ばないために，運動が完遂されないことをいう．これらの2つは，最初は複雑なようだが，いったん理解すると臨床に役立つ．

図3.14Aは，右膝関節を伸展したまま右股関節を最大屈曲している．この運動はハムストリングス（すなわち，他動運動不足を生じる）によって他動的に制限されていて，股関節と膝関節は伸ばされている（大腿後面上で細く黒い矢印で示す）．また，この運動は大腿直筋自動運動機能不全によっても制限される．大腿直筋が股関節屈曲と膝関節伸展の同時動作を行うと，大腿直筋は速く過度に収縮し（すなわち活動的に不十分になり），完全に運動を遂行するだけの力を発揮することができない．図3.14Bは，膝関節屈曲位を保持したまま股関節最大伸展を試みようとする人を示す．図3.14Aと同様，この動きの関節可動域の範囲と運動の強さは，関連のある筋の自動運動，他動運動によって制限される．しかしこの場合は，大腿直筋が他動不全であり，ハムストリングスが自動不全である．

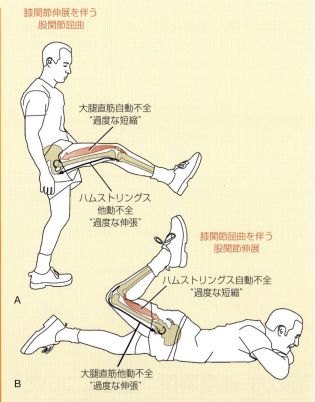

図3.14 股関節と膝関節の異なる動きに対する自動不全，他動不全の例

A：膝関節伸展を伴う股関節屈曲は，"過度に伸張された"ハムストリングスによって他動制限され，"過度に短縮した"大腿直筋によって自動制限される．B：膝関節屈曲を伴う股関節伸展は，"過度に伸張された"大腿直筋によって他動制限され，"過度に短縮した"ハムストリングスによって自動制限される．
(Neumann DA: Kinesiology of the musculoskeletal system: foundations for physical rehabilitation, ed 2, St Louis, 2010, Mosby, Fig. 13.44 より)

▶どのようにして筋は他動的に筋力を生成するのか

図3.13Aではマウンドから球を強く投げ，左に体幹の回旋を始めた投手を示している．この動作が進んでいくとともに，下肢と体幹から産生された筋エネルギーは運動連鎖として上体へ送られ，肩の筋，特に内旋運動へ蓄積される．右足部が地面を押すにつれて，肩関節より先に骨盤と体幹は回旋を続け，肩関節の最大外旋は遅れて発生する（図3.13B）．この時点では，肩内旋筋群は蓄積エネルギーを放出するために最大限に伸長している．伸張しリリースされる輪ゴムのように，内旋筋群は筋緊張を解き，非常に高速度で上肢と球を前方に推進する（図3.13C，D）．この下肢，体幹から肩関節の筋へのエネルギー伝達は，高速の投球動作には不可欠である．このような動作は，迅速な蓄積エネルギーの放出を通じて産生される他動的な力と同様に，迅速で自動的な力（意思の力）を利用している．しかしながら，筋に最大の他動エネルギーを蓄積する能力は"コスト"なしでは生じない．このような使い道をする筋は，速い速度で最大の長さまで引き伸ばされ，そして，しばしば筋組織，腱，または筋が付着する骨まで問題が生じることがある．

多関節筋での長さ-張力関係

単関節筋は，1つの関節だけをまたぐ．**多関節筋** multi-articular（poly-articular）muscle は，複数の関節をまたぐ．当然，多関節筋は単関節筋よりも非常に大きい伸張が可能となる．このことから，多関節筋の力の出力範囲は，単関節筋に比較して，非常に広範となる．この

ことは，臨床的に重要な意味がある．

例えば，肩関節と肘関節にまたがる多関節筋である上腕二頭筋について考えてみよう．さらに，肘の屈曲を肩の完全屈曲と素早く組み合わせるという，不自然な運動についても考えてみよう．このような自動的な運動では，二頭筋が両端で同時に収縮する必要がある．その結果，筋は短い時間で短縮し，アクチン-ミオシン架橋がますます少なくなるため，このような運動は筋の潜在能力を減少させる．

今度は逆に，肘の屈曲と肩の伸展を同時に，かつ素早く組み合わせるという，無理がなく効果的な運動（物体を自分のほうへ引っ張るような動き）での，上腕二頭筋について考えてみよう．上腕二頭筋が収縮して肘関節を屈曲すると同時に，伸展している肩を通して上腕二頭筋は伸ばされる．このような運動は，活動中の上腕二頭筋の全長をほぼ一定に（かつ最適の長さに）維持するのに役立つ．このようにして，上腕二頭筋が可動域中のどの点においても力の産生が一定になるようにしている．機能的な運動を設定したり，多関節筋の活動を伴う機能的な動作を指導するときには，このことを考慮することが大切である．

筋の力-速度関係：速さについて

筋収縮の速度は，力の産生に重要な影響を及ぼす．求心性収縮においては，収縮の速度が増すにつれて，産生される力は低下する．この概念は自明であり，重い物体を繰り返し持ち上げた場合と，軽い物体を繰り返し持ち上げた場合の，それぞれの最大速度を比較することで確認できる．速い収縮速度では，アクチン-ミオシン架橋を形成，再形成するための十分な時間がない．したがって，力を産生する筋の能力は減少する．

筋の等尺性収縮は，あらゆる速度の求心性収縮よりも大きな力を発生する．等尺性収縮においては速度がゼロであるため，利用可能なアクチン-ミオシン架橋のほぼすべてが形成され，またそれらすべてが能力を発揮できる時間も十分にある．

筋の力-速度関係は，遠心性収縮にもあてはまる．遠心性収縮の間，伸びる速度が増加するにつれて力の産生はわずかに増加する．これは一つには，筋内部の結合組織の弾性によって説明できる．素早く輪ゴムを引っ張るときのように，伸びる速度が増すにつれて筋の抵抗は増大する．速度が十分に速い場合や，出力が十分に大きい場合は，筋の結合組織が緊張する．このことから，より速い速度での遠心性収縮ののちに，より激しい筋肉痛となる理由がわかるであろう．

表3.1で，求心性，遠心性，等尺性収縮における筋の力-速度関係をまとめた．

表 3.1 筋の力-速度関係

筋収縮の種類	力-速度関係	理由
求心性	収縮の速度が遅くなるほど，大きい力を発生する	アクチン-ミオシン架橋が生じている時間が長くなるため
遠心性	伸びる速度が速くなるほど，大きい力を発生する	筋の結合組織が伸ばされるため
等尺性	等尺性活動が発生する力は，あらゆる速度の求心性収縮が発生する力よりも大きい	等尺性収縮の速度はゼロであり，最大の架橋形成が生じている時間が長くなるため

患者に対し治療上の原則を守ることが重要

理学療法を受ける患者の多くは，筋の何らかの弱化または緊張を示し，身体の動きと関節の安定性がしばしば危うくなっている．これらの障害の治療の多くは，これまで本章で述べてきた原則に基づく．

以下の項目では，臨床例と用語の定義をまとめ，これまでの原則をよりわかりやすく解説する．

筋の硬さ

筋は適応性が高いため，筋の長さは，その筋が固定されることが多い長さに順応する．簡単にいえば，長期間短く縮まっている筋は時間とともに短くなり，同様に，長期間伸びている筋は時間とともに長くなる．

病気や不動，あるいは単なる不良姿勢の結果として，筋の**適応性短縮** adaptive shortening が起こることが多い．短縮した筋は硬くなることが多く，伸張の際に感じる抵抗が増大することになる．臨床的には，この筋の状態を"硬い tight"という．筋の緊張が筋の機能に影響する程度には，かなりのばらつきがある．例えば，ハムストリングスが硬い人は多いが，機能障害やQOLの低下が起こることはほとんどない．しかし，それが大きく関節運動を制限するほど硬ければ病的であり，これは**拘縮** contracture とよばれる（図 3.15）．

筋の拘縮は姿勢を大きく変化させ，身体の機能的な運動を減少させる．多くのエクササイズプログラムにとって，硬くなった筋や拘縮を起こした筋のストレッチは，重要な要素となる．

筋組織のストレッチ

筋が過剰に硬くなることによって，その筋に関連する関節は，筋の主作用がそのまま発揮されたような形になる．例えば，重度の痙性によって硬くなったハムストリングスは，股関節伸展位および膝関節屈曲位を引き起こすが，これはハムストリングスの主要な2つの作用であ

る．したがって筋をストレッチするためには，できる限り下肢を股関節屈曲位および膝関節伸展位に保持しなければならない．

　原則として，筋のストレッチを最適な形で行うためには，筋の作用とは反対の肢位に保つ必要がある．最も効果的な筋のストレッチ法は，これからの研究によって変化していくであろうが，Box 3.2 では，正しいストレッチおよび短縮予防のための，臨床上の現在の知見を示す．

筋力の強化

　筋力低下は，外傷や疾病，または単なる活動不足から生じる．しかし筋力低下は原因に関係なく，正常な機能を損ない，姿勢異常や関節の障害を招く可能性がある．

　セラピストはしばしば，筋力を増強する運動プログラムを組み立てるよう求められる．筋力強化エクササイズの多くは，**過負荷の原則** principle of overload と，**特異性の原則** principle of training specificity に従う．

> **臨床的な視点 >> 徒手筋力検査において，二関節筋から一関節の影響を取り除く方法**
>
> 　自動不全の原理は，治療のためにある筋を除外する際にしばしば活用される（他の股関節伸筋と分離して，大殿筋を単独で徒手筋力検査する場合等）．
>
> 　**図3.16A** では，セラピストによる股関節伸筋の徒手筋力検査を示す．膝を十分に伸展させた状態にすることにより，ハムストリングスと大殿筋はほぼ最大の力を発揮できる長さになる．このようにして，股関節伸筋全体としての筋力はうまく測定できる．
>
> 　しかし，大殿筋のみの徒手筋力検査を実施しなければならない場合がある．**図3.16B** のように，膝を屈曲させることで，ハムストリングスは股関節と膝関節でゆるむ．その結果，ハムストリングスは自動不全の状態となり，股関節の伸筋として作用する力をかなり減らすことができる．ハムストリングスが股関節伸筋群から事実上除かれることになるため，股関節伸展トルクを産生するのは，ほぼ大殿筋のみということになる．

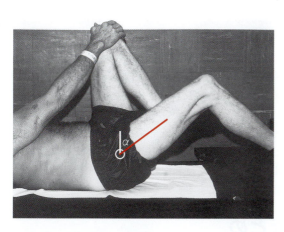

図3.15　トーマステストの実施
右下肢の股関節屈筋に，重度の拘縮（短縮）があることがわかる．左股関節を屈曲位に保持して，骨盤を固定している．
(The archives of the late Mary Pat Murray, PT, PhD, FAPTA, Marquette University. In Neumann DA: Kinesiology of the musculoskeletal system: foundations for physical rehabilitation, ed 2, St Louis, 2010, Mosby より)

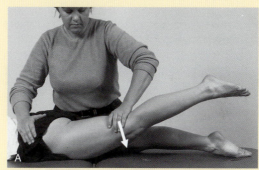

図3.16　セラピストによる徒手筋力検査
A：股関節伸展筋群に対する検査．B：大殿筋に対する検査．膝関節屈曲位の場合，ハムストリングスは"ゆるみの位置"となるため，大殿筋が分離されて単独での測定が可能となる．(Reese NB: Muscle and sensory testing, ed 3, Philadelphia, 2012, Saunders より)

> **Box 3.2　ストレッチのガイドライン**
>
> - 短縮したすべての筋が正常に作用したときの関節の位置に対して，関節（または複数の関節）を反対の位置にもっていくように筋をストレッチする．
> - 少なくとも 20～30 秒間，ストレッチを持続する．
> - ストレッチは頻回に行う．
> - 可能であれば 1 日を通して，短縮した筋が少しでも伸ばされるような肢位をとる．
> - 可能であれば，短縮した筋の拮抗筋の筋力を強化する．
> - 損傷の原因となるため，オーバーストレッチ（過伸張）はしない．
>
> **短縮の予防**
>
> - 長時間，同じ肢位をとらないようにする．
> - 活動的な生活を送る．
> - できる限り，理想的な姿勢を維持する．

筋肥大を促進するためには，一定以上の負荷が必要である．これを過負荷の原則という．過剰な負荷がかからない限り，筋が強化されることはない．セラピストは，筋を損傷させずに肥大させるよう，患者ごとに適切な負荷量を判断しなければならない．

筋をトレーニングすると，筋はそのトレーニングに見合って適応する．これを特異性の原則という．

セラピストはこの原則を用いて，筋への当然の要求（その筋に求められる力）に即した運動プログラムを組み立てることが多い．こうしたエクササイズの具体例は，本書全体にわたって掲載されている．

自動的スタビライザーとしての筋

靱帯と関節包は関節を安定させることはできる．しかし，直接的で長期にわたって身体を不安定にさせる外力

 臨床的な視点 ＞ ＞ 筋肥大

筋肥大 hypertrophy とは，筋の発達または増大を意味する．健全な筋の場合，筋肥大は筋力の増加となる．筋肥大は，適切な抵抗や負荷をかけることによって生じる．

興味深いことに，筋肥大は筋線維数の増加によるのではなく，ほとんどの場合，個々の筋線維が太くなることによる．太さの増大は，筋力に関係する蛋白質（アクチンとミオシン）が，より多く合成されるために起こる．その結果，アクチン-ミオシン架橋がより多く形成され，最大筋力は増加する．

に適応できるのは，筋だけである．筋組織は，外部環境に反応し，また神経系によって内部からも制御されているので，関節を安定させるのに適している．

損傷の多く（例えば靱帯断裂）は，関節を非常に不安定にする．これは，しばしば代償的な姿勢につながり，関節のさらなる損傷を引き起こす．セラピストは，多くは周囲の筋を強化することによって関節の安定性を改善させる．安定した筋系の構築を目指して，損傷した，あるいは不安定な関節を支持するために，それぞれの目的に合った運動プログラムを組み立てるのである．例えば，前十字靱帯の術後リハビリテーションプログラムでは，新しい移植片を支持し保護することができるように，通常は筋系を強化することから始める．

まとめ

筋が産生する力は，身体が安定姿勢と自動運動との複雑なバランスをとるうえで，主要な働きをする．本書の記述はこれ以降，一般的な機能運動において用いられる姿勢や，運動を制御するうえで筋が果たすさまざまな役割の解説に，多くを割くことになる．

損傷や疾患により筋の機能が低下すると，筋が硬くなる等の弱化が起こったり，さらには姿勢の不安定が生じる．臨床での症状や制限から，セラピストは治療的介入の方針を決定（そして追究）しなければならない．筋の基本的な性質を理解することによって，特定の治療方針を選択し，それを適切に進めることが可能となる．

 臨床的な視点 ＞ ＞ 筋萎縮：筋は使わなければ弱くなる

筋萎縮とは，筋がやせ衰える，もしくは筋量が減少することを意味する（**図 3.17**）．筋量の減少と筋力の低下は正比例し，臨床的に重要である．筋力の低下は，機能としての移動性や自立性をかなり損なう．筋の萎縮は多くの場合，四肢の周径を計測して間接的に評価する．例えば，下腿や大腿の周径の減少は，それぞれ足底屈筋や膝伸筋の萎縮を示唆する．

不動の状態では，筋は驚くほどのスピードで萎縮し始める．筋萎縮を防ぐために，固定期間が終了したらできるだけ速やかに運動プログラムを開始することも，セラピストの役割である．

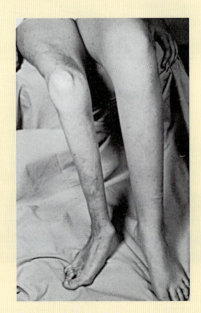

図 3.17　右下肢の筋萎縮
（Harris ED, Budd RC, Firestein GS, et al: Kelly's textbook of rheumatology, ed 7, Philadelphia, 2005, Saunders より）

確認問題

1 ▶ 他動不全が，筋活動が不十分なときに起こる理由はどれか．
 ⓐ 主動作筋は 2 つかそれ以上の関節をまたいでおり，短くなりすぎたから
 ⓑ 主動作筋が外力によって抵抗されているから
 ⓒ 主動作筋の拮抗筋が 2 つかそれ以上の関節をまたい

でおり，他動的に過度に伸張しているから
  d 関節を覆っている単関節筋が線維化したから
  e aとb
2 ▶ 筋収縮時に起始と停止が離れていく場合に考えられるのは，次のうちどれか．
  a 筋は求心性収縮をしている
  b 筋は遠心性収縮をしている
  c 筋は等尺性収縮をしている
  d 筋は羽状筋構造をしている
3 ▶ 求心性収縮はどれか．
  a 筋の起始と停止が離れる
  b 筋の起始と停止が近づく
  c 筋が産生する内的トルクは，外力が産生する外的トルクよりも大きい
  d aとc
  e bとc
4 ▶ 拮抗筋はどれか．
  a もう一方の筋が効果的に作用できるように，体節を固定するか静止状態に保つ筋
  b 活動時に常に短縮する筋
  c 主動作筋の作用に対抗する筋または筋群
  d 最も直接的に特定の筋の作用を遂行する筋または筋群
5 ▶ フォースカップルの説明として最も適切なのはどれか．
  a 2つ以上の筋がすべての作用を通して自動的に伸びる働き
  b 関節の動きを最小，または，ない状態にする主動作筋と拮抗筋の同時活動
  c 2つ以上の筋が異なる方向に作用する際の，一定方向で回転トルクを発生する働き
  d 非常に硬い拮抗筋が，主動作筋の作用を制限する働き
6 ▶ 筋が伸びるのはどれか．
  a 求心性収縮
  b 遠心性収縮
  c 等尺性収縮
7 ▶ 正しいのはどれか．
  a 筋の横断面積が大きくなればなるほど，力を産生する潜在性は大きくなる
  b 羽状筋において，ほとんどの筋線維は互いに平行に走行する
  c 筋は最も短縮した位置に近づくとき，最大の力を発生することができる
  d aとb
  e aとc
8 ▶ 肩関節の内側-外側方向の回転軸の前方に牽引線がある筋は，どのような運動を肩関節に起こすか．
  a 内転
  b 屈曲
  c 外転
  d 伸展
9 ▶ 筋がほぼ中間域の近くで最大の力を発生することの主な理由はどれか．
  a 筋の弾性という特性により，中間域での自動的な力を増すため
  b 最小のアクチン-ミオシン架橋が，筋の中間域で利用できるため
  c 筋組織の他動的な要素が，"たるみ"の上に置かれるため
  d 形成可能なアクチン-ミオシン架橋の数が，ほぼ最大であるため
10 ▶ 正しいのはどれか．
  a 他動的な長さ-張力曲線は，筋がゆるんでいるときよりも伸ばされているときに，より受動的な力を産生することを示す
  b 筋が求心性収縮する間，筋が産生する力は収縮速度が増すにつれて増加する
  c 等尺性収縮による力は，あらゆる速さの求心性収縮よりも大きい
  d aとc
  e aとb
11 ▶ 自動不全を表すのはどれか．
  a 拮抗筋が硬すぎたため，筋が作用できないこと
  b 筋が短縮しすぎたため，二関節筋（多関節筋）の能力が減少すること
  c 拮抗筋が複数の関節上で伸ばされたため，作用できないこと
  d 2つ以上の筋が力を結合しても，作用できないこと
12 ▶ 股関節屈曲筋と膝関節伸展筋が同時に硬くなると，制限を受けるのは，どの組み合わせか．
  a 股関節屈曲と膝関節伸展
  b 股関節伸展と膝関節屈曲
  c 股関節屈曲と膝関節屈曲
  d 股関節伸展と膝関節伸展
13 ▶ 求心性収縮の間，筋は自動的に短縮する．
  a 正しい
  b 誤り
14 ▶ 滑走説によれば，筋節の収縮は，アクチンフィラメントがミオシンフィラメントを通り越して滑走する結果として生じる．
  a 正しい
  b 誤り
15 ▶ 筋の等尺性収縮は，筋の起始と停止が離れて遠くなった状態である．
  a 正しい
  b 誤り
16 ▶ 筋が伸びるか短くなるかに関係なく，筋は収縮（または引く）力だけを発生させる．

- ⓐ 正しい
- ⓑ 誤り

17 ▶ 筋のエクスカーションとは，筋が発生することができる最大限の力のことである．
- ⓐ 正しい
- ⓑ 誤り

18 ▶ 多関節筋とは，2つ以上の関節にまたがる筋をいう．
- ⓐ 正しい
- ⓑ 誤り

19 ▶ 紡錘状筋は一般に，同じ大きさの羽状筋よりも多くの力を発生させることができる．
- ⓐ 正しい
- ⓑ 誤り

20 ▶ 過負荷の原則とは，筋肥大を促進するために筋に十分な量の抵抗が与えられることである．
- ⓐ 正しい
- ⓑ 誤り

21 ▶ 筋萎縮とは，筋の増大または筋質量の増加のことをいう．
- ⓐ 正しい
- ⓑ 誤り

22 ▶ 筋を伸張する，または最大限に伸ばすためには，その動きと反対側の肢位に筋を位置させる必要がある．
- ⓐ 正しい
- ⓑ 誤り

参考文献

Brown, S.H. & McGill, S.M. (2010) A comparison of ultrasound and electromyography measures of force and activation to examine the mechanics of abdominal wall contraction. Clinical Biomechanics, 25, 115-123.

Chen, T.C., Lin, K.Y., Chen, H.L., et al. (2011) Comparison in eccentric exercise-induced muscle damage among four limb muscles. European Journal of Applied Physiology, 111, 211-223.

Duchateau, J. & Baudry, S. (2014) Insights into the neural control of eccentric contractions. Journal of Applied Physiology (1985), 116, 1418-1425.

Enoka, R.M. (2015) Neuromechanics of Human Movement (5 th ed.). Champaign, Ill: Human Kinetics.

Hunter, S.K. (2014) Sex differences in human fatigability: mechanisms and insight to physiological responses. Acta Physiologica (Oxf), 210, 768-789.

Herzog, W. (2014) Mechanisms of enhanced force production in lengthening (eccentric) muscle contractions. Journal of Applied Physiology, 116, 1407-1417.

Neumann, D. (2017) Kinesiology of the Musculoskeletal System: Foundations for Physical Rehabilitation (3rd ed.). St Louis: Elsevier.

Neumann, D.A. & Garceau, L.R. (2015) A proposed novel function of the psoas minor revealed through cadaver dissection. Clinical Anatomy, 28, 243-252.

Pattn, K.T. (2005) Survival guide for anatomy & physiology. St Louis: Mosby.

Stanring, S. (2016) Gray's anatomy: the Anatomical Basis of Clinical Practice (41st ed.). Edinburgh: Churchill Livingstone.

Thibodeau, G.A. & Patton, K.T. (2005) Anatomy & Physiology (6 th ed.). St Louis: Mosby.

Whyte, G., Spurway, N. & MacLaren, D. (2006) The Physiology of Training, Edinburgh: Churchill Livingstone.

Yamauchi, J., Mishima, C., Nakayama, S., et al. (2009) Force-velocity, force-power relationships of bilateral and unilateral leg multi-joint movements in young and elderly women. Journal of Biomechanics, 42(13), 2151-2157.

第4章

肩複合体の構造と機能

▶ 本章の概要

骨学
　胸骨
　鎖骨
　肩甲骨
　近位から中間部の上腕骨
関節学
　胸鎖関節
　肩甲胸郭関節
　肩鎖関節
　肩甲上腕関節
　肩複合体の相互作用
筋と関節の相互作用
　肩複合体の神経支配
　肩甲帯の筋
　整理して考えよう
　肩甲上腕関節の筋
　整理して考えよう
まとめ
確認問題
参考文献

▶ 学習目標

- 肩複合体に関連する主な骨と，その特徴を述べることができる．
- 肩複合体を支える靱帯の走行と，主な機能を説明できる．
- 肩関節の屈曲と伸展，外転と内転，内旋と外旋の正常可動域を述べることができる．
- 肩複合体の運動面と回転軸を説明できる．
- 肩複合体に付着する筋の起始と停止，作用と神経支配を述べることができる．
- 肩関節外転時の主な筋の相互作用を説明できる．
- 肩甲上腕リズムを説明できる．
- 肩甲骨の上方回旋を起こすフォースカップルを説明できる．
- 肩甲上腕関節の動的安定化に関わる主な筋を述べることができる．
- 胸郭の挙上における，肩の下制筋の作用を説明できる．
- 投げる動作における，肩関節の内旋と外旋の相互作用を説明できる．

キーワード

亜脱臼	筋の代償運動	静的安定性	フォースカップル
インピンジメント	肩甲上腕リズム	動的安定性	翼状肩甲
下方回旋	上方回旋	反作用	

　本書の上肢についての学習は，胸骨，鎖骨，肋骨，肩甲骨，上腕骨で構成される4つの関節からなる，肩複合体から始める（**図4.1**）．これらの関節は共同して働き，3つすべての運動面において，大きな可動性を有する．肩複合体では，1つの筋が単独で作用することはまれで，多くの関節をまたいで複数の筋が協調的に作用する．このように，肩周囲の筋が協調的に作用することにより，上肢の可動性や制御機能が高まる．この肩周囲の筋の協調性のため，たとえ1つの筋でも麻痺や筋力弱化，過緊張を起こせば，肩複合体の正常な運動は障害される．

　本章では，肩複合体の4つの関節の運動と，正常な肩の機能をサポートする主な筋の**共同運動** synergy について説明する（**図4.1**）．

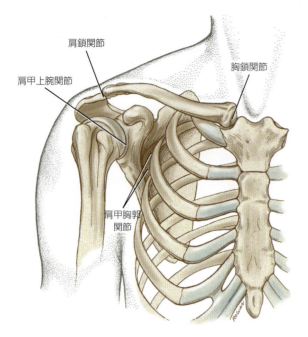

図 4.1　右の肩複合体の関節
（Neumann DA: Kinesiology of the musculoskeletal system: foundations for physical rehabilitation, ed 2, St Louis, 2010, Mosby, Fig. 5.1 より）

骨学

胸骨

　胸骨は，胸郭の前壁正中部に位置しており，胸骨柄，胸骨体，剣状突起からなる（**図 4.2**）．胸骨柄は，胸骨最上部に位置し，鎖骨と胸鎖関節をなす．胸骨体は，胸骨中央部に位置し，第 2 肋骨から第 7 肋骨に連結する．胸骨の尖った先端は，剣のような形状で，剣状突起とよばれる．

鎖骨

　鎖骨は，肩甲骨と胸骨を連結するＳ字状の骨で，力学的には竿のような働きをする（**図 4.3**）．平らな外側部分は肩峰端とよばれ，肩鎖関節面で肩甲骨と肩鎖関節をなす．内側部は胸骨端とよばれ，胸骨の胸骨柄と胸鎖関節をなす．

肩甲骨

　肩甲骨は，三角形で可動性があり，胸郭の後壁に位置する（**図 4.4**）．肩甲骨前面のわずかなくぼみは肩甲下窩とよばれ，胸郭の後壁の凸面に沿っており，肩甲骨のスムーズな滑りを可能にする．関節窩は凹状で，楕円形の表面は上腕骨の骨頭を受け入れ，肩甲上腕関節を構成する．関節上結節と関節下結節は，それぞれ関節窩の上下に位置し，これらの結節はそれぞれ上腕二頭筋長頭と上腕三頭筋長頭の起始となる．肩甲棘は肩甲骨の後面を上下に分けており，上部を棘上窩，下部を棘下窩とよぶ．

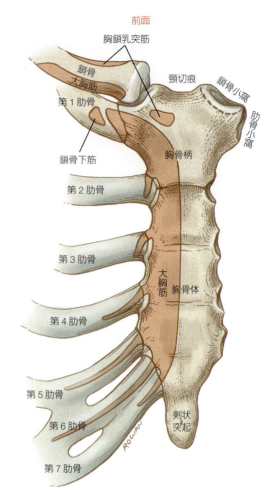

図 4.2　左の鎖骨と肋骨を除いた胸骨の前面
筋の起始を赤色で示す．（Neumann DA: Kinesiology of the musculoskeletal system: foundations for physical rehabilitation, ed 2, St Louis, 2010, Mosby, Fig. 5.3 より）

　肩峰は，幅広く，肩甲骨の最も上外側部に位置する扁平な突起である．上腕骨頭を覆う肩峰という屋根は，その部位にある繊細な構造物を保護する機能がある．烏口突起は，肩甲骨の前面に位置する指のような形状の突起であり，鎖骨外側面の最もくぼんだところから約 2.5 cm 下方で触診できる．烏口突起は，肩複合体のいくつかの筋や靱帯の付着部となる．肩甲骨の内側縁と外側縁は，肩甲骨先端の下角で交わる．臨床的には，下角は比較的簡単に触診できるため，肩甲骨の動きを確認するのに便利である．

近位から中間部の上腕骨

　近位上腕骨（**図 4.5**）には，多くの靱帯や筋が付着する．なお遠位上腕骨については，次の第 5 章で説明する．
　上腕骨頭はほぼ半球状で，関節窩と肩甲上腕関節をなす．小結節は上腕骨頭のすぐ下に位置し，前方に突起している．大結節は小結節よりも大きく丸みがあり，外方に突起している．大結節と小結節は結節間溝で分かれ，そ

骨学 53

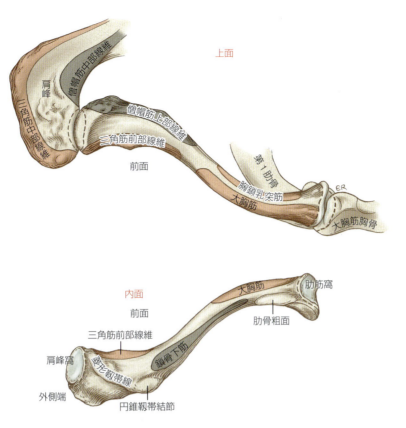

図 4.3　右鎖骨の上面と内面
筋の起始を赤色，停止を灰色で示す．（Neumann DA: Kinesiology of the musculoskeletal system: foundations for physical rehabilitation, ed 2, St Louis, 2010, Mosby, Figure 5.3 より）

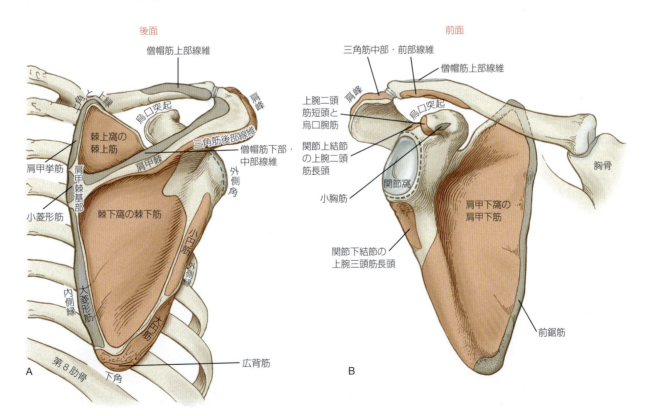

図 4.4　右肩甲骨の後面（A）と前面（B）の表面
筋の起始を赤色，停止を灰色で示す．（Neumann DA: Kinesiology of the musculoskeletal system: foundations for physical rehabilitation, ed 2, St Louis, 2010, Mosby, Fig. 5.5 より）

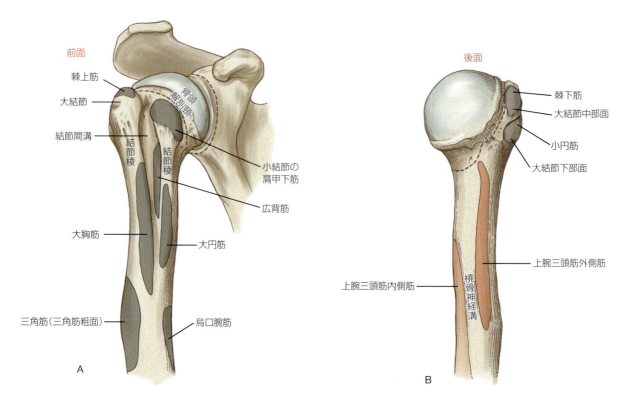

図 4.5　右上腕骨の前面（A）と後面（B）
筋の起始を赤色，停止を灰色で示す．（Neumann DA: Kinesiology of the musculoskeletal system: foundations for physical rehabilitation, ed 2, St Louis, 2010, Mosby, Fig. 5.7A および 5.9 より）

こを上腕二頭筋長頭腱が走行することから，二頭筋溝ともよばれる．結節間溝の末梢部で，上腕骨幹体の上部 1/3 の外側部には，三角筋が付着する三角筋粗面がある．橈骨神経が通る橈骨神経溝は，上腕骨の後面を螺旋状に走行し，上腕三頭筋の外側頭と内側頭の起始を明確にする．

関節学

　肩複合体は，①胸鎖関節，②肩甲胸郭関節，③肩鎖関節，④肩甲上腕関節の相互作用によって機能する．肩のすべての機能を十分に理解するには，各関節の構造と運動をまず知る必要がある．

肩複合体の関節
● 胸鎖関節 ● 肩甲胸郭関節 ● 肩鎖関節 ● 肩甲上腕関節

胸鎖関節

▶一般的な特徴

　胸鎖関節 sternoclavicular (SC) joint は，鎖骨の内側で胸骨と関節をなす（**図 4.6**）．この関節は上肢で唯一，体幹と直接連結する関節である．そのため，上肢の大きな運動を受けるので，関節は安定していなければならない．

　胸鎖関節は，3つすべての運動面で可動性があり，厚い靱帯，関節円板，関節包によって支持される．この部位では，胸鎖関節の脱臼よりも，むしろ鎖骨の骨折のほうがよく起こる．このことから，厚い靱帯は胸鎖関節をしっかりと安定させていることがわかる．

▶胸鎖関節の支持構造

胸鎖関節の支持構造を**図 4.6** に示す．

- **胸鎖靱帯**：前部と後部の線維があり，鎖骨と胸骨柄をしっかりと連結する．
- **関節包**：胸鎖関節全体を囲み，前後の胸鎖靱帯によって補強される．
- **鎖骨間靱帯**：頸切痕部を覆い，両鎖骨の内側上部を連結する．
- **肋鎖靱帯**：鎖骨から第 1 肋軟骨にしっかりと付着し，鎖骨の下制を除くすべての動きを制限する．
- **関節円板**：鎖骨と胸骨間の衝撃吸収の役割を果たし，関節の適合性を高める．

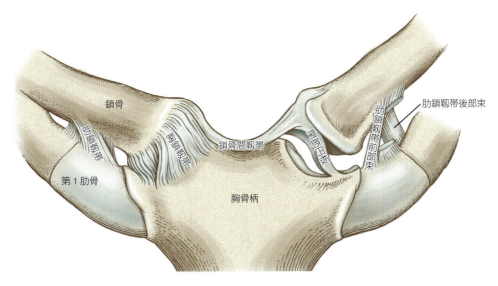

図 4.6　胸鎖関節の前面
左側の関節包と，いくつかの靱帯を除いた．（Neumann DA: Kinesiology of the musculoskeletal system: foundations for physical rehabilitation, ed 2, St Louis, 2010, Mosby, Fig. 5.11 より）

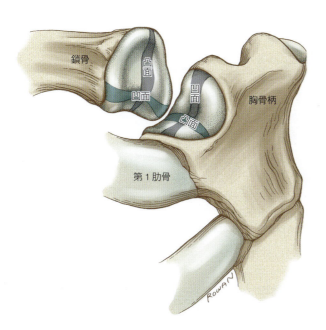

図 4.7　右胸鎖関節
鞍関節の関節面をみるために，関節を開いた．（Neumann DA: Kinesiology of the musculoskeletal system: foundations for physical rehabilitation, ed 2, St Louis, 2010, Mosby, Fig. 5.12 より）

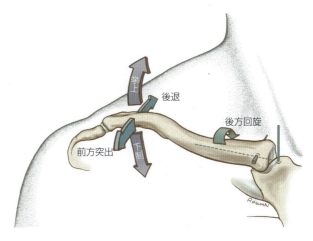

図 4.8　右胸鎖関節での肋骨の運動
回転軸は，対応する運動面と同じ色で示す．（Neumann DA: Kinesiology of the musculoskeletal system: foundations for physical rehabilitation, ed 2, St Louis, 2010, Mosby, Fig. 5.13 より）

▶運動学
　胸鎖関節は鞍関節であり，凹状と凸状の関節面をもつ（**図 4.7**）．この構造により，鎖骨は3つすべての運動面で可動性がある．それらの運動は，挙上（引き上げ）と下制（引き下げ），前方突出と後退，軸回旋である（**図 4.8**）．
　基本的に，肩甲帯（肩甲骨と鎖骨等）のすべての運動には，胸鎖関節が関与する．よって胸鎖関節が癒着を起こせば，鎖骨と肩甲骨の運動を制限することになり，肩全体の運動が制限される．

1. 挙上と下制
　胸鎖関節の挙上と下制は，回旋の前-後軸における前額面の運動であり，約45°の鎖骨挙上と，約10°の下制が可能である．

2. 前方突出と後退
　胸鎖関節の前方突出と後退は，回旋の垂直軸における水平面の運動であり，それぞれ約15〜30°の運動が可能である．

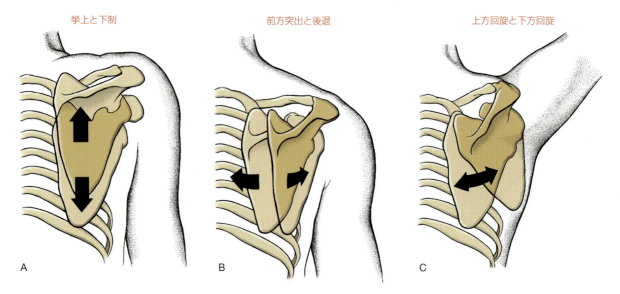

図 4.9　胸郭の後外側面上の右肩甲骨の運動
A：挙上と下制．B：前方突出と後退．C：上方回旋と下方回旋．（Neumann DA: Kinesiology of the musculoskeletal system: foundations for physical rehabilitation, ed 2, St Louis, 2010, Mosby, Fig. 5.10 より）

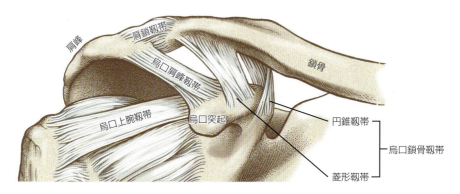

図 4.10　多くの靱帯を含む右肩鎖関節の前面

（Neumann DA: Kinesiology of the musculoskeletal system: foundations for physical rehabilitation, ed 2, St Louis, 2010, Mosby, Fig. 5.17 より）

3. 回旋軸

　肩を外転または屈曲すると，縦軸で鎖骨は後方に回旋する．加えて，烏口鎖骨靱帯が緊張し，鎖骨が後方に回旋する．一方，肩を内転または伸展すると，鎖骨は前方に回旋し，元の位置に戻る．

肩甲胸郭関節

▶一般的な特徴

　肩甲胸郭関節は，解剖学における関節ではなく，単に，胸郭の後壁と肩甲骨の前面とが接触することで構成されたものである．肩甲胸郭関節の運動とは，胸郭の後壁を移動する肩甲骨の運動を指す．

　肩甲胸郭関節の基本的な運動と位置は，肩の基本的な機能に必要不可欠である．そのためセラピストは，肩甲骨と胸郭の間の運動性やその評価，および治療を重要視する．

▶運動学

　肩甲胸郭関節の運動は，挙上と下制，前方突出と後退，上方回旋と下方回旋である（**図 4.9**）．すべての運動は，肩複合体をなす他の3つの関節の運動にも関連する．これらの関連については，のちに詳しく説明する．

1. 挙上と下制

　肩甲骨の挙上（例：肩をすくめる動作）は，胸郭上で肩甲骨が上方に滑る．下制は，胸郭上で肩甲骨が下方に滑る（**図 4.9A**．例：肩をすくめてから静止位に戻る．または，座位から手で押して立ち上がる場合に肩全体を押し下げる）．

2. 前方突出と後退

　肩甲骨の前方突出は，胸郭上で横方向へ滑り，正中線より離れる．後退は，正中線に近づく（**図 4.9B**）．

考えてみよう！>>>関節唇の損傷

結合組織の線維軟骨輪である関節唇は，肩甲上腕関節の安定性を高める．関節唇は，2つの重要な機能をもつ．1つ目は，浅い関節窩のくぼみを深くし，関節として"適合する"のを高める．2つ目は，関節唇が上腕骨の骨頭と関節窩の間の"吸引カップ効果"をもたらす．関節唇のごく小さな傷は，肩甲上腕関節の不安定性とごくわずかな変位の原因となる．

関節唇がなぜ肩の病状に関わっているか，多くの構造と機能的な原因でわかる．まず，関節唇上部のみ隣接した関節窩の縁に軽く結合している．次に，上腕二頭筋長頭腱の約50％の線維は，関節窩唇上部に直接拡張している．二頭筋腱の大きな力の負担は，関節唇上部のゆるい結合部を部分的に剥離，欠損する．このタイプの損傷を，ほとんどの場合，SLAP（Superior Labrum from Anterior to Posterior）損傷（上方肩関節唇損傷）といい，関節唇上部が関与する．これは一般に，野球の投手のように投げる動作をするスポーツ選手に比較的起こりやすい．SLAP損傷の症状は，頭上に腕を上げる運動時の痛みと肩の"カチカチするクリッキング"もしくは"ポンと弾けるようなポッピング"が関与する．一方，バンカート損傷とは，肩関節窩唇前下部が欠損するものである（臨床的な視点（62頁）参照）．このタイプの損傷は，上腕骨の外傷性の前方脱臼が関与する．バンカート損傷の患者は，著しい肩の不安定性を訴え，さまざまな方向に動かす際，肩が"スポンと抜けるようなポップアウト"を感じる．

損傷のタイプに関係なく，関節唇の欠損が大きいか，もしくは保存的な治療法がうまくいっていない場合，手術になる．これらの理学療法は，体力と可動域と関わる筋の回復に関し，患者のニーズに適した安定したプログラムを調整する必要がある．

3．上方回旋と下方回旋

肩甲骨の**上方回旋** upward rotation は，関節窩が上方へ回旋する．これは，外転または屈曲するように頭上に腕を上げる際，自然に起こる（**図4.9C**）．**下方回旋** downward rotation は，上方回旋から静止位に戻る．これは，挙上した上肢を体側に戻す際に自然に起こる．

肩鎖関節

▶一般的な特徴

肩鎖関節 acromioclavicular（AC）joint は，滑走関節もしくは平面関節とみなされ，鎖骨の外側と肩甲骨の肩峰からなる（**図4.10**）．肩鎖関節は鎖骨外側端で肩甲骨に連結し，肩甲骨や上腕骨の運動に関与する．また肩鎖関節を越えて強い力が移動するので，肩鎖関節の一体性を維持するために，関節を安定させるいくつかの靱帯が必要となる．

▶肩鎖関節の支持構造

肩鎖関節の支持構造を**図4.10**に示す．

- **肩鎖靱帯**：鎖骨と肩峰を連結する．肩甲骨の脱臼を防ぎ，肩甲骨と鎖骨の運動に関与する．
- **烏口鎖骨靱帯**：円錐靱帯と菱形靱帯で構成される．これらの靱帯は，肩甲骨を鎖骨から吊るようにして，脱臼を防ぐ．
- **烏口肩峰靱帯**：烏口突起から肩峰に付着する．よって，この靱帯は同じ骨の近位部と遠位部に付着することになるが，このような例は数少ない．烏口肩峰靱帯は，肩峰に沿って上腕骨の骨頭を保護する屋根のような機能を果たす．烏口肩峰弓を形成する．

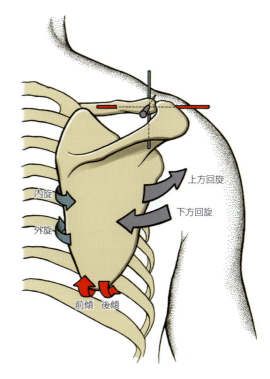

図4.11　右肩鎖関節の骨運動
回転軸は対応する運動面と同じ色で示す．（Neumann DA: Kinesiology of the musculoskeletal system: foundations for physical rehabilitation, ed 2, St Louis, 2010, Mosby, Fig. 5.19A より）

▶運動学

肩鎖関節は，上方回旋と下方回旋，水平面での回旋（内旋と外旋），矢状面での回旋（前傾と後傾），という3つの運動を行う（**図4.11**）．これらの動きはわずかであるが，肩甲骨と上腕骨間の微調整に重要な役割を担う．また肩甲骨が胸郭の後壁にしっかりと接触し保持することを助けているという点においても，重要である．

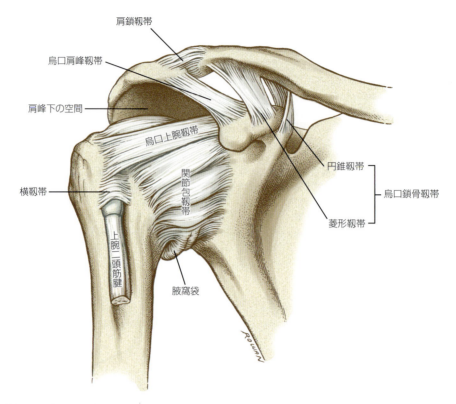

図 4.12　多くの靱帯を含む右肩甲上腕関節の前面
(Neumann DA: Kinesiology of the musculoskeletal system: foundations for physical rehabilitation, ed 2, St Louis, 2010, Mosby, Fig. 5.25 より)

肩甲上腕関節

▶一般的な特徴

　肩甲上腕関節は、肩甲骨の関節窩で上腕骨頭と関節をなす(**図 4.12**)．上腕骨の骨頭は大きく半球状で、関節窩は比較的平面状である．この関節の形状から、肩甲骨と共同して、3つすべての運動面で大きな可動性を有するが、安定性は高くない．興味深いことに、この関節の靱帯と関節包は比較的薄く、二次的(訳注：補助的)にしか関節を安定させられない．この関節を安定させる力は主に周囲の筋組織、特に**腱板** rotator cuff によって得られる．

▶肩甲上腕関節の支持構造

- **腱板**：棘上筋、棘下筋、肩甲下筋、小円筋の4つの筋群である．これらの筋は上腕骨頭周辺にあり、関節窩に対して上腕骨頭を固定させるように作用する．詳しい説明は後述する．
- **関節包靱帯群**：薄い線維状の包で、上・中・下の関節上腕靱帯を含む(**図 4.12**)．この比較的ゆるんだ包が、関節窩の縁と上腕骨頭の解剖頸に付着する．
- **烏口上腕靱帯**：烏口突起と大結節の前面に付着する．過度の外旋、屈曲、伸展および上腕骨の下方移動を制限する(**図 4.12**)．
- **関節唇**：関節窩を縁取る線維軟骨輪である．この関節唇は、肩甲上腕関節のくぼみを深くし、関節窩の深さを約2倍にする．関節唇によって関節窩が深まることにより、上腕骨と関節窩の吸引効果が向上し、関節の安定性を高める．
- **上腕二頭筋長頭**：腱の近位部が上腕骨頭の上部周辺を包み、上結節窩に付着する．この腱は、関節唇と部分的に調和し、上腕骨頭の前方と上方移動を制限するのに働く．

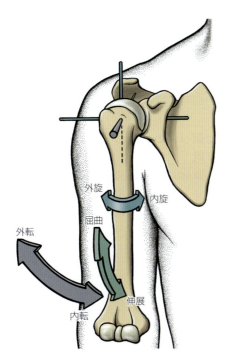

図 4.13　右肩甲上腕関節における上腕骨の基本的な運動
回転軸は，対応する運動面と同じ色で示す．(Neumann DA: Kinesiology of the musculoskeletal system: foundations for physical rehabilitation, ed 2, St Louis, 2010, Mosby, Fig. 5.30 より)

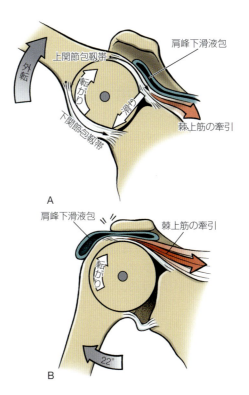

図 4.14　右肩甲上腕関節における肩峰下インピンジメント症候群を引き起こす運動学的分析
A：肩甲上腕関節の正常な運動では，外転時の上腕骨頭の上方への転がりと下方への滑りが同時に起こる．B：下方への滑りが起こらないと，肩峰下滑液包と棘上筋のインピンジメントが生じてしまう．(Neumann DA: Kinesiology of the musculoskeletal system: foundations for physical rehabilitation, ed 2, St Louis, 2010, Mosby, Figs. 5.31 および 5.32B より)

▶運動学

肩甲上腕関節は球関節で，自由度3の運動が可能である．この関節の主な運動は，外転と内転，屈曲と伸展，内旋と外旋，水平外転と水平内転である（**図4.13**）．水平外転および水平内転という用語は，肩の特別な動きを表現するために使用される．

1．外転と内転

肩甲上腕関節の外転と内転は，前額面における上腕骨の前-後軸での回転運動である．正常では，肩甲上腕関節は120°の外転が可能で，180°の外転を行うためには，肩甲上腕関節の120°の外転とともに，肩甲骨の60°の上方回旋が必要となる．この重要な概念は，次頁『肩複合体の相互作用』で詳しく説明する．

この外転では，上腕骨の凸状の骨頭の上方への転がりと下方への滑りが，同時に生じる点が重要である（**図4.14A**）．この際，下方への滑りが起こらなければ，外転時に上腕骨頭が上方に移動し，肩峰に衝突する．これは**肩峰下インピンジメント** subacromial impingement として知られており，棘上筋もしくは2つの骨構造の間に挟まれた肩峰下滑液包の損傷を引き起こすことがある（**図4.14B**）．なお，肩甲上腕関節の内転では，肩の外転時とは逆の動きが生じる．

2．屈曲と伸展

肩甲上腕関節の屈曲と伸展は，矢状面における上腕骨の内側-外側軸での回転運動である．軸が比較的一定であるため，この運動において関節運動学的な転がりと滑りは必要ではない．

120°の屈曲と45°の伸展は，肩甲上腕関節で可能である．肩を180°屈曲するためには，外転運動と同様に，肩甲骨の60°の上方回旋が必要となる．

3．内旋と外旋

肩甲上腕関節の内旋と外旋は，水平面における上腕骨の垂直軸（縦軸）での回転運動である（**図4.13**）．内旋は，上腕骨の前面が内側に回旋し，正中線に近づく動きで，外旋は，上腕骨の前面が外側に回旋し，正中線より離れる動きである．体の横に腕を保つとき，肩甲骨の前方突出（内旋とともに）と後退（外旋とともに）を伴う．

4．水平外転と水平内転

肩の90°の外転位で，胸の前で手を合わせるように，

上腕骨が水平面で正中線に近づく動きを水平内転，正中線より離れる動きを水平外転とよぶ．例えば，これらの運動は，ボートを漕ぐ動作や腕立て伏せに用いられる．

肩複合体の相互作用

これまで，肩複合体の関節学と運動学を説明してきた．肩全体の動きは，4つの関節の運動によって生じる．この4つの関節の相互作用によって，正常な運動がもたらされる．この相互作用の優れた例として，**肩甲上腕リズム** scapulohumeral rhythm がある．

▶肩甲上腕リズム

正常な肩の外転（もしくは屈曲）時には，肩甲上腕関節と肩甲胸郭関節（肩甲骨）の運動において，自然な2対1の割合（リズム）が存在する．つまり，肩甲上腕関節が2°外転するごとに，肩甲胸郭関節が同時に1°上方回旋する．例えば肩の90°の外転には，肩甲上腕関節で60°の外転が起こり，同時に肩甲胸郭関節の30°の上方回旋が起こる．通常，肩で180°の外転を行うには，肩甲上腕関節の120°の外転と肩甲胸郭関節の60°の上方回旋が必要となる（図4.15）．

> 120°の肩甲上腕関節の外転
> ＋60°の肩甲胸郭関節の上方回旋
> ＝180°の肩の外転

1. 肩甲上腕リズムにおける肩鎖関節と胸鎖関節の相互作用

肩甲胸郭関節の運動は，ほぼすべての肩の運動に関与し，肩鎖関節と胸鎖関節の複合運動によって行われる．肩甲胸郭関節の60°の上方回旋では，胸鎖関節の25°の挙上と肩鎖関節の35°の上方回旋が行われる（図4.15）．

> 25°の胸鎖関節の挙上
> ＋35°の肩鎖関節の上方回旋
> ＝60°の肩甲胸郭関節の上方回旋

肩の機能障害の治療では，肩複合体のそれぞれの関節の相互作用に留意する．というのは，1つの関節における問題が，他の3つの関節にも影響する可能性があるからである．

Box 4.1 に，一般的な肩の運動における関節や骨の相互作用を要約する．

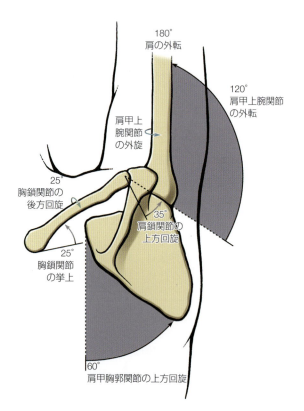

図4.15　腕を180°外転したときの右肩複合体の後面
肩甲胸郭関節の60°上方回旋と，肩甲上腕関節の120°外転を，紫色で示す．肩甲骨の上方回旋は，胸鎖関節が25°挙上し，肩鎖関節が35°上方回旋することで生じる．（Neumann DA: Kinesiology of the musculoskeletal system: foundations for physical rehabilitation, ed 2, St Louis, 2010, Mosby, Fig. 5.35 より）

Box 4.1　肩の運動における骨の動き

肩の運動時に生じる，上腕骨，肩甲骨，鎖骨の正常な相互作用を要約する．

水平外転
- 上腕骨の水平外転
- 肩甲骨の後退
- 鎖骨の後退

水平内転
- 上腕骨の水平内転
- 肩甲骨の前方突出
- 鎖骨の前方突出

屈曲：屈曲では，肩甲上腕関節の屈曲と肩甲胸郭関節の上方回旋が，2：1の割合で起こる（肩甲上腕リズム）．
- 上腕骨の屈曲
- 肩甲骨の上方回旋
- 鎖骨の挙上と後方回旋

伸展：伸展範囲によって，肩甲上腕関節と肩甲胸郭関節の動く割合は変化する．引く動作では，肩の90°屈曲位から10°伸展位までの範囲で動く．
- 上腕骨の伸展
- 肩甲骨の下方回旋と後退
- 鎖骨の下制と後退

外転：外転では，肩甲上腕関節の外転と肩甲胸郭関節の上方回旋が，2：1の割合で起こる（肩甲上腕リズム）．
- 上腕骨の外転
- 肩甲骨の上方回旋
- 鎖骨の挙上と後方回旋

臨床的な視点 >> 肩の肩峰下インピンジメントを防ぐ2つの方法

　全可動域にわたって肩を外転するためには，突出した大結節が肩峰の下をうまく通り抜ける必要があるが，これは，肩の外旋もしくは肩甲骨面での外転によって可能となる．

　肩を外転してみるとよくわかるが，最初に中間位（手掌が下を向く）や内旋位（母指が下を向く）で肩の外転を始めても，最後には外旋位（母指は上を向く）をとっているはずである．肩を中間位や内旋位で外転すると可動域の制限が起こるが，これは大結節が肩峰突起を圧迫してインピンジメントを起こす原因となる．肩が外旋し，大結節が烏口肩峰弓の後方を通過すると，肩峰への圧迫は避けられる．

　上腕骨が外旋していても，純粋な前額面で肩を最終域まで外転すると，インピンジメントを生じる可能性がある（**図4.16A**）．

　セラピストは，繰り返し起こるインピンジメントを予防するために，患者に**肩甲骨面** scapular plane 上での肩の運動を行うよう指導する．肩甲骨面は，前額面の約35°前方である（**図4.16B**）．肩甲骨面での肩の外転は，肩甲骨面挙上ともよばれ，上腕骨の大結節が肩峰の最も高い位置の下を通るため，肩の外旋に関係なくインピンジメントを防ぐことができる．これは上肢を内旋位・中間位・外旋位にして，肩甲骨面上で肩を外転させると確認できる．

　肩甲骨面での外転は，純粋な前額面での外転よりも自然な動きである．このとき，靱帯や筋（特に棘上筋）は，正常な肩の動きを行うよう適切に配置され，上腕骨頭は関節窩に対してうまく適合する．

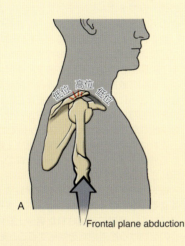
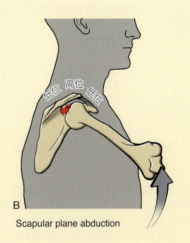

A　Frontal plane abduction　　B　Scapular plane abduction

図4.16　右肩甲上腕関節の側面
純粋な前額面での外転（A）と，肩甲骨面での外転（B）の比較．（Neumann DA: Kinesiology of the musculoskeletal system: foundations for physical rehabilitation, ed 2, St Louis, 2010, Mosby, Fig. 5.38 より）

筋と関節の相互作用

　前述したように，肩の4つの関節は，正常な肩の運動のために協調しなければならない．したがって肩複合体の筋は，高度に共同して働く必要がある．本書では，肩複合体の筋を，①肩甲帯の筋，②肩甲上腕関節の筋の2つのグループに分けて説明する．以下では，上肢の神経支配について述べる．

肩複合体の神経支配

　すべての上肢は，主に腕神経叢からの神経支配を受ける（**図4.17**）．この腕神経叢は，脊髄神経C5～T1の神経根によって構成される．C5とC6の神経根は上神経幹，C7は中神経幹，C8とT1は下神経幹に分岐する．この神経幹は，すぐに前後の枝に分岐する．その後，さらに外側神経束，内側神経束，後神経束に再分岐するが，この名称は腋窩動脈との位置関係によって名づけられる．この神経束は最終的に，上肢の主な神経支配筋の神経に分岐する．

　肩複合体の大部分の筋は，腕神経叢の2つの領域から神経支配を受ける．①後神経束から分岐した神経（例：腋窩神経，肩甲下神経，胸背神経），②神経叢の最も近位部から分岐した神経（例：肩甲背神経，長胸神経，胸筋神経，肩甲上神経）である．この神経支配の例外として僧帽筋があるが，この筋は第11脳神経（副神経）によって神経支配を受ける．

肩甲帯の筋

　肩甲帯は，肩甲骨と鎖骨の組み合わせと考えることができる．肩甲胸郭の筋は，体幹に起始，肩甲骨もしくは鎖骨に停止をもち，肩甲帯の運動に関与する．それらの筋の主な機能は，肩甲骨を安定させ，肩全体の機能を高めることである．

　次に，肩甲胸郭の筋を本文とは別に，アトラス形式の頁で説明する．また，その次の『整理して考えよう』では，これらの筋の相互作用について説明する．

臨床的な視点 >> 3種類の肩の不安定性

肩甲上腕関節は身体の中で最も可動性を有する関節の一つである．安定した状態を保つため肩甲上腕関節は，腱板筋のような能動的な構造だけではなく関節包，関節唇，周囲の靱帯のような受動的な構造の中で優れた相互作用が要求される．さまざまな理由からこれらの作用は機能しなくなり，不安定な肩となる．

この臨床的な視点では，3種類の肩の不安定性（外傷性・非外傷性・後天性）に重点を置く．

●外傷性の不安定性

肩の不安定性は，肩甲上腕関節の外傷性脱臼等の外傷によって生じる場合が多い．これらの脱臼は，上腕骨頭が関節窩の前方に抜け落ちたり強力な衝突する力によってしばしば起こる．この強力な前方脱臼の結果として，腱板筋・関節包の前方の一部・肩関節窩唇前下部が過度に伸ばされたり断裂する．関節窩前縁が剥離し，関節包と関節唇の断裂や損傷の複合をバンカート損傷とよぶ．

これらの構造の断裂や過度の伸長は，今後の肩の脱臼リスクを生じさせる．今後の脱臼の頻度を少なくすることを助けるための治療方針には，通常の行動変容と肩をさまざまな異なる位置に保った状態にして，肩甲上腕関節周囲の筋肉強化を中心とする多段階の理学療法プログラムが含まれる．この治療方針で脱臼の頻度と程度を減らせない場合は，手術が必要になるかもしれない．

●非外傷性の不安定性

その名の通り，非外傷性の不安定性は，一次的原因として衝撃的な出来事がなくても本質的に不安定な肩甲上腕関節を含む．非外傷性の不安定性と診断されると，先天性の全身の靱帯の過度の弛緩と表示されるかもしれない．非外傷性の不安定性はよく理解されていないが，多くの要因は以下を含む疾患の原因の一つとされる．

- 肩甲上腕関節もしくは肩甲骨筋の弱化，不十分な持久力
- 異常な肩甲骨の運動学
- 周囲の結合組織の過度の弛緩
- 関節包もしくは関節包靱帯全体の弱化
- 神経筋障害もしくは不十分な神経筋制御

セラピストは非外傷性の不安定性のある患者に対して，腱板と肩甲骨筋を中心に強化し固有受容運動を行う．これらの保存的方法が大成功したとしても，患者が好意的に思わなければ，手術は選択肢となりうる．

●後天性の不安定性

後天性の不安定性は，頭上運動を行う選手と関連している．野球・ソフトボール・テニス・バレーボールは肩の外転位で過度の外旋を繰り返す高速の腕の動きを含む．これらの動きを繰り返すことで，時間の経過とともに肩甲上腕関節の関節包靱帯が過度に伸ばされたり，微視的損傷が引き起こされる．もし肩甲上腕関節包の前方部分が過度に伸ばされたりゆるんだりすれば，周囲の軟部組織が上腕骨頭を関節窩に保つことができなくなり，さらには関節弛緩が引き起こされる．なぜなら，上腕骨頭を関節窩に保持させたり，安定させられなくなり，通常の運動学的な肩が病的な状態になるからである．

これは患者を腱板腱炎，関節唇や上腕二頭筋長頭の損傷，そして肩峰下インピンジメント症候群のようなストレス関連の病態にさせるおそれがある．

後天性の不安定性に対する理学療法は，肩の機能的姿勢を改善するのを助ける固有受容とスポーツ特有のトレーニングだけではなく，過度に伸ばされた肩甲上腕関節の関節包靱帯を支えるのを助ける筋肉組織を強化することを含まなければならない．支えている構造物が広範囲に損傷を受ければ，外科的再建術が必要になるかもしれない．

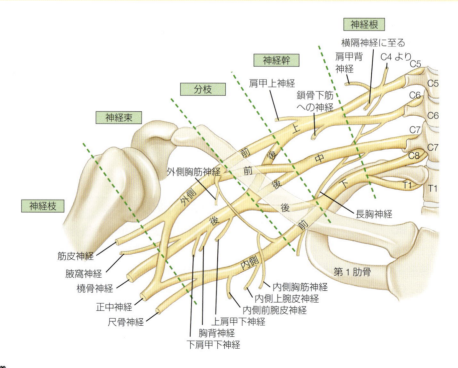

図4.17 腕神経叢

(Neumann DA: Kinesiology of the musculoskeletal system: foundations for physical rehabilitation, ed 2, St Louis, 2010, Mosby, Fig. 5.39より)

筋と関節の相互作用　63

ATLAS

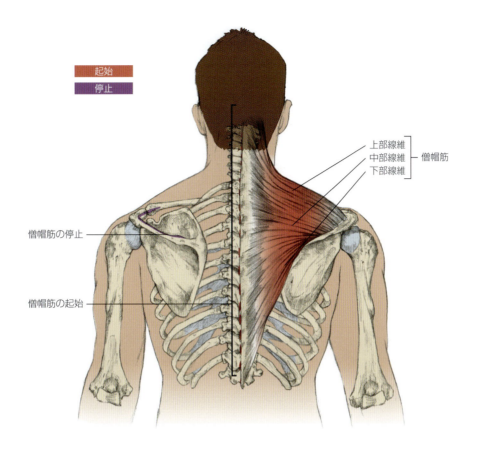

■ 僧帽筋上部線維

- **起始** 外後頭隆起，（頸椎の）項靱帯，上項線の内側部．
- **停止** 鎖骨の外側 1/3 の後上部．
- **神経支配** 脊髄副神経（第 11 脳神経）．
- **作用** 肩甲骨の挙上，肩甲骨の上方回旋（前鋸筋，僧帽筋下部線維とともに）．
- **解説** 僧帽筋上部線維の主な運動の一つは，肩甲骨の挙上であり，肩甲骨の上方回旋を起こすフォースカップルとしても重要な役割を担う．また僧帽筋上部線維は，肩甲骨と肋骨の固定を行うとともに，頸椎の側屈と反対側への回旋を行う．

■ 僧帽筋中部線維

- **起始** 項靱帯と第 7 頸椎〜第 5 胸椎の棘突起．
- **停止** 肩峰の中央部．
- **神経支配** 脊髄副神経（第 11 脳神経）．
- **作用** 肩甲骨の後退．
- **解説** 僧帽筋中部線維は，肩甲骨の後退を行うとともに，肩甲骨の前方突出を行う強力な前鋸筋等，他の肩甲胸郭関節周囲筋によって生じる強い力に抵抗し，肩甲骨の安定に最も重要な役割を担う．

■ 僧帽筋下部線維

- **起始** 中部と下部胸椎の棘突起（第 6〜12 胸椎）．
- **停止** 内側縁に近い肩甲棘の上方の縁．
- **神経支配** 脊髄副神経（第 11 脳神経）．
- **作用** 肩甲骨の下制，肩甲骨の上方回旋（前鋸筋，僧帽筋上部線維とともに），肩甲骨の後退．
- **解説** 僧帽筋下部線維は，3 つの僧帽筋の中で最も大きい筋である．肩甲骨を下制する主な筋であるとともに，肩甲骨の上方回旋と後退を行うためにも不可欠である．

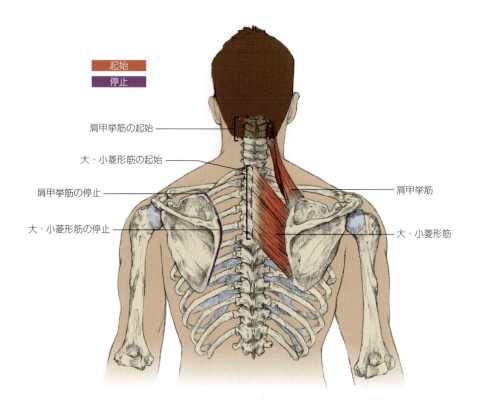

■ 肩甲挙筋

起始	第1〜4頸椎の横突起.
停止	上角と肩甲棘基部の間の肩甲骨の内側縁.
神経支配	肩甲背神経（第3〜5頸椎の脊髄神経）.
作用	肩甲骨の挙上，肩甲骨の下方回旋.
解説	肩甲挙筋は，肩甲骨の上角の上部と中央部で触診可能である．また，悪い姿勢や前かがみの姿勢により筋の過緊張状態が持続すると痛みが発生する．この筋には痛みのトリガーポイントが存在する.

■ 菱形筋

大・小菱形筋は，通常は1つの筋として分類される.

起始	項靱帯と第7頸椎〜第5胸椎の棘突起.
停止	肩甲棘基部から肩甲骨の下角までの肩甲骨の内側縁.
神経支配	肩甲背神経（第3〜5頸椎の脊髄神経）.
作用	肩甲骨の後退，肩甲骨の挙上，肩甲骨の下方回旋.
解説	菱形筋は平らで幅広く，肩甲骨の内側縁をしっかりと覆う．肩甲骨を後退させ安定させる作用がある僧帽筋中部線維とともに働き，肩甲骨の不要な動きを制限する．菱形筋は，上肢の引く運動において活動する.

筋と関節の相互作用

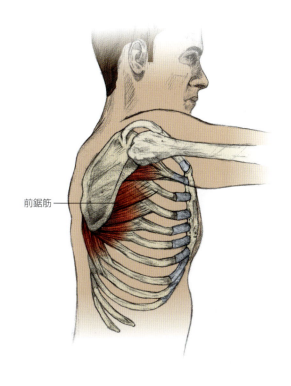

前鋸筋

■ 前鋸筋

起始 第1〜9肋骨の側腹部の外側面．

停止 下角付近の線維と肩甲骨のすべての内側縁．

神経支配 長胸神経．

作用 肩甲骨の前方突出，肩甲骨の上方回旋，胸郭の後面への肩甲骨の固定．

解説 前鋸筋は，肩甲骨の前面と胸郭の外側面との間を走行する．広範囲に付着する前鋸筋は，肩甲骨の上方回旋と前方突出を最も強力に行う．

前鋸筋の筋力弱化は，押す運動を著しく減退させる．また，前鋸筋は肩甲骨の上方回旋を行うが，筋力が弱化することにより，肩の屈曲や外転にも支障をきたす．

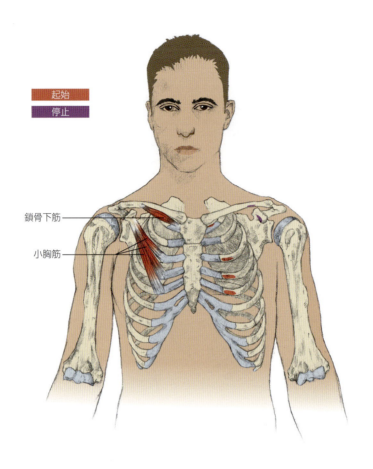

■ 小胸筋

起始	第3〜5肋骨の前面．
停止	肩甲骨の烏口突起．
神経支配	内側胸筋神経．
作用	肩甲骨の下制，肩甲骨の下方回旋，肩甲骨の前傾（矢状面）．
解説	小胸筋は，肩甲骨を安定させるという重要な役割をもち，僧帽筋下部線維と同様に，他の筋により生じる肩甲骨の不要な運動を制限する．その他，肋骨を挙上させ，吸息を補助する．

■ 鎖骨下筋

起始	第1肋軟骨の近位部．
停止	鎖骨の下面．
神経支配	腕神経叢の上神経幹からの末梢神経（第5，6頸椎）．
作用	鎖骨の下制．
解説	鎖骨下筋の走行は鎖骨とほぼ平行で，主に鎖骨の安定に関与する．

整理して考えよう

肩甲胸郭のそれぞれの筋の解剖と機能をこれまでみてきた．ここで，これらの筋がどのような相互作用を行い，肩複合体全体の機能的な動きを生み出すのかについて，検討しよう．

> **臨床的な視点 >>> 僧帽筋上部線維と菱形筋が同時に作用すると肩甲骨の回旋が相殺される**
>
> 僧帽筋上部線維は肩甲骨の上方回旋筋，菱形筋は肩甲骨の下方回旋筋である．しかし，これら2つの筋は両方ともが，肩甲骨の挙上筋として機能する．どうしてこのようなことが可能なのであろうか？ これらの筋が同時に作用する際，それぞれの回旋要素は消失，もしくは他方の筋によって抑制される．僧帽筋上部線維の肩甲骨を上方回旋する作用は，菱形筋が下方回旋の向きに引くことによって相殺される．それぞれの筋の回旋要素が消失し，筋のエネルギーが組み合わさって，肩甲骨の挙上に作用するのである．

▶肩甲胸郭関節の挙上筋

肩甲骨の挙上は，僧帽筋上部線維と肩甲挙筋，そして関与の程度は低いが菱形筋が同時に働くときに行われ，肩甲胸郭の位置が適切になるよう支える．適切な肩甲胸郭の位置では，肩甲骨がやや挙上・後退し，関節窩がわずかに上方を向く状態となる．

肩甲骨挙上の主動作筋
- 僧帽筋上部線維
- 肩甲挙筋
- 菱形筋

1．機能的考察：僧帽筋上部線維の筋力弱化

僧帽筋上部線維の筋力弱化や麻痺は，時間が経過すると肩甲骨の下制や下方回旋を引き起こす．慢性的な鎖骨の下制は，最終的には胸鎖関節の上方脱臼を引き起こす可能性がある．鎖骨外側端の過度な下制とともに，下方にある第1肋骨が支点の働きをし，内側端は挙上を強制される．

僧帽筋上部線維の筋力弱化は，肩甲上腕関節の**亜脱臼** subluxation を引き起こすことも多い．図 4.17 で説明したように，肩甲上腕関節の**静的安定性** static stability は，関節窩のわずかな傾きによっても保たれる．上方の関節包靱帯が関節窩の中央に上腕骨頭を引きつけるのを助ける優れた力を有する間，僧帽筋上部線維の一部によって肩甲骨をこの位置に保つ（図 4.18A）．僧帽筋上部線維の長期間に及ぶ筋力弱化は，関節窩の下方回旋をもたらし，上腕骨の下方への滑りが出てしまう（図 4.18B）．支持されていない腕に重力が加わると，支持機構である筋組織や肩甲上腕関節包を異常に緊張させ，最終的には亜脱臼を引き起こす．このような肩甲上腕関節の亜脱臼は，長期間，僧帽筋上部線維の麻痺や著しく弱化させる弛緩性片麻痺ののちによく生じる．セラピストは，弛緩の期間，亜脱臼を防ぐのを助けるために上肢スリングを勧める．

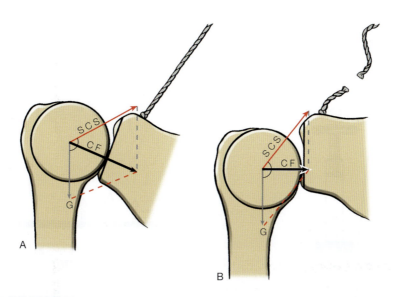

図 4.18 肩甲上腕関節の静的固定作用
A：紐は，関節窩をやや上向きに保持する筋の力を表す．B：切れた紐は，上向きに保持する力を失った状態を表す．上腕骨頭が下向きに滑った結果，関節窩が下向きに回転する．CF：圧迫力，G：重力，SCS：上関節包構造．（Neumann DA: Kinesiology of the musculoskeletal system: foundations for physical rehabilitation, ed 2, St Louis, 2010, Mosby, Fig. 5.28 より）

考えてみよう！ >> 肩甲挙筋は不良姿勢と戦う！

頸と肩の部位の悪い姿勢としては，前かがみ姿勢でコンピューターを操作するとき，またはスマートフォンで文字入力するときにみられるような**丸肩** rounded shoulder や，**頭部の前方偏位** forward head が一般的である（訳注：いわゆる猫背）．丸肩は，肩甲骨の外転と上方回旋を繰り返し行うことで生じ，頭部の前方偏位は中部から下部の頸椎が屈曲することで生じる．

これら2つの姿勢の組み合わせは，肩甲挙筋を伸ばす．また時間が経てば，肩甲挙筋は炎症を起こし，痙縮が生じるか，肩甲胸郭の不良姿勢を引き起こしてしまう．

この筋の過緊張は，しばしば精神的ストレスが原因とされるが，ストレスとは別に，仕事中の悪い姿勢の習慣化によって起こることもある．

▶肩甲胸郭関節の下制筋

肩甲骨の下制は，僧帽筋下部線維，広背筋，小胸筋，鎖骨下筋によって行われる．これらの筋は，肩甲帯と上腕骨の下制に共同して働き，結果として肩を下制する（**図4.19**）．

肩甲骨下制の主動作筋
● 僧帽筋下部線維
● 広背筋
● 小胸筋
● 鎖骨下筋

1．機能的考察：肩下制筋の"反作用"

広背筋と僧帽筋下部線維の走行は，肩複合体を下制するのに適している．もし**図4.20**に示すように，腕の下制を制限した状態でこれらの筋を収縮させると，体幹を持ち上げることができる．この肩下制筋の**反作用** reverse action は，臨床的にとても役に立つ．例えば，杖や歩行器での歩行，座位から立ち上がる際の上肢による押し上げ，ベッドや車椅子へ移乗する際の押し上げのように，肩下制筋の反作用により体幹を持ち上げることは，多くの動作で役に立つ．

下肢が著しく弱化もしくは麻痺しても，多くの場合，上肢には影響しない．下肢麻痺の多くの例では，補助具や装具，または筋の**代償運動** muscular substitution により歩行することができる．広背筋は，杖で体重を支持す

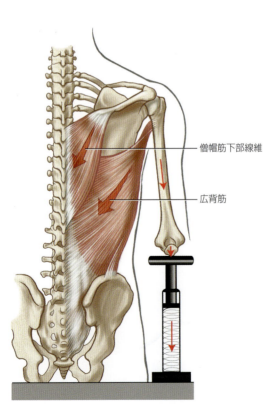

図4.19 右肩甲胸郭関節を下制する僧帽筋下部線維と広背筋の後面

（Neumann DA: Kinesiology of the musculoskeletal system: foundations for physical rehabilitation, ed 2, St Louis, 2010, Mosby, Fig. 5.42A より）

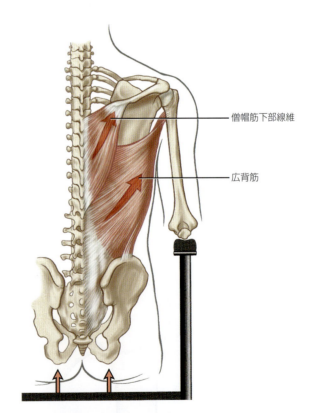

図4.20 車椅子の座面から殿部を持ち上げる際の僧帽筋下部線維と広背筋の作用

僧帽筋下部線維と広背筋が，**図4.19**とは逆方向に作用し，車椅子の座面から坐骨結節を持ち上げる．これらの筋が収縮することによって，骨髄と体幹は，固定された肩甲骨と腕の方向へ持ち上げられる．（Neumann DA: Kinesiology of the musculoskeletal system: foundations for physical rehabilitation, ed 2, St Louis, 2010, Mosby, Fig. 5.43 より）

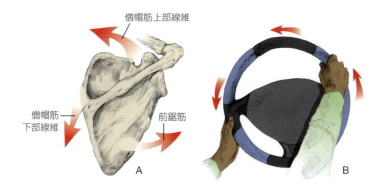

図 4.21 肩甲骨上方回旋のフォースカップル
A：僧帽筋上部線維，僧帽筋下部線維，前鋸筋の3つの筋によって起こる，肩甲骨の上方回旋のフォースカップル．B：上方回旋のフォースカップルは，自動車のハンドルを両手で回す様子に例えられる．

る上肢をしっかりと安定させるとともに，下肢の挙上や振り出しを行うため，同側の骨盤を効果的に持ち上げる"ヒップハイカー hip hiker"としての作用がある．

▶肩甲骨の上方回旋筋と前方突出筋

1. 上方回旋筋：典型的な筋のフォースカップル

肩甲骨の上方回旋は，肩の屈曲や外転を行うための重要な要素である．肩甲上腕関節の2°の屈曲や外転に対して，肩甲骨の1°の上方回旋が起こる肩甲上腕リズムを思い出そう．

肩甲骨の上方回旋は，前鋸筋，僧帽筋上部線維と下部線維によって構成される**フォースカップル（偶力）**force-couple によって起こる（**図 4.21A**）．これら3つの筋は異なる走行を示すが，それらはすべて同じ方向で肩甲骨を回旋させ，上方回旋をもたらす．**図 4.21B** に示すように，これら3つの筋は，ハンドルを回す2つの手と同じように，フォースカップルとして作用する．それぞれの手が異なる方向に動いても，結果的には同じ回転方向の力が生じる．

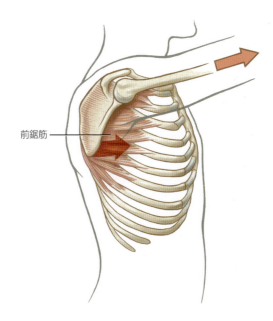

図 4.22 右の前鋸筋
前鋸筋によって起こる肩甲骨の前方突出や，腕を前方に押し出す運動を示す．(Neumann DA: Kinesiology of the musculoskeletal system: foundations for physical rehabilitation, ed 2, St Louis, 2010, Mosby, Fig. 5.44A より)

肩甲骨上方回旋の主動作筋
● 前鋸筋
● 僧帽筋上部線維
● 僧帽筋下部線維

2. 前鋸筋：唯一の肩甲骨の前方突出筋

肩甲骨の前方突出は，身体の正中線から離れる肩甲骨の水平面での動きである．この運動は，前鋸筋によって生じる（**図 4.22**）．この筋によってつくり出される力は，肩甲骨から上腕骨に伝わり，前方へ手を伸ばす動作や押す動作に使用される．

3. 機能的考察：肩甲骨の翼状肩甲

前鋸筋の筋力弱化の最も明らかな兆候は，肩甲骨の"**翼状肩甲** winging"である．翼状肩甲は，肩甲骨の内側縁が胸郭から離れて持ち上がっているのが特徴で，鳥の翼のようにみえることから名づけられた（**図 4.23**）．臨床的には，**図 4.23** に示すように肩の外転に抵抗を加える際や腕立て伏せの際に，この現象が観察できる．

前鋸筋を強化するためのリハビリテーションプログラムとして，**腕立て伏せプラス** push-up-plus 運動がある．この運動では，床から胸を上げる腕立て伏せの最終域に

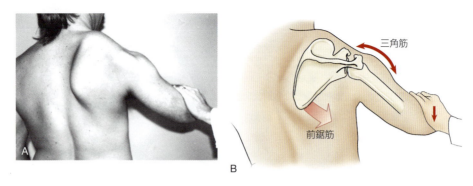

図 4.23　長胸神経損傷による前鋸筋麻痺後の右肩甲骨の病理学的機序
A：右上肢の外転に抵抗を加える際の右肩甲骨の翼状肩甲．B：肩甲骨の翼状肩甲の運動学的分析．前鋸筋が適切な上方回旋の働きをせずに，三角筋が"逆方向に"作用し，肩甲骨の過度の下方回旋が生じる．（Neumann DA: Kinesiology of the musculoskeletal system: foundations for physical rehabilitation, ed 2, St Louis, 2010, Mosby, Fig. 5.50 より）

おいて，肩甲骨をさらに突き出すことにより，この運動に関係する前鋸筋の機能を向上させる．

▶肩甲骨の下方回旋筋と後退筋

1. 下方回旋筋

　肩の内転と伸展を行うためには，肩甲骨の下方回旋が必要となる．この運動に関係する主な筋は，肩甲骨の下角に付着する菱形筋，肩甲挙筋と小胸筋である．また広背筋も，下方回旋を補助する筋である．肩甲骨の上方回旋筋と同じように，広背筋と菱形筋は筋の走行は異なるが，同じ回転方向で肩甲骨の下方回旋に関与する．

肩甲骨下方回旋の主動作筋
● 菱形筋
● 肩甲挙筋
● 小胸筋

2. 後退筋

　肩甲骨の後退は，"自分の肩甲骨を腕で挟むように"する動作であり，ボートを漕ぐ動作や物を引っ張る動作を行う際の肩甲骨の動きである．主な肩甲骨の後退筋は，菱形筋と僧帽筋中部線維である．ただし，他の僧帽筋の線維も，後退を補助する．
　図 4.24 では，菱形筋の肩甲骨を挙上させる力が，僧帽筋下部線維の下方へ引く力の作用によって，どのように肩甲骨の後退に働くのかを示す．

肩甲骨後退の主動作筋
● 菱形筋
● 僧帽筋中部線維

3. 機能的考察：肩甲骨のコントロール

　肩の内転に抵抗を加える場合は，肩甲上腕関節の内転

> **臨床的な視点 ＞＞ 肩甲骨の安定性と自力での移動**
>
> 　C6 レベル残存の四肢麻痺者は，車椅子からベッドへの移乗を自力で行う能力を有する．しかし，髄節がわずか 1 つ上の C5 レベルの四肢麻痺者は，同じ動作を行うのに最大限の介助を必要とする．
> 　C5 レベルの四肢麻痺者の機能が低下する原因の一つは，前鋸筋の重篤な筋力弱化である．C5 レベルの四肢麻痺者を観察すると，押し上げ動作（ベッドや車椅子を押し下げるようにして，身体を持ち上げる動作）の際，しばしば翼状肩甲が両方に認められる．
> 　前鋸筋の筋力弱化が起こると，肩甲骨を胸郭にしっかりと安定させることができなくなる．僧帽筋下部線維の神経支配は保たれているため，理論的には反作用を利用して身体を持ち上げることが可能であるが，重度の翼状肩甲によってこの動作は妨げられる．
> 　前鋸筋が十分に機能することで肩甲骨は適切な位置に安定し，僧帽筋下部線維によって身体を持ち上げることが可能となり，結果として自力で移乗ができる．肩甲骨下制の閉鎖機能は，臨床現場で使われ，多くの機能的な治療において重要な要素である．

と肩甲胸郭関節の下方回旋との最適な相互作用が要求される（図 4.25）．例えば，大円筋と広背筋を考えるとよくわかる．強い内転筋と下方回旋筋（菱形筋のような）の安定した力がない状態で，これら肩甲上腕関節の筋に強い抵抗が加わると，肩甲骨が外上方の上腕骨のほうへ引っ張られる．
　このように肩甲骨の運動に異常が生じると，肩甲上腕関節に対する筋の作用をかなり減少させることにつながる．実際，肩の内転筋や伸筋の筋力は，肩甲骨を引き上げるような機能的な動きをする後退筋や下方回旋筋よりも弱い．

肩甲上腕関節の筋

肩の運動は，肩甲上腕関節の運動と表現されることがよくある．しかし理論的に，これは誤りである．肩の運動は，主に肩甲上腕関節と肩甲胸郭関節の運動の組み合わせによって生じる．したがって，肩甲上腕関節に作用する筋は，肩全体の運動の一部を担うにすぎない．

肩甲骨の運動は，肩甲上腕関節にとって非常に重要である．なぜなら，肩甲上腕関節の筋の大部分は，高い可動性を有する肩甲骨に付着するからである．肩甲骨の運動や安定性，もしくはその両方が，すべての肩甲上腕関節の筋の走行や機能を決定するという重要な役割を担う．

次に，肩甲上腕関節の筋を本文とは別に，アトラス形式の頁で説明する．また，その次の『整理して考えよう』では，これらの筋の相互作用について説明する．

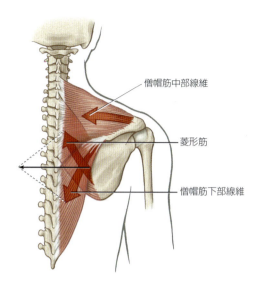

図 4.24　肩甲骨の後退を行う筋群
僧帽筋中部線維，僧帽筋下部線維，菱形筋は，肩甲骨の後退を共同して行う．(Neumann DA: Kinesiology of the musculoskeletal system: foundations for physical rehabilitation, ed 2, St Louis, 2010, Mosby, Fig. 5.45 より)

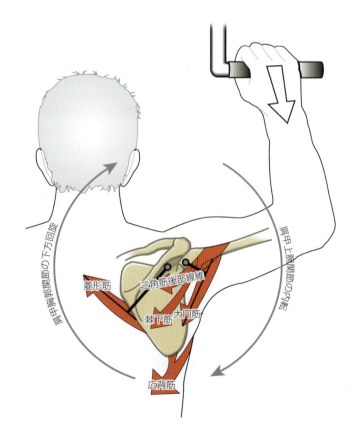

図 4.25　右肩の後面
肩甲胸郭関節の下方回旋と，肩甲上腕関節の内転を行う筋の相互作用を示す．(Neumann DA: Kinesiology of the musculoskeletal system: foundations for physical rehabilitation, ed 2, St Louis, 2010, Mosby, Fig. 5.57 より)

ATLAS

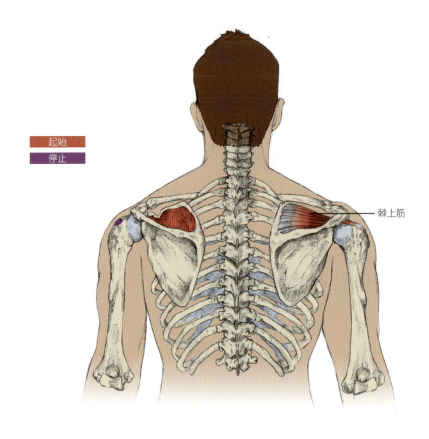

■ 棘上筋

- 起始　　棘上窩.
- 停止　　上腕骨の大結節（上部面）.
- 神経支配　肩甲上神経.
- 作用　　肩の外転，肩甲上腕関節の安定.

解説　棘上筋は腱板筋の一つである．上腕骨頭の上に位置することで，肩甲上腕関節の上方を安定させる．このことは，外転の機械的な開始時に重要となる．牽引線が水平に走行することにより，肩甲上腕関節の外転時，上腕骨頭の回転を開始しやすくする．

筋と関節の相互作用　73

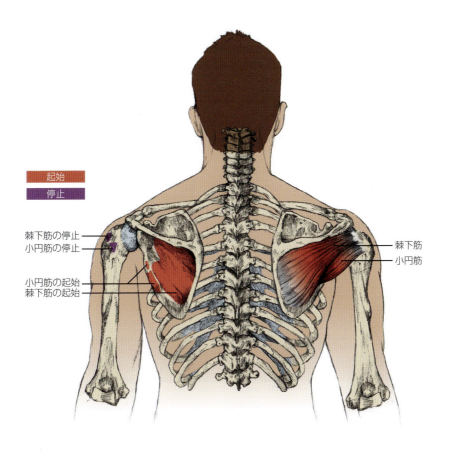

■ 棘下筋

起始	棘下窩.
停止	上腕骨の大結節（中部面）.
神経支配	肩甲上神経.
作用	肩の外旋，肩甲上腕関節の安定.
解説	棘下筋と小円筋の筋は，どちらも肩の外旋を行う．野球のピッチングやバレーボールのスパイクでは，莫大な内旋トルクが生じるが，この莫大なトルクは棘下筋と小円筋の遠心性収縮によって減速される．莫大な力への抵抗の際，ときにはこれらの筋の一方もしくは両方において，損傷や断裂が起こることがある．これが腱板断裂である.

■ 小円筋

起始	肩甲骨下角付近の外側縁の後面.
停止	上腕骨の大結節（下部面）.
神経支配	腋窩神経.
作用	肩の外旋，肩甲上腕関節の安定，肩の内転.
解説	肩甲上腕関節の運動学的には，棘下筋と小円筋の内下方への走行が重要となる．肩の屈曲や外転時には，肩甲上腕関節のインピンジメントを避けるため，これらの筋は上腕骨の下方への滑りを行う．また，棘下筋と小円筋は，外転時に大結節が肩峰の下を通るように，上腕骨を外旋する.

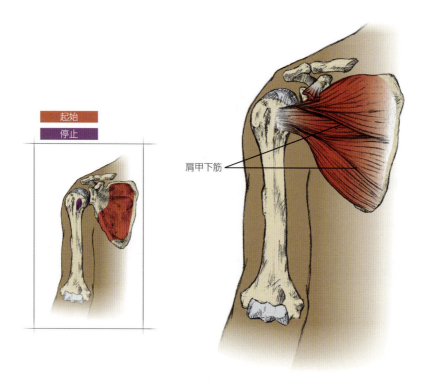

■ **肩甲下筋**

起始　　肩甲下窩.
停止　　上腕骨の小結節.
神経支配　上位と下位の肩甲下神経.
作用　　肩の内旋，肩甲上腕関節の安定.

解説　肩甲下筋は，他の腱板筋，特に棘下筋と小円筋の外旋力に対してバランスをとりながら，肩甲上腕関節の前方部を安定させる．この相互作用によって，腱板全体が上腕骨頭を関節窩にしっかりと固定することができる．

筋と関節の相互作用

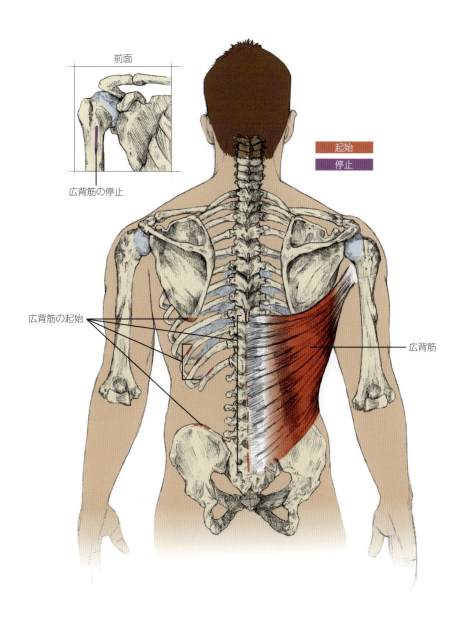

■ **広背筋**

起始　胸腰筋膜，胸郭下部の棘突起，すべての腰椎，腸骨稜の後面，下から4つの肋骨，肩甲骨の下角．

停止　上腕骨の小結節．

神経支配　胸背神経（中位の肩甲下神経）．

作用　肩の内転，肩の伸展，肩の内旋，肩甲骨の下制．

解説　広背筋は上腕骨と肩甲骨に付着部をもつことで，この筋による肩の内転と伸展の運動力学的な調整を可能にする．上腕骨の内転と伸展の複合運動や肩甲骨の下方回旋は，ボートを漕ぐ動作，もしくは腕の幅を広げた懸垂のような，複合的な引く運動を可能にする．

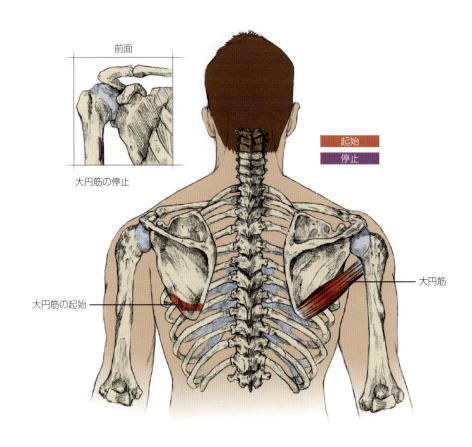

前面

大円筋の停止

大円筋の起始

大円筋

起始　停止

■ **大円筋**

- 起始　　　肩甲骨の下角．
- 停止　　　上腕骨の小結節稜．
- 神経支配　下位の肩甲下神経．
- 作用　　　肩の内転，肩の伸展，肩の内旋．

解説　大円筋は，肩甲上腕関節の内転と伸展を行う．この筋は"小さな広背筋"ともよばれ，肩甲骨の下制を除き，広背筋とすべて同じ働きをする．

筋と関節の相互作用

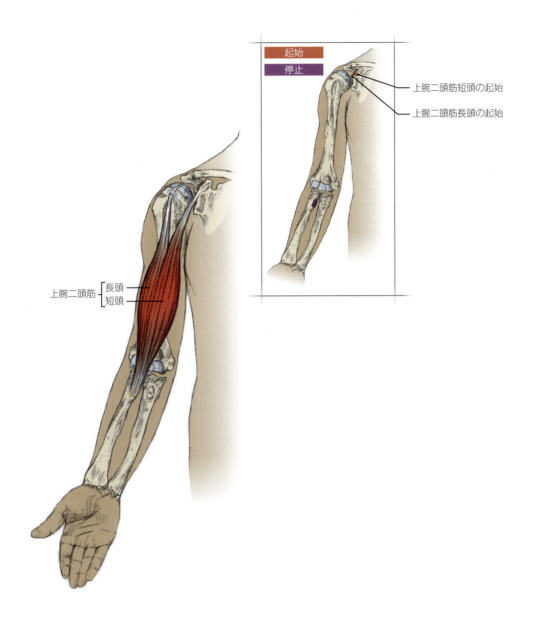

■ 上腕二頭筋

起始　[長頭]関節窩の関節上結節．
　　　[短頭]肩甲骨の烏口突起．
停止　共通の腱となり，橈骨の二頭筋粗面（橈骨粗面）に付着．
神経支配　筋皮神経．
作用　肩の屈曲，肘の屈曲，前腕の回外．

解説　上腕二頭筋は主な肘屈筋であるが，2つの筋頭が肩の前面から内側軸に沿って走行するため，この筋は肩の屈筋としても作用する．上腕二頭筋長頭の近位部の腱は，上腕骨頭の上を越えて走行するため，肩甲上腕関節のインピンジメントによって損傷を受けやすい．上腕骨の結節間（二頭筋）溝を走行する腱を触診することにより，二頭筋腱炎を確認することができる．

第4章 肩複合体の構造と機能

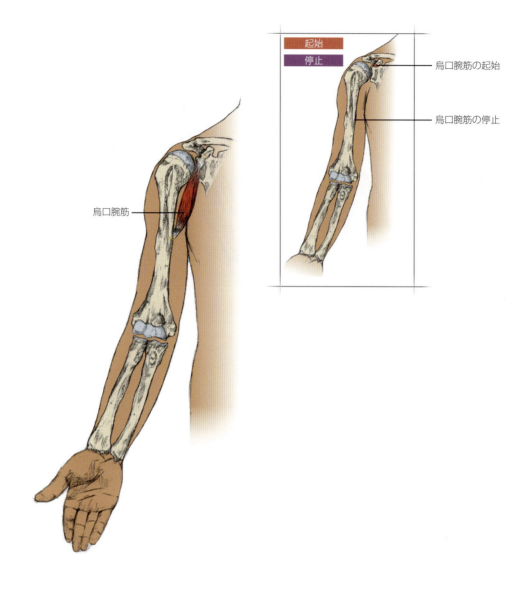

■ 烏口腕筋

- **起始** 肩甲骨の烏口突起．
- **停止** 上腕骨骨幹部の中央．
- **神経支配** 筋皮神経．
- **作用** 肩の屈曲．

解説 この筋は肩甲上腕関節の屈筋であるが，走行が関節の回転軸に非常に近いため，肩甲上腕関節の安定性の保持にも作用する．この作用により，肩がさまざまな方向に動く際，上腕骨の骨頭を関節窩へ安定させることが可能となる．

筋と関節の相互作用　79

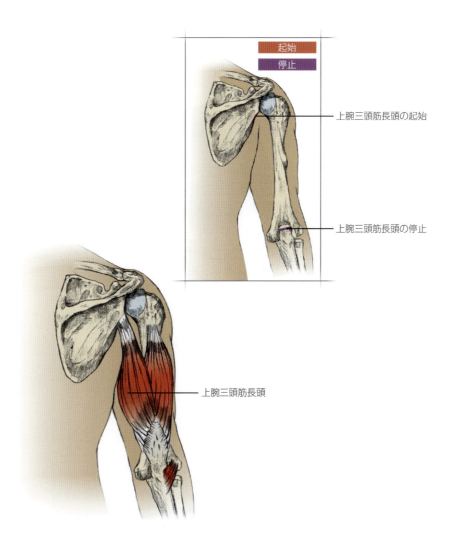

■ **上腕三頭筋長頭**

起始	肩甲骨の関節下結節．
停止	尺骨の肘頭突起．
神経支配	撓骨神経．
作用	肩の伸展，肘の伸展．

解説　二関節筋である上腕三頭筋長頭は，肘の主な伸筋である．しかし，長頭の起始から考えられるように，肩の強力な伸筋でもある．この重要な筋については，第5章で詳しく説明する．

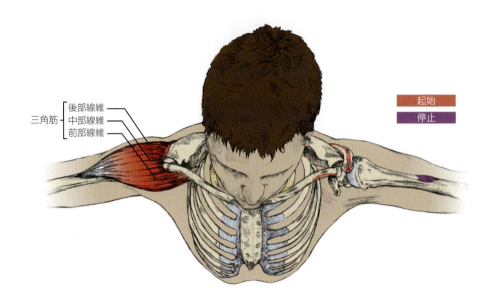

■ 三角筋

起始 [三角筋前部線維] 鎖骨外側の前面．
[三角筋中部線維] 肩峰の上側面．
[三角筋後部線維] 肩甲骨の肩甲棘．
停止 上腕骨の三角筋粗面．
神経支配 腋窩神経．
作用 [三角筋前部線維] 肩の屈曲，肩の水平内転，肩の内旋，肩の外転．
[三角筋中部線維] 肩の外転，肩の屈曲．
[三角筋後部線維] 肩の伸展，肩の水平外転，肩の外旋．

解説 三角筋前部線維は肩の外転を補助する．また，重い扉を押し開けるような押す運動の際に，積極的に活動する．
三角筋中部線維は，肩の位置関係によって，三角筋の他の筋頭を補助する．肩が内旋位であれば，前方から内側-外側方向の回転軸となり，三角筋前部線維とともに，肩の屈曲に作用する．逆に，肩が外旋位であれば，後方から内側-外側方向の回転軸となり，三角筋後部線維とともに，肩の伸展に作用する．

筋と関節の相互作用

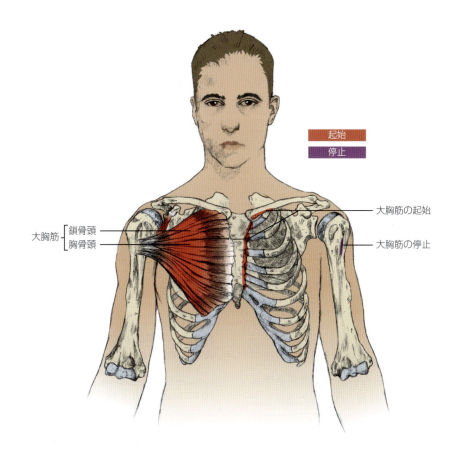

大胸筋の起始
大胸筋の停止
起始
停止
大胸筋 [鎖骨頭 胸骨頭]

■ **大胸筋**

起始　　[鎖骨頭]鎖骨の内側部の前縁.
　　　　[胸骨頭]胸骨柄，胸骨体，および第1肋軟骨～第6，7肋軟骨の外側縁.
停止　　上腕骨の大結節稜.
神経支配　[鎖骨頭]外側胸筋神経.
　　　　　[胸骨頭]内・外側胸筋神経.
作用　　[鎖骨頭]肩の内旋，肩の屈曲，肩の水平内転.
　　　　[胸骨頭]肩の内旋，肩の内転，肩の下制（上腕骨の付着部を介して）.

解説　大胸筋の鎖骨頭は，屈曲，内旋，水平内転を行う三角筋前部線維と同じ作用がある．胸骨頭は，腕立て伏せ，ベンチプレスの押し上げ，重い扉を引いて開ける運動のように，押したり引いたりする運動を行う．大胸筋の胸骨頭は，肩甲上腕関節の筋で唯一，肩甲骨や鎖骨に付着しない筋である．興味深いことに，大胸筋の胸骨頭は，屈曲位から開始するときのみ肩を伸展させるが，上腕骨が胸骨の位置で伸ばされるだけである．

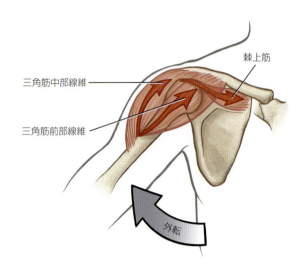

図 4.26 右肩の前面
肩甲上腕関節の外転筋として作用する三角筋中部線維，三角筋前部線維，棘上筋を示す．（Neumann DA: Kinesiology of the musculoskeletal system: foundations for physical rehabilitation, ed 2, St Louis, 2010, Mosby, Fig. 5.46 より）

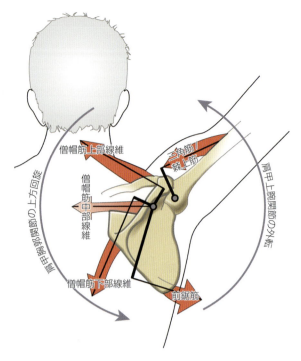

図 4.27 右肩の後面
肩甲胸郭関節の上方回旋と，肩甲上腕関節の外転を行う筋の相互作用を示す．（Neumann DA: Kinesiology of the musculoskeletal system: foundations for physical rehabilitation, ed 2, St Louis, 2010, Mosby, Fig. 5.48 より）

整理して考えよう

肩甲上腕関節のそれぞれの筋の解剖学と機能を理解し，それらの筋の相互作用が，肩複合体全体の運動をどのように行うのか検討しよう．

▶外転筋と屈筋

肩甲上腕関節の外転筋と屈筋は，同じグループの筋群であり，外転を行う多くの筋が屈曲も行う．肩甲骨の上方回旋を行う筋は，正常な肩の外転や屈曲に必要不可欠である．

1. 外転筋

主な肩甲上腕関節の外転筋は，棘上筋，三角筋前部線維，三角筋中部線維である（図 4.26）．

肩甲上腕関節外転の主動作筋
- 棘上筋
- 三角筋前部線維
- 三角筋中部線維

2. 屈筋

主な肩甲上腕関節の屈筋は，三角筋前部線維，大胸筋の鎖骨頭，烏口腕筋，上腕二頭筋である．

肩甲上腕関節屈曲の主動作筋
- 三角筋前部線維
- 大胸筋（鎖骨頭）
- 烏口腕筋
- 上腕二頭筋

3. 機能的考察：肩甲上腕リズムの再検討

肩甲骨の上方回旋は，肩の外転や屈曲に必要不可欠な要素である．この重要な肩甲骨の運動は，前鋸筋と僧帽筋上部線維，僧帽筋下部線維によって行われる（図 4.27）．これらの筋は肩甲骨を上方回旋させるが，同様に，肩甲上腕関節を外転させる筋にも作用する点が重要である．僧帽筋中部線維には，前鋸筋による強い肩甲骨外転作用を調整する働きがある．

肩甲骨の上方回旋には，重要な点がいくつかある．まず，肩の全可動域を増加させるために重要である．肩の外転や屈曲の可動域の 1/3 は，肩甲骨の上方回旋によって生じる．次に肩甲骨の上方回旋は，肩の可動域の広範囲にわたって，肩甲上腕関節の外転筋と屈筋の長さと張力の関係を調整する．例えば，もし肩甲骨が上方回旋しなければ，肩甲上腕関節の外転筋や屈筋の多くはすぐに，過剰に収縮したり短くなったりし，外転や屈曲を発揮する能力に支障をきたしてしまう．

▶内転筋と伸筋

肩甲上腕関節の内転や伸展は，広背筋や大胸筋のような強力な筋によって行われる．大円筋，上腕三頭筋長頭，三角筋後部線維もまた，中心的な役割を担う．後者の 3 つの筋は肩甲骨に付着するため，十分に安定した力を発揮するには肩甲骨が安定している必要がある．肩の内転

2. 伸筋

主な肩甲上腕関節の伸展筋は，広背筋，大円筋，大胸筋，三角筋後部線維，上腕三頭筋長頭である．これらの筋は，特に上肢の屈曲位から伸展を開始する際に大きな力を発揮する．しかし，上肢が胸郭の正中線付近にある場合は，三角筋後部線維のみが，上肢を伸展することができる．

肩甲上腕関節伸展の主動作筋
- 広背筋
- 大円筋
- 大胸筋
- 三角筋後部線維
- 上腕三頭筋長頭

3. 機能的考察：水平外転と水平内転は屈曲と伸展の横方向の動き

これまでの学習を振り返ってみると，興味深い現象が明らかになってくる．肩の屈曲を行う筋は水平内転を行い，また，肩の伸展を行う筋は水平外転を行う．運動の回転軸と筋の走行について考えると，このことは，一見異なる基本的な運動が実は同じものであり，90°向きを変えただけであると解釈できる．

肩の屈曲と伸展は，内側-外側軸の回転によって生じる．前面から内側-外側軸に走行する筋は屈曲を行い，後面から内側-外側軸に走行する筋は伸展を行う．

水平外転と水平内転は，垂直軸の回転で生じるが，前面から垂直軸方向に走行する筋は水平内転を行い，後面から垂直軸方向に走行する筋は水平外転を行う．

▶ 腱板

腱板（図4.29）は，棘上筋，棘下筋，小円筋，肩甲下筋から構成される．これらの筋は，肩の内旋と外旋を行う重要な機能をもち，また，上腕骨頭を関節窩に安定させる役割も担う．

腱板
- 棘上筋
- 棘下筋
- 小円筋
- 肩甲下筋

腱板は上腕骨頭の前方・上方・後方を取り囲み，上腕骨頭を関節窩に引きつける作用がある．肩甲上腕関節は，関節運動学的に広範囲の可動性があるために，関節自体は非常にゆるい．その肩甲上腕関節の**動的安定性** dynamic stability を支える筋として，腱板が重要な役割を担う．

臨床的な視点 >> 肩の滑液包炎

滑液包は，液体に満たされた嚢で腱と骨の間，筋と骨の間，または2つの筋の間の衝撃をやわらげる．滑液包の嚢で，強い摩擦が自然に生まれる傾向がある．多くの滑液包の嚢は，肩のまわりにあるが，肩峰下滑液包と三角筋下包が臨床的に最も重要である（図4.28）．これら2つの滑液包は，不自然な大きな力もしくは使いすぎによって肩の機能障害が起こり，滑液包炎が発生する．図4.28に示すように，棘上筋・腱と肩峰下滑液包はとても小さい肩峰下スペースに位置する．上腕骨頭が適度に上方へ移動すると，衝突するか，または一方もしくは両方を挟む．これらのどちらかの損傷は，けが，炎症，不完全な動きの悪循環を繰り返す．これは比較的高頻度で腱炎になった肩の滑液包で起こる．

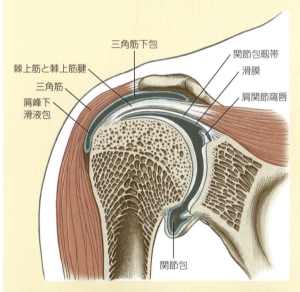

図4.28 右肩甲上腕関節の肩峰下スペースの構造を強調している前面

肩峰下滑液包，棘上筋腱，三角筋下包（肩峰下滑液包の外側延長部）に注目しよう．(Neumann DA: Kinesiology of the musculoskeletal system: foundations for physical rehabilitation, ed 2, St Louis, 2010, Mosby, Fig. 5.29 より)．

や伸展のいずれか一方，またはその両方を行うには，同時に肩甲骨の下方回旋が起こる必要がある．

1. 内転筋

主な肩甲上腕関節の内転筋は，大円筋，広背筋，大胸筋である．図4.25に示したように，これらの筋は肩全体の内転を行うために，肩甲骨の下方回旋と共同して作用する．

肩甲上腕関節内転の主動作筋
- 大円筋
- 広背筋
- 大胸筋

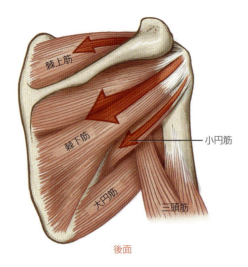

図4.29 右肩の後面
棘上筋，棘下筋，小円筋を示す．肩甲下筋は，この図ではみえない．（Neumann DA: Kinesiology of the musculoskeletal system: foundations for physical rehabilitation, ed 2, St Louis, 2010, Mosby, Fig. 5.51 より）

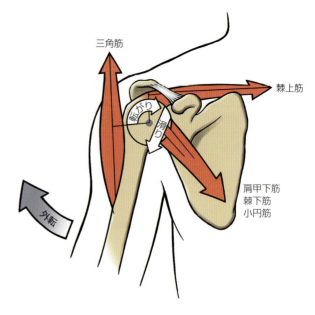

図4.30 右肩の前面
肩外転時の三角筋と腱板筋とのフォースカップルを示す．（Neumann DA: Kinesiology of the musculoskeletal system: foundations for physical rehabilitation, ed 2, St Louis, 2010, Mosby, Fig. 5.53 より）

> **考えてみよう！▷▷腱板：SITS筋**
>
> 腱板は，しばしばSITSと表現する．SITSは以下のように，4つの腱板筋の頭文字である．
> - S：**棘上筋** supraspinatus
> - I：**棘下筋** infraspinatus
> - T：**小円筋** teres minor
> - S：**肩甲下筋** subscapularis
>
> SITSは，4つの腱板筋の名称を表すのみならず，腱板が上腕骨頭を関節窩の中心に安定させる（座らせる）という意味も表す．これは，"腱板（SITS）が安定の中心に座る（rotator cuff SITS in the center of the stable）"とも表現できる．

1．機能的考察

(1)肩甲上腕関節の運動における腱板の機能

正常な肩において，腱板は肩甲上腕関節の外転を調整する（図4.30）．水平に走行する棘上筋の収縮は，関節窩に直接の圧迫力を加える．この圧迫力は上腕骨頭が上方に転がるのを防ぎ，関節窩にしっかりと安定させる．その他の3つの腱板筋は下方への力として作用し，上腕骨を上方へ引っ張る三角筋に対抗する．これらの安定性に作用する力がない場合は，三角筋のほぼ垂直な走行によって，上腕骨頭が烏口肩峰弓に引っかかるか，衝突してしまう．

(2)肩甲上腕関節の運動を調整する腱板の要約
- **棘上筋**：上腕骨頭を，関節窩に直接引きつける．
- **肩甲下筋，棘下筋，小円筋**：三角筋による上方へ引く力に対抗して，上腕骨を下方に引く．
- **棘下筋，小円筋**：上腕骨頭を外旋し，大結節と肩峰との衝突を防ぐ．

▶内旋筋と外旋筋

1．内旋筋

主な肩甲上腕関節の内旋筋は，大円筋，大胸筋，肩甲下筋，広背筋，三角筋前部線維である．また，これらの筋の多くは，肩の強力な伸展と内転に作用する．物を持ち上げる動作は，これらの複合した運動である．

例えば，大きい箱を持ち上げる際，箱を持つために締めつけるのは，内旋である．箱を持った後，身体の重心に向けて箱をしっかりと固定しながら，肩は内転と伸展を行う．

肩甲上腕関節内旋の主動作筋
● 大円筋
● 大胸筋
● 肩甲下筋
● 広背筋
● 三角筋前部線維

内旋筋は外旋筋よりも大きく，内旋筋は外旋筋の1.75倍の等尺性トルクを発揮できる．これは，多くの活動において，外旋に比べて内旋のほうが，より強い力が必要となるからである．この筋に不均整が生じると，巻き込み肩や丸肩等の悪い姿勢になりやすくなり，比較的弱い外旋筋が損傷する原因となる．

2. 外旋筋

主な肩甲上腕関節の外旋筋は，小円筋，棘下筋，三角筋後部線維である．肩の筋群の中では，これらの筋群の割合は小さいものである．したがって，外旋筋が最大限の努力をしても，発揮される力は肩の他の筋群の力よりも小さい．

ただし，外旋筋は小さい力でも，ボールを投げる直前に腕を後方へ振りかぶるときのような，高速の求心性収縮をつくり出すことができる．

肩甲上腕関節外旋の主動作筋
- 小円筋
- 棘下筋
- 三角筋後部線維

3. 機能的考察：投げる動作における回旋筋の活動

野球のピッチング，バレーボールのスパイク，テニスのサーブは，同じタイプの動作である．一般にこの動作は，肩の90°の外転を伴って起こる．振りかぶる際の外旋筋による速い求心性収縮に続いて，内旋筋による強力な求心性収縮が起こる．肩の内旋速度としては，野球のピッチングで約7,000°/秒という測定結果がある．

投げる動作をつくり出す大きなトルクと速い速度はどのようにして生じるのであろう．メジャーリーグの投手による強力な回転トルクは，内旋筋の活動のみによって生じることはない．この力の一部は，下肢と体幹の回旋によって間接的に生じ，最終的には肩の内旋筋を通して伝わる．下肢と体幹の回旋は内旋筋を伸ばすが，これは輪ゴムを引っ張る動きと似ており，肩はボールを放す瞬間にこの力を利用する．メジャーリーグの投手はこの連鎖を十分に活用し，彼らの多くは152 km/時を超える球速を可能にする．ただし，この強力な内旋トルクを減速させるためには外旋筋の活動が要求され，結果として，外旋筋の損傷を引き起こすことがある．

臨床的な視点 >> "肩峰下インピンジメント症候群"の一般的な原因

肩峰下インピンジメント症候群は，肩峰下スペースの組織を繰り返し不自然に圧迫することから起こる（図4.31）．これは，上腕骨頭が上方へ不要に移動することによる．この症状は，肩の90°以上の外転を繰り返すスポーツ選手や肉体労働者だけではなく，デスクワークの人にも生じる．幅広い研究で，肩峰下インピンジメント症候群の根底にある原因がわかっている．以下に，この症状の直接的または間接的な10の原因を示す．インピンジメントの原因の理解は，理学療法や外科的治療の際に貴重な視点を与えることになる．

- 肩甲上腕関節と肩甲胸郭関節の不自然な運動学．
- "猫背"の姿勢は，肩甲胸郭関節に関与している．
- 肩甲上腕関節と肩甲胸郭関節の運動を支配する筋の疲労，弱化，不十分な制御，過緊張．
- 肩峰下スペースとまわりの組織の炎症．
- 腱板の過度な摩耗と変性．
- 肩甲上腕関節の不安定性．
- 肩甲上腕関節包の下方への癒着．
- 肩甲上腕関節の下の関節包の過度な緊張（上腕骨頭を極端に前方に"押しつける"）．
- 肩鎖関節のまわりの骨棘形成．
- 肩峰または烏口肩峰弓の不自然な形状．

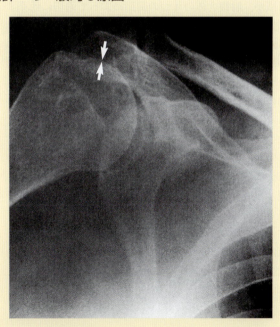

図4.31　右肩の外転をしようとして肩峰下インピンジメント症候群を発症している患者のX線写真

肩峰に対する上腕骨頭のインピンジメント部を矢印で示す．
(Neumann DA: Kinesiology of the musculoskeletal system: foundations for physical rehabilitation, ed 2, St Louis, 2010, Mosby, Fig. 5.61より．Gary L. Soderbergの厚意による)

表 4.1 肩関節の関節可動域測定

運動	回転軸	基本軸	移動軸	参考可動域（自動）
屈曲	上腕骨大結節	胸郭正中線	上腕骨大結節－上腕骨外側上顆	180°
伸展	上腕骨大結節	胸郭正中線	上腕骨大結節－上腕骨外側上顆	50°
外転	上腕骨小結節	胸骨に沿って	上腕骨小結節－上腕骨内側上顆	180°
内転	上腕骨小結節	胸骨に沿って	上腕骨小結節－上腕骨内側上顆	0°
内旋	尺骨肘頭突起	垂直（重力に沿って）	尺骨茎状突起	70°
外旋	尺骨肘頭突起	垂直（重力に沿って）	尺骨茎状突起	90°

まとめ

　筋骨格系において肩は，身体の中で最も複雑なものの一つである．肩複合体の運動には，大きな可動性の保持や調整のために多くの筋が関与する．筋は，肩甲骨や鎖骨のような近位骨の安定に関与し，一方では上腕骨の運動をつくり出す．肩の運動中は，靱帯や他の筋を含む軟部組織が，肩複合体の4つの関節によって適切に動くように作用する．

　肩が適切に動くためには，多くの関節をまたぐ多くの筋の制御が必要であることから，肩の機能障害は比較的多く発生する．ただし，肩の機能障害を生じやすくする要因の多くは，高い機能性を維持するために必要なものである．

　セラピストは，肩複合体の運動学に留意することによって，この部位に多いインピンジメント症候群のリハビリテーションを効果的に行う．

　表 4.1 は，肩関節複合体の一般的な関節可動域測定で参照される表である．解剖学的基準と関節可動域の測定を含んでおり，活動的な可動域が予想される（標準の）評価値が記載されている．ここで留意すべきは，標準範囲の大きな自然の変動は，さまざまな理由で予想されるということである．

確認問題

1 ▶ 肩甲骨の上方回旋を起こすフォースカップルの構成要素でないのはどれか．
   ⓐ 前鋸筋
   ⓑ 僧帽筋上部線維
   ⓒ 菱形筋
   ⓓ 僧帽筋下部線維

2 ▶ 肩甲上腕関節について正しいのはどれか．
   ⓐ 肩甲上腕関節は，球関節の構造である
   ⓑ 肩甲上腕関節は，3つすべての運動面での動きが可能である
   ⓒ 肩甲上腕関節は，鎖骨末端と大結節によって関節を構成する
   ⓓ aとb
   ⓔ 上記のすべて

3 ▶ 鞍関節はどれか．
   ⓐ 肩甲上腕関節
   ⓑ 胸鎖関節
   ⓒ 肩鎖関節
   ⓓ 肩甲胸郭関節

4 ▶ 肩甲骨の上方回旋なしに，肩の外転はどのくらいの角度まで制限されるか．
   ⓐ 60°
   ⓑ 80°
   ⓒ 120°
   ⓓ 170°

5 ▶ 肩峰と連結している骨はどれか．
   ⓐ 上腕骨
   ⓑ 肩甲骨
   ⓒ 鎖骨
   ⓓ 胸骨

6 ▶ 肩の屈曲筋について正しいのはどれか．
   ⓐ 肩の内側．外側軸に対して前方に引くように走行する
   ⓑ 肩の内側．外側軸に対して後方に引くように走行する
   ⓒ 肘の伸展も行う
   ⓓ 橈骨神経によって神経支配を受ける

7 ▶ 肩甲上腕リズムについて正しいのはどれか．
   ⓐ 肩甲骨の上方回旋3°ごとに，肩甲上腕関節の内転1°が起こる
   ⓑ 肩甲上腕関節の屈曲または外転2°ごとに，肩甲骨の上方回旋1°が起こる
   ⓒ 肩甲上腕リズムは，肩の他動的な屈曲と伸展の動きのみに起こる
   ⓓ 肩甲骨の外転は，上腕骨の水平外転と同時に起こる

8 ▶ 肩甲骨の上方回旋について正しいのはどれか．
   ⓐ 肩の伸展の自然な要素として起こる
   ⓑ 腕を頭上に上げる運動の自然な要素として起こる
   ⓒ 主に大円筋と小円筋の活動により起こる
   ⓓ 肩甲骨の下端が内側を向く結果として起こる

9 ▶ 上腕骨に付着（起始または停止）していない筋はどれか．
   ⓐ 小円筋
   ⓑ 三角筋前部線維

ⓒ 前鋸筋
　　　ⓓ 肩甲下筋
10 ▶ 腱板筋でないのはどれか．
　　　ⓐ 棘上筋
　　　ⓑ 小円筋
　　　ⓒ 棘下筋
　　　ⓓ 僧帽筋上部線維
11 ▶ 翼状肩甲を起こすのはどれか．
　　　ⓐ 三角筋前部線維の筋力弱化
　　　ⓑ 三角筋後部線維の筋力弱化
　　　ⓒ 前鋸筋の筋力弱化
　　　ⓓ 大円筋と広背筋の筋力弱化
12 ▶ 肩の下制について正しいのはどれか．
　　　ⓐ 肩甲胸郭関節の下制と肩甲上腕関節の下制の複合運動である
　　　ⓑ 身体を持ち上げるための運動である
　　　ⓒ 主に僧帽筋上部線維と僧帽筋中部線維の作用で起こる
　　　ⓓ aとb
　　　ⓔ bとc
13 ▶ 三角筋について正しいのはどれか．
　　　ⓐ 三角筋前部線維は肩の屈曲を行う
　　　ⓑ 三角筋後部線維は肩の伸展を行う
　　　ⓒ すべての三角筋頭は腋窩神経により神経支配される
　　　ⓓ aとc
　　　ⓔ 上記のすべて
14 ▶ 広背筋，三角筋後部線維，上腕三頭筋長頭に共通する類似点はどれか．
　　　ⓐ 上腕骨に付着する
　　　ⓑ 肩の強い内旋筋である
　　　ⓒ 橈骨神経により神経支配される
　　　ⓓ 肩を伸展させる
15 ▶ 腱板の機能について正しいのはどれか．
　　　ⓐ 4つすべての筋は，肩の内旋を行う
　　　ⓑ 4つすべての筋は，関節窩に上腕骨頭を安定させる
　　　ⓒ 4つすべての筋は，肩甲骨の上方回旋のフォースカップルとして作用する
　　　ⓓ 4つすべての筋は，肩甲上腕関節の過度の外旋を防ぐ
16 ▶ 肩甲上腕リズムに従うと，肩を150°外転する際の肩甲骨の上方回旋の角度はどれか．
　　　ⓐ 50°
　　　ⓑ 100°
　　　ⓒ 120°
　　　ⓓ 25〜30°
17 ▶ インピンジメントについて正しいのはどれか．
　　　ⓐ 肩の内旋の活動が減少する
　　　ⓑ 上腕骨の上方移動は，上腕骨頭の肩峰への衝突を起こす
　　　ⓒ 肩甲骨の下制と肩甲上腕関節の外転により生じる
　　　ⓓ 肩鎖靱帯と烏口鎖骨靱帯の完全断裂が生じる
18 ▶ 肩甲骨面上で外転を行うとインピンジメントを防げる理由はどれか．
　　　ⓐ 小円筋と大円筋がゆるむため
　　　ⓑ 大結節が肩峰の最も高い位置の下に位置するため
　　　ⓒ 肩甲骨が胸郭の後壁の中央に固定されるため
　　　ⓓ 肩甲下筋がこの位置で肩の外旋を行うため
19 ▶ 肩の内旋筋でないのはどれか．
　　　ⓐ 大胸筋
　　　ⓑ 広背筋
　　　ⓒ 棘下筋
　　　ⓓ 大円筋
20 ▶ 肩の外旋について正しいのはどれか．
　　　ⓐ 前額面で起こる
　　　ⓑ 縦軸の回旋で起こる
　　　ⓒ 4つの腱板筋のうちの2つの筋によって行う
　　　ⓓ aとc
　　　ⓔ bとc
21 ▶ 前鋸筋は，肩の主な上方回旋筋である．
　　　ⓐ 正しい
　　　ⓑ 誤り
22 ▶ 肩甲上腕関節を外転する筋は，前-後軸の上方を走行する．
　　　ⓐ 正しい
　　　ⓑ 誤り
23 ▶ 肩複合体では，内旋筋よりも外旋筋のほうが力が大きい．
　　　ⓐ 正しい
　　　ⓑ 誤り
24 ▶ 体重をかけない肩の外転時は，関節運動学的な転がりと滑りが同じ方向で起こる．
　　　ⓐ 正しい
　　　ⓑ 誤り
25 ▶ 広背筋と僧帽筋下部線維は，共同して肩全体を下制する．
　　　ⓐ 正しい
　　　ⓑ 誤り
26 ▶ 上腕骨の水平外転は，肩甲骨の内転と同時に起こる．
　　　ⓐ 正しい
　　　ⓑ 誤り
27 ▶ 棘上筋と三角筋中部線維は，同じ神経によって支配される．
　　　ⓐ 正しい
　　　ⓑ 誤り
28 ▶ 菱形筋と小胸筋は，肩の主な下方回旋筋である．
　　　ⓐ 正しい
　　　ⓑ 誤り
29 ▶ 滑液包の主な機能は，腱と骨の間の衝撃をやわらげる

（摩擦を抑える）ことである．
- **ⓐ** 正しい
- **ⓑ** 誤り

30 ▶ 肩のインピンジメントは，肩が外転するときに肩甲骨の上方回旋がみられない場合に起こる．
- **ⓐ** 正しい
- **ⓑ** 誤り

参考文献

Bagg, S.D. & Forrest, W.J. (1988) A biomechanical analysis of scapular rotation during arm abduction in the scapular plane. American Journal of Physical Medicine Rehabilitation, 67(6), 238-245.

Borstad, J.D. & Ludewig, P.M. (2005) The effect of long versus short pectoralis minor resting length on scapular kinematics in healthy individuals. Journal of Orthopaedic and Sports Physical Therapy, 35(4), 227-238.

Ebaugh, D.D., McClure, P.W. & Karduna, A.R. (2005) Three-dimensional scapulothoracic motion during active and passive arm elevation. Clinical Biomechanics (Bristol, Avon), 20(7), 700-709.

Ebaugh, D.D., McClure, P.W. & Karduna, A.R. (2006) Effects of shoulder muscle fatigue caused by repetitive overhead activities on scapulothoracic and glenohumeral kinematics. Journal of Electromyography and Kinesiology, 16(3), 224-235.

Kibler, W.B., Sciascia, A. & Wilkes, T. (2012) Scapular dyskinesis and its relation to shoulder injury [review]. Journal of the American Academy of Orthopedic Surgeons, 20(6), 364-372.

Lawrence, R.L., Braman, J.P., LaPrade, R.F., et al. (2014) Comparison of 3-dimensional shoulder complex kinematics in individuals with and without shoulder pain, part 1: sternoclavicular, acromioclavicular, and scapulothoracic joints. Journal of Orthopaedic and Sports Physical Therapy, 44(9) 636-645-A8.

Lawrence, R.L., Braman, J.P., Staker, J.L., et al. (2014) Comparison of 3-dimensional shoulder complex kinematics in individuals with and without shoulder pain, part 2: glenohumeral joint. Journal of Orthopaedic and Sports Physical Therapy, 44(9), 646-655-B3.

Lopes, A.D., Timmons, M.K., Grover, M., et al. (2015) Visual scapular dyskinesis:kinematics and muscle activity alterations in patients with subacromial impingement syndrome. Archives of Physical Medicine and Rehabilitation, 96(2), 298-306.

Ludewig, P.M., Behrens, S.A., Meyer, S.M., et al. (2004) Three-dimensional clavicular motion during arm elevation: reliability and descriptive data. Journal of Orthopaedic and Sports Physical Therapy, 34(3), 140-149.

Ludewig, P.M., Cook, T.M. & Nawoczenski, D.A. (1996). Three-dimensional scapular orientation and muscle activity at selected positions of humeral elevation. Journal of Orthopaedic and Sports Physical Therapy, 24(2), 57-65.

Ludewig, P.M., Hoff, M.S., Osowski, E.E., et al. (2004) Relative balance of serratus anterior and upper trapezius muscle activity during push-up exercises. American Journal of Sports Medicine, 32(2), 484-493.

Matsuki, K., Matsuki, K.O., Mu, S., et al. (2014) In vivo 3D analysis of clavicular kinematics during scapular plane abduction: comparison of dominant and non-dominant shoulders. Gait and Posture, 39(1), 625-627.

McClure, P.W., Michener, L.A., Sennett, B., et al. (2001) Direct 3-dimensional measurement of scapular kinematics during dynamic movements in vivo. Journal of Shoulder and Elbow Surgery, 10(3), 269-277.

Michener, L.A., McClure, P.W. & Karduna, A.R. (2003) Anatomical and biomechanical mechanisms of subacromial impingement syndrome. Clinical Biomechanics (Bristol, Avon), 18(5), 369-379.

Neumann, D.A. (2012) Arthrokinematics: flawed or just misinterpreted? Journal of Orthopaedic and Sports Physical Therapy, 34, 428-429.

Neumann, D. (2017) Kinesiology of the musculoskeletal system: Foundations for physical rehabilitation (3rd ed.). St. Louis: Mosby.

Park, S.Y. & Yoo, W.G. (2011) Differential activation of parts of the serratus anterior muscle during push-up variations on stable and unstable bases of support. Journal of Electromyography and Kinesiology, 21(5), 861-867.

Safran, M.R. (2004) Nerve injury about the shoulder in athletes, part 1: suprascapular nerve and axillary nerve. American Journal of Sports Medicine, 32(3), 803-819.

Seitz, A.L., McClure, P.W., Finucane, S., et al. (2012) The scapular assistance test results in changes in scapular position and subacromial space but not rotator cuff strength in subacromial impingement. Journal of Orthopaedic and Sports Physical Therapy, 42(5), 400-412.

Seitz, A.L., McClure, P.W., Lynch, S.S., et al. (2012) Effects of scapular dyskinesis and scapular assistance test on subacromial space during static arm elevation. Journal of Shoulder and Elbow Surgery, 21(5), 631-640.

Standring, S. (2016) Gray's anatomy: the anatomical basis of clinical practice (41st ed.). Edinburgh: Churchill Livingstone.

Struyf, F., Cagnie, B., Cools, A., et al. (2014) Scapulothoracic muscle activity and recruitment timing in patients with shoulder impingement symptoms and glenohumeral instability [Review]. Journal of Electromyography Kinesiol, 24(2), 277-284.

Wilk, K.E., Macrina, L.C., Fleisig, G.S., et al. (2014) Deficits in glenohumeral passive range of motion increase risk of elbow injury in professional baseball pitchers: a prospective study. American Journal of Sports Medicine, 42(9), 2075-2081.

第 5 章

肘・前腕複合体の構造と機能

▶ 本章の概要

骨学
　肩甲骨
　遠位上腕骨
　尺骨
　橈骨

肘の関節学
　一般的な特徴
　肘関節の支持構造
　運動学

前腕の関節学
　一般的な特徴
　上・下橈尺関節の支持構造
　運動学
　前腕骨間膜による力の伝達

肘・前腕複合体の筋
　筋の神経支配
　肘関節の屈筋
　肘関節の伸筋
　前腕回外筋・回内筋

まとめ
確認問題
参考文献

▶ 学習目標

- 肘・前腕複合体に関連する主な骨と，その特徴を述べることができる．
- 肘・前腕複合体の支持構造を説明できる．
- 肘・前腕複合体における4つの関節の構造と機能を説明できる．
- 肘関節の屈曲と伸展，および前腕の回外と回内の正常可動域を述べることができる．
- 肘・前腕複合体の運動面と回転軸を説明できる．
- 肘・前腕複合体に付着する筋の起始と停止を述べることができる．
- 肘・前腕複合体に付着する筋の主な作用を述べることができる．
- 肘・前腕複合体に付着する筋の支配神経を述べることができる．
- 押したり引いたりする動作を行う主な筋の相互作用を説明できる．
- ドライバーでネジを締める際に働く主な筋の相互作用を説明できる．

🔑 キーワード

| 外反 | 最終感覚 | 自動不全 | 内反肘 |
| 過度の外反肘 | 自動完全 | 内反 | |

　肘を屈曲したり伸展したりする能力は，"食べる""身だしなみを整える""手を伸ばす""投げる""押す"等，多くの動作にとって必要不可欠である．肘そのものは，腕尺関節と腕橈関節の2つの異なる関節から構成される（**図 5.1**）．前腕複合体は回内と回外，すなわち手掌を下方（回内）と上方（回外）に回旋させる運動を行う．肘と同様に前腕も，上橈尺関節と下橈尺関節という2つの異なる関節から構成される（**図 5.1**）．

　肘と前腕における4つの関節の相互作用によって，手をあらゆる場所に動かし，上肢全体を効果的に機能させることができる．

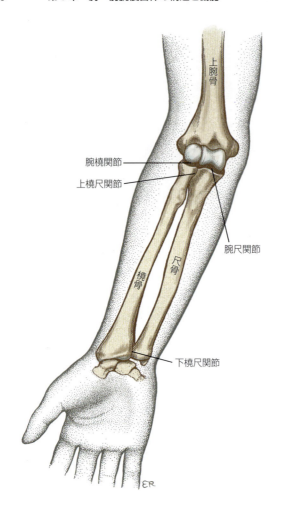

図5.1 肘・前腕複合体の関節
(Neumann DA: Kinesiology of the musculoskeletal system: foundations for physical rehabilitation, ed 2, St Louis, 2010, Mosby, Fig. 6.1 より)

肘・前腕複合体の関節
● 腕尺関節
● 腕橈関節
● 上橈尺関節
● 下橈尺関節

骨学

肘・前腕複合体に関与する4つの骨は，①肩甲骨，②遠位上腕骨，③尺骨，④橈骨である．

肩甲骨

肩甲骨には，肘の筋にとって重要な3つの部位がある．烏口突起は上腕二頭筋短頭の起始であり，関節上結節は上腕二頭筋長頭の起始である．また，関節下結節は上腕三頭筋長頭の起始である．これらの骨指標については，第4章で解説した（図4.4参照）．

遠位上腕骨

滑車は，糸巻き状の構造で遠位上腕骨（図5.2, 3）の内側に位置し，尺骨との関節である腕尺関節を構成する．鈎突窩は，滑車の真上に位置する小さなくぼみであり，肘が完全に屈曲したときに尺骨の鈎状突起が入る．滑車のすぐ外側には，ボール状の小頭があり，橈骨頭と腕橈関節を構成する．

内側上顆は，遠位上腕骨の内側に位置する顕著な突起である．この突起は容易に触診でき，手関節掌屈筋と円回内筋，および肘の内側側副靱帯のほとんどがここを起始とする．内側上顆と比較すると外側上顆の突起は顕著ではないが，手関節背屈筋と回外筋，および肘の外側側副靱帯のほとんどがここを起始とする．内側上顆と外側上顆の近位部には，それぞれ内側顆上稜と外側顆上稜がある．

肘頭窩は，遠位上腕骨の後方に位置する比較的深くて広いくぼみである．肘が完全に伸展したとき，このくぼみに肘頭が入る．

> **考えてみよう！ ＞＞ 肘に電気が走る**
>
> "肘に電気が走る"（訳注：原文は，"**尺骨端** funny boneを打つ"）とは，専門的には尺骨神経を打つことを意味する．尺骨神経は，肘頭と内側上顆の間の溝を通る．この部位をテーブルの端にぶつけると，神経はテーブルの端と骨の間で圧迫され，神経によって支配される皮膚領域，特に前腕内側部と第4・5指（薬指・小指）に，ビリビリする痛みやしびれ感が生じる．

尺骨

尺骨（図5.4, 5）の近位端には，太く特徴的な突起がある．肘頭は，尺骨の近位端にある大きく丸い突起である．肘頭の後面は粗く，上腕三頭筋の停止である．

滑車切痕とは，尺骨の近位部にある大きな下顎のような彎曲であり，これが上腕骨滑車とともに腕尺関節（図5.6）を構成する．滑車切痕の下方の先端部分が鈎状突起であり，この突起が上腕骨滑車を確実につかむことによって，腕尺関節の安定性を高める．橈骨切痕は，滑車切痕の下方外側にあり，橈骨と上橈尺関節を構成する．

骨学 91

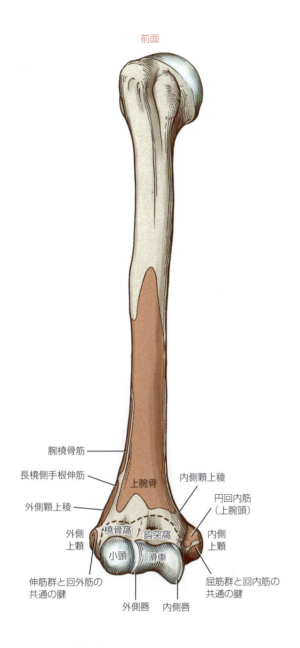

図 5.2 右上腕骨の前面
筋の起始を赤色で示す．点線は，肘の関節包の付着部を表す．
(Neumann DA: Kinesiology of the musculoskeletal system: foundations for physical rehabilitation, ed 2, St Louis, 2010, Mosby, Fig. 6.2 より)

図 5.3 右上腕骨の後面
筋の起始を赤色で示す．点線は，肘の関節包の付着部を表す．
(Neumann DA: Kinesiology of the musculoskeletal system: foundations for physical rehabilitation, ed 2, St Louis, 2010, Mosby, Fig. 6.3 より)

　尺骨の遠位部にある茎状突起は，尺骨頭から出ている骨の尖った突起部である．尺骨頭と茎状突起はともに，前腕を完全に回内すると，手首背側の尺側で触診できる．

橈骨

　前腕を完全に回外すると，橈骨は尺骨に平行かつ外側に位置する（**図5.4, 5**）．橈骨頭は橈骨近位端にあり，幅の広い円盤状である．橈骨頭の上面はカップ状に浅くくぼんでいる．これは窩とよばれ，上腕骨の小頭と腕橈関節を構成する．

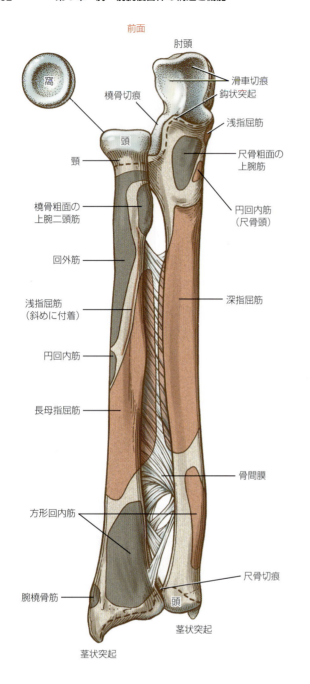

図 5.4 右の橈骨と尺骨の前面
筋の起始を赤色，停止を灰色で示す．点線は，肘と手関節の関節包の付着部を表す．(Neumann DA: Kinesiology of the musculoskeletal system: foundations for physical rehabilitation, ed 2, St Louis, 2010, Mosby, Fig. 6.5 より)

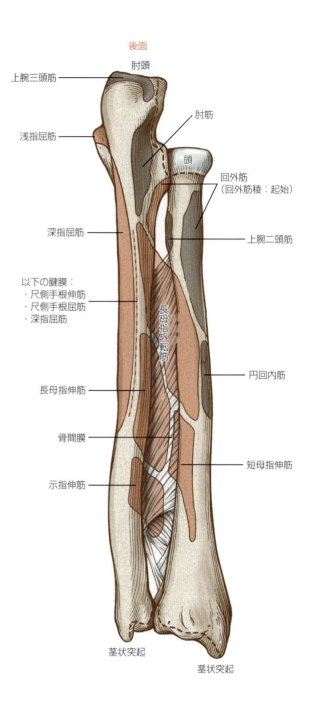

図 5.5 右の橈骨と尺骨の後面
筋の起始を赤色，停止を灰色で示す．点線は，肘と手関節の関節包の付着部を表す．(Neumann DA: Kinesiology of the musculoskeletal system: foundations for physical rehabilitation, ed 2, St Louis, 2010, Mosby, Fig. 6.6 より)

　二頭筋粗面（橈骨粗面ともよばれる）は，橈骨近位部の前内側にあり，骨の隆起部である．その部位が，上腕二頭筋の主な停止になることから，二頭筋粗面と名づけられた（訳注：日本では橈骨粗面で統一されている．したがって本書ではこれ以降，橈骨粗面を用いる）．

　橈骨の遠位端は幅広く平らな形状で，茎状突起と尺骨切痕で構成する．茎状突起は橈骨の遠位外側にあり，骨の尖った突起部で，容易に触診できる．尺骨切痕は，橈骨遠位端の内側にあるくぼみで，尺骨頭と下橈尺関節を構成する．

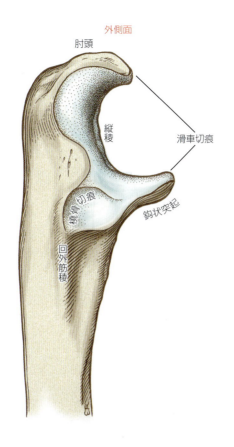

図 5.6　橈骨を除いた右の尺骨近位部の外側（橈側）
滑車切痕が下顎のような形状であるのがよくわかる．(Neumann DA: Kinesiology of the musculoskeletal system: foundations for physical rehabilitation, ed 2, St Louis, 2010, Mosby, Fig. 6.7 より)

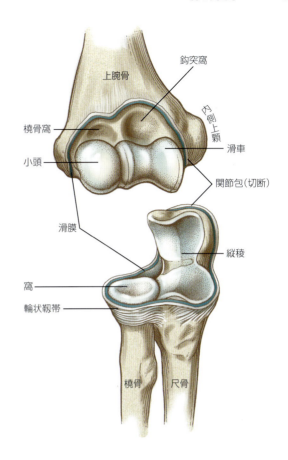

図 5.7　右肘の前面
腕尺関節と腕橈関節の特徴をみるために，関節を外した．関節包の内側を覆う滑膜は，青色で示す．(Neumann DA: Kinesiology of the musculoskeletal system: foundations for physical rehabilitation, ed 2, St Louis, 2010, Mosby, Fig. 6.11 より)

肘の関節学

一般的な特徴

前項で述べたように，肘関節は腕尺関節と腕橈関節の2つの関節で構成される．腕尺関節は構造的に，肘の安定性の大部分を担う．この安定性は，上腕骨の糸巻き状の滑車と尺骨の下顎のような滑車切痕との連結によるものである（**図 5.6**）．この蝶番のような関節は，肘の屈曲と伸展を制限する．

腕橈関節は，橈骨のカップ状の窩と上腕骨のボール状の小頭によって構成される（**図 5.7**）．この構造によって，橈骨頭と上腕骨小頭は常に接し，回外と回内を行う際に，橈骨が軸として回転できるようになっている．また，屈曲と伸展の際は，上腕骨小頭を軸として橈骨頭が転がりと滑りを行うことによって，回転できるようになっている．腕尺関節と比較して，腕橈関節の肘に対する安定性の関与は少ない．

前腕回外位で肘を完全伸展すると，前腕が上腕骨に対して約15〜20°，外側に傾いているのがわかる．この前額面における前腕の自然な外方への傾きを，生理的外反肘とよぶ（**図 5.8A**）．**外反** valgus とは，文字通り外側に反るという意味である．また，この生理的外反肘は物を運ぶ際に身体から離して運べるという意味から，運搬角ともよばれる．生理的外反肘は，肘の外傷によって過度の**外反肘** excessive cubitus valgus（**図 5.8B**），あるいは**内反肘** cubitus varus（**図 5.8C**）に変形することがある．

側副靱帯の主な機能は，肘の過度の**内反** varus や外反による変形を制限することである．内側側副靱帯は，転倒時に身体を支えようとして損傷することが多い（**図 5.9，10**）．これらの靱帯は，肘を極端に屈曲したり伸展すると緊張するため，矢状面の動きに極端な力が加わると，側副靱帯の損傷を起こす可能性がある．

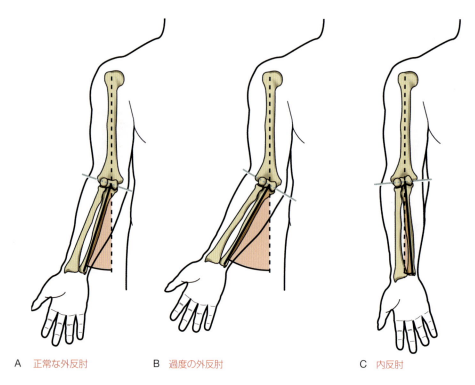

A 正常な外反肘　　B 過度の外反肘　　C 内反肘

図 5.8　外反肘と内反肘
A：正常な外反肘．橈骨と尺骨は，上腕骨の長軸から15°偏位する．点線は，肘の内側-外側軸を表す．B：過度の外反肘．C：内反肘．（Neumann DA: Kinesiology of the musculoskeletal system: foundations for physical rehabilitation, ed 2, St Louis, 2010, Mosby, Fig. 6.9 より）

肘関節の支持構造

肘関節の支持構造を，図 5.9 に示す．

- **関節包**：3つの異なる関節（腕尺関節・腕橈関節・上橈尺関節）を囲む，薄くて伸張性のある結合組織の帯である．
- **内側側副靱帯**：内側上顆から起こり，鉤状突起と肘頭の内側面に付着する線維であり，主に外反肘を引き起こす力に抵抗することによって，肘の安定性に寄与する．
- **外側側副靱帯**：外側上顆から起こり，最終的に前腕近位部の外側面に付着する．この線維は，内反肘を引き起こす力に抵抗することによって，肘の安定性に寄与する．

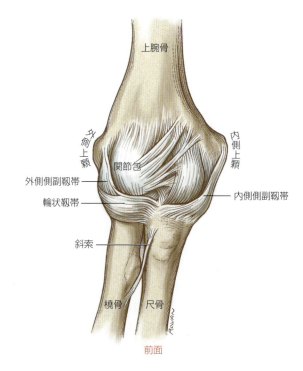

図 5.9　関節包と側副靱帯を示した右肘の前面
（Neumann DA: Kinesiology of the musculoskeletal system: foundations for physical rehabilitation, ed 2, St Louis, 2010, Mosby, Fig. 6.10 より）

臨床的な視点 >> 肘関節脱臼骨折

転倒しそうになって，肘を完全に伸展して回外位で手をつくと，肘の内側側副靱帯を損害することがある（図5.10）．またこのとき，極端に強い力が加わった場合，その他の部位にも損傷が生じることがある．特に，**肘関節脱臼骨折** the terrible triad of the elbow は重症である．肘関節脱臼骨折には，次の3つの損傷が含まれる．

- 肘関節脱臼
- 橈骨頭骨折
- 尺骨鉤状突起骨折

重度のケースでは，広範囲にわたる軟部組織損傷，神経損傷，肘関節の硬直と慢性的な不安定性を合併する可能性がある．

セラピストは，低下した筋力や関節可動域の回復を図るため，外科医と密に協議して，肘関節の安定性の改善と関節強直や拘縮を予防しなければならない．

臨床的な視点 >> トミー・ジョン手術

トミー・ジョン手術 Tommy John surgery は，肘の内側（尺骨）側副靱帯の外科的再建術である．この手術は投げる動作を行う選手の肘，特にこの靱帯に大きな負荷がかかる野球の投手に実施されることが多い．1974年に，初めてこの手術を受けた大リーグ投手のトミー・ジョンの名にちなんで名づけられた．トミー・ジョンは，18ヵ月のリハビリテーションプログラムを経て投手に復帰し，その後，彼が46歳で引退するまでに164勝をあげた．

力強く振りかぶって投げると，肘の外反方向に大きな負荷がかかり，内側側副靱帯にゆるみや断裂が生じやすくなるため，投げる動作を行う選手が受傷しやすい．手術の手技が違っても，その目的は損傷した靱帯をより強い靱帯に再建することである．一般に，再建に使用する靱帯は患者の長掌筋腱（自家移植片）であり，上腕骨の内側上顆と尺骨の内側近位部に開けられた穴に固定される．この穴は，自然な内側側副靱帯の位置に匹敵する場所に慎重に開けられる．長掌筋腱は細い割に強く，多くの人にとって機能的にほとんど重要でないことから使用される．この手術は，野球の投手でいくつかの成功例が報告されている．手術後（十分なリハビリテーション実施後）に球速が増加した事例，それも損傷前の球速より速くなる事例さえ報告されている．

運動学

解剖学的肢位からの肘の屈曲と伸展は，両上顆を通る内側-外側軸における矢状面での運動である．肘の正常な可動域は，5°過伸展位から145°屈曲位である（図5.11）．しかしながら，日常生活でのほとんどの屈曲は，30～130°の間の100°の範囲で行われる．過度の伸展は，肘頭と肘頭窩の骨・関節によって制限される．

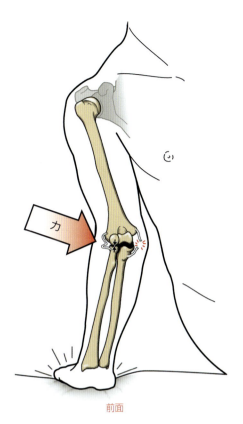

図5.10 内側側副靱帯の損傷
転倒から身を守ろうとして手をついたとき，強い外反を引き起こす力によって，内側側副靱帯が過伸展または断裂する可能性がある．（Neumann DA: Kinesiology of the musculoskeletal system: foundations for physical rehabilitation, ed 2, St Louis, 2010, Mosby, Fig. 6.13 より）

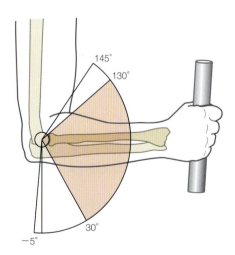

図5.11 肘の正常な可動域
肘の正常な可動域は，5°過伸展位から145°屈曲位までである．赤色は，屈曲30～130°までの"機能的な円弧"を示す．（Morrey BF, Bryan RS, Dobyns JH, et al: Total elbow arthroplasty: a 5-year experience at the Mayo Clinic, J Bone Joint Surg Am 63[7]: 1050-1063, 1981 より改変）

肘は，前腕部を自由にすると二頭筋を使って屈曲したり伸展したりでき，また，前腕部を固定すると腕立て伏せを行うこともできる．このように肘の機能には，開放運動連鎖と閉鎖運動連鎖とがあるが，本章では開放運動連鎖を中心に述べる．いずれにせよ，肘の可動域が制限されれば，身体の活動は非常に減少する．

> **考えてみよう！** ＞＞関節の最終感覚の評価
>
> セラピストは，関節の最大可動域に到達する際の感覚を評価すべきである．**最終感覚** end feel という用語は，この目的のために用いられる．肘の完全伸展時と完全屈曲時の最終感覚を比較してみよう．肘の完全伸展は，肘頭が肘頭窩に滑り込むことで急に運動が停止し，骨性の最終感覚が生じる．対照的に完全屈曲は，肘屈筋群や他の軟部組織を挟み込むため，弾力のある最終感覚が生じる．
>
> 正常な関節の最終感覚を認識できるセラピストは，関節運動の制限や過度の運動の原因を評価できるので，それらの根本的な問題を効果的に治療できる．

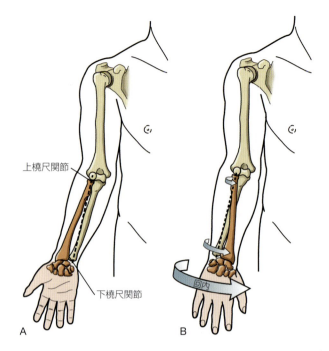

図 5.12　右前腕の前面
A：完全回外位では，橈骨（オレンジ色）と尺骨が平行となる
B：完全回内位では，橈骨が尺骨の上を交差する．点線は，橈骨頭から尺骨頭まで伸びる回転軸を示す．手と橈骨の動きをよく観察しよう．（Neumann DA: Kinesiology of the musculoskeletal system: foundations for physical rehabilitation, ed 2, St Louis, 2010, Mosby, Fig. 6.23 より）

前腕の関節学

一般的な特徴

前腕は，上橈尺関節と下橈尺関節とで構成される（**図 5.1** 参照）．その名称が示す通り，これらの関節はそれぞれ前腕の近位端と遠位端にある．前腕の回内と回外は，これら2つの関節がそれぞれ運動することで行われる．**図 5.12** で示すように，A は完全回外位であり，橈骨と尺骨は互いに平行である．一方，完全回内位では橈骨が尺骨の上を交差する（**図 5.12B**）．

次項で解説するが，回内と回外は，ほとんど動かない尺骨のまわりを，橈骨が回転することにより行われる．回内と回外は，手の動きや位置を説明する用語であるが，これらの動作は前腕にある関節で起こる．上腕骨に対する手の位置に注目することにより，この前腕の運動が観察できる．手関節は橈骨の遠位端と手根骨との間でしっかりと安定しているため，橈骨の回転に伴って手が回旋する．このとき尺骨は，腕尺関節により安定しているため，ほとんど動かない．

上・下橈尺関節の支持構造

- **輪状靱帯**：橈骨頭の周囲と尺骨の橈骨切痕の側面に巻きつく形で付着する，結合組織の厚い輪状の靱帯である（**図 5.13**；**図 5.9** 参照）．この輪のような構造は，橈骨頭を尺骨にしっかりと固定しつつ，前腕の回外・回内時には，橈骨頭を自由に回転させる．
- **下橈尺関節包**：掌側と背面の関節包靱帯によって補強される構造で，下橈尺関節の安定性を高める．
- **骨間膜**：橈骨と尺骨の結合を補助する．筋の付着部位ともなり，前腕を通して力を近位部に伝達する（**図 5.5** 参照）．

運動学

回外は，食事をとる，顔を洗う，スープカップを持つ等，多くは手掌面を上に向けて行う動作となる．一方，回内は，テーブルの物をつかむ，椅子から手で押して立ち上がる等，多くは手掌面を下に向けて行う動作となる．

回外と回内は，橈骨頭から尺骨頭まで伸びる回転軸の

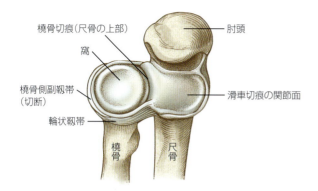

図5.13 右上橈尺関節の上面
橈骨が輪状靱帯によって，尺骨の橈骨切痕への固定がどのように行われるのか，注目しよう．（Neumann DA: Kinesiology of the musculoskeletal system: foundations for physical rehabilitation, ed 2, St Louis, 2010, Mosby, Fig. 6.24 より）

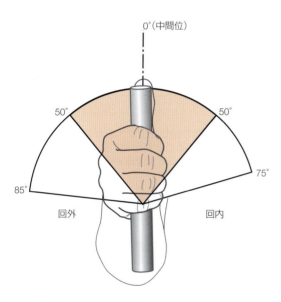

図5.14 回内と回外の可動域
回外は0〜85°，回内は0〜75°の範囲で動く．0°（中間位）は，母指を上にした肢位である．100°の機能的な円弧を，赤色で示す．（Morrey BF, Bryan RS, Dobyns JH, et al: Total elbow arthroplasty: a 5-year experience at the Mayo Clinic. J Bone Joint Surg Am 63[7]: 1050-1063, 1981 より改変）

 考えてみよう！ >> "回内"と"回外"にだまされるな！

　肩の内旋と外旋は，前腕の回内と回外に機能的に連鎖している．肩の内旋は前腕の回内を伴い，肩の外旋は前腕の回外を伴う．肩と前腕の回転を組み合わせれば，手を360°近く回旋できる（単独では，それぞれ170〜180°）．
　臨床で前腕の回内や回外の可動域をテストする場合，肩による余分な代償運動が生じていないかについて，留意しなければならない．肩による代償運動を防ぐためには，肘を90°屈曲位にして上腕内側部を体側につけた肢位でテストするとよい．この肢位では，肩の代償運動を容易にみつけることができる．**図5.15**にて，回内の可動域測定法を示す．肩が過度に内旋（ときに外旋）することを防ぐために，腕が体側に確実に固定されていることを確認しなければならない．

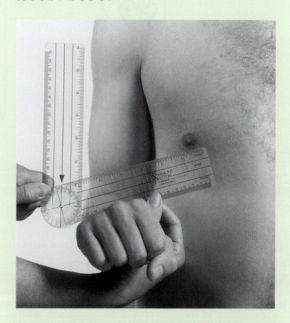

図5.15 自動運動による前腕回内の関節可動域の測定
肩の外転による代償運動が起こらないように，肘がしっかり体側に接していることを確認しなければならない．（Reese NB, Bandy WD: Joint range of motion and muscle length testing, ed 2, St Louis, 2010, Saunders, Fig. 4.25 より）

まわりを橈骨が回転することで生じる（**図5.12**）．前腕の0°（中間位）は，母指を上にした位置である（**図5.14**）．正常ではこの位置から，85°の回外と75°の回内を行うことができる．もし，回外と回内の可動域が制限されれば，肩の外旋や内旋による代償が起こるため，セラピストは前腕の可動域をテストする際，これらの代償運動に留意する必要がある．

　回外と回内は，近位と遠位の橈尺関節が同時に運動することにより生じる．したがって，一方の関節が制限されると，他方の関節にも運動制限が生じる．上腕骨を固定し，前腕を自由に動かせると仮定すると，回外と回内の関節運動は，次の①〜③の前提に基づく（**図5.16**）．
① 橈骨のみ移動し，尺骨はほとんど動かない．
② 橈骨頭は，母指の動きの方向に回転する．
③ 橈骨遠位部では，尺骨頭に対して，運動方向と同じ方向に転がりと滑りが起こる．

　回内の際，上橈尺関節に位置する橈骨頭は，輪状靱帯と尺骨の橈骨切痕によって構成された領域の内部で母指の方向に回転する（**図5.16**右下）．また，回転している橈骨頭は上腕骨小頭と接触する．下橈尺関節では，橈骨

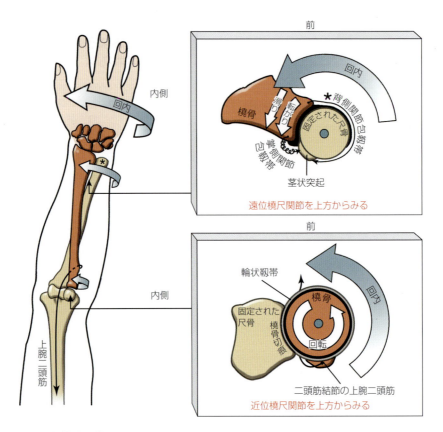

図 5.16　完全に回外した後の右前腕の前面
円回内筋が伸ばされることに注目しよう．右上の図は，完全回外時における下橈尺関節の運動を示す．転がりと滑りが同じ方向に生じる点が重要である．右下の図は，完全回外時に橈骨頭自体が前腕の軸として回転することを示す．この図は横断面であり，前腕を見下ろしている．波線はゆるんだ状態，細い線は伸ばされた状態を表す．（Neumann DA: Kinesiology of the musculoskeletal system: foundations for physical rehabilitation, ed 2, St Louis, 2010, Mosby, Fig. 6.29 より）

表 5.1　肘と前腕の関節の要約

関節	可能な運動	参考可動域	回転軸	解説
腕尺関節	屈曲と伸展	過伸展 5°～屈曲 145°	滑車を通る内側-外側軸	肘の主要な蝶番のような構造
腕橈関節	屈曲と伸展		小頭を通る内側-外側軸	共有関節として肘と前腕を機能的に連結
上橈尺関節	回内と回外	回内 80°～回外 80°（90°）	橈骨頭から尺骨頭に伸びる軸	橈骨頭は回内・回外すると触診しやすい
下橈尺関節	回内と回外		橈骨頭から尺骨頭に伸びる軸	完全回内時，遠位前腕の背側部上で尺骨頭の衝突を触診できる

遠位部の凹面が静止した尺骨に対して，運動方向と同じ方向に転がりと滑りが生じる（**図 5.16** 右上）．

完全に回内する際，橈骨の軸は尺骨の軸を越えて回転する．橈骨と隣接する手首は尺骨に対して安定するため，この肢位における前腕部の安定性は高く，また腕尺関節でもしっかりと上腕骨に固定される．

回外の関節運動は，逆方向に回転すること以外は，基本的に回内と同様である．完全に回外する際は，橈骨の軸が尺骨の軸と平行になる．肘と前腕の関節について，**表 5.1** に要約する．

前腕骨間膜による力の伝達

前腕骨間膜には，尺骨と橈骨をつなぐ役割がある．前腕骨間膜の大部分の線維は，橈骨から遠位・内側（尺側）方向に斜めに走行することに注目しよう（**図 5.18**）．この固有の線維は，手から上腕部にかけて圧迫力を伝達する作用がある．

例えば，腕立て伏せや歩行器を押す際の動作では，圧迫力の 80％は橈骨手根関節において，橈骨により手から手関節に直接伝達される（**図 5.18**（1））．近位部に伝達された力は，橈骨を通過して，前腕骨間膜の特徴的な走

臨床的な視点 >> 肘内障："肘引っ張り症候群 pulled elbow syndrome"

　肘内障は，橈骨頭が輪状靱帯の範囲を超えて強く引かれたときに生じる．これは，手首や橈骨を急激に引っ張ることが原因となることが多い．靱帯がゆるく，筋が未発達の小さな子どもの腕を，大人が引っ張ることで生じる（図5.17）．肘内障の原因となることが多い動作は，次の通りである．

肘を引っ張る原因
- 衣服を着せる際に強く腕を引く．
- 子どもの腕を引っ張って階段を上る．
- 人が鎖をもった状態で，犬が急にダッシュする．

肘を引っ張る原因

図5.17　肘内障の原因となる3つの例
（The Mayo Foundation for Medical Education and Research から許諾を得たうえで，Letts RM: Dislocations of the child's elbow. In Morrey BF, editor: The elbow and its disorders, ed 4, Philadelphia, 2009, Saunders より再描出）

行角度により，部分的に尺骨へ伝わる（図5.18(2)，(3)）．その結果，手関節および橈骨により前腕遠位部に伝えられた圧迫力は前腕近位部を通り，腕尺関節と腕橈関節（図5.18(4)）を介して，肩まで伝達される（図5.18(5)）．
　前腕骨間膜の方向とアライメントによって，圧迫力が肘の腕尺関節と腕橈関節の両方の関節に均等に分配される．もし，前腕骨間膜が90°の方向に配列していれば，橈骨を通して上方に伝達される圧迫力は，前腕骨間膜を緊張させるのではなく，むしろゆるめてしまうであろう．ゆるんだ前腕骨間膜は，ゆるいロープのように力を伝達することができない．前腕骨間膜の線維方向に基づくこの荷重伝達メカニズムは，重い扉を押し開けるときや，

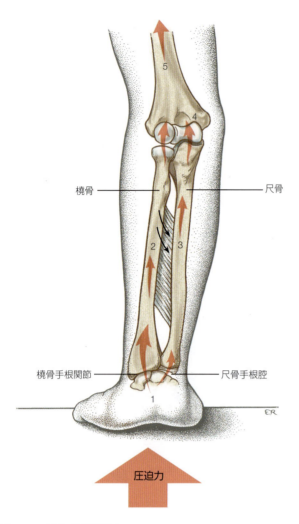

図5.18 手からの圧迫力
手からの圧迫力は，主に橈骨手根関節で手首(1)を通して，橈骨(2)に伝達される．この力は，前腕骨間膜を伸ばして，尺骨(3)に圧迫力の一部を伝達する．これによって圧迫力をより均等に，腕尺関節と腕橈関節の両方(4)に伝達する．最終的に圧迫力は肘を越えて，肩(5)まで伝えられる．（Neumann DA: Kinesiology of the musculoskeletal system: foundations for physical rehabilitation, ed 2, St Louis, 2010, Mosby, Fig. 6.21 より）

（図7.41参照）は，前腕のすべての回内筋と多くの手関節屈筋を支配する．尺骨神経（図7.42参照）は，尺側手根屈筋と手の内在筋の大部分を支配する．これらは，第6章および第7章でも解説する．

肘の屈筋は3つの神経によって支配されている．このことは，手を口にもっていくという動作，特に食事のような動作の重要性を示しているのかもしれない．3つの神経すべてを損傷すると肘の屈筋が完全に麻痺するが，きわめてまれである．一方，肘の伸筋（三頭筋）の完全な麻痺は，橈骨神経を損傷するだけで起こりうる．

肘関節の屈筋

肘屈曲に作用する筋は，上腕二頭筋，上腕筋，腕橈骨筋である．これらの筋は，肘の回転軸の前方を通過する力線をもつ（**図5.19**）．円回内筋は，第二の肘屈筋と考えられる．4つの屈筋群のうちの3つの筋で，前腕を回内もしくは回外させる機能がある．橈骨に停止する肘屈筋もまた，前腕を回内もしくは回外することに注意すべきである．これらの前腕機能により，それぞれの筋は特徴的な作用を有する．特に，肘屈筋の筋力テストや最大伸張テストの際に留意する必要がある．

肘関節屈曲の主動作筋
- 上腕二頭筋
- 上腕筋
- 腕橈骨筋

肘関節屈曲の補助筋
- 円回内筋

患者が歩行器を使って上肢で体重支持するとき等に作用する．

肘・前腕複合体の筋

筋の神経支配

肘と前腕の筋における，一般的な神経支配について述べる．なお，筋の神経支配や感覚の配布は第7章の付録をみるとイメージしやすい．筋皮神経（図7.39参照）は，肘屈筋のうち上腕二頭筋と上腕筋の2つを支配する．橈骨神経（図7.40参照）は，回外筋と腕橈骨筋に加えて，肘と手関節を伸展するすべての筋を支配する．正中神経

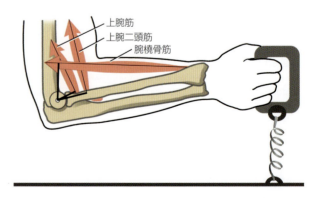

図5.19 右肘の側面における肘関節の主な3つの屈筋の力線
黒色の線は，それぞれの筋のモーメントアームを表す．（Neumann DA: Kinesiology of the musculoskeletal system: foundations for physical rehabilitation, ed 2, St Louis, 2010, Mosby, Fig. 6.36 より）

肘・前腕複合体の筋　101

ATLAS

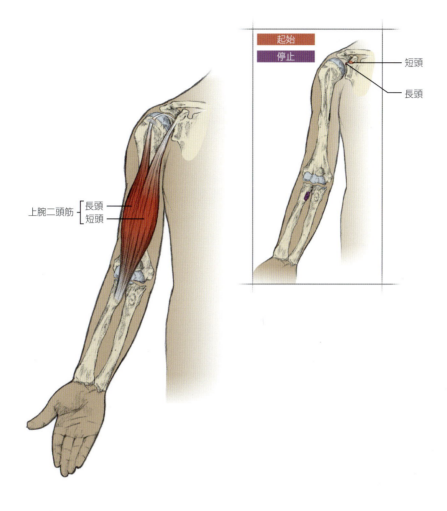

■ 上腕二頭筋

起始	[長頭]肩甲骨の関節上結節. [短頭]肩甲骨の烏口突起.
停止	橈骨粗面.
神経支配	筋皮神経.
作用	肘屈曲,前腕回外,肩屈曲.
解説	上腕二頭筋の作用による肘屈曲と前腕回外の複合動作は,例えば食事の際,顔のほうに手掌を近づける場合に重要である.

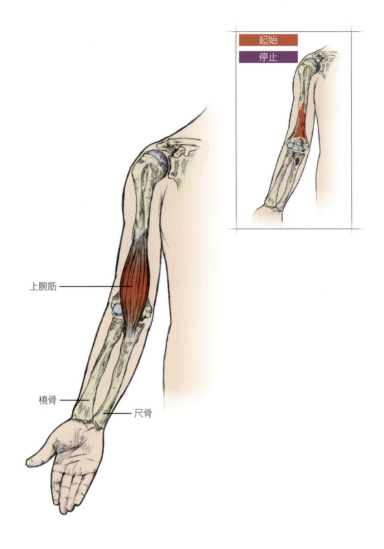

■ 上腕筋

起始 遠位上腕骨の前面.
停止 尺骨の鈎状突起.
神経支配 筋皮神経.
作用 肘屈曲.

解説 この筋は，同じ肘屈筋である上腕二頭筋よりも大きな断面積を有するため，肘屈曲の"馬車馬"（訳注：わき目もふらずに物事をすることの例え）と称される．上腕二頭筋のように橈骨ではなく尺骨に停止するため，前腕が回内位もしくは回外位であっても，筋の長さや発揮する力は影響されない．さらに，その作用は肘屈曲のみであるため，例えば上腕二頭筋のような他の肘屈筋が活動するために必要となる固定筋の作用や前腕の不要な運動を防止する必要がない．したがって上腕筋は，回内や回外に関係なく，あらゆる肘の屈曲に作用する．

肘・前腕複合体の筋　103

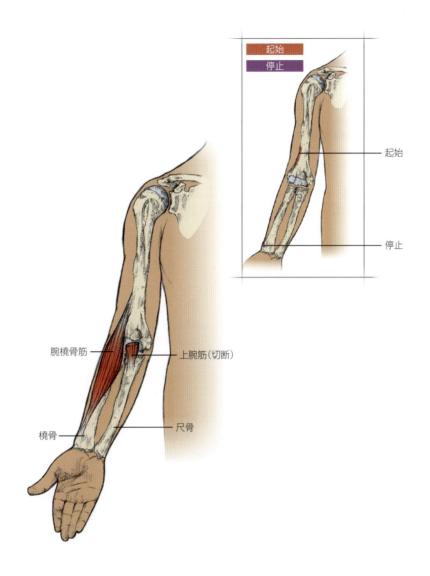

■ 腕橈骨筋

- **起始**　上腕骨の外側顆上稜.
- **停止**　橈骨遠位部の茎状突起付近.
- **神経支配**　橈骨神経.
- **作用**　肘屈曲, 肘屈曲中間位(母指が上になる位置)までの前腕回内または回外.

解説　腕橈骨筋は, 肘の屈曲と前腕を中間位(完全回内位と完全回外位の中間)まで回旋する作用がある. 腕橈骨筋の屈曲力は前腕中間位で非常に高まり, ここで, この筋の屈曲トルクが最大となる.

臨床的な視点 >> 上腕二頭筋の拮抗筋が機能しないと…

例えばC5またはC6レベルの四肢麻痺者は，一般的に上腕二頭筋（肘の屈筋）の機能は残存しているが，上腕三頭筋（肘の伸筋）の機能は失われている．このとき，上腕二頭筋の拮抗筋が機能しないため，上腕二頭筋が過度に収縮し，肘の屈曲および回外位での拘縮を生じる可能性がある．セラピストは，基本的な治療として上腕二頭筋のストレッチの重要性を認識しておかなければならない．

上腕二頭筋を最大限に伸張するためには，腕の肢位をすべて拘縮方向と反対（肘伸展，前腕回内，肩伸展）の位置にする必要がある．

下記の事項は，臨床的に重要である．
- 拮抗筋の機能が欠如している筋は，拘縮を引き起こす危険性が高い．
- 筋が硬く過度に収縮したり萎縮すると，その筋が可能なすべての肢位をとろうとする．
- その場合，筋を最大限に伸ばすため，その筋が作用する方向とすべて反対の肢位をとらなければならない．

 考えてみよう！ >> なぜ多関節筋には，固定筋の補助が必要なのか？

簡単に述べると，収縮した筋は近位と遠位の付着部を引っ張るため，筋が収縮すると意図しない関節の動きも生じてしまう．この際，収縮した多関節筋は，どのようにして他方の作用を無視しながら，ただ一つの関節の動きだけを生み出すのだろうか？

筋収縮により生じる不必要な動きを無効化するか，拮抗筋や筋以外の外力によって無効化するか相殺しなければならない．不必要な動きを無効化するもう一つの方法は，固定筋とよばれる筋の作用である．したがって固定筋の弱化は，多関節筋の作用に大きく影響することになる．

▶機能的考察

1. 上腕二頭筋と上腕筋

すべての肘屈筋の複合的な作用により，大きな屈曲トルクが発揮される．例えばそれは，人が懸垂をするときに明らかになる．ただし多くの日常的な活動では，最大レベルのトルクは必要とされない．神経系は，目的とする課題を遂行するために，必要な筋力と最適なトルク量を選択する．

上腕筋は，抵抗の大きさや前腕が回内位・中間位・回外位であるかどうかに関係なく，基本的にすべての肘屈曲の活動に作用する．完全な回外位で肘を屈曲させる場合は，橈骨に付着する上腕二頭筋の活動が大きくなる．逆に，前腕を完全回内位にして，重力をかけた状態でゆっくり肘の屈曲を繰り返しながら上腕部を触診すると，上腕二頭筋が活動していないことが確認できる．前腕を回内または回外できない場合，最も活動する筋は，より深層にある上腕筋である．

次に前腕を回外位にして，肘の屈曲と伸展を速く，強く繰り返しながら，上腕を触診する．すると，すぐに上腕二頭筋の緊張が高まり，この筋の強い筋活動により回外が起こることが確認できる．神経系は，その複合運動を正確に行わせるために，上腕二頭筋の活動を開始させる．その際も上腕筋は，活動を持続したままである．特に強い力で，上腕二頭筋のような多関節筋が活動すると，"代償"を払わなければならない．上腕二頭筋は肩の屈筋でもあるため，三角筋後部線維のような肩の伸筋が，不必要な肩の屈曲を抑制するために活動しなければならなくなる．

2. 多関節筋である上腕二頭筋：詳細な観察

上腕二頭筋は，肩・肘・前腕の関節にまたがる多関節筋である．上肢の動きの多くは，上腕二頭筋の長さに影響される．肩の伸展と肘の屈曲の複合運動である，自然な引く動きを考えてみよう．芝刈り機のスターターコードを引く際に，このような運動が起こる．

上腕二頭筋が肩と肘関節にまたがる利点として，肩の伸展により筋が長くなると同時に，肘部の筋は収縮（短縮）する．一端で縮んで他方が長くなることにより，筋の短縮距離は短くなる．これには，筋の長さと張力に基づいた生理学的な利点がある．

筋は，その発揮できる筋出力が大きいほど，**自動完全 active efficiency（効果的な活動）**ができる．これは，①一定時間内に生じる筋の収縮や筋線維の短縮が比較的少ないこと，②運動全体を通して筋力を発揮する最適な長さに筋を保つことが必要である．

筋が効果的に活動するためのこの2つの原則は，前述の引く動作での上腕二頭筋にあてはまる．さらに，肩伸筋群が上腕二頭筋による肩屈曲作用に優っていることを考えれば，上腕二頭筋によって発揮されるトルクは，単に肘屈曲と前腕回外のみに集中できる．この効果的な動きは，芝刈り機のスターターコードを引くときに生じる主要な2つの活動である．

肘関節の伸筋

肘伸展に作用する筋は，上腕三頭筋，肘筋である．肘の伸展は押す動作と関連するため，肘伸筋は望ましい動作を行うために，肩の屈筋と共同して働くことがある．

肘関節伸展の主動作筋
- 上腕三頭筋（3つすべての筋頭）
- 肘筋

臨床的な視点 >＞ 肘屈筋の反作用

　上腕二頭筋等の肘屈筋が収縮すると，上腕骨に前腕を近づけるように（例：びんを口に近づけるように）作用する．また肘屈筋は，前腕に上肢を近づけるように，閉鎖運動連鎖としても作用する．この臨床例として，肘屈筋の反作用を利用して座位姿勢をとるC6四肢麻痺者を示す（**図 5.20**）．ここで重要なことは，C6四肢麻痺者は上腕三頭筋や体幹筋の麻痺があるため，それ以外の肘屈筋の機能を使用することである．

　肘伸筋が機能していない場合，自立して背臥位から座位に移行することは困難である．この機能障害を有する場合は，**図 5.20** に示すように，ベッドにフックやループを付ける必要がある．前腕を固定することにより，肘屈筋の収縮が上肢や体幹を前腕のほうへ引き寄せることで，座位をとることを補助する．

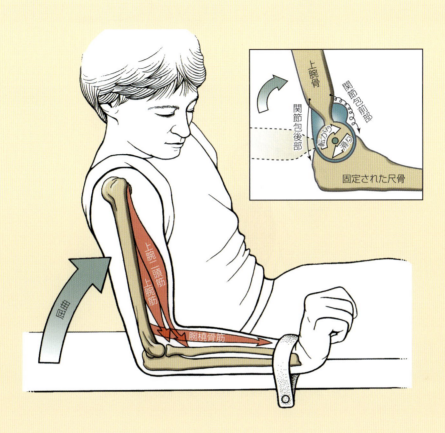

図 5.20 肘屈筋の反作用
上腕三頭筋が機能しない C6 四肢麻痺者は，座位になるために肘屈筋の反作用を利用する．ベッドループで手首をマットに固定して，肘屈筋の収縮により，上腕部を前腕のほうへ近づけ，体幹を持ち上げて座位をとる．この動きの関節内運動学は右上の枠内に示す．
（Neumann DA: Kinesiology of the musculoskeletal system: foundations for physical rehabilitation, ed 2, St, Louis, 2010, Mosby, Fig 6.50 より）

ATLAS

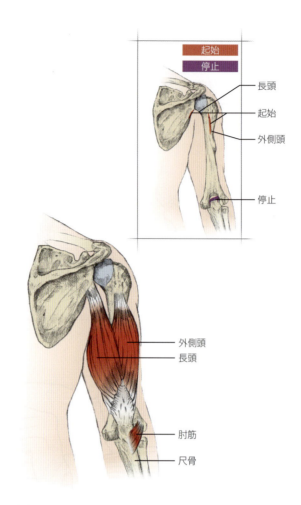

上腕三頭筋の長頭と外側頭，および肘筋を示した右腕の後面．

■ 上腕三頭筋

起始
　　[長頭]肩甲骨の関節下結節．
　　[外側頭]上腕骨近位部の後面，橈骨溝の外側．
　　[内側頭]（次頁参照）上腕骨近位部の後面，橈骨溝の内側．

停止　尺骨の肘頭．

神経支配　橈骨神経．

作用　肘伸展，肩伸展（長頭のみ）．

解説　上腕三頭筋のすべての筋頭は，肘を伸展することができる．また，肩をまたぐ長頭は，肩と伸展することもできる．この2関節にわたる筋は，重い扉を押し開けるときのような，押す動作における筋の最適な長さと張力の関係を調節する．

肘・前腕複合体の筋　107

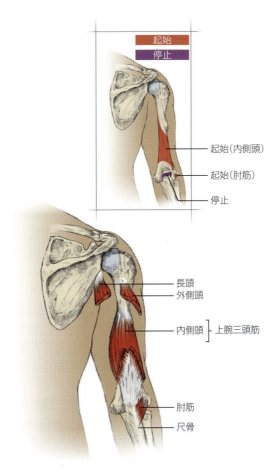

上腕三頭筋の内側頭を見やすくした右腕の後面．深層にある内側頭を露出させるため，長頭と外側頭は切除してある．

■ 肘筋

起始　上腕骨外側上顆の後面．
停止　尺骨の肘頭．
神経支配　橈骨神経．
作用　肘伸展．

解説　肘筋は，三角形の小さな筋である．サイズが小さいためモーメントアームも小さいが，肘の内側-外側方向の安定性を高める．

臨床的な視点 >> 上腕三頭筋麻痺の代償として肩の筋を利用する

C6レベルあるいはそれ以上の四肢麻痺者は，一般的に肘伸筋の大部分がC6神経根以下で神経支配を受けるため，肘伸筋の著しい麻痺もしくは完全麻痺を呈する．肘伸展ができないと，手を伸ばしたり身体を支えるような押す力が障害される．したがって，椅子から立ち上がることや，車椅子からの移乗が困難となる．

その代償として筋を用いる有益な方法に，例えば大胸筋の鎖骨頭や三角筋前部線維のように，残存している近位の肩の筋により，肘を伸展した状態で固定する方法がある（図5.21）．肘を伸展する近位筋のこの作用には，手がしっかりと固定され，安定することが必要である．この場合，肩の筋の収縮により肩甲上腕関節が内転もしくは水平内転し，上腕骨が正中線の方向へ引き寄せられる．手が固定されているため，前腕は上腕骨にまっすぐ続き，肘は伸展位に引き寄せられる．

肘が伸展位に固定されれば，車椅子への移乗等，多くの機能に活用される．

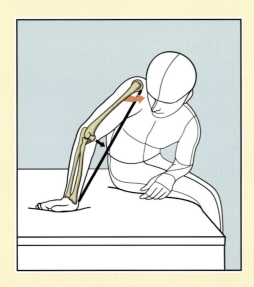

図 5.21　上腕骨を正中線の方向へ引き寄せる（オレンジ色の矢印）ために，残存する大胸筋と三角筋前部線維を用いて，肘の伸展を行うC6四肢麻痺者

(Neumann DA: Kinesiology of the musculoskeletal system: foundations for physical rehabilitation, ed 2, St Louis, 2010, Mosby, Fig. 6.43 より)

▶機能的考察

1．単関節筋と二関節筋：改めて考えよう

通常，肘の伸展には大きな力を必要とする．そのため，上腕三頭筋の3つすべての筋頭と肘筋とによる強い活動が要求される．これらの機能は，腕立て伏せや椅子を手で押して立ち上がるときのように，強く押す動作で必要となる．ただし，日常的に用いる機能で必要となるのは比較的弱い肘の伸展筋力であり，肘の伸展筋の中の単関節筋のみによる活動である．例えば，食器棚からグラスをとるために上方に腕を伸ばすときには，おそらく上腕三頭筋の内側頭と外側頭，および肘筋のみが活動する．これらの筋がちょうど肘を伸展させることができるので，この選択は合理的である．この際，上腕三頭筋長頭が活動すると肩の伸展を起こす可能性もあり，非効率的であるため上腕三頭筋長頭は必要としない．なお，二関節筋である上腕三頭筋長頭の活動は，不必要な肩の伸展を相殺するために必要である．

また，神経系は目的に対して適切な筋を選択する．しかしながら，脳損傷や，運動に支障をきたすその他の疾患があれば，必要以上の筋活動を起こす可能性がある．このような筋活動の非効率的な選択は，運動障害や協調性障害の原因となりうる．

2．上腕三頭筋による本来の押す動作

上腕三頭筋の3つの筋頭の強い収縮を必要とするような押す動作では，一般に肘の伸展と肩の屈曲が協働して起こる．図5.22に示すように，例えば，重い鋼鉄性の扉を押し開けることを考えてみよう．上腕三頭筋が強く肘を伸展するにつれて，同時に，肩は三角筋前部線維の作用により屈曲する．上腕三頭筋長頭（肩の伸展筋）が活動するのに，なぜ肩は屈曲するのであろうか？　答えは，肩の屈筋である三角筋前部線維が上腕三頭筋長頭の肩の伸展トルクに優るからである．上腕三頭筋長頭の肩伸展作用が相殺されることにより，その収縮エネルギーのすべてが肘の伸展トルクに向けられる．重い物体を押すときに必要な，肩の強い屈曲と肘の強い伸展は，上腕三頭筋と三角筋前部線維の相乗効果によって生じる．

臨床的な視点 >> 徒手筋力検査では，肩の位置を考慮する

上腕三頭筋と上腕二頭筋の長頭は，それぞれ肘と肩の関節をまたぐ．多くの多関節筋と同様，筋が可動できる関節すべてを動かすと，筋長が非常に短くなるか，**自動不全** active insufficiency（筋活動の低下）を生じ，収縮力はかなり減少する．セラピストは，徒手筋力検査で筋を個別に検査する際，この原理を利用する．

例えば，肩を90°屈曲した肢位で肘伸筋の徒手筋力検査を行うことは，上腕三頭筋長頭の長さが肘伸展トルクを発揮するために有利となる．したがって，この肢位での検査は肘の強い伸展力を強く評価できる．一方，肩を完全に伸展して肘伸筋の徒手筋力検査を行うと，上腕三頭筋長頭の長さが短くなり，筋力を発揮する能力を減少させる．この肩伸展位での徒手筋力検査は，上腕三頭筋長頭の作用を弱める肢位であり，上腕三頭筋の内側頭と外側頭の筋力を反映する肢位である．

これと同じ原理で，肩屈曲位で肘を屈曲することにより，多関節筋である上腕二頭筋から，単関節筋である上腕筋を分離して検査することができる．

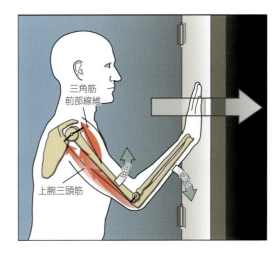

図5.22　重い鋼鉄製の扉を押し開ける動作
素早く扉を押して開けるために，上腕三頭筋が肘全体の伸展トルクを生じさせる．三角筋前部線維が肩を屈曲させながら，肘が伸展する点に注目しよう．三角筋前部線維は，上腕三頭筋長頭により生じる肩の伸展トルクを抑制するために活動する必要がある．黒色の線は内部のモーメントアームを表し，関節の回転軸で生じる．（Neumann DA: Kinesiology of the musculoskeletal system: foundations for physical rehabilitation, ed 2, St Louis, 2010, Mosby, Fig. 6.41 より）

前腕回外筋・回内筋

前腕を回外または回内するためには，筋は少なくとも次の2つの条件を満たす必要がある．①筋は上腕骨や尺骨，またはその両方から起こり，橈骨あるいは手に付着すること，そして，②筋は前腕関節の回転軸と交差する（対平行）力線をもつことである（**図5.23**）．

▶ 回外筋

主な回外筋は上腕二頭筋と回外筋であり，第二に重要な回外筋は長母指伸筋と示指伸筋である．**図5.23A** には示されていないが，腕橈骨筋も前腕中間位（母指が上を向く）までの回外または回内を行う．腕橈骨筋が回内筋とみなされるか回外筋とみなされるかは，筋が収縮を開始するときの前腕の位置による．

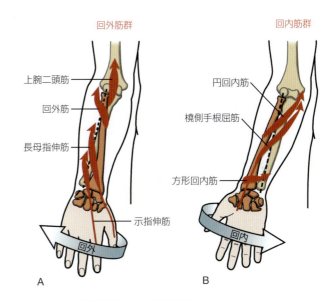

図5.23　回外筋群（A）と回内筋群（B）の力線
点線は，回旋の前腕軸を表す．（Neumann DA: Kinesiology of the musculoskeletal system: foundations for physical rehabilitation, ed 2, St Louis, 2010, Mosby, Fig. 6.44 より）

前腕回外の主動作筋
- 上腕二頭筋
- 回外筋

前腕回外の補助筋
- 長母指伸筋
- 示指伸筋

ATLAS

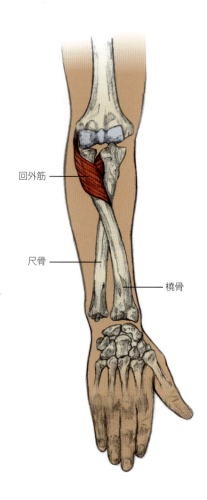

■ 上腕二頭筋
　この筋の説明や付着部については，『上腕二頭筋』のアトラス(101頁)を参照．

■ 回外筋
起始	上腕骨の外側上顆と尺骨の回外筋稜．
停止	橈骨近位部の外側面．
神経支配	橈骨神経．
作用	前腕回外．

解説　回内位では，回外筋は橈骨上部に巻きつくように，橈骨を回外位へ回転させる能力を有する．また，回外筋は肘を屈曲させる必要がない場合，弱い回外力を必要とする作業の際に最初に反応する筋である．より大きな回外力が必要な場合にのみ，上腕二頭筋が回外筋を補助する．

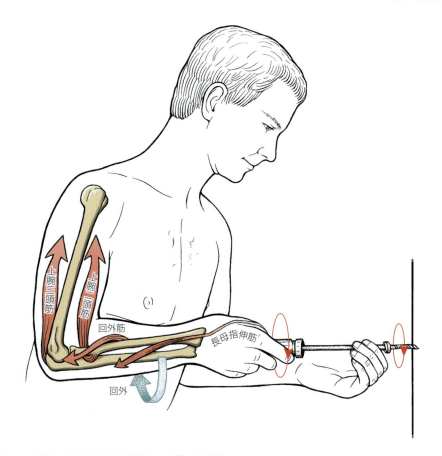

図 5.24　上腕二頭筋，回外筋，長母指伸筋が共同して働く回外力
右の上腕二頭筋，回外筋，長母指伸筋が共同して働く回外力は，ドライバーを時計回りに回転させてネジを締める際に生じる．上腕三頭筋は，上腕二頭筋による強い肘屈曲を相殺するために，等尺性に収縮する．（Neumann DA: Kinesiology of the musculoskeletal system: foundations for physical rehabilitation, ed 2, St Louis, 2010, Mosby, Fig. 6.47 より）

1. 機能的考察：回外筋の相互作用

　上腕二頭筋の収縮により，回内位から回外方向に橈骨を効果的に回旋させることができる．肘が約90°屈曲しているとき，回外筋としての上腕二頭筋の作用は最大となる．この肘の肢位で，上腕二頭筋腱は橈骨に対して90°の角度に近づく．ヨーヨーの紐を引くように，すべての力線は回転を生じるように働き，その結果，効率的に橈骨を回転させる．

　一方，肘が30°屈曲位では，上腕二頭筋の回転効率は悪い．肘が90°屈曲位での上腕二頭筋の回外トルク効率を100%とした場合，30°屈曲では50%に低下する．このような運動学の原理を利用すれば，さまざまな道具の製作や，職場環境の人間工学的な設計に役立つ．

　図 5.24では，上腕二頭筋とその他の回外筋の作用によってネジを回している．右手でネジを締めるための回転は時計回りであり，すべての回外筋が活動する．図のようにネジを（訳注：ネジの入る穴を開けながら）ねじ込むためには，ネジをゆるめるときよりも一般的に大きな力が必要となることを理解しよう．さらに，グループとしての回外筋は，グループとしての回内筋よりも強い力をもつ．したがって，右手でネジを締める動作では，回外筋の優位性を最大限に利用していることになる．

　また，**図 5.24**に示すように，ネジを締める動作では，上腕二頭筋と上腕三頭筋の両方に強い活動が生じる．上腕三頭筋の活動は，肘を屈曲するようにも作用する上腕二頭筋の強い活動の抑制のために，不可欠である．上腕三頭筋は尺骨に付着するため，腕尺関節を安定させるが，回外運動を妨げることはない．

▶ 回内筋

　前腕回内の主動作筋は円回内筋と方形回内筋であり，補助筋は橈側手根屈筋と長掌筋である（**図 5.23B**）．これらの筋については，次の第6章で詳細に説明する．

前腕回内の主動作筋
- 円回内筋
- 方形回内筋

前腕回内の補助筋
- 橈側手根屈筋
- 長掌筋

ATLAS

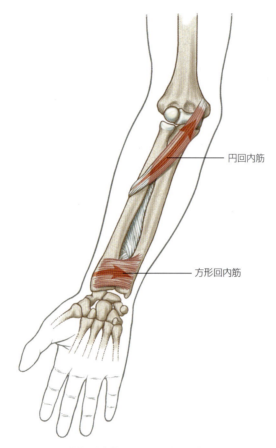

関節包と側副靱帯を示した右肘の全面.

■ 円回内筋

- 起始　[上腕頭]上腕骨の内側上顆.
　　　　[尺骨頭]尺骨粗面の内側.
- 停止　橈骨中央部の外側面.
- 神経支配　正中神経.
- 作用　前腕回内, 肘屈曲.
- 解説　円回内筋の2つの筋頭は, 橈骨中央部の外側面にまとまって付着する. この筋の強い回内力のため, 円回内筋と名づけられた. また同時に, この筋は肘関節の前側面を交差するため, 肘の屈曲も行う.

■ 方形回内筋

- 起始　尺骨遠位部の前面.
- 停止　橈骨遠位部の前面.
- 神経支配　正中神経.
- 作用　前腕回内.
- 解説　方形回内筋は, 下橈尺関節を安定させる, 平らな四角形の筋である. この筋は, 前腕とほぼ直角に近い形で回転軸が交差するため, 回内筋としては特に効果的である.

1. 機能的考察：回内筋の相互作用

円回内筋は，大きな回内力が必要なときに方形回内筋を補助する一方で，肘屈曲が必要なときにも作用する．円回内筋が活動する場合，上腕三頭筋によって抑制されない限り，肘が屈曲する．

方形回内筋と円回内筋の機能的な関係は，回外筋と上腕二頭筋との関係に類似する．小さな一関節筋（方形回内筋）は，肘の連合した運動を起こさずに，前腕の分離した運動を起こさせるよう，"準備状態"にある．さらに，強い力（より大きなトルク）が必要なときに，より大きな二関節筋（円回内筋）が補助する．

まとめ

肘・前腕複合体は，上肢全体の機能に大きく関与する．肩と手の間に位置して外力を伝達し，上肢の動きを安定させる．松葉杖歩行や這う動作の際，大きな外力が生じることがあるが，肘・前腕複合体は，肘を屈曲・伸展することによって，腕の長さを調整し，前腕を回外・回内することによって手の位置を調整して，上肢を安定させるのである．肘・前腕複合体における4つの関節は，可動性と安定性の両方の必要性を満たす．

肘関節をまたぐ筋の多くは，肩や前腕の関節もまたぐ．多くの多関節筋によって，上肢全体の相互依存性が成り立つ．それらの筋は共同して作用し，上肢全体の機能を向上させる．

表5.2は，肘・前腕複合体の関節可動域測定で参照される表である．それには，関節可動域を測定する際に必要な解剖学的な基準も示している．また，自動運動による正常な可動範囲も記載している．ただし，表に示した値はさまざまな理由により，変動が大きいことに注意が必要である．

表5.2 肘と前腕の関節可動域測定

運動	回転軸	基本軸	移動軸	参考可動域（自動）
肘				
屈曲	上腕骨外側上顆	上腕骨正中線（肩峰を通る）	上腕骨外側上顆－橈骨茎状突起	140〜145°
伸展	上腕骨外側上顆	上腕骨正中線（肩峰を通る）	上腕骨外側上顆－橈骨茎状突起	0〜5°の過伸展
前腕				
回外	尺骨頭付近の空間軸	上腕骨平行線	遠位橈骨と尺骨の前面	80〜90°
回内	尺骨頭付近の空間軸	上腕骨平行線	遠位橈骨と尺骨の後面	75〜80°

確認問題

1 ▶ 前腕の完全回外と肘の完全伸展で，最も伸びる筋はどれか．
   ⓐ 回外筋
   ⓑ 上腕三頭筋長頭
   ⓒ 円回内筋
   ⓓ 上腕三頭筋外側頭
   ⓔ aとb

2 ▶ 橈骨神経の損傷によって著しく減弱する運動はどれか．
   ⓐ 肘屈曲
   ⓑ 肘伸展
   ⓒ 手関節屈曲
   ⓓ 肩屈曲
   ⓔ 上記のすべて

3 ▶ 前腕骨間膜について正しいのはどれか．
   ⓐ 安定性を増すために，尺骨と橈骨をつなぐ役割がある
   ⓑ 肘の腕尺関節と腕橈関節に，手や手首からの圧迫力を均等に伝達する
   ⓒ 肘外反の安定性を増すために，橈骨の上腕骨への固定を補助する
   ⓓ aとb
   ⓔ bとc

4 ▶ 腕尺関節の自由度はどれか．
   ⓐ 1
   ⓑ 2
   ⓒ 3
   ⓓ 4

5 ▶ 肘の90°屈曲位で，前腕を完全回内位から回外することができる筋はどれか．
   ⓐ 上腕筋
   ⓑ 腕橈骨筋
   ⓒ 上腕二頭筋
   ⓓ aとc
   ⓔ bとc

6 ▶ 正しいのはどれか．
   ⓐ 肘屈曲の可動域は，約100°である
   ⓑ 正常な外反肘は，約15°である

ⓒ 腕橈骨筋は，筋皮神経によって神経支配される
ⓓ 肘において骨性の最終感覚は，通常，完全屈曲位で感じる

7 ▶ 正しいのはどれか．
ⓐ 前腕の回外と回内は，固定された尺骨のまわりを橈骨が回転することにより生じる
ⓑ 手を押し下げるときに生じる大部分の圧迫力は，直接，尺骨（橈骨ではない）に伝えられる
ⓒ 方形回内筋は，上腕骨の遠位部に付着する
ⓓ 上腕三頭筋長頭は，前腕の効果的な回内筋である
ⓔ bとd

8 ▶ 橈骨に停止する筋はどれか．
ⓐ 上腕筋
ⓑ 腕橈骨筋
ⓒ 上腕二頭筋
ⓓ aとb
ⓔ bとc

9 ▶ 橈骨神経によって神経支配される筋はどれか．
ⓐ 上腕筋
ⓑ 腕橈骨筋
ⓒ 三頭筋の内側頭
ⓓ aとb
ⓔ bとc

10 ▶ 上腕三頭筋長頭を最大限に伸ばす肢位はどれか．
ⓐ 肩屈曲と肘伸展
ⓑ 肩屈曲と肘屈曲
ⓒ 肩伸展と肘伸展
ⓓ 肩伸展と肘屈曲

11 ▶ 滑車がある骨はどれか．
ⓐ 上腕骨
ⓑ 橈骨
ⓒ 尺骨
ⓓ 肩甲骨

12 ▶ 輪状靱帯の主な機能はどれか．
ⓐ 尺骨から上腕骨まで力を伝達する
ⓑ 橈骨頭を尺骨近位部に固定する
ⓒ 橈骨遠位部と尺骨遠位部を固定する
ⓓ 上腕三頭筋の付着に作用する

13 ▶ 肘の弱い伸展活動において，上腕三頭筋の長頭よりも最初に内側頭と外側頭が活動することの理由として，正しいのはどれか．
ⓐ 内側頭と外側頭は，ともに肩を屈曲する
ⓑ 内側頭と外側頭は，ともに肩を伸展する．これにより，より効率的に活動する
ⓒ 長頭が活動すると，不必要な肩の伸展を制限するために，三角筋前部線維が同時に活動するが，それには余分なエネルギーが必要となる．
ⓓ 長頭の肘伸展作用は劣っている

14 ▶ 肘を屈曲するために上腕二頭筋が強く活動する際，三角筋後部線維の活動は下記のどの動きを防止するか．
ⓐ 不必要な前腕回外
ⓑ 不必要な肩屈曲
ⓒ 過度の外反肘
ⓓ 過度の内反肘

問15〜20は，上のダンベル運動を行っているイラストを参照して答えなさい．すべての問は，ダンベルを持ち上げる動作（肘の伸展位から屈曲位への動き）のみで考えなさい．

15 ▶ この運動の間，上腕筋は求心性に活動している．
ⓐ 正しい
ⓑ 誤り

16 ▶ 上腕三頭筋の内側頭は，遠心性に活動している．
ⓐ 正しい
ⓑ 誤り

17 ▶ 上腕二頭筋長頭は，求心性収縮をしている．
ⓐ 正しい
ⓑ 誤り

18 ▶ この運動は，肘の内外回転軸で生じる．
ⓐ 正しい
ⓑ 誤り

19 ▶ 腕橈骨筋は，伸張されて活動する．
ⓐ 正しい
ⓑ 誤り

20 ▶ 上腕三頭筋長頭はこの運動の間，最大限に伸張されている．
ⓐ 正しい
ⓑ 誤り

21 ▶ 肩伸展位で肘を伸展した場合に該当するのはどれか．
ⓐ 上腕筋の活動を必要とする

- **ⓑ** 前腕の回内が生じる
- **ⓒ** 上腕三頭筋長頭の活動が不十分となる
- **ⓓ** 肘の最も強い伸展トルクが生じる肢位である

22 ▶ 筋皮神経の損傷によって生じる症状はどれか．
- **ⓐ** 肘伸筋群の弱化
- **ⓑ** 肘屈筋群の弱化
- **ⓒ** 回内筋群の弱化
- **ⓓ** 肩伸筋群の弱化

23 ▶ 過度の外反肘によって最も損傷を受けるのはどれか．
- **ⓐ** 肘の内側側副靱帯
- **ⓑ** 上腕二頭筋長頭
- **ⓒ** 上腕三頭筋長頭
- **ⓓ** 肘の外側側副靱帯

24 ▶ 上腕筋は，前腕を回外する作用がある．
- **ⓐ** 正しい
- **ⓑ** 誤り

25 ▶ 手と遠位橈骨から伝わる圧迫力は，主に前腕骨間膜により尺骨へ伝達される．
- **ⓐ** 正しい
- **ⓑ** 誤り

26 ▶ 肘の内側-外側回転軸は，上腕三頭筋外側頭の前方を通る．
- **ⓐ** 正しい
- **ⓑ** 誤り

27 ▶ 弱い肘屈曲に活動する主要な筋は，多関節筋の上腕二頭筋である．
- **ⓐ** 正しい
- **ⓑ** 誤り

28 ▶ 前腕骨間膜は尺骨と橈骨を連結し，多くの筋の付着部となる．
- **ⓐ** 正しい
- **ⓑ** 誤り

29 ▶ 上腕二頭筋の主な3つの作用は，肘の回外と屈曲，および肩の屈曲である．
- **ⓐ** 正しい
- **ⓑ** 誤り

30 ▶ 前腕が回内位にあるとき，橈骨と尺骨の関係はどうか．
- **ⓐ** 橈骨は尺骨と平行にある
- **ⓑ** 橈骨は尺骨の上部で交差している

参考文献

Adams, J.E. & Steinmann, S.P. (2006) Nerve injuries about the elbow. Journal of Hand Surgery American, 31(2), 303-313.

An, K.N., Hui, F.C., Morrey, B.F., et al. (1981) Muscles across the elbow joint: a biomechanical analysis. Journal of Biomechanics, 14(10), 659-669.

Bozkurt, M., Acar, H.I., Apaydin, N., et al. (2005) The annular ligament: an anatomical study. American Journal of Sports Medicine, 33(1), 114-118.

Callaway, G.H., Field, L.D., Deng, X.H., et al. (1997) Biomechanical evaluation of the medial collateral ligament of the elbow. Journal of Bone and Joint Surgery American, 79(8), 1223-1231.

Capdarest-Arest, N., Gonzalez, J.P. & Turker, T. (2014) Hypotheses for ongoing evolution of muscles of the upper extremity [Review]. Medical Hypotheses, 82(4), 452-456.

Chapleau, J., Canet, F., Petit, Y., et al. (2011) Validity of goniometric elbow measurements: comparative study with a radiographic method. Clinical Orthopaedics & Related Research, 469(11), 3134-3140.

Chen, H.W., Liu, G.D. & Wu, L.J. (2014). Complications of treating terrible triad injury of the elbow: a systematic review [Review]. PLoS ONE [Electronic Resource], 9(5), e97476.

Erickson, B.J., Gupta, A.K., Harris, J.D., et al. (2014). Rate of return to pitching and performance after Tommy John surgery in Major League Baseball pitchers. American Journal of Sports Medicine, 42(3), 536-543.

Fitzpatrick, M.J., Diltz, M., McGarry, M.H., et al. (2012) A new fracture model for "terrible triad" injuries of the elbow: influence of forearm rotation on injury patterns. Journal Orthopaedic Trauma, 26(10), 591-596.

Hsu, S.H., Moen, T.C., Levine, W.N., et al. (2012) Physical examination of the athlete's elbow [Review]. American Journal of Sports Medicine, 40(3), 699-708.

Landin, D. & Thompson, M. (2011) The shoulder extension function of the triceps brachii. Journal of Electromyography Kinesiology, 21(1), 161-165.

MacConaill, M.A. & Basmajian, J.V. (1977) Muscles and Movements: a Basis for Human Kinesiology. New York: Robert E. Krieger Publishing.

Miyake, J., Moritomo, H., Masatomi, T., et al. (2012) Invivo and 3-dimensional functional anatomy of the anterior bundle of the medial collateral ligament of the elbow. Journal of Shoulder & Elbow Surgery, 21(8), 1006-1012.

Neumann, D. (2017) Kinesiology of the musculoskeletal system: Foundations for physical rehabilitation (3rd ed.). St Louis: Elsevier.

Palmer, A.K. & Werner, F.W. (1981) The triangular fibrocartilage complex of the wrist-anatomy and function. Journal of Hand Surgery American, 6(2), 153-162.

Paraskevas, G., Papadopoulos, A., Papaziogas, B., et al. (2004) Study of the carrying angle of the human elbow joint in full extension: a morphometric analysis. Surgery Radiologic Anatomy, 26(1), 19-23.

Pfaeffle, H.J., Tomaino, M.M., Grewal, R., et al. (1996) Tensile properties of the interosseous membrane of the human forearm. Journal of Orthopaedic Research, 14(5), 842-845.

Skahen, J.R., Palmer, A.K., Werner, F.W., et al. (1997) The interosseous membrane of the forearm: anatomy and function. Journal of Hand Surgery American, 22(6), 981-985.

Sojbjerg, J.O. (1996) The stiff elbow. Acta Orthopaedica Scandinavica, 67(6), 626-631.

Standring, S. (2016) Gray's anatomy: the anatomical basis of clinical practice (41st ed.). Edinburgh: Churchill Livingstone.

Takigawa, N., Ryu, J., Kish, V.L., et al. (2005) Functional anatomy of the lateral collateral ligament complex of the elbow: morphology and strain. Journal of Hand Surgery British, 30(2), 143-147.

Thomas, S.J., Swanik, C.B., Kaminski, T.W., et al. (2012) Humeral retroversion and its association with posterior capsule thickness in collegiate baseball players. Journal of Shoulder & Elbow Surgery, 21(7), 910-916.

第 6 章

手関節の構造と機能

> 本章の概要

- 骨学
  - 遠位の橈骨と尺骨
  - 手根骨
- 関節学
  - 関節構造
- 手関節の靱帯
- 運動学
- 筋と関節の相互作用
  - 手関節筋の神経支配
  - 手関節筋の機能
- まとめ
- 確認問題
- 参考文献

> 学習目標

- 手関節複合体に関連する骨と，その主な特徴を説明できる．
- 手関節の支持機構を説明できる．
- 手関節の屈曲，伸展，橈屈，尺屈の正常可動域を述べることができる．
- 手関節における運動面と回旋軸を説明できる．
- 手関節の主な筋の起始と停止，および神経支配を述べることができる．
- 手関節筋の主な機能を説明できる．
- 圧迫力が手から手関節へどのように伝達されるかについて，述べることができる．
- 把握における手関節伸筋の作用を説明できる．
- 手根管を走行する構造について述べることができる．
- 屈曲，伸展，橈屈，尺屈が行われる際の手関節筋の相乗作用について説明できる．

 キーワード

| 外側上顆炎 | 手根管 | 掌側 | 無腐性壊死 |
| コーレス骨折 | 手根管症候群 | 背側 | |

　手関節には，橈骨遠位端と手の間に位置する8個の小さな骨（手根骨）が含まれる（図6.1）．四つん這いをする際，または松葉杖や歩行器を用いて手で体重を支持するときのように，手根骨内で他動的運動がわずかに起こる場合，手から前腕に伝わる力が吸収される．

　手関節は主に，①橈骨手根関節，②手根中央関節の2つの関節からなる．これらの関節は，手が最適に機能するように手関節の位置を適切にし，機能的には一対のものとして作用する．

　これにより，手関節は屈曲と伸展，および橈屈と尺屈とよばれる側方への動きが可能となる．手関節は，これらの重要な働きに加えて，手のための安定した土台となる必要がある．痛みを伴う（または弱化した）場合，手関節は手を動かすための十分な土台を筋に提供できなくなる．例えば，手関節伸筋が麻痺していては強い握力を発揮することはできない．本章で示すように，手関節の運動は，手の運動と強く関連している．

　本章では，手と手関節について述べるための，新しい用語をいくつか用いる．**掌側** palmarとは，手関節と手の前面を表し，**背側** dorsalとは，手関節と手の後面を表す．これらの用語は，第7章でも同様に用いられる．

骨学

　遠位の橈骨と尺骨，8個の手根骨（合計10個の骨）が，手関節の運動に関係する．

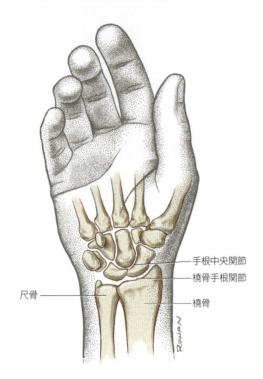

図 6.1　手関節の骨と主要な関節
尺骨のすぐ遠位にある尺骨手根間隙にも注目する.（Neumann DA: Kinesiology of the musculoskeletal system: foundations for physical rehabilitation, ed 2, St Louis, 2010, Mosby, Fig. 7.1 より）

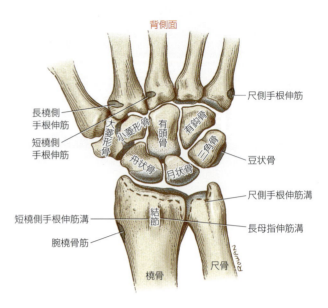

図 6.2　右手関節の骨の背側面
筋の停止を灰色で示す．点線は、手関節背側の関節包の起始を表す．（Neumann DA: Kinesiology of the musculoskeletal system: foundations for physical rehabilitation, ed 2, St Louis, 2010, Mosby, Fig. 7.2 より）

遠位の橈骨と尺骨

遠位の橈骨と尺骨（図 6.2）は、手根骨の近位列と関節を構成する．前腕の遠位部では、橈骨茎状突起が外側から、尺骨茎状突起が内側から接する．橈骨結節（リスター結節ともよばれる）は、触ることができる小さな突起で、遠位橈骨の背側面上にある．この突起は、手関節伸筋や母指伸筋のいくつかの腱の方向づけを行いやすくする．

手根骨

橈側（外側）から尺側に向かって手根骨の近位列を挙げると、舟状骨、月状骨、三角骨、豆状骨となり、遠位列は大菱形骨、小菱形骨、有頭骨、有鈎骨となる（図 6.2, 3）．近位列の骨がゆるく結合しているのに対して、遠位列の骨は強靱な靱帯で結合している．この遠位列の安定性は、中手骨と関節を構成する際に重要となる．

関節学

関節構造

図 6.1 に示すように、手関節は橈骨手根関節と手根中央関節からなる二重関節である．その他、小さな手根間関節が手根骨間に多く存在するが、橈骨手根関節や手根中央関節の大きな可動域と比較すると、手根間関節の可動域は小さい．

 臨床的な視点 >> 手根管症候群

すべての手指屈筋腱は、正中神経とともに走行し、隙間なく詰め込まれた状態で手根管内を通る（図 6.4）．また、腱と周囲の構造との摩擦を減少させるいくつかの滑膜も、手根管内を走行する．無理な手関節の肢位で手を長時間活動させると、手指屈筋腱や滑液鞘が炎症を起こす可能性がある．手根管が狭いため、滑膜が膨張することで、正中神経を圧迫するのである．疼痛または感覚異常（ヒリヒリする）、あるいはその両方の症状を示す**手根管症候群** carpal tunnel syndrome は、正中神経の感覚領域で生じる．より極端な例では、筋の弱化と萎縮が、母指周囲の内在筋に生じる場合がある．

手根の主要関節
- 橈骨手根関節
- 手根中央関節

▶ 橈骨手根関節

橈骨手根関節の近位部は、橈骨の凹面と隣接した関節円板からなる（図 6.5）．遠位部は、主に舟状骨と月状骨の凸状の関節面をなす．手関節から伝達される力の80％は、舟状骨と月状骨を通過して橈骨に伝わる．橈骨の大きく隆起した遠位部は、この力をうまく受けるようにできている．多くの人は手を伸展させた状態で転倒するため、舟状骨と橈骨の遠位端を損傷しやすい．骨粗鬆症によって弱化した骨の場合、特にこれらの部位を骨折しやすい．

考えてみよう！＞＞手根骨の要点

○**舟状骨**
　手関節から伝達される力の直接的な経路であるため，他の手根骨より骨折が生じやすい．舟状骨の骨折は，骨折部位への血液供給が少ないため，癒合しにくい（治癒が遅延しやすい）．

○**月状骨**
　筋の付着はなく，靱帯がわずかに付着するのみである．したがって，月状骨が形成する関節はゆるく，手根骨の中で最も脱臼しやすい．舟状骨と同様に，月状骨への血液供給は外傷により損傷を受けやすく，**無腐性壊死** avascular necrosis を起こしやすい．

○**三角骨**
　三角形の外観により名づけられた．

○**豆状骨**
　厳密には手根骨とはいえない．豆状骨は，尺側手根屈筋腱の中に生じる種子骨の一種である．よって専門的には，手根骨は（訳注：8個ではなく）7個の骨から構成され，それらは足関節の7個の足根骨の配列と一致すると考えられる．

○**大菱形骨**
　遠位部は鞍状であり，第1中手骨底と関節を形成する．この手根中手関節は，母指の大きな可動性に役立つ，特殊な関節である．

○**小菱形骨**
　大菱形骨と有頭骨の間にある．安定した楔の役割をもち，第2中手骨と安定した関節を形成する．

○**有頭骨**
　すべての手根骨の中で最も大きく，手根の中央部に位置する．また，すべての手関節運動の回転軸は，この有頭骨を通過する．

○**有鈎骨**
　有鈎骨 hamate（ラテン語で"鈎"を意味するhamusに由来）は，掌側の表面上の突き出た鈎状の隆起にちなんで名づけられた．

○**手根管**
　横手根靱帯は手根骨の掌側面を覆い，**手根管** carpal tunnel を形成する（図6.4）．手根管は，正中神経および手指の外在屈筋腱を保護する通路としての役割がある．

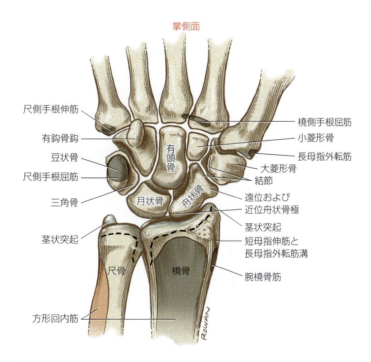

図6.3　右手関節の骨の掌側面
筋の起始を赤色，停止を灰色で示す．点線は，手関節掌側の関節包の起始を表す．（Neumann DA: Kinesiology of the musculoskeletal system: foundations for physical rehabilitation, ed 2, St Louis, 2010, Mosby, Fig. 7.3 より）

　尺側に位置する手根骨と尺骨の遠位部は，体重負荷の直接的な通路ではないため，転倒による骨折のリスクは少ない．さらに尺骨の遠位端と尺側の手根骨との間には，比較的広い空間が存在する．尺側手根間隙とよばれるこの空間（図6.1）は，手関節から伝達される力を減少させる．

▶手根中央関節

　手根中央関節は，手根骨を近位列と遠位列とに分ける（図6.5）．この関節は複数の関節から構成されるが，主に有頭骨の頭部と舟状骨および月状骨遠位面の窩部の間で形成される．舟状骨と月状骨は，手関節の主な2つの関節（橈骨手根関節と手根中央関節）の，重要な構成要素である．

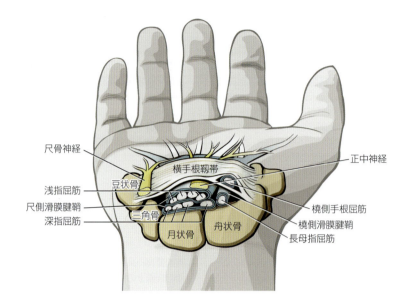

図6.4 横手根靱帯

横手根靱帯は，手根管の"屋根"を形成する．滑液鞘（青色の部分）が浅指屈筋腱，深指屈筋腱，長母指屈筋腱を囲む．正中神経は手根管の中にあるが，尺骨神経は手根管の外に位置することに注目しよう．（Neumann DA: Kinesiology of the musculoskeletal system: foundations for physical rehabilitation, ed 2, St Louis, 2010, Mosby, Fig. 8.35 より）

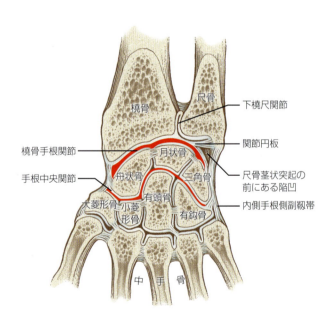

図6.5 骨と結合組織の形状を示した右手関節と前腕遠位部の前額横断面

橈骨手根関節と手根中央関節の縁を赤色で強調した．（Neumann DA: Kinesiology of the musculoskeletal system: foundations for physical rehabilitation, ed 2, St Louis, 2010, Mosby, Fig. 7.7 より改変）

手関節の靱帯

手関節は線維皮膜（関節包）により覆われ，関節包は外在および内在靱帯によって補強されている．外在靱帯の起始は手根骨の外側にあり，停止は手根骨にある．一方，内在靱帯の起始と停止は，ともに手根骨にある．

考えてみよう！ >>> 尺骨手根複合体

尺骨手根複合体とよばれる結合組織の複合体が，手関節の尺側境界付近に存在する（**図6.6B**）．この複合体は，三角線維軟骨複合体（TFCC）ともよばれる．尺骨手根複合体には，関節円板（下橈尺関節の重要な構成部分として第5章で既述），内側側副靱帯，掌側尺骨手根靱帯等が含まれる．この複合体の組織が，遠位の尺骨と手根骨の間にある尺骨手根間隙の大部分を占める．

尺骨手根間隙は前腕を回内および回外する際に，尺骨の遠位端から妨げられることなく，橈骨とともに手根骨を回転させることを可能にする．尺骨手根複合体の主要な構成部分である関節円板が断裂すると，手関節や下橈尺関節の不安定性および疼痛が引き起こされる可能性がある．

表6.1に，4つの主要な外在靱帯（外側手根側副靱帯，内側手根側副靱帯，背側橈骨手根靱帯，掌側橈骨手根靱帯）の主な付着部と，その機能を記載した．主要な4つの外在靱帯のうち3つは，**図6.6A，B**のそれぞれで赤色の点によって示され，**表6.1**ではそれら個別の機能とともにまとめてある．内在靱帯の詳細な解剖については，本書では触れない．

内在靱帯はまとまって，①手根骨間相互の連結，②手から前腕に及ぶ力の伝達の補助，③それによって運動における関節ストレスを最小化して橈骨手根関節と手根中央関節の本来の形状を維持する役割を担う．

▶手関節の不安定性

手関節をまたいで筋が収縮する，あるいは手を介して

表 6.1　手関節の靱帯

靱帯	機能	解説
外側手根側副靱帯	過度の尺屈を防ぐ	長母指外転筋や短母指伸筋等によって補強される
内側手根側副靱帯	過度の橈屈を防ぐ	尺骨手根複合体の一部をなし，下橈尺関節を安定させる
背側橈骨手根靱帯	過度の屈曲を防ぐ	橈骨と手根骨背側面に付着する
掌側橈骨手根靱帯	過度の手関節伸展を防ぐ	手関節の中で最も厚い靱帯であり，3つの靱帯から構成される

荷重がかかるたびに，圧迫力が手関節にかかる．通常であれば，かなり強い圧迫力が加わっても手関節は安定している．一般に手関節の安定性は，靱帯・筋・腱および関節の適合性によって保たれる．しかしながら，転倒のような大きな力によって生じる損傷，あるいは関節リウマチによる変形は，手関節を著しく不安定にする．

ゆるく連結された手根骨の近位列は，安定性の高い橈骨と手根骨遠位列という2つの固定構造の間に位置する．靱帯が損傷または疾患によって弱化すると，手関節は不安定になりやすい．両端から強く圧迫されるとき（例えば転倒），手根骨の近位列は，脱線する列車のようにジグザグ型に崩壊する危険性がある（図 6.7）．不安定

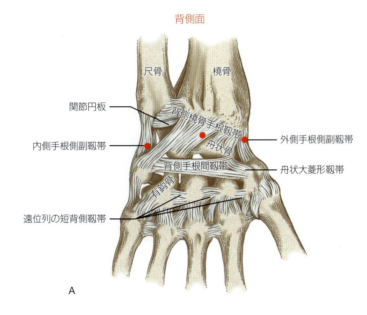

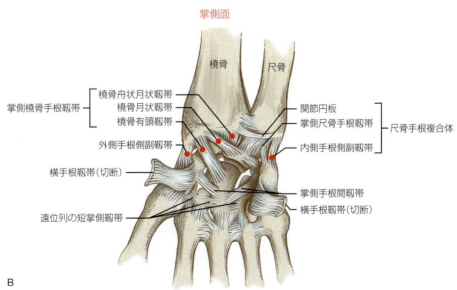

図 6.6　右手関節の主要な外在靱帯（赤色の点で強調）
その他の靱帯についても記載した（強調なし）．A：背側面．B：掌側面．横手根靱帯は，その深層にある靱帯を示すために切断されている．（Neumann DA: Kinesiology of the musculoskeletal system: foundations for physical rehabilitation, ed 2, St Louis, 2002, Mosby, Fig. 7.9 および 7.10 より改変）

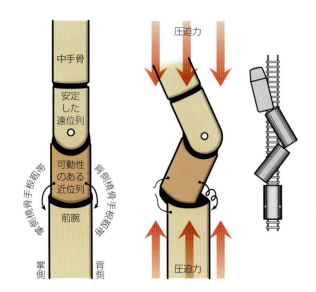

図6.7 手関節の不安定性
転倒による大きな圧迫力が加わったのち、手関節がジグザグに崩壊することを示す。手関節の主要な関節を表す一部の骨のみを示した。(Neumann DA: Kinesiology of the musculoskeletal system: foundations for physical rehabilitation, ed 2, St Louis, 2010, Mosby, Fig. 7.18 より)

な手関節は痛みを誘発し、ときには機能障害を引き起こす。

手関節の不安定性が中等度でも、本来の関節運動が障害される可能性がある。最終的には周囲の筋萎縮が起こり、激しい痛みや全体的な弱化につながる。痛みを伴い弱化した手関節は多くの場合、手のための安定した土台を提供できない。重症例においては手術が必要となり、しばしば理学療法が併用される。理学療法では、筋力強化、疼痛軽減、手関節を保護する方法の指導、副子固定等が行われる。

運動学

▶骨運動学

手関節の骨運動には、屈曲と伸展および尺屈と橈屈がある。手関節は、橈骨を固定するとわずかに生じる関節包内運動を除き、回転運動は起こらない。この回転運動は、橈骨手根関節における骨の適合性と靱帯によって調整される。第5章で述べたように、回内と回外は、橈骨の軌道に手と手関節が続くことによって生じる前腕の回旋を意味する。

手関節運動における回転軸は、有頭骨の頭部を通る（図6.9）。屈曲と伸展の軸は、内側-外側方向に走行し、橈屈と尺屈の軸は前-後方向に走行する。有頭骨と第3中手骨底の関節は強く固定されているため、手全体の運動方向に向かって有頭骨が回旋する。

 臨床的な視点 >> コーレス骨折

体内で最も一般的な骨折の一つは、橈骨遠位端骨折である。コーレス骨折として知られているこの骨折（整形外科医、アブラハム・コーレスにちなんで1814年に命名された：図6.8）は、転倒から身を守るために、伸展した上肢を床につき支えようとした際にしばしば起こる。支えようとする間、体の重さは手と手関節を通して伝えられる。前述の通り、この力は主に橈骨を通して伝達される。転倒の衝撃が遠位橈骨の強度を超えると、骨折が生じる。橈骨が主要な力の受容体であるという事実は、なぜ尺骨ではなく橈骨がこの種の事故ではるかに頻繁に骨折するのかを説明している。

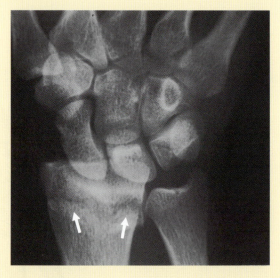

図6.8 橈骨遠位端のコーレス骨折を示す手関節の後-前面図
(Grainger R, Allison D, Dixon A: Grainger & Allison's diagnostic radiology: a textbook of medical imaging, ed 4, Edinburgh, 2002, Churchill Livingstone より)

1. 矢状面：屈曲と伸展

手関節の屈曲と伸展の可動範囲は、中間位（0°）から合計130～155°であり、70～80°屈曲し、60～75°伸展する（図6.10A）。通常、屈曲は伸展より15°大きい。伸展は、わずかに長い橈骨遠位部の背側面に手根骨がぶつかることによって、また、厚い掌側橈骨手根靱帯の緊張によって制限される。

2. 前額面：橈屈と尺屈

橈屈と尺屈の可動範囲は、中間位（0°）から合計45～55°であり、30～35°尺屈し、15～20°橈屈する（図6.10B）。尺屈は通常、尺骨手根間隙という隙間があるため、橈屈の2倍の可動域となる。橈屈は、橈骨の茎状突起に手根骨の橈側面がぶつかるため、可動域が制限される。

> **考えてみよう！ ＞＞ 手関節の機能的肢位**
>
> 日常的な手関節の活動の多くは，屈曲5～10°から伸展30～35°までの，約45°の矢状面上の動きとなる．また前額面では，尺屈15°から橈屈10°までの，約25°の動きとなる．
> 　激しい痛みや不安定性を伴う手関節を医学的に処置するために，外科的固定術を必要とする場合がある．この処置を行う場合，障害を最小限にするために，手関節を伸展10～15°，および尺屈10°の機能的肢位に固定する．

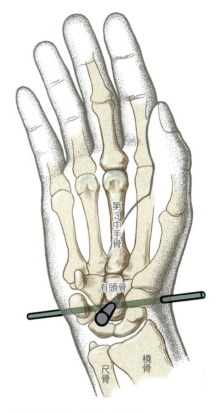

▶関節包内運動

　手関節の運動は，橈骨手根関節と手根中央関節で同時に起こる．関節包内運動に関する以下の説明は，この2つの関節の動的な関係に焦点をあてたものである．

1. 手関節の中央縦列

　手関節における重要な運動は，手関節の中央縦列，すなわち橈骨・月状骨・有頭骨・第3中手骨の間の関節の連係（図6.11中央）として理解される．この中央縦列は，手関節のすべての骨を含むものではないが，多くの手関節の複雑な動きを可能にしている．中央縦列のうち，橈骨手根関節は橈骨と月状骨との関節，手根中央関節は月状骨と有頭骨との関節によって代表される．図6.11中央で示した手根中手関節は，有頭骨と第3中手骨底との間の比較的強固な関節である．これにより，手は第3中手骨に伴って動く．

2. 伸展と屈曲

　手関節伸展の関節包内運動は，橈骨手根関節と手根中

図6.9 手関節の運動における回転軸
手関節の運動における内側–外側方向（緑色）と前–後方向（青色）の回転軸は，有頭骨底部を貫く．(Neumann DA: Kinesiology of the musculoskeletal system: foundations for physical rehabilitation, ed 2, St Louis, 2010, Mosby, Fig. 7.13より)

央関節で同時に起こる凹面上の凸回転に基づく（図6.11左）．関節包内運動（第1章の『関節運動学』の項）の凹凸の法則によって，運動は反対方向の転がりと滑りとし

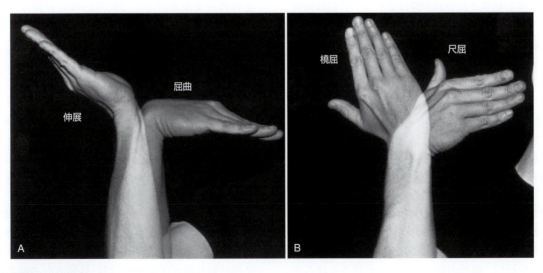

図6.10 手関節の骨運動学
A：屈曲と伸展，B：尺屈と橈屈．屈曲が伸展より大きく，尺屈が橈屈より大きいことに注目しよう．(Neumann DA: Kinesiology of the musculoskeletal system: foundations for physical rehabilitation, ed 2, St Louis, 2010, Mosby, Fig. 7.12より)

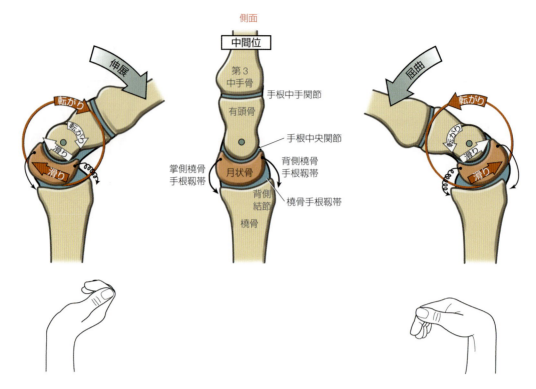

図 6.11　右手関節の屈曲と伸展の関節包内運動を表す，中央縦列の機械的モデル
中央の手関節は，安静中間位にある．転がりや滑りといった関節包内運動は，橈骨手根関節の動きを赤色，手根中央関節の動きを白色で示す．手関節を伸展する際（左），背側橈骨手根靱帯はゆるみ，掌側橈骨手根靱帯は緊張する．手関節を屈曲する際（右）は，この逆の関節包内運動が起こる．（Neumann DA: Kinesiology of the musculoskeletal system: foundations for physical rehabilitation, ed 2, St Louis, 2010, Mosby, Fig. 7.15 より）

て生じる．ここで複雑なのは，これらの運動が橈骨手根関節と手根中央関節の2つの関節で，同時に起こるということである．この複合的な関節包内運動については，**図6.11**左に，転がりと滑りを示す赤色と白色の矢印で表す．

手関節を完全に伸展すると，掌側橈骨手根靱帯，掌側関節包，手関節屈筋と指屈筋が伸ばされる．これは伸展した位置で手関節を安定させる作用があり，上肢で体重を支持する場合に有用である．

手関節屈曲の関節包内運動は伸展に類似するが，伸展とは逆の方向で生じる（**図6.11**右）．

3．手関節の尺屈と橈屈

屈曲や伸展と同様に，尺屈と橈屈は橈骨手根関節と手根中央関節に属する特定の骨を観察することによって確認できる（**図6.12**中央）．また尺屈と橈屈は，橈骨手根関節と手根中央関節で同時に起こる凹面上の凸回転に基づく．尺屈の関節包内運動を**図6.12**左に示す．2つの関節で，転がりと滑りが反対の方向に起こることに注目しよう．橈屈は，尺屈と類似した関節包内運動を示す（**図6.12**右）．ただし，橈屈の可動範囲は，尺屈よりはるかに小さい．橈屈の際，橈側の手根骨は橈骨の茎状突起に素早くぶつかるため，橈屈の可動範囲を制限する．

筋と関節の相互作用

手関節筋の神経支配

橈骨神経は前腕の後面を下方に走行し，手関節と手指を伸展するすべての筋を神経支配する．正中神経と尺骨神経は，前腕の前面を下方に走行し，すべての手関節屈筋の神経支配を行う．これらの神経経路は，**図7.40～42**で確認することができる．

手関節筋の機能

手関節の筋は，①手関節またはその近くに付着する主動作筋，および②手関節を越えて遠位の指に付着する補助筋に分けられる．この補助筋とは手の外在筋であり，その解剖学的構造は第7章で詳述する．

手関節のすべての筋は，有頭骨にある回転軸を用いて手関節の運動を起こす．手関節の2つの運動面における2つの回転軸は，**図6.9**に示してある．屈曲と伸展は，内側-外側方向の回転軸で起こり，橈屈と尺屈は前-後方向の回転軸で生じる．それぞれの手関節筋の作用は，回転軸と関連する腱の位置によって決まる．例えば，尺側手根伸筋は腱が手関節の内側-外側方向の軸の後方を通るので，手関節伸筋として作用する．後述するが，尺側手根伸筋は，腱が手根の前-後方向の軸の尺側（または内

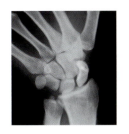
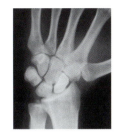

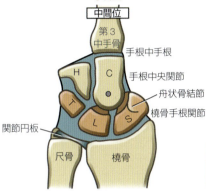
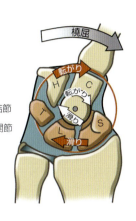

図 6.12　X線写真と尺屈と橈屈の関節包内運動を示す，右手関節の機械的モデル
中央の手関節は，安静中間位にある．転がりや滑りといった関節包内運動では，橈骨手根関節の動きを赤色，手根中央関節の動きを白色で示す．C：有頭骨．H：有鈎骨．L：月状骨．S：舟状骨．T：三角骨．（Neumann DA: Kinesiology of the musculoskeletal system: foundations for physical rehabilitation, ed 2, St Louis, 2010, Mosby, Fig. 7.16 より．関節包内運動については，Marquette University, Milwaukee, Wisconsin, in 1999 での X線動画の所見をもとに作成）

 考えてみよう！＞＞モーメントについて

　内的モーメントアーム（訳注：関節モーメントアーム）は，回転軸と筋力の作用点との距離であることを思い出してみよう．距離が長いほど，内的モーメントアームは大きくなることがわかるだろう．

　図 6.13 は，内的モーメントアームが筋のてこ作用の特徴とどのように関係するかを検討するよい機会を提供する．例えば，赤で記した前-後方向（AP）の回転軸に対する指伸筋と尺側手根伸筋の位置を比較してみよう．どちらも，図 6.13 の左下の 1/4 でみつけることができる．

　指伸筋は赤い AP 回転軸のすぐ近くに位置している．つまり，この筋は内的モーメントアームが短いため，尺骨偏位トルクをほとんど発生させることができない．これを，はるかに長い内的モーメントアーム（赤い AP 回転軸からはるかに離れているため）をもつ尺側手根伸筋と比較しよう．尺側手根伸筋は，非常に強い尺側偏位トルクを発生させることができる．

　これとは対照的に，灰色で表示された内側-外側（ML）回転軸に対する指伸筋と尺側手根伸筋の位置を比較する（**図 6.13**）．指伸筋は，尺側手根伸筋よりも ML 回転軸から遠く離れているため，指伸筋は非常に長い内的モーメントアームをもっている．ML 回転軸に対してこれら2つの筋の内的モーメントアームを比較するとき，指伸筋がはるかに強力な手関節伸展トルクを発生することを理解できなければならない．

側）を通るため，手関節の尺屈筋でもある．**図 6.13** で，内側-外側および前-後方向の回転軸と関連して，手関節と手の筋肉の腱の位置（すなわち働き）を表す右手関節の断面を示す．この図に示される断面像が，有頭骨の高さにあることに注意しよう．

▶手関節の伸筋
1．解剖学的構造
　手関節伸筋の主動作筋には，長橈側手根伸筋，短橈側手根伸筋，尺側手根伸筋がある（**図 6.14**）．補助筋である指伸筋，示指伸筋，小指伸筋，長母指伸筋については，第 7 章で述べる．

手関節の伸筋
- **主動作筋（手関節のみに作用する）**
  - ・長橈側手根伸筋
  - ・短橈側手根伸筋
  - ・尺側手根伸筋
- **補助筋（手関節と手に作用する）**
  - ・指伸筋
  - ・示指伸筋
  - ・小指伸筋
  - ・長母指伸筋

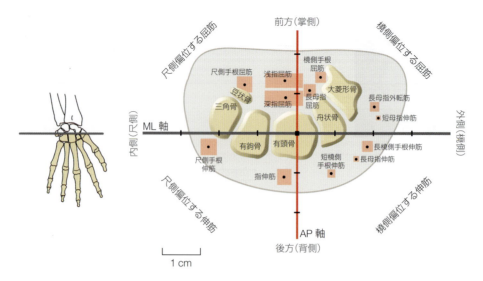

図 6.13　有頭骨の高さで，右手根管を遠位に眺めている断面図
この図が完全に回外された，手掌面が上を向いた肢位であることに注意する．座標面上の赤色の四角の領域は，各筋肉の断面領域と比例しており，筋肉の最大生産力を表す．赤い四角の中の小さい黒色の点は，それぞれ座標軸と関連して筋肉の腱の位置を表しており，各筋肉の体内のモーメントアームを測定するのに用いることができる．（Neumann DA: Kinesiology of the musculoskeletal system: foundations for physical rehabilitation, ed 3, St Louis, 2017, Mosby, Fig. 7.24 より）

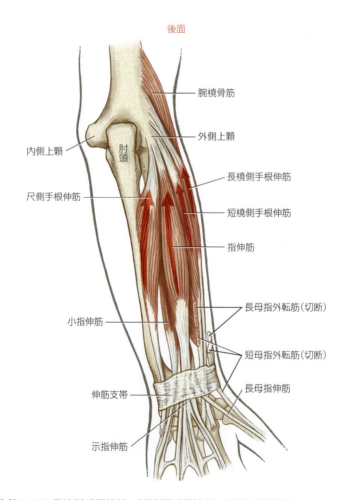

図 6.14　手関節伸筋の主動作筋である長橈側手根伸筋，短橈側手根伸筋，尺側手根伸筋
手関節伸筋の主動作筋である長橈側手根伸筋，短橈側手根伸筋，尺側手根伸筋を右前腕の後面で示す．また，多くの補助筋も示した．（Neumann DA: Kinesiology of the musculoskeletal system: foundations for physical rehabilitation, ed 2, St Louis, 2010, Mosby, Fig. 7.22 より）

筋と関節の相互作用　127

ATLAS

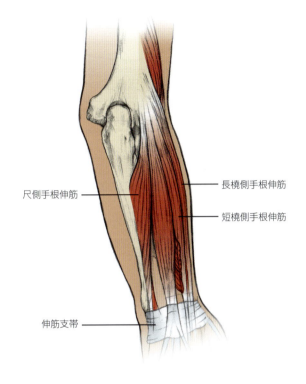

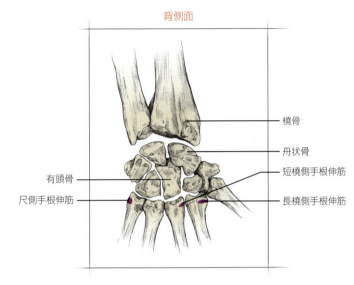

■ 短橈側手根伸筋

起始	共通の伸筋腱として上腕骨外側上顆に付着.
停止	第3中手骨底背側面.
神経支配	橈骨神経.
作用	手関節伸展，橈屈.
解説	長橈側手根伸筋と短橈側手根伸筋は，それぞれ第2，3中手骨底に停止する．これら2つの中手骨は，それぞれ遠位手根骨にしっかりと固定され，その安定性によって，手関節のすべての部位に伸展力を伝える補助をする.

■ 長橈側手根伸筋

起始	共通の伸筋腱として上腕骨外側上顆に付着.
停止	第2中手骨底背側面.
神経支配	橈骨神経.
作用	手関節伸展，橈屈.
解説	長橈側手根伸筋は，その共同作用筋である短橈側手根伸筋と比べて，手関節の橈屈筋として優れている．長橈側手根伸筋は，前-後方向の（有頭骨を通る）回転軸からより遠い位置にあるため，橈屈力を発揮できる．言い換えれば，長橈側手根伸筋は短橈側手根伸筋より，橈屈するために大きなてこの作用を利用できる，ということである.

■ 尺側手根伸筋

起始	共通の伸筋腱として上腕骨外側上顆，および尺骨の中央1/3の後面に付着.
停止	第5中手骨底背側面.
神経支配	橈骨神経.
作用	手関節伸展，尺屈.
解説	尺側手根伸筋は手関節を伸展する場合，長橈側手根伸筋と短橈側手根伸筋という2つの筋の橈屈作用を相殺する重要な役割がある．橈屈作用を相殺することで，手関節は必要に応じて矢状面上で純粋な伸展を行えるが，尺側手根伸筋腱が断裂すると，手関節を伸展する際に橈屈の動きが出てしまう.

2. 機能的考察：把握する場合の手関節伸筋の活動

強く把握する場合のような，指を使う際の手関節伸筋の主な機能は，指の活動に合わせて手関節を正しい位置に保持し，安定させることである．素早く拳を握って開くとき，前腕の近位部背面で手関節伸筋の筋腹の収縮を感じることができる．

手関節伸筋の収縮は，深指屈筋や浅指屈筋（図6.15）等の外在指屈筋群の強い屈曲力によって，手関節が屈曲することを防ぐために必要である．深指屈筋と浅指屈筋は手関節の掌側を横切るため，それらが指を屈曲させる際に手関節で強い屈曲トルクが発生する．したがって，手関節伸筋は何かをつかむたびに収縮しなければならない．もし収縮しなければ，手関節は屈曲してしまう．指の把握動作の際に，同時に手関節が完全に屈曲すると，とてもつかみづらいことは理解できるであろう．主な理由は2つ挙げられる．

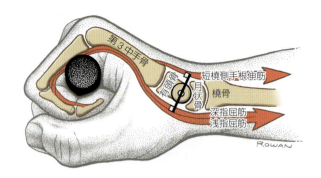

図6.15　強く把握する場合の手関節伸筋の重要性
短橈側手根伸筋等の手関節伸筋の活動は，指屈筋（深指屈筋と浅指屈筋）の活動によって生じる手関節屈曲を相殺するために必要である．手関節伸筋は，このようにして指屈筋が指を効果的に屈曲するための最適な長さを維持する．短橈側手根伸筋と指屈筋の内的モーメントアームは，黒色の太線で示す．(Neumann DA: Kinesiology of the musculoskeletal system: foundations for physical rehabilitation, ed 2, St Louis, 2010, Mosby, Fig. 7.25 より)

 臨床的な視点 >> "テニス肘"とは何か？

ハンマーで打つ場合やテニスラケットを振る場合のように，繰り返し強い把握が必要になる活動では，手関節伸筋，特に短橈側手根伸筋を酷使してしまう．**外側上顆炎** lateral epicondylitis，またはテニス肘として知られる状態は，手根伸筋の起始へのストレスと炎症によって生じる（**外側上顆痛** lateral epicondylalgia という用語は，接尾語の algia が"疼痛"を意味するが，最近の論文では，この痛みを伴う状態に炎症が必ずしも伴わない場合にも使用される）．手関節伸筋に共通する，付着部の範囲が狭いという性質により，大きな力が外側上顆の骨隆起付近の小さな領域に集中する（図6.16）．この領域に発生する大きなストレスは，痛みを伴う症状に影響を及ぼす可能性がある．

この状態は，炎症を抑えて適切なストレッチを行い，手関節伸筋群の活動を制限することにより，治癒することが多い．手関節伸筋群の酷使は，手関節の過度の運動を制限する装具，あるいは，手関節伸筋群の筋腹にカフを着用することによって，効果的に防止できる．

指屈筋が正常な筋力を備えていたとしても，手関節伸筋が麻痺していれば，十分な把握ができない．図6.17Aには，橈骨神経を損傷した人による最大握力の計測を示す．手関節伸筋が麻痺しているため，把握しようとすると指の屈曲とともに手関節の屈曲が生じる．この不安定で把握しづらい肢位は，指屈筋の活動を非効率的にしてしまう．手関節を伸展位に保持するためには，手関節伸筋の筋力が回復するまで，手関節伸展スプリント（手関節背屈装具）が必要である．図6.17Bで示すように，徒手的手関節を中間位に保持すると指屈筋はより強い把持力を生じることができる．

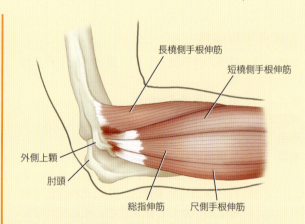

図6.16　右上肢の外側上顆炎

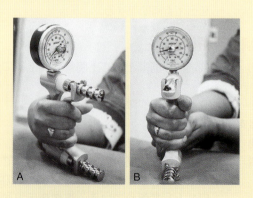

図6.17　右手関節伸筋を麻痺した人の握力
A：橈骨神経損傷によって右手関節伸筋を麻痺した人による最大握力の計測．指屈筋は神経支配を正常に受けているにもかかわらず，最大の握力は約4.5kgにすぎない．B：もう一方の手により手関節を中間位に保持すると，握力は約3倍に増加した．(Neumann DA: Kinesiology of the musculoskeletal system: foundations for physical rehabilitation, ed 2, St Louis, 2010, Mosby, Fig. 7.27 より)

①外在指屈筋は，手関節と手指を横切って収縮するため，活動が不十分になる（力を出すには短くなりすぎる）．
②指伸筋が手関節と手指の上で伸張され，受動的な伸展トルクを生み出し，これが強い把持力を生じる外在指屈筋の効果を制限する．

手関節伸筋は通常，30〜35°伸展位に手関節を保つことで，指屈筋が強い力を発揮できるように作用する．

▶手関節の屈筋

1. 解剖学的構造

手関節屈筋の主動作筋は，橈側手根屈筋，尺側手根屈筋，および長掌筋である（図6.18）．これらの筋の腱は，等尺性で強く収縮させると，手関節の掌側遠位部の上で，容易に識別される．

手関節屈筋の補助筋は，指に付着する外在屈筋である深指屈筋，浅指屈筋，長母指屈筋等である．

> **手関節の屈筋**
> - 主動作筋（手関節のみに作用する）
>   ・橈側手根屈筋
>   ・尺側手根屈筋
>   ・長掌筋
> - 補助筋（手関節と手に作用する）
>   ・深指屈筋
>   ・浅指屈筋
>   ・長母指屈筋

2. 機能的考察：手関節筋の相乗作用

重い物を運ぶ際の把握の動作では，3つの手関節屈筋の協働が必要となる．手関節伸筋の強い活動に対しては，手関節屈筋が等尺性収縮をするため手関節は安定する．なお長掌筋は，手の多くの内在筋の起始を安定させる．

橈側手根屈筋は手関節の屈筋であるだけでなく，橈屈筋でもあり，尺側手根屈筋は尺屈筋でもある．これら2つの筋が同時に活動することにより，矢状面での手関節屈曲が可能となる．

▶橈屈と尺屈の主動作筋

橈屈の主動作筋は，長橈側手根伸筋，短橈側手根伸筋である（『手関節の伸筋』の項で既述）．補助筋は，長母指伸筋，短母指伸筋，橈側手根屈筋，長母指外転筋，長母指屈筋である．ここに挙げた筋の腱は，手関節で前-後方向の回転軸の橈側（または外側）を通過するため，主動作筋および補助筋ともに，手関節を橈屈させる．短母指伸筋は，すべての橈屈筋の中で最も大きなモーメントアームを有するが，横断面が小さいため，この筋が発揮できるトルクは小さいと考えられる．長母指外転筋と短

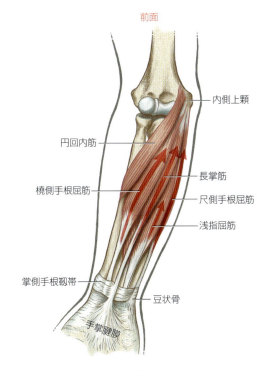

図6.18 手関節屈筋の主動作筋
手関節屈筋の主動作筋である橈側手根屈筋，長掌筋，尺側手根屈筋を，右前腕の前面で示す．また，補助筋である浅指屈筋も示した．円回内筋も示すが，手関節の屈筋ではない．
（Neumann DA: Kinesiology of the musculoskeletal system: foundations for physical rehabilitation, ed 2, St Louis, 2010, Mosby, Fig. 7.28 より）

母指伸筋は，外側側副靱帯とともに，手関節橈側の安定性を高める役割を担う．

尺屈の主動作筋である2つの筋は，尺側手根伸筋と尺側手根屈筋である．

> **手関節の橈屈筋**
> - 主動作筋（手関節のみに作用する）
>   ・長橈側手根伸筋
>   ・短橈側手根伸筋
> - 補助筋（手関節と手に作用する）
>   ・長母指伸筋
>   ・短母指伸筋
>   ・橈側手根屈筋
>   ・長母指外転筋
>   ・長母指屈筋
>
> **手関節の尺屈筋**
> - 主動作筋（手関節のみに作用する）
>   ・尺側手根伸筋
>   ・尺側手根屈筋

ATLAS

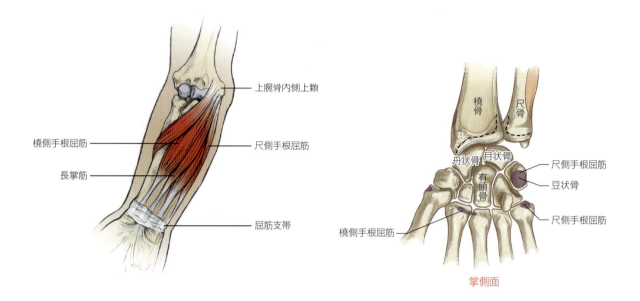

掌側面

■ 橈側手根屈筋

- 起始　共通の屈筋腱として上腕骨内側上顆に付着.
- 停止　第2中手骨底の掌側面.
- 神経支配　正中神経.
- 作用　手関節屈曲, 橈屈.
- 解説　橈側手根屈筋の腱は手根管を通らない. したがって橈側手根屈筋の腱は, 図6.4 に示すように, 横手根靱帯内にある別の通路を通って, 第2中手骨底の掌側面に付着する.

■ 尺側手根屈筋

- 起始　共通の屈筋腱として上腕骨内側上顆, 尺骨の中央1/3の後面に付着.
- 停止　第5中手骨と豆状骨底の掌側面.
- 神経支配　尺骨神経.
- 作用　手関節屈曲, 尺屈.
- 解説　尺側手根屈筋の遠位の腱は, 豆状骨として知られる触診可能な種子骨を含む. 手関節の種子骨は, 膝関節における大腿四頭筋の中の膝蓋骨に似ており, 手関節屈曲と尺屈の複合動作において, 尺側手根屈筋のてこの作用を補助する.

■ 長掌筋

- 起始　共通の屈筋腱として上腕骨内側上顆に付着.
- 停止　横手根靱帯と手掌腱膜.
- 神経支配　正中神経.
- 作用　手関節屈曲.
- 解説　長掌筋は, 手関節の屈曲作用を有する小さくて薄い筋であるが, むしろ, 手の手掌筋膜を緊張させる能力が重要視されることがある. 興味深いことに, 人口の約10％で, 片方もしくは両方の手においてこの筋が欠如する. 手掌をカップ状にして強く手関節を屈曲し, 手関節の掌側中央でこの筋の腱が観察できれば, この筋の存在が証明される.

1. 機能的考察：把握する場合の橈屈筋と尺屈筋の機能

橈屈筋および尺屈筋は，手で物を把握して制御する際に必要となる．テニスでラケットを振るとき，釣り竿を振るとき，車椅子を自分で駆動するとき等における，これらの筋の機能を，ハンマーでくぎを打つ動作を例に考えてみよう．

図6.19では，くぎを打つために収縮する橈屈筋を示す．図示したすべての筋は，手関節の前-後方向の回転軸の外側を通る．長橈側手根伸筋と橈側手根屈筋（モーメントアームで示す）におけるこの作用では，一方では共同筋として作用し，もう一方では互いが拮抗筋として作用する2つの例を示している．互いの屈曲と伸展に拮抗することにより，2つの筋は中立位（ハンマーを握るために必要なわずかに伸展された位置）で，手関節を安定させる．

図6.20では，ハンマーでくぎを打つために収縮する両側の尺屈筋を示す．尺側手根屈筋と尺側手根伸筋は共

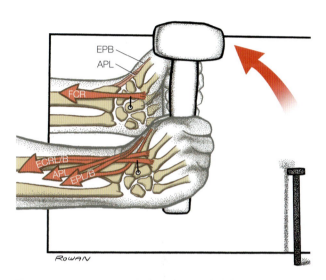

図6.19 ハンマーでくぎを打つ際に，手関節を橈屈させる筋
背景のイラストは，手関節の掌側面を鏡に映したものである．短橈側手根伸筋と橈側手根屈筋（FCR）の内的モーメントアームとともに，回転軸が有頭骨を通ることを示した．APL：長母指外転筋，ECRL/B：長橈側手根伸筋と短橈側手根伸筋，EPB：短母指伸筋，EPL/B：長母指伸筋と短母指伸筋．（Neumann DA: Kinesiology of the musculoskeletal system: foundations for physical rehabilitation, ed 2, St Louis, 2010, Mosby, Fig. 7.30 より）

 臨床的な視点 >> 内側上顆炎

内側上顆炎（しばしば"ゴルフ肘"とよばれる）は，上腕骨の内側上顆に付着する手関節屈筋の炎症，または刺激が生じている状態である．上腕骨内側上顆から生じる橈側手根屈筋，尺側手根屈筋，浅指屈筋と長掌筋を含むいくつかの筋肉は，共通の屈筋腱として知られる腱鞘に合体する．内側上顆炎の多くの潜在的原因が知られているとはいえ，多くの場合，概して手関節屈筋の度重なる活動による使いすぎ症候群と考えられる．ロッククライマーは特に，自身の体重を支えるために必要な筋肉を要求される，常習的でそして強力な把持する力のために内側上顆炎にかかりやすい．本疾患の治療はしばしば安静，アイシング，超音波により炎症を抑える，または内側上顆に対する摩擦を減らすために**カウンターフォースブレース** counterforce brace や"肘ストラップ"を使用することを含む．亜急性期には，段階的な軟部組織のモビライゼーションと増強は，手関節屈筋の調整を助けるためにしばしば用いられる．

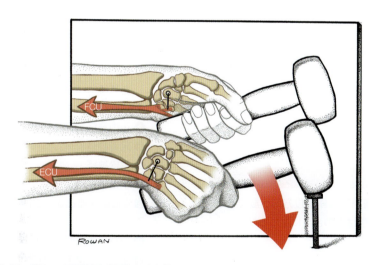

図6.20 ハンマーでくぎを打つ際に，手関節を尺屈させる筋
背景のイラストは，手関節の掌側面を鏡に映したものである．尺側手根屈筋（FCU）と尺側手根伸筋（ECU）の内的モーメントアームとともに，回転軸が有頭骨を通ることを示した．（Neumann DA: Kinesiology of the musculoskeletal system: foundations for physical rehabilitation, ed 2, St Louis, 2010, Mosby, Fig. 7.31 より）

表 6.2　手関節の関節可動域測定

運動	基本軸	移動軸	参考可動域
屈曲（掌屈）	橈骨	第2中手骨	90°
伸展（背屈）	橈骨	第2中手骨	70°
橈屈	前腕の中央線	第3中手骨頭	25°
尺屈	前腕の中央線	第3中手骨頭	55°

訳注：特に手関節の屈曲・伸展は日本では前腕中間位で橈側から測定するのが一般的なため，日本整形外科学会・日本リハビリテーション医学会「関節可動域表示ならびに測定法」（日本整形外科学会雑誌 69, 240-250, 1995, リハビリテーション医学 32, 207-217, 1995）を参考に書き改めた．

同して尺屈を行うが，わずかに伸展位で手関節を安定させる．尺側手根屈筋と尺側手根伸筋は強く協調するため，どちらの筋が損傷を受けても尺屈を阻害してしまう．例えば関節リウマチでは，しばしば炎症と尺側手根伸筋腱の疼痛を引き起こす．この痛みを伴う伸筋をまったく，もしくは最小限にしか活動させずに尺屈するならば，尺側手根屈筋の屈曲作用を制御できなくなる．このために生じる手関節屈曲位は，把握を困難にしてしまう．

まとめ

　手関節は，橈骨手根関節と手根中央関節という2つの別々の関節から構成される．手関節は，屈曲と伸展，および橈屈と尺屈が可能な自由度2の関節であるが，どちらの運動においても，橈骨手根関節と手根中央関節の連動が必要となる．

　手関節の主動作筋は，多様な手の運動のために，手関節を効果的に安定させたり動かしたりする．第7章で述べるように，手関節筋は上肢全体の機能を最適化するために，手の筋と共同して作用する．

　表 6.2 は，一般的な手関節の関節可動域測定で参照される表である．関節可動域の調整と測定に使用される，解剖学的基準が含まれている．自動可動域の期待値（正常値）も記載されている．なお，これら正常範囲の大きな振り幅は，いくつかの理由によって予想されていることに注意が必要である．

確認問題

1 ▶ 手関節が，開放運動連鎖で尺側偏位方向へ動くとき，転がりと滑りの関節運動はどのように生じるか．
　ⓐ 同じ方向
　ⓑ 反対の方向

2 ▶ 手根骨の近位列にない骨はどれか．
　ⓐ 舟状骨
　ⓑ 月状骨
　ⓒ 有頭骨
　ⓓ 豆状骨

3 ▶ 手関節の主な自動運動面で正しいのはどれか．
　ⓐ 1つの運動面
　ⓑ 2つの運動面
　ⓒ 3つの運動面すべて

4 ▶ 次のうち，正しいのはどれか．
　ⓐ 手関節伸展の全可動域は，一般に0〜25°である
　ⓑ 手関節屈曲の全可動域は，一般に0〜90°である
　ⓒ 手関節橈屈の全可動域は，一般に0〜70°である
　ⓓ 手関節伸展の全可動域は，一般に0〜15°である

5 ▶ 橈屈と尺屈の軸について正しいのはどれか．
　ⓐ 前-後方向の回転軸
　ⓑ 内側-外側方向の回転軸
　ⓒ 長軸方向の回転軸

6 ▶ 尺側手根屈筋に対する最も純粋な拮抗筋はどれか．
　ⓐ 橈側手根屈筋
　ⓑ 尺側手根伸筋
　ⓒ 長橈側手根伸筋
　ⓓ 長掌筋

7 ▶ 手関節伸筋の麻痺によって握力が弱化する理由について，正しいのはどれか．
　ⓐ 外在指屈筋が，手関節伸筋と同じ神経によって支配を受けるため
　ⓑ 手関節と指が屈曲位に崩れ，外在指屈筋の活動が不十分になるため
　ⓒ 手の内在筋が，手関節伸筋と同じ神経によって支配を受けるため
　ⓓ 手関節が過伸展位になるため

8 ▶ 手関節の尺屈筋に関する説明で正しいのはどれか．
　ⓐ すべての筋が，手関節の前-後方向の回転軸の尺側を通る
　ⓑ すべての筋が，手関節の内側-外側方向の回転軸の後方を通る
　ⓒ すべての尺屈筋は，手関節の過度の屈曲を防止する
　ⓓ すべての筋が，手関節の前-後方向の回転軸の橈側を通る

9 ▶ 手関節伸筋すべての筋を神経支配するのはどれか．
　ⓐ 正中神経
　ⓑ 尺骨神経
　ⓒ 橈骨神経
　ⓓ 小指球神経

10 ▶ 強く把握するとき，手関節伸筋が活動する理由について，正しいのはどれか．
　ⓐ 指が尺側に偏位するのを防ぐため
　ⓑ 手関節が望ましくない屈曲位になるのを防ぐため
　ⓒ 手根管の直径を広げるため
　ⓓ 肘関節が屈曲するのを防ぐため

11 ▶ 橈側手根屈筋，尺側手根屈筋，長掌筋について正しいのはどれか．
  ⓐ 上腕骨の外側上顆に付着する
  ⓑ 尺骨神経によって神経支配される
  ⓒ 上腕骨の内側上顆に付着する
  ⓓ 正中神経によって神経支配される

12 ▶ 長橈側手根伸筋の作用で誤っているのはどれか．
  ⓐ 4つすべての中手指節関節の伸展
  ⓑ 橈屈
  ⓒ 手関節の伸展

13 ▶ 手関節の運動におけるすべての回転軸が通る骨はどれか．
  ⓐ 月状骨
  ⓑ 舟状骨
  ⓒ 有頭骨
  ⓓ 大菱形骨

14 ▶ 人が手で体重を支えるとき，力の大部分はどの骨を介して伝達されるか．
  ⓐ 尺骨
  ⓑ 橈骨

15 ▶ 手関節伸筋の使いすぎによる炎症は外側上顆炎を引き起こす．
  ⓐ 正しい
  ⓑ 誤り

16 ▶ 上腕骨の外側上顆から始まる大部分の筋は橈骨神経によって神経支配される．
  ⓐ 正しい
  ⓑ 誤り

17 ▶ すべての手関節伸筋は手関節の内側–外側方向の回転軸の前方を通る（解剖学的肢位で）．
  ⓐ 正しい
  ⓑ 誤り

18 ▶ 手関節は橈骨手根関節と手根中央関節の2つの関節から構成される．
  ⓐ 正しい
  ⓑ 誤り

19 ▶ 手関節の内側–外側回転軸の後方を走行する筋は，手関節屈曲に働く．
  ⓐ 正しい
  ⓑ 誤り

20 ▶ 豆状骨は手関節のどちら側に位置しているか．
  ⓐ 尺側
  ⓑ 橈側

参考文献

Berger, R.A. (2001) The anatomy of the ligaments of the wrist and distal radioulnar joints. Clinical Orthopaedics and Related Research, 383, 32-40.

Bisset, L.M., Collins, N.J. & Offord, S.S. (2014) Immediate effects of 2 types of braces on pain and grip strength in people with lateral epicondylalgia: a randomized controlled trial. Journal of Orthopaedic and Sports Physical Therapy, 44(2), 120-128.

Carelsen, B., Jonges, R., Strackee, S.D., et al. (2009) Detection of in vivo dynamic 3-D motion patterns in the wrist joint. IEEE Transactions on Biomedicine Engineering, 56(4), 1236-1244.

Cassidy, C. & Ruby, L.K. (2003) Carpal instability. Instructional Course Lectures, 52, 209-220.

De Smet, L. (2006) The distal radioulnar joint in rheumatoid arthritis. Acta Orthopaedica Belgica, 72(4), 381-386.

Foumani, M., Blankevoort, L., Stekelenburg, C., et al. (2010) The effect of tendon loading on in-vitro carpal kinematics of the wrist joint. Journal of Biomechanics, 18 43(9), 1799-1805.

Gorniak, G.C., Conrad, W., Conrad, E., et al. (2012) Patterns of radiocarpal joint articular cartilage wear in cadavers. Clinical Anatomy, 25(4), 468-477.

Hagert, E. & Hagert, C.G. (2010) Understanding stability of the distal radioulnar joint through an understanding of its anatomy [Review]. Hand Clinics, 26(4), 459-466.

Hagert, E., Persson, J.K., Werner, M., et al. (2009) Evidence of wrist proprioceptive reflexes elicited after stimulation of the scapholunate interosseous ligament. Journal of Hand Surgery-American Volume, 34(4), 642-651.

Helms, C.A. (2013) Fundamentals of skeletal radiology (4 th ed.). Philadelphia: Elsevier.

Kaufmann, R.A., Pfaeffle, H.J., Blankenhorn, B.D., et al. (2006) Kinematics of the midcarpal and radiocarpal joint in flexion and extension: an in vitro study. Journal of Hand Surgery American, 31(7), 1142-1148.

Kijima, Y. & Viegas, S.F. (2009) Wrist anatomy and biomechanics. [Review] [24 refs] Journal Hand Surgery-American Volume, 34(8), 1555-1563.

Linscheid, R.L. (1986) Kinematic considerations of the wrist. Clinical Orthopaedics Related Research, 202, 27-39.

Nathan, R.H. (1992) The isometric action of the forearm muscles. Journal of Biomechanical Engineering, 114(2), 162-169.

Neumann, D. (2017) Kinesiology of the musculoskeletal system: Foundations for physical rehabilitation (3rd ed.). St Louis: Elsevier.

Rainbow, M.J., Kamal, R.N., Leventhal, E., et al. (2013) In vivo kinematics of the scaphoid, lunate, capitate, and third metacarpal in extreme wrist flexion and extension. Journal of Hand Surgery American, 38(2), 278-288.

Saunders, R., Astifidis, R., Burke, S.L., et al. (2015) Hand and upper extremity rehabilitation: a practical guide (4 th ed.). St Louis: Churchill Livingstone.

Shahabpour, M., Van, O.L., Ceuterick, P., et al. (2012) Pathology of extrinsic ligaments: a pictorial essay [review]. Seminars in Musculoskeletal Radiology, 16(2), 115-128.

Soubeyrand, M., Wassermann, V., Hirsch, C., et al. (2011) The middle radioulnar joint and triarticular forearm complex. Journal Hand Surgery-European Volume, 36(6), 447-454.

Standring, S. (2016) Gray's anatomy: the anatomical basis of clinical practice (41st ed.). Edinburgh: Churchill Livingstone.

van Doesburg, M.H., Yoshii, Y., Villarraga, H.R., et al. (2010) Median nerve deformation and displacement in the carpal tunnel during index finger and thumb motion. Journal of Orthopaedic Research, 28(10), 1387-1390.

Werner, F.W., Short, W.H., Palmer, A.K., et al. (2010) Wrist tendon forces during various dynamic wrist motions. Journal Hand Surgery-American Volume, 35(4), 628-632.

Werner, F.W., Sutton, L.G., Allison, M.A., et al. (2011) Scaphoid and lunate translation in the intact wrist and following ligament resection: a cadaver study. Journal of Hand Surgery-American Volume, 36(2), 291-298.

第 7 章

手の構造と機能

本章の概要

- 骨学
  - 中手骨
  - 指節骨
  - 手のアーチ
- 関節学
  - 手根中手関節
  - 中手指節関節
  - 指節間関節
- 筋と関節の相互作用
  - 手の神経支配
  - 手の筋の機能
  - 手指の外在筋と内在筋の相互作用
- 手の関節変形
  - 一般的な変形
  - 尺側偏位
- まとめ
- 確認問題
- 参考文献
- 付録

学習目標

- 手の骨と，その主な特徴を説明できる．
- 手根中手（CMC）関節，中手指節（MCP）関節，近位・遠位指節間（PIP・DIP）関節を説明できる．
- 手の支持構造を説明できる．
- 手の運動面と回転軸を説明できる．
- 手の筋の神経支配および起始・停止を挙げることができる．
- 手の筋の主な作用を正確に述べることができる．
- 尺側偏位が生じる主要なメカニズムを述べることができる．
- 手首のテノデーシス作用による把持の仕組みを述べることができる．
- 手を開いたり閉じたりするときの外在筋と内在筋の相互作用を説明できる．
- 第 4, 5 指のすべての指節間（IP）関節が，尺骨神経の切離後に完全伸展できなくなる理由を説明できる．
- 手首の部分で正中神経を切離後，どのような動きが失われる（または弱化する）のかを説明できる．
- 橈骨神経の損傷によって握力が減少する理由を説明できる．

キーワード

関節炎	伸展機構	テノデーシス作用	母指対立再建術
尺側偏位	対立位	復位	

　手は，正常に機能する場合，19 個の骨と 19 個の関節により，非常に多彩な機能を生み出す．手は，物を引っ掛けたり握り拳をつくったりするように，単純な動作をすることもあれば，さまざまな力の程度や精密さを必要とする複雑な把持を行うこともできる．手の機能が非常に重要である根拠は，手の感覚と運動の機能を支配する大脳皮質の領域が不釣り合いに大きな面積として観察されることにより明らかである（図 7.1）．関節炎 arthritis,疼痛，脳卒中，もしくは神経損傷によって手の機能が全般的に失われると，上肢機能は顕著に低下する．上肢機能は，手の機能に強く依存しているのである．

　本章では，手の機能障害や，外傷，疾病後における機能回復のための治療の理解に必要不可欠な，手の骨，関節，筋の基本的な解剖学について解説する．

　手指は第 1～5 指，または，母指，示指，中指，環指，小指とも表現される（図 7.2）．5 本の手指は，それぞれ

第7章 手の構造と機能

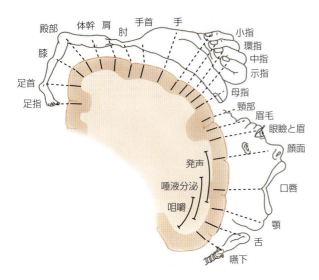

図7.1 身体の局在部位を表す脳の運動ホムンクルス
手のサイズが大きいのは、手を制御するための脳の支配領域が広範囲であることを示す。(Lundy-Ekman L: Neuroscience: Fundamentals for Rehabilitation, ed 4, St. Louis, 2013, Saunders より)

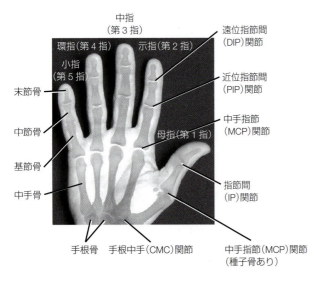

図7.2 手の主要な骨と関節
(Neumann DA: Kinesiology of the musculoskeletal system: foundations for physical rehabilitation, ed 2, St Louis, 2010, Mosby, Fig. 8.3A より)

1個の中手骨と1組の指節骨で構成される。1個の中手骨とそれに連結する指節骨は、指列という。

中手骨近位端と手根骨遠位端との間にある関節は、**手根中手(CMC)関節**とよばれ(**図7.2**)、中手骨遠位端と基節骨との間にある関節は、**中手指節(MCP)関節**とよばれる。それぞれの指には2個の**指節間(IP)関節**があり、**近位指節間(PIP)関節**と**遠位指節間(DIP)関節**とよばれる。母指は2個の指節骨で構成されるため、IP関節は1個のみである。

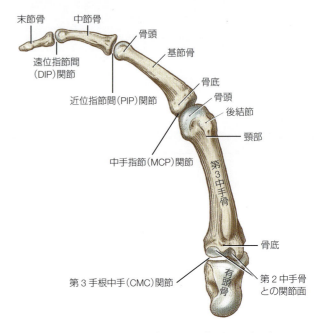

図7.3 第3指列骨の橈側面(手関節の有頭骨を含む)
(Neumann DA: Kinesiology of the musculoskeletal system: foundations for physical rehabilitation, ed 2, St Louis, 2010, Mosby, Fig. 8.6 より)

> **それぞれの指列に共通する関節**
> - 手根中手(CMC)関節
> - 中手指節(MCP)関節
> - 指節間(IP)関節
>   ・母指のIP関節は1つである。
>   ・母指以外の指には、近位指節間(PIP)関節と遠位指節間(DIP)関節がある。

骨学

中手骨

中手骨は指節骨と同様に、橈側から数えて第1〜5中手骨とよばれる。

中手骨には、骨底、骨体、骨頭および頸部といった共通の解剖学的特徴がある(**図7.3**に第3指列を示す)。**図7.4**で示すように、第1(母指)中手骨は最も短く厚みがあり、通常、第2〜5中手骨は、橈側から尺側(内側)に向かって短くなる。

> **中手骨の骨学的特徴**
> - 骨体:掌側側(前方)にわずかに凹形。
> - 骨底:近位端。手根骨と関節をなす。
> - 骨頭:遠位端。しっかりと握りしめた拳の背側で、骨突出を形成する。
> - 頸部:ちょうど骨頭の近位部で、わずかに細くなっている部分。骨折のよく起こる部位で、特に小指にみられる。

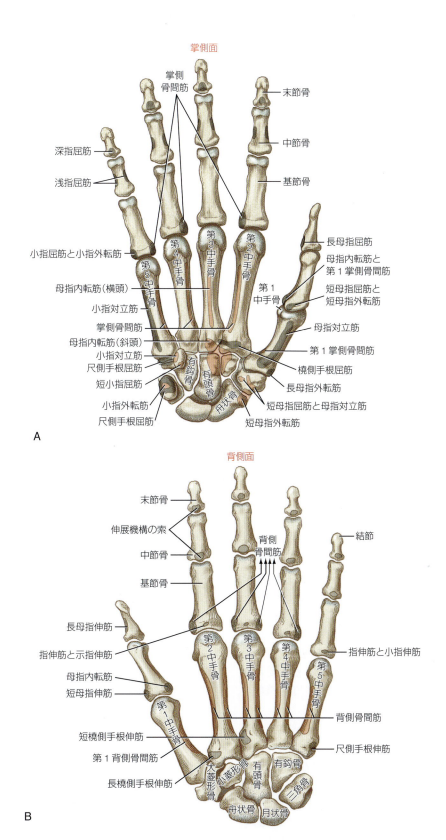

図 7.4 右手の関節

A：右手の関節と骨の掌側面．B：右手の関節と骨の背側面．筋の起始は赤色，停止は灰色で示す．（Neumann DA: Kinesiology of the musculoskeletal system: foundations for physical rehabilitation, ed 2, St Louis, 2010, Mosby, Figs. 8.4 and 8.5 より）

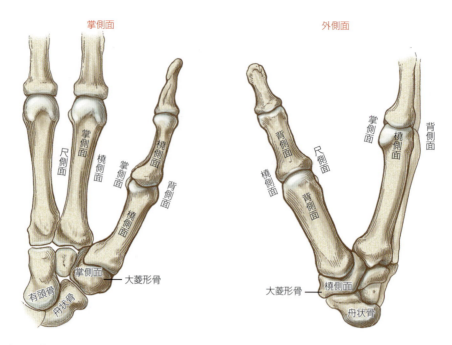

図 7.5　右母指の骨表面の向きを示す手の掌側と側面
母指の骨は，手関節と他指の骨に対して 90°回転していることに注目しよう．（Neumann DA: Kinesiology of the musculoskeletal system: foundations for physical rehabilitation, ed 2, St Louis, 2010, Mosby, Fig. 8.7 より）

　手掌が身体の前方を向くようにした状態で，腕を身体の側方に自然に下ろすと，母指の中手骨は他の指とは異なる面を向く．第 2〜5 中手骨は側方を向き，掌側面は前方を向く．しかし，母指の中手骨は他の指と比べてほぼ 90°内側に回転している（図 7.5）．この回転した肢位によって，敏感な母指掌側面を手の正中線のほうに向ける．さらに母指中手骨は，他の中手骨に対して前方または掌側に位置する．これは，リラックスした自分の手を観察するとよくわかる．母指中手骨がこのように位置されることで，母指は手掌面に沿い，他の指に向かって自由に動くことができる．ほぼすべての手の運動では，母指と他の指との相互作用（訳注：対立運動）が必要となる．したがって母指の動きが制限されると，手の機能が全般に著しく低下する．

　母指は内側に回転していることから，その運動と位置を表現するために特殊な用語を用いる．手掌が身体の前方を向くようにした状態で，腕を身体の側方に自然に下ろすと，母指骨の背側面（爪がある側）は側方に向く（図 7.5）．そのため，掌側面は内側に，橈側面は前方に，また尺側面は後方に向く．手根骨と指のすべての骨の面を表現するために用いられる専門用語には基準があり，前方を掌側面，外側を橈側面と表す．

指節骨

　手には 14 個の指節骨があり，各指の指節骨は基節骨，中節骨，末節骨とよばれる（図 7.4）．ただし，母指は基節骨と末節骨のみである．大きさの違いを除けば，指のすべての指節骨は類似した形態である（図 7.3）．

手のアーチ

　リラックスした状態で，自分の手の手掌面の自然なアーチ（曲線）を観察してみよう．この凹面の調節によって，手はさまざまな形や大きさの物体を確実に把持したり，操作することができる．この手掌の凹面は 3 つの統合されたアーチで構成される．この 3 つのアーチとは，1 つの縦アーチと 2 つの横アーチである（図 7.6）．近位横アーチは，遠位手根列によって形成する．このアーチは静的で可動性がなく，手根管を形成する．この手根管は，正中神経と多くの屈筋腱が指に向かって走行する通路である．建物や橋でみられる多くのアーチと同様に，手のアーチは中央の楔石 keystone によって支持されるが，近位横アーチの楔石は有頭骨である．

　遠位横アーチは，中手指節（MCP）関節を通る．可動性のない近位横アーチとは対照的に，遠位アーチの尺側と橈側には比較的可動性がある．この可動性を確かめるために，通常の状態から野球のボールをつかむようなカップ状の形に自分の手を変えてみよう．中央の中手骨（第 2, 3）は比較的動かず，周囲の中手骨（第 1, 4, 5）がまわりを包むような形で横の可動性が生じる．遠位横アーチの楔石は，中央の中手骨の MCP 関節によって形成される．

　手の縦アーチは，第 2, 3 指列の形状に左右される．この可動性の少ない関節は，手の縦の安定性に重要となる．

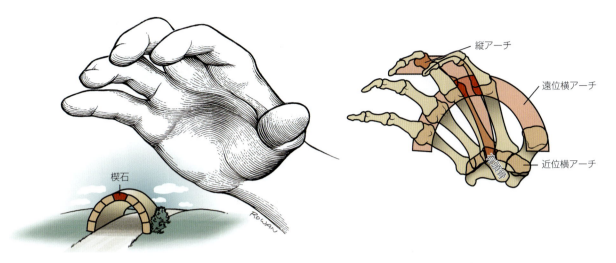

図 7.6　手掌の凹型
手掌の自然な凹形は，3つの統合されたアーチによって支えられる．アーチには，1つの縦アーチと2つの横アーチがある．
(Neumann DA: Kinesiology of the musculoskeletal system: foundations for physical rehabilitation, ed 2, St Louis, 2010, Mosby, Fig. 8.8 より)

関節学

手の関節の学習を進める前に，手指の運動を表現する専門用語を定義しなければならない．以下の表現は，肘伸展，前腕最大回外，手関節中間位の解剖学的肢位から運動を始めるものとする．

手指の運動は，身体の主要な面を用いて表現される．つまり，屈曲と伸展は矢状面で生じ，内転と外転は前額面で生じる(図7.7A〜D)．手以外のほとんどの部位では，内転と外転は体節が正中線に向かうか，または離れる運動を表現するが，手指の内転と外転は中指に向かう(内転)，または中指から離れる(外転)運動として表現する．

母指全体は，他の手指に対してほぼ90°回転しているため，母指の運動を表現する用語は，他の手指で用いられる用語とは異なる(図7.7 E〜I)．屈曲とは，前額面における母指の手掌に沿って平行に動く掌側面の運動であり，伸展とは，解剖学的肢位の方向に母指を戻すことである．外転とは矢状面で手掌から母指が離れる前方の運動であり，内転とは手掌に母指を戻すことである．対立とは，手掌上でどの指先にも接触する運動を表現する用語である．母指の運動を定義するために用いられる専門用語は，母指対立筋，長母指伸筋および母指内転筋の例のように"母指(親指)筋"の名称をもとに用いられる．

手根中手関節

▶概説

手の**手根中手**(CMC)**関節**は，遠位の手根骨列と5個の中手骨の間の関節である．これらの関節は，手の最も近位部に位置する(図7.3, 4)．

手のすべての運動は，各指列の最も近位部にあるCMC関節で始まる．CMC関節における相対的な運動を，簡略化したイラスト(図7.8)で示す．灰色で示した第2，3指の関節は，遠位の手根骨列と強く結合し，手全体の安定した中央支柱を形成している．対照的に，第1，4，5指のCMC関節(緑色で示す)は，橈側と尺側で可動性のある縁を形成することで，物をつかむという，手の中央支柱を中心とした動作が可能である．

第1(母指)CMC関節(母指の鞍関節として知られる)は，特に対立において，最も運動性を発揮する(母指のCMC関節はきわめて重要であり，次項で説明する)．第4，5CMC関節は，母指CMC関節に次いで運動性のある関節であり，手の尺側縁でつかむという運動を行う．第4，5CMC関節の可動性が増すことにより，把持の効果は高まり，対立する母指との機能的関係が強まる．

手のCMC関節は，手掌をゆるやかな凹形に変え，巧緻性を高める．これは，手の機能を特徴づける重要な要素である．例えば，円筒状の物体でも手掌にぴったりと適合し，示指と中指は把持を補強するように位置する(図7.9)．この能力がなければ，手の巧緻性は原始的な蝶番把持の運動まで低下する．

▶母指の手根中手関節

母指のCMC関節は，第1指列の付け根，つまり中手骨と大菱形骨間にある(図7.5)．この関節は，CMC関節の中で最も複雑かつ重要であり，母指の広範囲の運動を可能にしている．この鞍関節によって，母指が十分に対立することを可能にし，他の指先との接触を容易にする．この働きを通して，手掌の中に保持した物体を，母指で押さえることができる．

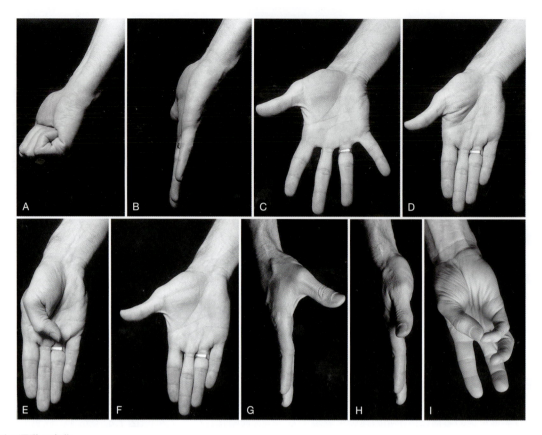

図 7.7 手の運動の名称

A〜D は手指の運動，E〜I は母指の運動である．A：手指屈曲．B：手指伸展．C：手指外転．D：手指内転．E：母指屈曲．F：母指伸展．G：母指外転．H：母指内転．I：母指対立．（Neumann DA: Kinesiology of the musculoskeletal system: foundations for physical rehabilitation, ed 2, St Louis, 2010, Mosby, Fig. 8.9 より）

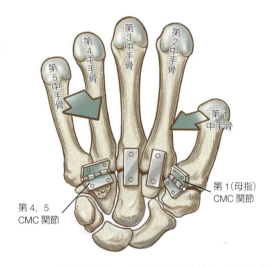

図 7.8 5 つの手根中手（CMC）関節の可動性を機械的に描写した右手の掌側面

末梢の関節（第 1，4，5 関節：緑色）は，中央の 2 関節（灰色）よりも可動性が大きい．（Neumann DA: Kinesiology of the musculoskeletal system: foundations for physical rehabilitation, ed 2, St Louis, 2010, Mosby, Fig. 8.10 より）

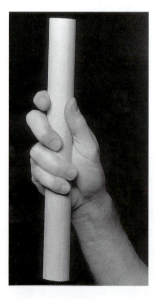

図 7.9 手根中手（CMC）関節の運動によって円筒状のポール等もしっかりとつかむことができる

（Neumann DA: Kinesiology of the musculoskeletal system: foundations for physical rehabilitation, St Louis, 2002, Mosby, Fig. 8.12 より）

考えてみよう！▷▷母指骨底の変形性関節症

母指の手根中手(CMC)関節が過度に使用されることにより，有痛性の骨底変形性関節症が引き起こされる．**骨底** basilar という用語は，母指全体の基部にある CMC 関節の位置を表す．母指によくみられるこの症状は，上肢にみられる変形性関節症の中で最も多く，外科的治療の対象となる．この関節炎は，CMC 関節の外傷後に二次的に起こったり，仕事や趣味で生じる疲労によって増悪する場合がある．興味深いことに，刺繍や牛の乳しぼりを何年にもわたって頻回に行っている人は，母指骨底の変形性関節症を発症しやすい．

CMC 関節の関節炎によって治療を必要とする人には，まず疼痛が生じ，機能的制限，靱帯の**ゆるみ** looseness，関節の不安定性が生じる．母指の疼痛をやわらげることができなければ，手や上肢の潜在的機能が著しく低下する．母指骨底の関節炎が進行した人では，重篤な疼痛（つまみ動作で悪化する），弱化，腫脹，脱臼および**クレピテーション** crepitation（運動に伴って生じるポンとはじけるような音，またはクリック音）が生じる．この現象は，50〜60 歳代の女性に多くみられる．

骨底関節炎の一般的な保存療法には，副子固定，監視下での軽い運動，寒冷や温熱のような物理療法，非ステロイド性抗炎症薬の服用，およびステロイド薬の注射がある．さらに患者には，母指骨底を保護するような日常生活活動の方法を教育する．

外科的治療は，疼痛や不安定性の進行を遅らせることが不可能な場合に行われるのが一般的である．

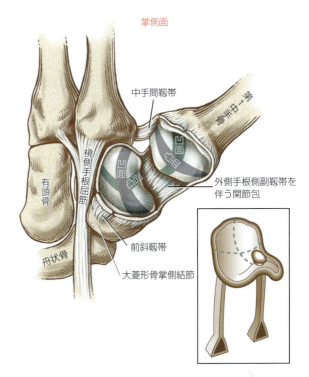

図 7.10 母指手根中手(CMC)関節
関節の鞍状の形を観察できるように，右母指の CMC 関節を開いている．縦径は紫色，横径は緑色で示す．（Neumann DA: Kinesiology of the musculoskeletal system: foundations for physical rehabilitation, ed 2, St Louis, 2010, Mosby, Fig. 8.15 より）

母指 CMC 関節の関節包は，大きな関節可動域を得るために，本来はゆるくなっている．ただし，関節包は靱帯や筋によって補強されている．二次的外傷による靱帯断裂，過用または関節炎は，関節脱臼を引き起こしやすく，母指基部で特有のこぶを形成する．

1．鞍関節構造

母指 CMC 関節は，典型的な鞍関節である（**図 7.10**）．鞍関節の特徴は，ちょうど馬の鞍のように，各関節面の一方が凸形，他の面が凹形である．この形状によって，大きな可動性と安定性が得られる．

2．運動学

CMC 関節は，主に自由度 2 である（**図 7.11**）．通常，外転と内転は矢状面で，屈曲と伸展は前額面で生じる．母指の**対立(位)** opposition と，**復位** reposition（元の位置に戻る）は，主要な 2 つの運動面（内転と外転の面，屈曲と伸展の面）で生じる．対立と復位の運動については，主要な 2 つの運動を先に述べ，その後で検討する．

(1)外転と内転

CMC 関節の内転位では，母指は手掌面の中にある．対照的に，最大外転位では手掌面に対して約 45° 前方に第 1 中手骨がある．最大外転では，母指の水かき部分を開き，コップのような物体を把持するのに役立つ，広い凹カーブを形成する．

(2)屈曲と伸展

母指 CMC 関節の屈曲と伸展は，中手骨におけるさまざまな軸回転が関係する．中手骨は，屈曲時にわずかに内旋（中指に向かう）し，伸展時にわずかに外旋（中指から離れる）する．軸回転は，最大伸展位から最大屈曲位までの母指の爪の変化を観察すると，わかりやすい．

解剖学的肢位から CMC 関節は，さらに 10〜15° 伸展できる．母指中手骨は，手掌に沿って最大伸展位から約 45〜50° 屈曲する．

(3)対立

母指を他の指先に対立させる能力は基本的なものであり，手指全体の機能が正常であることを表す．この運動は，前述したように複合運動である．

解説をわかりやすくするために，対立の過程を 2 相に分けて**図 7.12A** に示す．第 1 相では，母指中手骨は外転する．第 2 相では，外転した中手骨が小指に向かって手掌上を屈曲，かつ内旋する．この複合運動の運動学的詳細を**図 7.12B** に示す．特に母指対立筋の作用により，大菱形骨関節面の内側に中手骨を誘導し，回旋させる．

母指の爪の向きの変化でみられるように，最大対立時

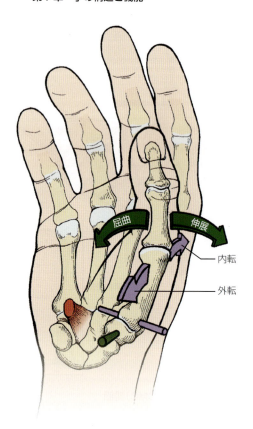

図7.11　右母指手根中手（CMC）関節での主な2つの面の骨運動
外転と内転は内側-外側の回転軸（紫色）で生じ，屈曲と伸展は前-後の回転軸（緑色）で生じることに注目しよう．対立における複雑な運動には，この2つの運動の組み合わせが必要である．（Neumann DA: Kinesiology of the musculoskeletal system: foundations for physical rehabilitation, St Louis, 2002, Mosby, Fig. 8.18 より改変）

には母指が少なくとも45～60°内旋する．小指は，第5CMC関節のカップ状の形にする運動により間接的に対立しやすくなる．この運動によって，母指の指先は小指の指先に容易に触れる．

中手指節関節

▶手指

1. 一般的な特徴と靱帯

中手指節（MCP）関節は，中手骨骨頭の凸面と基節骨近位の浅い凹面とで形成される，比較的大きな関節である（図7.13）．MCP関節での運動は，主に2つの運動面で生じる（矢状面での屈曲と伸展，前額面での外転と内転）．

2. 支持構造

MCP関節の支持構造を，図7.14で説明する．
- **関節包**：MCP関節を包み，安定させる結合組織である．

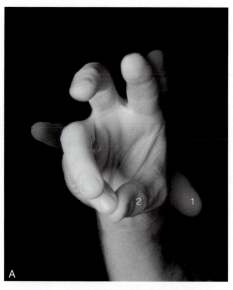
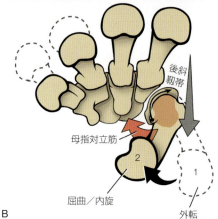

図7.12　母指の手根中手（CMC）関節の対立運動
A：対立の2つの相を示す（(1)外転，(2)内旋を伴う屈曲）．B：対立の2つの相における詳細な動きを示す（後斜靱帯がゆるみ，母指対立筋が収縮（赤色）する）．（Neumann DA: Kinesiology of the musculoskeletal system: foundations for physical rehabilitation, ed 2, St Louis, 2010, Mosby, Fig. 8.18 より）

- **外側および内側手根側副靱帯**：MCP関節を斜め手掌方向に横切り，外転と内転を制限する．屈曲で緊張する．
- **線維性指腱鞘**：外在指屈筋腱のためのトンネル，または滑車を形成する．潤滑性を補助するために，滑液鞘を含む．
- **掌側板**：MCP関節の手掌側を横切る厚い線維性軟骨靱帯で，広く平らな構造である．この構造は，MCP関節の過伸展を制限する．
- **深横中手靱帯**：これら3つの靱帯が，第2～5中手骨を相互に連結させる．板状の構造である．

MCP関節の力学的安定性は，手の生体力学全般においてきわめて重要である．簡単に説明すると，MCP関節は手の可動性のアーチを支持する楔石として作用す

る．健常な手において，MCP 関節の安定性は，相互に連結した結合組織の複雑な集合体によって保たれる（図7.14）．

MCP 関節の凹形は，図7.14で示すように基節骨関節面，側副靱帯，掌側板背側面によって形成される．これらの組織は，大きな中手骨頭を受け入れるための，3つの側面からなる容器を形成する．この構造によって関節の安定性が増し，関節の接触面が増加する．

3. 運動学

MCP 関節では屈曲，伸展，外転，内転の運動に加え，さまざまな副運動が可能である．MCP 関節がリラックスしてほぼ伸展した状態では，中手骨頭に対する基節骨の他動的な可動性を，自分で確認できる．これらの副運動は，物体の保持にうまく適合し，その機能を高める（図7.15）．

> 手指の中手指節（MCP）関節は，主に自由度2の運動を有する
> - 屈曲と伸展は，矢状面の内側-外側軸で生じる．
> - 外転と内転は，前額面の前-後軸で生じる．

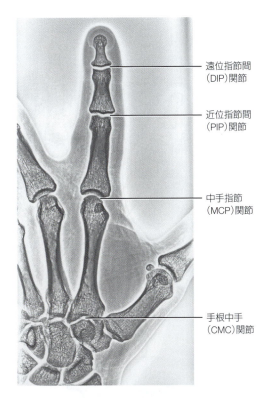

図7.13　示指の関節
(Neumann DA: Kinesiology of the musculoskeletal system: foundations for physical rehabilitation, ed 2, St Louis, 2010, Mosby, Fig. 8.19 より)

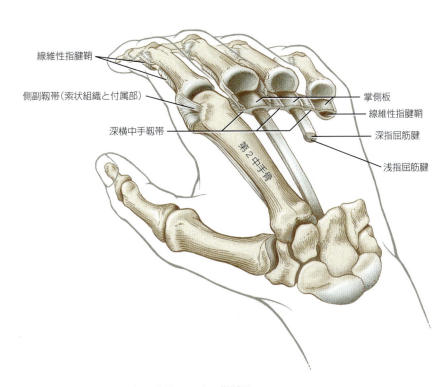

図7.14　中手指節（MCP）関節周囲の結合組織を強調した手の背側面
関節構造を見やすくするために，3つの中手骨を取り除いて示す．(Neumann DA: Kinesiology of the musculoskeletal system: foundations for physical rehabilitation, ed 2, St Louis, 2010, Mosby, Fig. 8.21 より)

図7.15　中手指節（MCP）関節における他動的な副運動と軸回転

大きな丸い物をつかむ際，MCP関節における他動的な副運動と軸回転が明確にみられる．（Neumann DA: Kinesiology of the musculoskeletal system: foundations for physical rehabilitation, ed 2, St Louis, 2010, Mosby, Fig. 8.22 より）

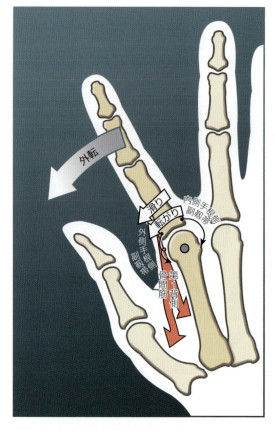

図7.17　中手指節（MCP）関節の自動外転における関節運動

外転は，第1背側骨間筋によって動力が供給されることを示す．完全外転において内側手根側副靱帯は緊張し，外側手根側副靱帯はゆるむ．この運動における回転軸は前-後方向で，中手骨頭を通る．（Neumann DA: Kinesiology of the musculoskeletal system: foundations for physical rehabilitation, ed 2, St Louis, 2010, Mosby, Fig. 8.25 より）

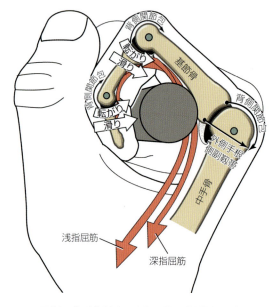

図7.16　示指の中手指節（MCP）関節，近位指節間（PIP）関節，遠位指節間（DIP）関節における自動屈曲の関節運動

MCP関節の外側手根側副靱帯は屈曲で牽引されて緊張する．また屈曲は，背側関節包と他の結合組織を伸張する．浅指屈筋と深指屈筋の作用により，関節が屈曲することを示す．3つの手指関節の屈曲と伸展の回転軸は内側-外側方向であり，関節の凸側を通る．（Neumann DA: Kinesiology of the musculoskeletal system: foundations for physical rehabilitation, ed 2, St Louis, 2010, Mosby, Fig. 8.30 より）

2つの指屈筋（浅指屈筋と深指屈筋）によって調節されるMCP関節の屈曲を，**図7.16**に示す．背側関節包と側副靱帯は屈曲するとともに伸張され，緊張が高まる．正常では，この受動的緊張によって適切な関節運動が行われる．背側関節包と側副靱帯の緊張によって，把持に必要な屈曲位で，関節が安定する．なおMCP関節の伸展では，屈曲で述べた内容に対して逆の機序が生じる．

基節骨の近位が凹面，中手骨頭が凸面であるため，屈曲と伸展では転がりと滑りが同じ方向で生じる．

MCP関節の屈曲と伸展の全可動域は，示指から小指に向かうにつれて次第に増加する．つまり，示指では約90°までの屈曲であるが，小指では約110〜115°までの屈曲ができる．MCP関節は他動的に伸展させると，中間位を超えて30〜45°まで可能である．

第1背側骨間筋によって調整される第2 MCP関節の外転を，**図7.17**に示す．外転時に，基節骨は橈側に転がりと滑りが生じる．つまり，外側手根側副靱帯はゆるみ，内側手根側副靱帯は伸張される．MCP関節の内転では，外転の際とは逆の運動が生じる．MCP関節の外転と内転は，第3中手骨を中心として片側に約20°ずつ可能である．

> **考えてみよう！** ▶▶ **中手指節関節の屈曲は側副靱帯を有効に緊張させる**
>
> 中手指節(MCP)関節の屈曲は，側副靱帯を伸張させる．引き伸ばされたゴムバンドのようにこの靱帯の緊張が増大すると，他動的な関節運動の自由度を減少させる（手指の内転・外転が，最大伸展位よりも最大屈曲位で制限される理由を考えるとわかりやすい）．側副靱帯の緊張が高まると，手指骨底の適度な安定性を得ることができる．特にトランプを手で把持するような屈曲運動の際に有効である．
>
> さらにセラピストは，関節の硬化と変形を防止するために，側副靱帯の緊張を高める．この方法は，例えば中手骨骨折時のように，手を長期間ギプス（または副子）で固定する必要がある場合等に用いられる（図7.18）．MCP関節を屈曲位に保つことは，永続的な短縮や"鷲手"様の伸展拘縮が生じないように，MCP関節の靱帯における他動的緊張（通常，最大伸展位で指節間関節が接近する）を増大させるのである．

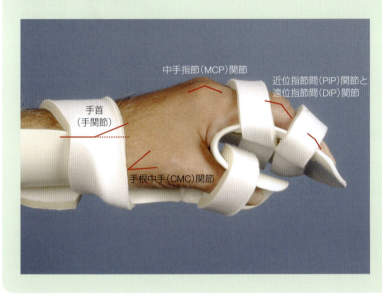

図7.18 副子（スプリント）
副子（スプリント）は，手関節と手指を"機能的肢位"で支持するために用いられる．（Teri Bielefeld, PT, CHT, Zablocki VA Hospital, Milwaukee, Wisconsinの厚意による）

▶母指

母指のMCP関節は，第1中手骨の凸状の骨頭と，母指基節骨の凹状の近位面との間で関節をつくる（図7.19）．母指基節骨の基本構造は，他の手指の基本構造と類似するが，母指MCP関節の自動および他動運動は，他の手指に比べてきわめて少ない．母指MCP関節の自由度は1であり，前額面での屈曲と伸展が可能である．母指MCP関節の伸展は，他の手指のMCP関節とは違って通常2～3°に制限される．母指基節骨は，最大伸展から手掌に沿って中指に向かい，60°の屈曲が可能である（図7.20）．母指MCP関節の外転と内転は制限されており，副運動と考えられる．

指節間関節

▶手指

近位と遠位の**指節間(IP)関節**は，MCP関節より遠位にある（図7.19）．各関節は，自由度1で屈曲と伸展を行い，構造，機能ともに，MCP関節よりも単純である．

1. 全体的特徴と靱帯

近位指節間(PIP)関節は，基節骨頭と中節骨底からなる関節である（図7.21）．遠位指節間(DIP)関節は，中節骨頭と末節骨底により形成される．これらの関節の関節

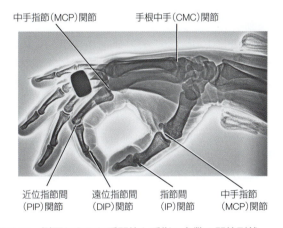

図7.19 側面からみた手関節と手指の多数の関節形状
母指の中手指節(MCP)関節掌側の種子骨に注目しよう．(Neumann DA: Kinesiology of the musculoskeletal system: foundations for physical rehabilitation, ed 2, St Louis, 2010, Mosby, Fig. 8.27 より)

面は，木の厚板を連結させる大工道具である"さね継ぎtongue-in-groove"のようにみえる．PIP関節とDIP関節は，この構造により屈曲と伸展のみの運動に制限される．

小さな靱帯を除けば，MCP関節を囲む同じ靱帯が，PIP関節とDIP関節も囲む．IP関節における関節包は，

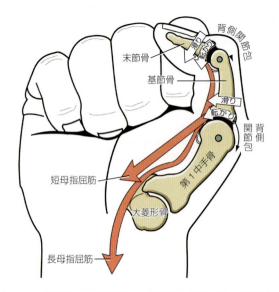

図7.20 母指の中手指節(MCP)関節と指節間(IP)関節における自動屈曲の関節運動
屈曲では，長母指屈筋と短母指屈筋によって動力が供給されることを示す．これらの関節の屈曲と伸展の回転軸は前後方向であり，関節の凸側を通る．(Neumann DA: Kinesiology of the musculoskeletal system: foundations for physical rehabilitation, ed 2, St Louis, 2010, Mosby, Fig. 8.28 より)

外側・内側手根側副靱帯および掌側板によって補強されている．側副靱帯は側方のあらゆる運動を制限し，また掌側板は過伸展を制限する．さらに線維性指腱鞘は，外在指屈筋腱を収める(図7.14, 示指および小指).

2. 運動学

PIP関節は100～120°まで屈曲し，DIP関節は約70～90°まで屈曲する．MCP関節と同様に，PIP関節とDIP関節の屈曲は，尺側に向かうほど大きくなる．通常，PIP関節とDIP関節ではわずかな過伸展がみられる．

2つの指屈筋(浅指屈筋と深指屈筋)によって調節される，PIP関節とDIP関節の屈曲を，図7.16に示す．関節構造が類似することにより，PIP関節とDIP関節とで同様の転がりと滑りが起こる．MCP関節とは対照的に，IP関節での側副靱帯の他動的緊張は，関節可動域で比較的一定に維持される．

▶母指

母指のIP関節の構造と機能は，手指IP関節の構造と機能に類似する．運動は，主に自由度1(屈曲は70°まで)に制限される(図7.20)．母指のIP関節は，中間位を超えて20°まで他動的に過伸展できる．この運動は，押しピンを壁に刺すときのように，母指の指腹で物体に力を加える際によく用いられる．

手指の関節とそれに対応する運動，運動面，関節可動域の概要を表7.1に示す．

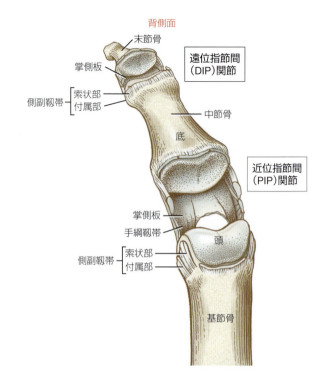

図7.21 近位指節間(PIP)関節と遠位指節間(DIP)関節
関節面の形状を見やすくするために，PIP関節とDIP関節を開いてある．(Neumann DA: Kinesiology of the musculoskeletal system: foundations for physical rehabilitation, ed 2, St Louis, 2010, Mosby, Fig. 8.29 より改変)

筋と関節の相互作用

手の神経支配

高度で複合的かつ協調的な手の機能のためには，その領域の筋，皮膚および関節に対する多くの神経支配が必要となる．正常な神経支配は，外傷や熱傷等から手を保護するためにも必要不可欠である．例えば，末梢神経ニューロパチー，脊髄損傷，コントロールが不十分な2型糖尿病では，四肢の知覚が欠如していることが多く，四肢を損傷しやすい．

橈骨神経，正中神経，尺骨神経は，手の皮膚，関節，筋を支配する．これらの神経の経路を章末の図7.40～42に示した．

手の筋の機能

手指を操作する筋は，外在，内在といった2つの領域に区分される(Box 7.1)．外在筋は，起始を前腕または上腕にもち，末梢の手の中に停止する．一方で内在筋は，起始と停止の両方が手の内部にある．

次項では，外在筋と内在筋の基本的な解剖と，それぞれの作用について述べる．手の運動の理解を通じて，外在筋と内在筋がどのようにして同時に働くのか，正しく認識しよう．これは，本章で繰り返し出てくるテーマである．

表 7.1　手指の関節

関節	運動	運動面	参考可動域 （解剖学的肢位で）	解説
第2〜5 CMC関節	多数の異なる形状の対象物を安全に把持するために，手掌の形を変える	さまざまに変化させることが可能	さまざまに変化させることが可能	第2，3 CMC関節は，最も安定している
母指CMC関節	屈曲，伸展	前額面	伸展は10〜15° 屈曲は45°まで	手の関節炎の好発部位
	外転，内転	矢状面	外転は0〜45°	
	対立	3つの面	母指の指先が第5指の指先に触れるための全可動域	
第2〜5 MCP関節	屈曲，伸展	矢状面	屈曲は0〜100°	遠位横アーチの楔石を形成する．楔石が損傷すれば，手は真っ平らになる
	外転，内転	前額面	過伸展は0〜35° 外転は0〜20°	
母指MCP関節	屈曲，伸展	前額面	屈曲は0〜60°	
第2〜5 PIP関節	屈曲，伸展	矢状面	屈曲は0〜110°	運動面は1つのみ
第2〜5 DIP関節	屈曲，伸展	矢状面	屈曲は0〜90°	運動面は1つのみ
母指IP関節	屈曲，伸展	前額面	屈曲は0〜70° 過伸展は0〜20°	かなりの過伸展ができる場合がある

CMC：手根中手，DIP：遠位指節間，IP：指節間，MCP：中手指節，PIP：近位指節間．

考えてみよう！ ＞＞ 母指のジグザグ変形

　関節リウマチが進行すると，母指のジグザグ変形がしばしば生じる．この変形はいくつかの要因が複合されて生じるが，一般的には手根中手(CMC)関節の屈曲・内転，中手指節(MCP)関節過伸展および指節間(IP)関節屈曲を伴う(図7.22)．

　関節炎の進行によって，CMC関節の橈側を支える靱帯が崩壊し始め，母指中手骨が橈背側に脱臼する(図7.22)．いったんこの脱臼が生じると，母指内転筋と短母指屈筋がよくスパズム(訳注：断続的に生じる異常な筋収縮の状態)を発生し，中手骨の骨頭と骨体を手掌に対して硬く固定する．母指を努力して伸展させ，手掌から離そうとすると，MCP関節の過伸展がよく生じる．掌側板の損傷組織は，長母指伸筋や短母指伸筋によって生じた力に対してほとんど抵抗にはならない．CMC関節の過伸展位によって，これらの筋作用による内的モーメントアームを増大させ，この関節を"過伸展へ牽引"された位置に増強させる．IP関節は，長母指屈筋腱の伸張によって生じた他動的緊張により屈曲位が増加する．

　ジグザグ変形の臨床介入は，ジグザグ変形の発生メカニズムが患者により異なるため，一様ではない．しかしながら，保存療法では正常な関節アライメントの維持や改善を目的としたスプリント療法，炎症の管理および対象関節に対するストレスを制限させる患者教育が一般的である．保存的処置により変形の進行を遅らせることができない場合は，外科的治療が考慮される．

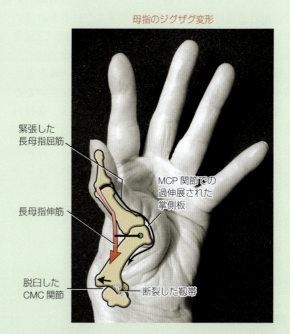

図7.22　関節炎によって生じた母指のジグザグ変形における病的力学

母指の中手骨底は，橈背側へ脱臼する．母指伸筋の他動的および自動的緊張によりMCP関節は過伸展となる．長母指屈筋の他動的緊張は，IP関節を屈曲方向に引く．(Neumann DA: Kinesiology of the musculoskeletal system: foundations for physical rehabilitation, ed 2, St Louis, 2010, Mosby, Fig. 8.56 より改変)

Box 7.1 手の外在筋と内在筋

〈外在筋〉
- **指屈筋**
  - 浅指屈筋
  - 深指屈筋
  - 長母指屈筋
- **指伸筋**
  - 指伸筋
  - 示指伸筋
  - 小指伸筋
- **母指伸筋**
  - 長母指伸筋
  - 短母指伸筋
  - 長母指外転筋

〈内在筋〉
- **母指球筋**
  - 短母指外転筋
  - 短母指屈筋
  - 母指対立筋
- **小指球筋**
  - 小指外転筋
  - 短小指屈筋
  - 小指対立筋
- **母指内転筋**
  - (2頭)
- **虫様筋**
  - (4)
- **骨間筋**
  - 掌側(4)
  - 背側(4)

考えてみよう！＞＞筋の名前は，作用を表すこともある！

手の筋の多くは，一見したところ長くて複雑な名前をもつ．しかし，もしラテン語やギリシャ語に明るければ，その名前はとても単純なものに感じるであろう．

手の筋の大部分の名前は，作用か，筋の解剖学的位置のいずれかで表現される．

例えば**長母指屈筋** flexor pollicis longus は，母指を屈曲する長い筋"long muscle that flexes the thumb"と翻訳でき，また**小指外転筋** abductor digiti minimi は，小指を外転させる筋"small muscle that abducts the little finger"という意味になる．

ラテン語やギリシャ語に由来するいくつかの語を理解すれば，筋の名前から，その作用や解剖学的位置がわかるであろう．

▶外在指屈筋

1. 解剖と分離作用

外在指屈筋は，浅指屈筋，深指屈筋，長母指屈筋である（150頁のアトラス参照）．これらの筋は，上腕骨内側上顆，および橈骨と尺骨の掌側面から起こる．これらの筋の筋腹は，前腕の中層よりも深層にあり，また手関節屈筋の筋腹と区別しにくい．浅指屈筋と深指屈筋は，4つの腱として手根管内を通り，手関節の掌側を横切り，特定の指節骨に付着する．浅指屈筋の腱は中節骨底に付着し，もう一方のより深層を走行する深指屈筋の腱は，末梢に走行を続けて末節骨底に付着する．付着部の違いにより，浅指屈筋は PIP 関節を分離して（独立して）屈曲でき，深指屈筋は DIP 関節を分離して屈曲できる．

長母指屈筋は，母指末節骨の掌側面に単一の腱として付着する．そのため，母指 IP 関節を個別に屈曲することができる3つの指屈筋（浅指屈筋，深指屈筋，長母指屈筋）すべてが同時に収縮すると，手指の関節はすべて屈曲し，握ったり，つかんだりする動きとなる．後述する手指の内在筋との同時収縮は，より正確な運動を行うために必要である．

外在指屈筋
- 浅指屈筋
- 深指屈筋
- 長母指屈筋

2. 機能的考察

(1)屈筋滑車

手指の外在屈筋腱は，線維性指腱鞘（**図 7.23**，小指）として知られる防護トンネルの中を末梢に向かって走行する．それぞれの線維性指腱鞘の中に囲まれた組織の帯を，屈筋滑車とよぶ（**図 7.23**，環指の $A_{1\sim5}$ および $C_{1\sim3}$）．この滑車は屈筋腱を囲むことにより，その屈筋腱を栄養し，潤滑する．滑車の内壁で分泌される滑液は，筋の収縮中に腱が互いに滑る際の摩擦を減少させる．腱が傷害を受けると，腱の腱鞘と隣接する指腱鞘との間，または隣接腱同士が癒着を起こす可能性がある．この場合，セラピストは修復手術後に，腱の滑走性を改善するための訓練プログラムを近接監視下で行う．

(2)外在指屈筋のテノデーシス作用による他動的指屈曲

外在指屈筋群，すなわち深指屈筋，浅指屈筋および長母指屈筋は，手関節の掌側を通るため，手関節の肢位の違いによってこれらの筋にかかる伸張性が大きく変化する．この筋の走行による影響は，自分で試してみるとよくわかるが，手関節を伸展すると自然に手指や母指が屈曲することで，容易に確認できる（**図 7.24**）．この指の自然な屈曲は，手指屈筋が他動的に伸張されることによって生じる．1ヵ所の関節運動が多関節筋の伸張を生じさせ，他の関節の他動運動を引き起こす現象を，**テノデーシス作用** tenodesis action という．身体のすべての多関節筋は，伸張されるとある程度のテノデーシス作用が生じる．重要なのは，伸張された筋によるテノデーシス作用が，随意的な運動ではないということを理解することである．この運動は他動的で，かつ伸張された筋の弾性のみによって生じるのである．

▶外在指伸筋

外在指伸筋は，指伸筋，示指伸筋，小指伸筋である．これらの筋は，上腕骨外側上顆と橈骨，尺骨の背側面から主に始まる．これらの筋腹は，手関節伸展筋の筋腹と近接する．

外在指伸筋
- 指伸筋
- 示指伸筋
- 小指伸筋

筋と関節の相互作用　149

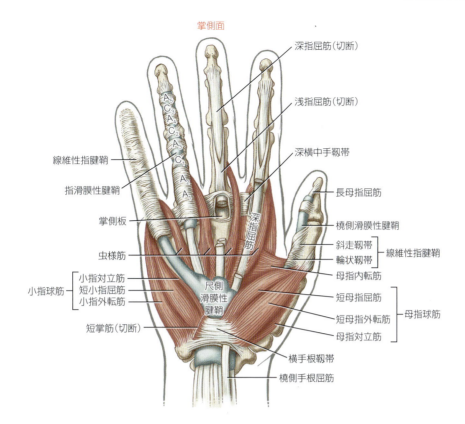

図7.23　掌側面からみた手の重要な構造

外在屈筋腱を収める線維性指腱鞘と尺側滑膜性腱鞘を示す小指に注目しよう．環指は線維性指腱鞘を切除しており，指滑膜性腱鞘，輪状（$A_{1\sim5}$）および十字（$C_{1\sim3}$）滑車を強調した．中指は浅指屈筋と深指屈筋の遠位付着部が見やすいように，滑車を取り除いた状態で示す．示指は浅指屈筋腱の一部を取り除き，より深層の深指屈筋腱と虫様筋の付着を見やすくした．母指は長母指屈筋腱を囲む橈側滑膜性靱帯と，それに沿うように存在する斜走および輪状滑車を強調した．（Neumann DA: Kinesiology of the musculoskeletal system: foundations for physical rehabilitation, ed 2, St Louis, 2010, Mosby, Fig. 8.34 より）

図7.24　健常者における手指屈筋のテノデーシス作用

手関節を伸展すると外在指屈筋が伸張され，その結果母指と手指が自動的に屈曲する．被験者の努力なしに，屈曲は他動的に生じる．（Neumann DA: Kinesiology of the musculoskeletal system: foundations for physical rehabilitation, ed 2, St Louis, 2010, Mosby, Fig. 8.37 より）

考えてみよう！ >> ばね指

外在屈筋腱とそのまわりの滑膜は，炎症を起こすことがある．それに伴う腫脹は，滑車内の隙間をなくし，腱のスムーズな滑走を制限してしまう．腱の炎症は，ときに線維性指腱鞘の狭くなった場所で楔状の小節に成長し，指の運動を妨げる可能性がある．

腱は力を加えると，突然ポキッとスナップ音を鳴らして狭窄部が滑り出すことがあり，この状態を"**ばね指（弾撥指）**trigger finger"とよぶ．この場合の保存的治療として，副子固定やコルチゾンの注射が，早期の段階では効果を示す可能性がある．慢性的な症例では，外科的治療として鞘の狭窄部位の剥離が適応となる．

ATLAS

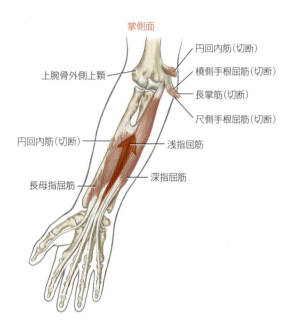

浅指屈筋を強調した右前腕の前面．手関節屈筋群と円回内筋の近位端を切除していることに注意しよう．（Neumann DA: Kinesiology of the musculoskeletal system: foundations for physical rehabilitation, ed 2, St Louis, 2010, Mosby, Fig. 8.32 より）

■ 浅指屈筋

起始	上腕骨内側上顆の共通腱，尺骨鉤状突起，橈骨（橈骨粗面のすぐ外側）．
停止	4つの腱となり，指のそれぞれの中節骨側面．
神経支配	正中神経．
作用	MCP関節・PIP関節の屈曲，手関節屈曲．
解説	浅指屈筋は4つの腱に分かれ，それぞれ4本の指に1本ずつ付着する．また，それぞれの腱は中節骨の両側に付着するように分割される点が興味深い．各腱の分割は，深指屈筋腱が末節骨底に付着するため，末梢に通過する"トンネル"を形成する．

深指屈筋と長母指屈筋を強調した右前腕の前面．虫様筋は，深指屈筋腱に停止する．浅指屈筋の近位端と遠位端を切除していることに注意しよう．（Neumann DA: Kinesiology of the musculoskeletal system: foundations for physical rehabilitation, ed 2, St Louis, 2010, Mosby, Fig. 8.33 より）

■ 深指屈筋

起始	尺骨前面，骨間膜．
停止	4つの腱となり，それぞれ第2～5指の末節骨底．
神経支配	**[内側半分]** 尺骨神経． **[外側半分]** 正中神経．
作用	MCP関節・PIP関節・DIP関節の屈曲，手関節の屈曲．
解説	深指屈筋腱は手指のすべての関節をまたぐため，握り動作のほとんどに作用する．一方，浅指屈筋は複合運動，またはPIP関節のみで行う運動に作用する．

■ 長母指屈筋

起始	橈骨前面中央部，骨間膜．
停止	母指末節骨底．
神経支配	正中神経．
作用	母指のCMC関節・MCP関節・IP関節の屈曲，手関節の屈曲．
解説	長母指屈筋は母指末節骨に付着するため，機能的には手指の深指屈筋と同じである．

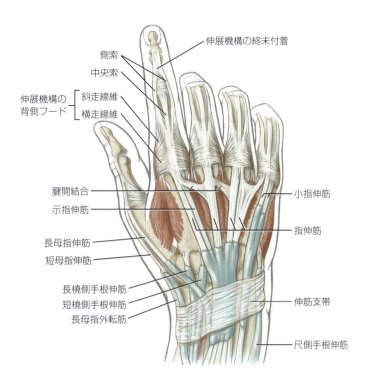

図 7.25　右手の筋，腱，伸展機構の背側面

滑膜性腱鞘を青色で示す．（Neumann DA: Kinesiology of the musculoskeletal system: foundations for physical rehabilitation, ed 2, St Louis, 2010, Mosby, Fig. 8.40 より）

指伸筋，示指伸筋，小指伸筋の腱は，伸筋支帯内にある滑膜性の仕切りの中を通り，手関節を横切る（**図7.25**）．伸筋支帯から末梢において，指伸筋腱は手指の背側を，1つの腱から分かれてそれぞれの手指へ走行する．名前が示すように，示指伸筋の腱は示指に走行する．小指伸筋は，指伸筋と連結する小さな筋である．指伸筋腱は，いくつかの腱間結合によって連結される（**図7.25**）．結合組織からなるこれらの薄い細片は，MCP関節に腱を安定させる．

外在指屈筋は指節骨に付着するが，伸筋腱は，指節骨に直接付着しない．その代わり，伸筋腱は**伸展機構** extensor mechanism とよばれる特殊な結合組織群としてまとめられる（**図7.25**）．その結合組織群は，それぞれの手指全体に伸びる．伸展機構の近位端は，**背側フード** dorsal hood とよばれ，MCP関節周囲を完全に包み，掌側板で結合する．遠位端は，中央索と側索を通り，伸展機構は最終的に末節骨の背側に付着する．伸展機構は，伸筋腱と手の内在筋（虫様筋と骨間筋）の主要な停止部であるため，重要である．後述するが，手指伸筋と内在筋が同時に収縮することによって，手指のすべての関節において完全でスムーズな伸展が生じる．

▶外在母指伸筋

外在母指伸筋は，長母指伸筋，短母指伸筋，長母指外転筋である．これら3つの筋は，それぞれ前腕の背側に

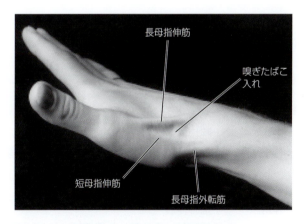

図 7.26　解剖学的嗅ぎたばこ入れを構成する筋

（Neumann DA: Kinesiology of the musculoskeletal system: foundations for physical rehabilitation, ed 2, St Louis, 2010, Mosby, Fig. 8.49 より）

起始をもつ．またこれらの筋の腱は，手関節の橈側で"解剖学的嗅ぎたばこ入れ"を構成する（**図7.26**）．

外在母指伸筋
- 長母指伸筋
- 短母指伸筋
- 長母指外転筋

ATLAS

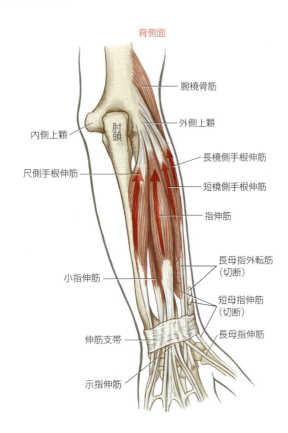

指伸筋，小指伸筋，示指伸筋等の筋を強調した右上肢の背側面．（Neumann DA: Kinesiology of the musculoskeletal system: foundations for physical rehabilitation, ed 2, St Louis, 2010, Mosby, Fig. 7.22 より）

■ 指伸筋

起始	上腕骨外側上顆（一般的な伸筋腱）．
停止	4つの腱がそれぞれの伸展機構と基節骨の基部に付着．
神経支配	橈骨神経．
作用	手指の伸展．
解説	指伸筋だけの分離した収縮は，MCP関節の過伸展を引き起こす．手指すべての関節を十分に伸展させるには，内在筋（虫様筋と骨間筋）の活動が必要となる．

■ 示指伸筋

起始	尺骨遠位の後面，骨間膜．
停止	指伸筋の示指腱と結合．
神経支配	橈骨神経．
作用	示指の伸展．
解説	通常，示指伸筋腱は示指PIP関節を完全屈曲した状態で，MCP関節を強く過伸展させると視認できる．示指伸筋腱は，指伸筋腱のすぐ尺側に位置する．

■ 小指伸筋

起始	指伸筋筋腹の尺側．
停止	小指の指伸筋腱と結合．
神経支配	橈骨神経．
作用	小指の伸展．
解説	この筋は，第5指伸筋の腱とみなされることが多い．

筋と関節の相互作用

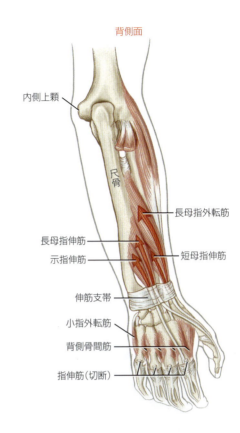

長母指外転筋，長母指伸筋，短母指伸筋を強調した右手の橈背側面．(Neumann DA: Kinesiology of the musculoskeletal system: foundations for physical rehabilitation, ed 2, St Louis, 2010, Mosby, Fig. 8.39 より)

■ 長母指伸筋

- **起始** 尺骨後面，骨間膜．
- **停止** 母指末節骨底の背側．
- **神経支配** 橈骨神経．
- **作用** 母指のIP関節，MCP関節，CMC関節の伸展．
- **解説** 母指のIP関節を伸展させる唯一の筋であり，橈骨神経の機能テストの際に指標となる筋の一つである．

■ 短母指伸筋

- **起始** 橈骨後面，骨間膜．
- **停止** 母指基節骨底の背側．
- **神経支配** 橈骨神経．
- **作用** 母指のMCP関節，CMC関節の伸展．
- **解説** 小さい腱をいくつか有することがある．

■ 長母指外転筋

- **起始** 橈骨・尺骨後面，骨間膜．
- **停止** 母指中手骨底．
- **神経支配** 橈骨神経．
- **作用** 母指のCMC関節の外転と伸展．
- **解説** 停止位置のため，母指の外転の他，伸展も行う．

> **臨床的な視点** >> **四肢麻痺者におけるテノデーシス作用の有効性**
>
> 外在指屈筋による通常のテノデーシス作用は，患者によっては握る動作やつかむ動作を補助する．
>
> 一つの例として，指屈筋はほぼ完全麻痺であるが，手関節伸展筋の神経支配が残存し，筋力が保たれているC6レベルの四肢麻痺者を考えてみよう．このレベルの脊髄損傷のある人は，手を広げて水の入ったコップをつかむ場合等のように，多くの動作にテノデーシス作用を用いる（図7.27）．
>
> 手を広げてコップをつかむために，まず手関節を重力の作用で屈曲させる．次にこれは，手指や母指の麻痺した伸筋を特に伸張する．この他動的な伸張は，母指や手指を"開いた"肢位に引き込む（図7.27A，引っ張られた筋を参照）．
>
> コップをつかむ動作は，手関節伸筋の収縮によって生じる（図7.27B，赤色の矢印）．
>
> 手関節伸筋の収縮によって，深指屈筋等の麻痺した指屈筋は他動的に伸張される．これらの屈筋の伸張によって，手指を効果的に屈曲させ，コップをつかむために十分な他動的な収縮が生じる．指屈筋の他動的な収縮の大きさ（他動的握力）は，自動的な手関節の伸展の程度によって，間接的に調節される．
>
> 手関節伸筋の麻痺により，つかむ機能を代償する有効なテノデーシス作用を利用できない場合，手関節伸展の副子が使用されることが多い．
>
>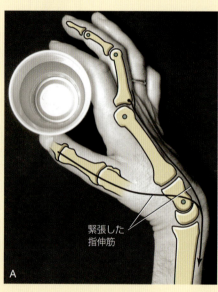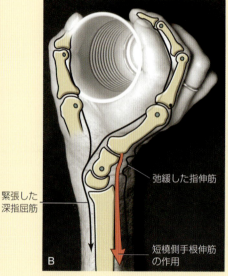
>
> **図7.27 水の入ったコップをつかむためにテノデーシス作用を用いるC6残存レベルの四肢麻痺の例**
> A：重力の作用で手関節が屈曲すると，手が開く．B：神経支配のある短橈側手根伸筋の収縮によって手関節は伸展し（赤色），つかむのに必要な麻痺した指屈筋を，他動的に緊張させている．（Neumann DA: Kinesiology of the musculoskeletal system: foundations for physical rehabilitation, ed 2, St Louis, 2010, Mosby, Fig. 8.38 より）

3つの母指伸筋腱は，母指背側の異なる場所に付着する．付着部の違いにより，短母指伸筋はMCP関節の伸展，長母指伸筋はIP関節の伸展，長母指外転筋はCMC関節の外転と伸展を行う．また，それぞれの筋は，またぐ関節の二次的作用を発揮する．3つの筋ともに手関節もまたぐため，二次的作用は伸展と橈屈において最も顕著に発揮される．

▶ 手の内在筋

手には比較的小さな20の内在筋がある．それらの筋は，手指の繊細な動きを行うために必要不可欠である．手の内在筋は，次の4つに分類できる．

①母指球筋
  - 短母指外転筋
  - 短母指屈筋
  - 母指対立筋
②小指球筋
  - 短小指屈筋
  - 小指外転筋
  - 小指対立筋
③母指内転筋
④虫様筋と骨間筋（手指の内在筋）

図7.28〜30で，これらの筋を示す．

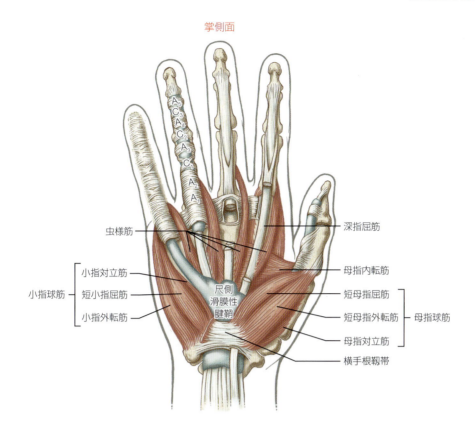

図 7.28 多くの内在筋（赤色）を強調した右手の掌側面
（Neumann DA: Kinesiology of the musculoskeletal system: foundations for physical rehabilitation, ed 2, St Louis, 2010, Mosby, Fig. 8.34 より改変）

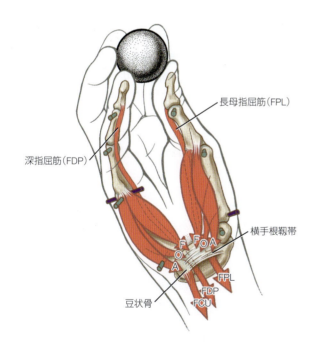

図 7.29 母指対立筋および小指によるカップ状の形にする運動時の母指球筋と小指球筋の作用

筋機能は，各関節の回転軸まわりでモーメントが発生するような，筋の走行に基づいている．内側-外側軸は緑色，前-後軸は紫色で示す．活動状態にある他の筋は，長母指屈筋と小指の深指屈筋である．尺側手根屈筋（FCU）は，小指外転筋により豆状骨を安定させる．A：短母指外転筋と小指外転筋．F：短母指屈筋と短小指屈筋．O：母指対立筋と小指対立筋．（Neumann DA: Kinesiology of the musculoskeletal system: foundations for physical rehabilitation, ed 2, St Louis, 2010, Mosby, Fig. 8.44 より）

1．母指球筋

短母指外転筋，短母指屈筋，母指対立筋は，母指球の大部分を構成する（図 7.28）．3 つの母指球筋は，横手根靱帯と隣接する手根骨を起始にもつ．短母指外転筋と短母指屈筋は母指基節骨底に付着するが，より深部の母指対立筋は MCP 関節より近位の第 1 中手骨橈側縁に付着する（図 7.29）．表 7.2 に，これら各筋の付着部位と神経支配の要約を示す．

表7.2 母指球筋

筋	起始	停止	作用	神経支配
短母指外転筋	横手根靱帯と隣接する手根骨	母指基節骨底	母指CMC関節の外転・屈曲，MCP関節の屈曲	正中神経
短母指屈筋	横手根靱帯と隣接する手根骨	母指基節骨底	母指MCP関節，CMC関節の屈曲	正中神経と尺骨神経
母指対立筋	横手根靱帯と隣接する手根骨	母指中手骨骨体の橈側面	母指CMC関節（内旋）の対立	正中神経

CMC：手根中手，MCP：中手指節．

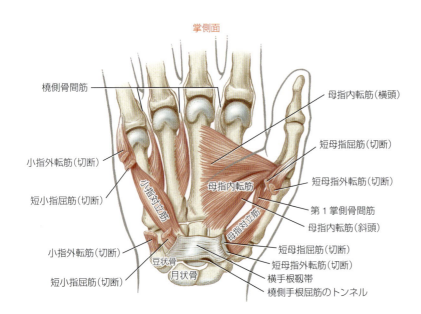

図7.30 右手の深部筋の掌側面
母指球と小指球の外転筋と屈筋を切除し，母指対立筋，小指対立筋および母指内転筋を露出させている．(Neumann DA: Kinesiology of the musculoskeletal system: foundations for physical rehabilitation, ed 2, St Louis, 2010, Mosby, Fig. 8.43 より）

母指球筋の主な役割は，母指で物をつかめるように，母指をさまざまな対立位にすることである（図7.29）．前述したように，対立にはCMC関節の外転，屈曲，内旋の各要素が必要となる．母指球のそれぞれの筋は，示指から小指の少なくとも1つと対立を行うために作用する．特に母指対立筋は，母指を内旋させ，他の指の方向に向かわせる作用があり，対立に不可欠な筋として重要である（表7.2）．

2. 小指球筋

小指球筋は，短小指屈筋，小指外転筋，小指対立筋である（図7.28）．小指球筋の全体的な解剖は，母指球筋と類似する．3つの筋は，横手根靱帯と隣接する手根骨に起始をもつ．小指外転筋と短小指屈筋は，ともに遠位で小指の基節骨底に付着する．小指対立筋は，MCP関節よりも近位の第5中手骨尺側縁に沿って遠位の付着部（停止）をもつ（図7.30）．表7.3に，これら各筋の付着部位と神経支配の要約を示す．

小指球筋に共通する機能は，水をすくう際に手をお椀状の形にするように，手の尺側縁を持ち上げ，曲げることである．この作用は遠位横アーチを深くし，保持した物体との接触を強める（図7.29）．小指外転筋は，より大きな物をつかむために，小指を広げることができる．

尺骨神経が傷害すると小指球筋が麻痺し，筋萎縮によって小指球が平らになる．そのため，手の尺側縁を持ち上げる動作や手をお椀状の形にする動作が，著しく低下する．また小指全体の知覚脱失が生じると，巧緻性が消失する．

3. 母指内転筋

母指内転筋は，母指の水かき部分の深層にある二頭筋である（図7.28，30）．この筋は，手の最も安定する骨格領域（有頭骨，第2，3中手骨）に起始をもつ．横頭と斜頭は結合して，ともに母指中手骨底に付着する．

母指内転筋は母指球の深層にあるため，容易に触察することはできない．この筋は，母指骨底（CMC関節）の内転作用と屈曲作用が最も強い筋である．また，母指と示指で物をつまむ動作や，ハサミを閉じるような動作に作用する．

4. 虫様筋と骨間筋：手指内在筋

虫様筋 lumbrical（lumbricalはミミズを意味する）は，

表7.3 小指球筋

筋	起始	停止	作用	神経支配
短小指屈筋	横手根靱帯と隣接する手根骨	小指基節骨底	小指MCP関節の屈曲	尺骨神経
小指外転筋	豆状骨，尺側手根屈筋腱	母指基節骨底	小指MCP関節の外転	尺骨神経
小指対立筋	横手根靱帯，有鈎骨の鈎	第5中手骨体尺側	小指CMC関節の対立	尺骨神経

CMC：手根中手，MCP：中手指節．

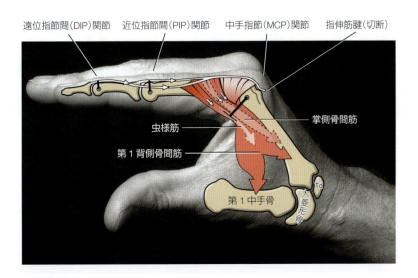

図7.31 虫様筋と骨間筋の複合作用
虫様筋と骨間筋の複合作用を，中手指節(MCP)関節の屈曲と指節間関節の伸筋として示す．虫様筋はMCP関節の屈曲において最も大きいモーメントアームをもつ．Td：小菱形骨．(Neumann DA: Kinesiology of the musculoskeletal system: foundations for physical rehabilitation, ed 2, St Louis, 2010, Mosby, Fig. 8.48 より)

深指屈筋腱から起こる4つの細長い筋である．虫様筋は，遠位では骨へ直接付着せず，伸展機構の側索に付着する．虫様筋は，このような遠位付着部をもつことによって，MCP関節の屈曲，PIP関節とDIP関節の伸展を行う．この作用は，虫様筋がMCP関節の掌側，PIP関節とDIP関節の背側を走行するために可能となる（図7.31）．

虫様筋は，トランプの束を持つときのように（図7.31），MCP関節の屈曲，PIP関節とDIP関節の伸展の複合動作に作用する．また，すべての手指関節を伸展する際に，指伸筋とともに働く．

骨間筋は，中手骨の間に位置することから名づけられた（図7.32）．骨間筋は，掌側と背側の2つに分けられる．2つのグループには4つの固有筋が含まれ，中手骨骨体の内側と外側から起こる．背側骨間筋は掌側骨間筋に比べると大きく，わずかに背側に位置する．そのため，背側骨間筋は手背の膨らみを形成する．すべての骨間筋は，手の深層を走行する尺骨神経によって支配される（図7.42参照）．

骨間筋の主な機能は，手指の外転，内転である．背側骨間筋は，MCP関節を外転させて中指を通る線から他の手指を遠ざける．中指には2つの背側骨間筋があり，1つは橈側に，もう1つは尺側に動かす．掌側骨間筋は，MCP関節を内転させて中指に他の手指を近づける（母指の運動に用いる用語から，第1掌側骨間筋の作用は母指の屈曲となる）．

掌側および背側骨間筋は，MCP関節の掌側を通る力線をもつ．骨間筋はその一部が伸展機構に停止するため，（虫様筋のように）MCP関節を屈曲し，PIP関節とDIP関節を伸展させる作用をもつ（図7.31，示指における掌側と背側骨間筋）．

表7.4に，母指内転筋，虫様筋，骨間筋の付着部位と，神経支配の要約を示す．

手指の外在筋と内在筋の相互作用

手指の関節は，多くの複合運動を行う．中でも，最も重要な複合運動が2つある．それは，①手を開くためのMCP関節，PIP関節，DIP関節の同時伸展，および②手

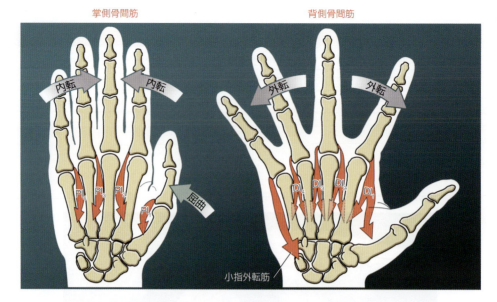

図 7.32 手の中手指節関節における，掌側骨間筋（PI_1〜PI_4）と背側骨間筋（DI_1〜DI_4）の前額面での作用
小指外転筋は小指を外転させることを示す．（Neumann DA: Kinesiology of the musculoskeletal system: foundations for physical rehabilitation, ed 2, St Louis, 2010, Mosby, Fig. 8.49 より）

表 7.4 母指内転筋，虫様筋，骨間筋

筋	起始	停止	作用	神経支配
母指内転筋	斜頭：有頭骨，第2，3中手骨底 横頭：第3中手骨掌側面	母指基節骨底の尺側	母指 CMC 関節の内転と屈曲，MCP 関節の屈曲	尺骨神経
虫様筋	深指屈筋腱	手指の伸展機構の側索	手指の MCP 関節の屈曲，PIP 関節と DIP 関節の伸展	橈側2つ：正中神経 尺側2つ：尺骨神経
背側骨間筋	全中手骨の隣接側	基節骨底，側面および第2〜4指伸展機構の側索	第2〜4指の MCP 関節の外転（中指を基準にした橈側と尺側偏位）	尺骨神経
掌側骨間筋	第1，2，4，5指の中手骨	第1，2，4，5指の基節骨底，側面および手指の伸展機構	第2，4，5指の MCP 関節の内転（第1掌側骨間筋は母指の弱い屈曲）	尺骨神経

CMC：手根中手，DIP：遠位指節，MCP：中手指節，PIP：近位指節．

を閉じるための MCP 関節，PIP 関節，DIP 関節の同時屈曲である．以下，この2つの重要な運動について，解説する．

▶手を開く：手指の伸展

手を開く動作は，しばしばつかむ動作の準備として行われる．手指の主な伸展筋は，手指の内在筋，特に虫様筋や骨間筋である．指伸筋は伸展機構で力を発生させ，MCP 関節を伸展方向に引く（**図 7.33A**）．内在筋は，IP 関節の伸展機構に直接的および間接的に作用する（**図 7.33B，C**）．直接的な作用とは，伸展機構のそれぞれの索（矢状索と側索）における近位の牽引によるものであり，間接的な作用とは，MCP 関節における屈曲トルクの発生によるものである．この屈曲トルクは，指伸筋による MCP 関節の過伸展を防止する．つまり，指伸筋の

収縮力の分散速度を速める作用がある．MCP 関節の過伸展を制御することにより，指伸筋は IP 関節を伸展させるための伸展機構（矢状索と側索）を十分に緊張させることができる．

これは，尺骨神経が損傷した人を観察すると明らかである（**図 7.34**）．環指，小指の虫様筋と骨間筋（尺骨神経により支配される）の収縮作用がない場合，指伸筋の収縮により特徴的な鷲手変形を引き起こす．MCP 関節は過伸展し，IP 関節は部分的に屈曲する．これはよく内在筋マイナス肢位とよばれ，内在筋の神経支配が欠如したために生じる．

▶手を閉じる：手指の屈曲

1. 主な筋作用

手を閉じるために働く筋は，ある部分は屈曲に必要な

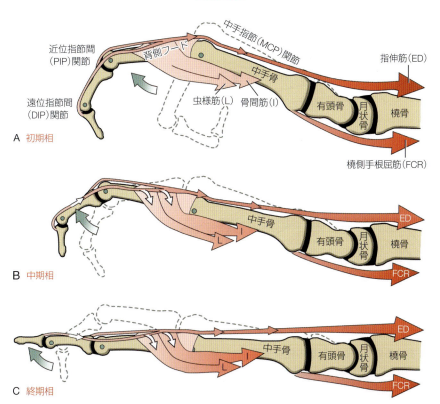

図 7.33　手を開く際の 1 本の指における内在筋と外在筋の相互作用

点線の輪郭は開始肢位を表す．A（初期相）：指伸筋が主に中手指節（MCP）関節を伸展させる．B（中期相）：内在筋（虫様筋と骨間筋）が指伸筋を補助し，近位指節間（PIP）関節および遠位指節間（DIP）関節を伸展させる．指伸筋が MCP 関節を過伸展させるのを防ぐために，内在筋は MCP 関節の屈曲トルクを生み出す．C（終期相）：筋活動を持続させ，完全伸展させる．（Neumann DA: Kinesiology of the musculoskeletal system: foundations for physical rehabilitation, ed 2, St Louis, 2010, Mosby, Fig. 8.51 より）

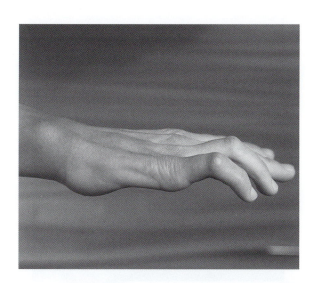

図 7.34　尺骨神経損傷と，ほとんどの手指内在筋に麻痺がある人による手指の伸展

内側（尺側）の指は，中手指節（MCP）関節の過伸展と指の部分的屈曲を伴う鷲手を示す．小指球と骨間筋の萎縮に注目しよう．（Neumann DA: Kinesiology of the musculoskeletal system: foundations for physical rehabilitation, ed 2, St Louis, 2010, Mosby, Fig. 8.52A より）

関節に，そしてある部分はそれを動かすために必要な力に左右される．抵抗に対して指を屈曲させたり，またそれを素早く行うには，深指屈筋，浅指屈筋，骨間筋の作用が必要となる（図 7.35）．2 つの長い指屈筋によって発生する力は，手指の 3 つの関節すべてを屈曲させる．虫様筋は反対方向に伸張され，結果として MCP 関節で他動的な屈曲トルクが生じる．

2．機能的考察：手指の屈曲中における手関節の伸展

強い握り拳をつくるには，手関節伸筋との相互作用が必要となる（図 7.34，短橈側手根伸筋）．手関節伸筋の作用は，握り拳をつくっているときに前腕背面を触察することで，確認できる．第 6 章で説明したように，手関節伸筋の主な機能は，手指の外在指屈筋の活動によって手関節が同時に屈曲することを防止することである．手関節伸筋が麻痺すると，握り拳をつくろうとする際に手関節の屈曲と手指の屈曲が起こる．これは，自分の手関節を完全屈曲して，強い握り拳をつくるようにするとわかる．

手の関節変形

一般的な変形

手の変形は，関節周囲の力のバランスを崩す疾患や外傷によって引き起こされる．この不均衡は，麻痺筋，筋緊張の変化（痙性等），靱帯や他の結合組織による抵抗の

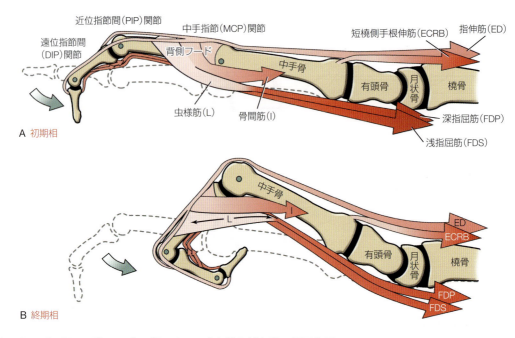

図7.35 強い力で手を閉じる際の1本の指における内在筋と外在筋の相互作用
A：初期相：深指屈筋，浅指屈筋，骨間筋の活動が手指の関節を屈曲させる．虫様筋は不活動（淡いピンク色）であることを示す．
B：終期相：筋活動は本質的に変化せず，完全屈曲まで持続する．虫様筋（L）は不活動のままであるが，筋の両端は伸張される．短橈側手根伸筋（ECRB）は，手関節をわずかに伸展させる．赤色の濃さは筋活動の相対的な大きさを示す．（Neumann DA: Kinesiology of the musculoskeletal system: foundations for physical rehabilitation, ed 2, St Louis, 2010, Mosby, Fig. 8.54 より）

増加，結合組織の弱化や損傷によって生じる．また長期間，肢位の変化を行わない場合にも，変形を招く可能性がある．

ここでは，重症の関節リウマチによって生じる典型的な変形に注目する．関節リウマチは，慢性の滑膜炎（関節内滑膜内壁の炎症）と，それによって生じる結合組織の強度の低下を伴う疾患である．関節包や靱帯等の結合組織による正常な制御（制限）がなければ，筋収縮や外力により，関節の力学的な正常状態が破壊される可能性がある．最悪の場合，関節に不良なアライメントや不安定性を生じ，しばしば永続的な変形を引き起こす．理学療法や外科手術を行ううえでは，手の変形を引き起こす原因について理解することが必要である．

重症の関節リウマチでは，手に3つの典型的な変形（尺側偏位，スワンネック変形，ボタン穴変形）が生じやすい（**図7.36**）．以下に，尺側偏位の力学的な病態を中心として述べる．

尺側偏位

MCP関節の**尺側偏位** ulnar drift は，中手骨に対する基節骨の尺側への過度の偏位と平行移動（滑り）によって生じる．重度の尺側偏位を有する人は，外見と機能低下（特につまみや握り）を気にすることが多い．

尺側偏位の力学的な病態を十分理解するために，手指

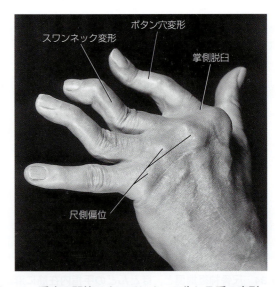

図7.36 重症の関節リウマチによって生じる手の変形
特に明らかなのは中手指節（MCP）関節の掌側脱臼，尺側偏位，スワンネック変形およびボタン穴変形である．詳細は本文参照．（Teri Bielefeld, PT, CHT, Zablocki VA Hospital, Milwaukee, Wisconsin の厚意による）

の尺側への偏位に関連するすべての要因について，健常な手や，そうでない手を通して理解することが重要である．最も影響がある因子は，母指でつまむ力が他の手指

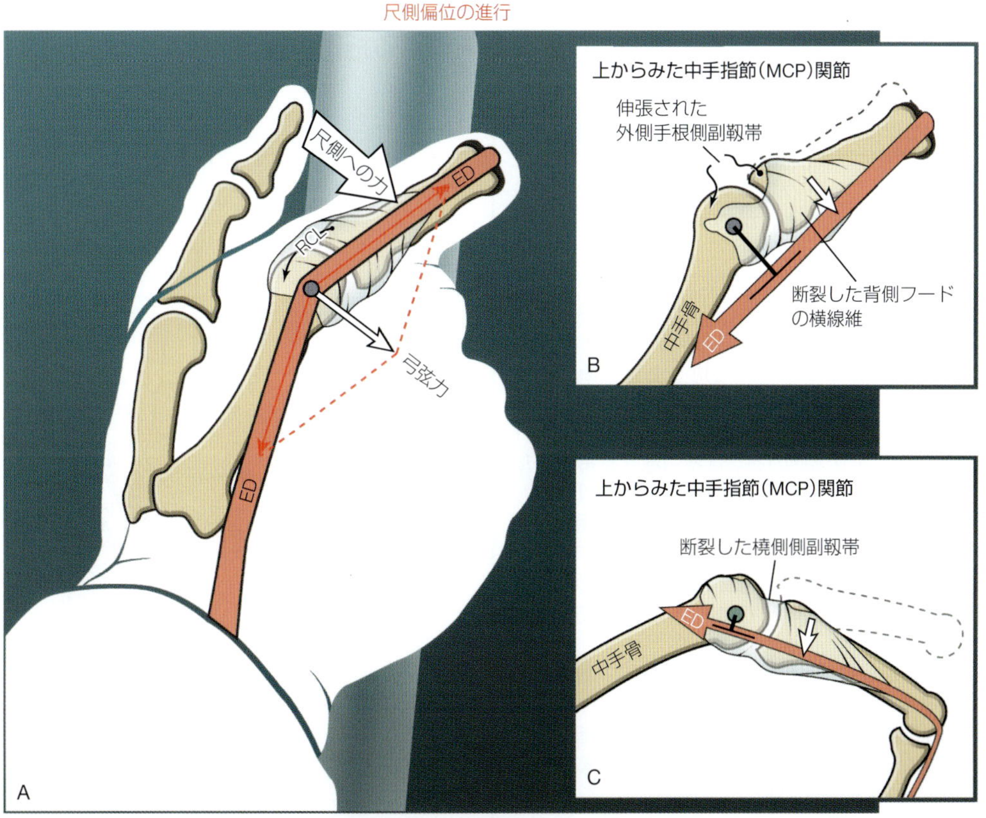

図7.37　示指の中手指節（MCP）関節における尺側偏位の進行過程
A：母指から生じる尺側への力は，偏位した指伸筋腱（ED）に自然な弓弦力を生じさせる．B：関節リウマチでは背側フードの横線維の断裂により，指伸筋腱がMCP関節の尺側への偏位のトルクを増加させるモーメントアームとして作用する．C：時間が経過すると，外側手根側副靱帯（RCL）は断裂する可能性がある．その場合は尺側偏位を起こす．（Neumann DA: Kinesiology of the musculoskeletal system: foundations for physical rehabilitation, ed 2, St Louis, 2010, Mosby, Fig. 8.59 より）

に対して尺側方向に加えられることであろう．示指を押すこの尺側方向の力を，図7.37Aに示す．この力によって起こるMCP関節の尺側への偏位により尺側へと歪み，関節の背側を通過する指伸筋腱に負荷をかける．MCP関節が尺側へ歪むことで，この腱を潜在的に不安定にする**弓弦力** bow-stringing forceが生じる．健常な手では，伸展機構と外側手根側副靱帯が伸筋腱を回転軸の近くに保持するため，尺側への偏位のトルクを最小限に抑えられる．

前述のように，健常な結合組織は関節の安定性を保つという重要な役割がある．関節リウマチの重症例では，背側フードの横走線維（伸展機構の一部）が断裂または過剰伸展を起こし，指伸筋腱が関節回転中心の尺側方向に滑る（図7.37B）．この肢位では，指伸筋により発生した力が尺側に偏位する肢位を増悪させるモーメントアームとともに作用する．この状況は，以下のように尺側への偏位の悪循環を開始させる．

尺側への偏位が大きければ大きいほど，それに関連するモーメントアームも大きくなり，また変形させる尺側への偏位のトルクを増加させる．その場合，弱化および過剰伸展した外側手根側副靱帯が断裂する可能性があり，基節骨を回転および尺側へ滑らせ，関節の完全脱臼を引き起こす（図7.37C）．

尺側偏位の治療は，関節のアライメントを最適な状態にし，可能であれば不安定性や変形を引き起こした力学的機構を最小限にすることが望まれる．一般的な非観血的治療には，副子固定やMCP関節を変形させる力を，どのように最小限にするのかを患者に指導することが含まれる．広口瓶のフタを強く握る，あるいは水差しを保持するときの，MCP関節に発生する強い尺側への偏位のトルクを考えてみよう．このトルクは，長い年月をかけて尺側偏位を増悪させる可能性がある．一般に，関節リウマチの急性炎症または有痛段階では，強い握りやつまみの動作を避けるように指導する．

まとめ

手の関節は，**手根中手（CMC）関節，中手指節（MCP）関節，指節間（IP）関節**という3つの分節で構成される．手の中で最も近位に位置するCMC関節は，手掌の弯曲

考えてみよう！>>>正中神経損傷および腱移行術による把持の獲得

正中神経の切断またはその他の外傷により，母指球筋である3つの筋，すなわち母指対立筋，短母指屈筋および短母指外転筋のすべてに麻痺が生じる．その結果，母指の対立は本質的に失われる．物，コップ，フォークやスプーンの把持といった母指の対立をすべて要する多くの課題がこの筋群の麻痺により障害される．

母指対立を再建させるために，母指対立再建術とよばれる腱移行の整形外科手術を行うことがある．この外科手術は，母指対立を生じさせる牽引力を他の筋から提供する手法であり，他の筋の腱を母指対立作用が生じるように別ルートを形成（または腱移行）させる．腱移行術には多くの術式があるが，一般的な術式の一つとして浅指屈筋腱（通常は環指腱）の一腱を母指へ移行させる（図7.38）．母指対立方向の適切な牽引線を維持するため，腱は通常尺側手根屈筋の遠位部に結合組織の滑車を形成し，その滑車を通るようにする．この術式は，正中神経の損傷が手関節で生じている場合にのみ適応されることに注意しておく．正中神経がより近位で損傷している場合は，浅指屈筋の弱化も引き起こす可能性があり，その結果"提供元の浅指屈筋"自体が弱化していく．

セラピストは，新たな移行腱を利用した母指のコントロール方法を患者に指導するうえで，中心的な役割を果たす．患者の脳は，環指の浅指屈筋腱の活動を母指対立として神経連絡していないため，理学療法や作業療法では母指対立に関わる広範囲の再獲得トレーニングをしばしば要する．

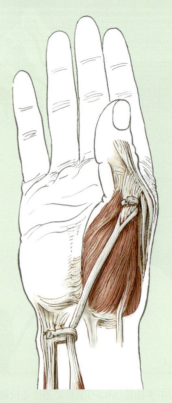

図7.38　母指対立再建術の例
手関節での正中神経損傷後，この一般的な術式の母指対立再建術が母指対立の回復に寄与する．浅指屈筋の一腱により母指のMCP関節に別ルートを形成する．（Neumann DA: Kinesiology of the musculoskeletal system: foundations for physical rehabilitation, ed 3, St Louis, 2017, Mosby, Fig. 8.62 より）

を平坦な状態や深いカップ状に調節する．母指を他の指の方向に対立させ，尺側縁を持ち上げるために，第1，5 CMC関節は重要である．これらの関節に外傷や疾患が発生すると，さまざまなつかむ動作に障害が生じる可能性がある．

比較的大きいMCP関節は，各指の骨底を形成し，外転と内転，屈曲と伸展という自由度2の運動を行う．伸展と外転は，手の機能の幅を最大限にし，特にさまざまな大きさの物体を把持するのに有効である．

IP関節の運動は屈曲と伸展のみであり，その他の運動は関節の骨の適合性や関節周囲の結合組織によって制限される．IP関節の屈曲可動域は，母指のIP関節70°から尺側の**近位指節間（PIP）関節**120°までと，範囲が広い．幅広い屈曲は，ハンドバックをつかむ動作等，手指と対象物との接触をより大きくするために必要である．一方，完全な伸展は，物をつかむ準備として手を広げるために必要である．

手の29個に及ぶ筋は，外在筋群と内在筋群に分類される．本章のはじめに述べたが，手指の3関節すべての同時伸展は，指伸筋と虫様筋や骨間筋等の手指内在筋との相互作用によって可能となる．より複雑で素早い運動では，内在筋と外在筋によるバランスのとれた相互作用が必要である．

確認問題

1 ▶ 手の中で最も近位にある関節はどれか．
　ⓐ MCP関節
　ⓑ PIP関節
　ⓒ DIP関節
　ⓓ CMC関節
2 ▶ 示指の外転に関する説明で正しいのはどれか．
　ⓐ 前額面で起こる運動である
　ⓑ 示指が中指から（母指の方向へ）遠ざかる運動である
　ⓒ 示指が中指の方向に近づく運動である
　ⓓ ａとｂの両方

- ⓔ b と c の両方
3 ▶ 母指の屈曲はどこで起こるか.
- ⓐ 矢状面で起こる
- ⓑ 前額面で起こる
- ⓒ 水平面で起こる
- ⓓ 回転長軸で起こる
- ⓔ c と d の両方

4 ▶ 屈曲と外転を行う関節はどれか.
- ⓐ 母指の CMC 関節
- ⓑ 第 2〜5 指の DIP 関節
- ⓒ 第 2〜5 指の MCP 関節
- ⓓ a と b の両方
- ⓔ a と c の両方

5 ▶ 母指が他の指先に触れる動きを何というか.
- ⓐ 外転
- ⓑ 小指屈曲
- ⓒ 対立
- ⓓ 復位

6 ▶ 外在指伸筋の腱について, 正しい説明はどれか.
- ⓐ MCP 関節の内側-外側回転軸に対して, すべて後方を通る
- ⓑ 手関節の内側-外側回転軸に対して, すべて前方を通る
- ⓒ 特定の結合組織の集合体を, 伸展機構とよぶ
- ⓓ a と b の両方
- ⓔ a と c の両方

7 ▶ 小指球筋に含まれないのはどの筋か.
- ⓐ 短小指屈筋
- ⓑ 小指外転筋
- ⓒ 母指対立筋
- ⓓ 小指対立筋

8 ▶ 母指球筋の主な機能はどれか.
- ⓐ カップ状の手掌をつくるときのように, 手の尺側縁を曲げる
- ⓑ つかみ動作を容易にするために, 母指をさまざまな対立位に変える
- ⓒ 母指を伸展させ, 手関節を尺屈させる
- ⓓ 第 2〜5 指の MCP 関節を屈曲させる

9 ▶ 虫様筋の作用でないのはどれか.
- ⓐ 手指 MCP 関節の屈曲
- ⓑ 手指 DIP 関節の伸展
- ⓒ 手指 PIP 関節の屈曲
- ⓓ 手指 PIP 関節の伸展

10 ▶ 背側骨間筋の主な機能はどれか.
- ⓐ 手指の外転
- ⓑ 手指の内転
- ⓒ PIP 関節と DIP 関節の屈曲
- ⓓ DIP 関節の屈曲

11 ▶ 尺骨神経の損傷または麻痺は, 小指球筋に著しく影響する.
- ⓐ 正しい
- ⓑ 誤り

12 ▶ 基底部の関節炎とは, 母指 CMC 関節の関節炎を意味する.
- ⓐ 正しい
- ⓑ 誤り

13 ▶ 正中神経の損傷または麻痺では, 母指の対立ができなくなる.
- ⓐ 正しい
- ⓑ 誤り

14 ▶ 手指の屈曲ができない人は, 手関節伸筋の作用によるテノデーシス作用によってつかみ動作を行う可能性がある.
- ⓐ 正しい
- ⓑ 誤り

15 ▶ 橈骨神経麻痺では, 主に母指の対立ができなくなる.
- ⓐ 正しい
- ⓑ 誤り

16 ▶ 母指 CMC 関節は, 蝶番関節である.
- ⓐ 正しい
- ⓑ 誤り

17 ▶ 手指 MCP 関節の過伸展は, 主に掌側板の緊張によって制限される.
- ⓐ 正しい
- ⓑ 誤り

18 ▶ ハサミを使って切るときにみられるような強く挟む動作には, 母指内転筋が作用する.
- ⓐ 正しい
- ⓑ 誤り

19 ▶ 手の外在筋の起始は前腕や上腕にあり, 手の構造内に停止する.
- ⓐ 正しい
- ⓑ 誤り

20 ▶ 虫様筋や骨間筋が作用しなければ, 指伸筋の収縮によって鷲手を引き起こす.
- ⓐ 正しい
- ⓑ 誤り

参考文献

Allison, D.M. (2005) Anatomy of the collateral ligaments of the proximal interphalangeal joint. Journal of Hand Surgery American, 30(5), 1026-1031.

Arnet, U., Muzykewicz, D.A., Friden, J., et al. (2013) Intrinsic hand muscle function, part 1: creating a functional grasp. Journal of Hand Surgery American, 38(11), 2093-2099.

Bielefeld, T. & Neumann, D.A. (2005) The unstable metacarpophalangeal joint in rheumatoid arthritis: anatomy, pathomechanics, and physical rehabilitation considerations. Journal of Orthopaedic and Sports Physical Therapy, 35(8), 502-520.

Brand, P.W. (1985) Clinical biomechanics of the hand. St Louis: Mosby.

Brand, P.W. (1988). Biomechanics of tendon transfers. Hand Clinic, 4(2), 137-154.

Cloud, B.A., Youdas, J.W., Hellyer, N.J., et al. (2010) A functional model of the digital extensor mechanism: demonstrating biomechanics with hair bands. Anatomical Science Education, 3(3), 144-147.

Dvir, Z. (2000) Biomechanics of muscle. In Z. Dvir (Ed.), Clinical biomechanics. Philadelphia: Churchill Livingstone.

Flatt, A.E. (1996) Ulnar drift. Journal of Hand Therapy, 9(4), 282-292.

Flatt, A.E. (1974) The care of the rheumatoid hand (3rd ed.). St Louis: Mosby.

Gupta, S. & Michelsen-Jost, H. (2012) Anatomy and function of the thenar muscles [Review]. Hand Clinical, 28(1), 1-7.

Haara, M.M., Heliovaara, M., Kroger, H., et al. (2014) Osteoarthritis in the carpometacarpal joint of the thumb. Prevalence and associations with disability and mortality. Journal of Bone Joint Surgery American, 86-A(7), 1452-1457.

Infantolino, B.W. & Challis, J.H. (2010) Architectural properties of the first dorsal interosseous muscle. Journal of Anatomy, 216(4), 463-469.

Kapandji, I.A. (1982) The physiology of the joints (5 th ed.). Edinburgh: Churchill Livingstone.

Kichouh, M., Vanhoenacker, F., Jager, T., et al. (2009) Functional anatomy of the dorsal hood or the hand: correlation of ultrasound and MR findings with cadaveric dissection. European Radiology, 19(8), 1849-1856.

Long, C. (1968) Intrinsic-extrinsic muscle control of the fingers. Electromyographic studies. Journal of Bone Joint Surgery American, 50, 973-984.

Long, C. & Brown, T.D. (1964) Electromyographic kinesiology of the hand: muscles moving the long finger. Journal of Bone Joint Surgery American, 46, 1683-1706.

Momose, T., Nakatsuchi, Y. & Saitoh, S. (1999) Contact area of the trapeziometacarpal joint. Journal of Hand Surgery American, 24(3), 491-495.

Morrison, P.E. & Hill, R.V. (2011) And then there were four: anatomical observations on the pollical palmar interosseous muscle in humans. Clinical Anatomy, 24(8), 978-983.

Napier, J.R. (1956) The prehensile movements of the human hand. Journal of Bone Joint Surgery British, 38, 902-913.

Neumann, D. (2017) Kinesiology of the musculoskeletal system: foundations for physical rehabilitation (3rd ed.). St Louis: Mosby.

Neumann, D.A. & Bielefeld, T. (2003) The carpometacarpal joint of the thumb: stability, deformity, and therapeutic intervention. Journal of Orthopaedic and Sports Physical Therapy, 33(7), 386-399.

Palti, R. & Vigler, M. (2012) Anatomy and function of lumbrical muscles [Review]. Hand Clinic, 28(1), 13-17.

Pasquella, J.A. & Levine, P. (2012) Anatomy and function of the hypothenar muscles [Review]. Hand Clinic, 28(1), 19-25.

Ranney, D. & Wells, R. (1988) Lumbrical muscle function as revealed by a new and physiological approach. Anatomical Record, 222, 110-114.

Standring, S. (2016) Gray's anatomy: the anatomical basis of clinical practice (41st ed.). Edinburgh: Churchill Livingstone.

Tubiana, R. (1981). The hand. Philadelphia: Saunders.

Uygur, M., de Freitas, P.B. & Jaric, S. (2010) Frictional properties of different hand skin areas and grasping techniques. Ergonomics, 53(6), 812-817.

Valentin, P. (1981) The interossei and the lumbricals. In R. Tubinia (Ed.), The hand. Philadelphia: Saunders.

付録

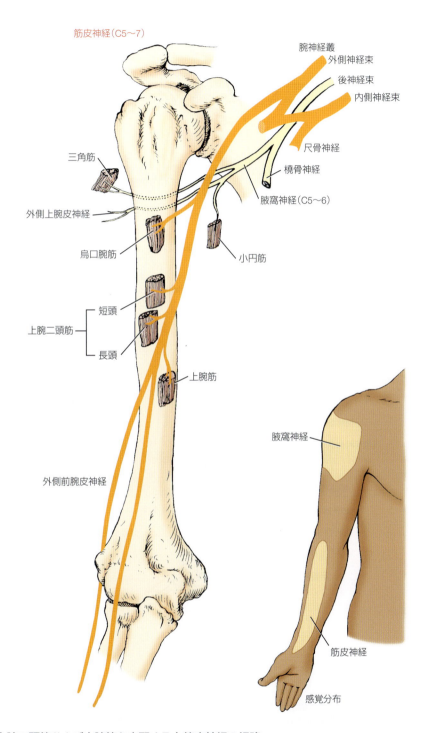

図7.39 烏口腕筋，上腕二頭筋および上腕筋を支配する右筋皮神経の経路
感覚分布を右側に示す．(Waxman S: Clinical neuroanatomy, ed 25, New York, 2003, McGraw-Hill より改変)

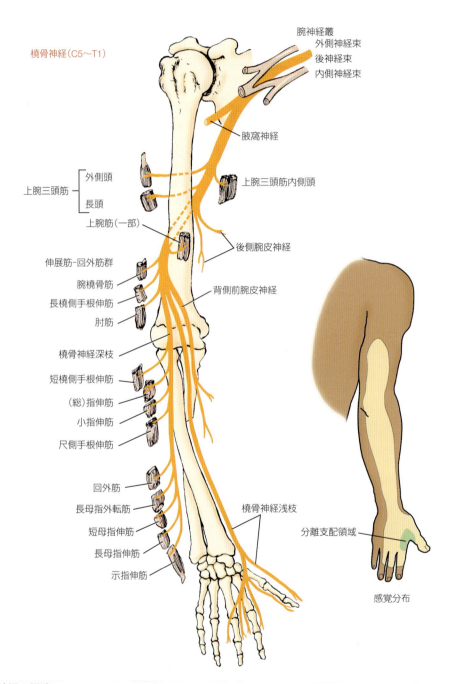

図 7.40 右橈骨神経の経路
右橈骨神経の経路は，上腕背側面から前腕外側面に及ぶ．橈骨神経は，肘，前腕，手関節および手指のほとんどの伸筋を支配する．感覚分布を右側に示す．（Waxman S: Clinical neuroanatomy, ed 25, New York, 2003, McGraw-Hill より改変）

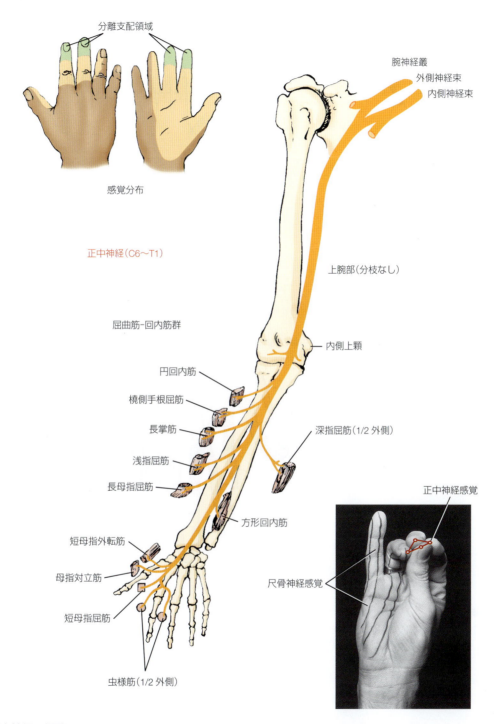

図 7.41　右正中神経の経路

回内筋，ほとんどの手関節屈筋，長い（外在性）指屈筋（環指と小指の深指屈筋は除く），母指のほとんどの内在性屈筋および2本の外側虫様筋を支配する右正中神経の経路．正中神経の感覚分布は，母指と第2〜4指までの手掌面を支配する．この図では，"物をつまむときの感覚"において正中神経が重要であることを示す．（Waxman S: Clinical neuroanatomy, ed 25, New York, 2003, McGraw-Hill より改変）

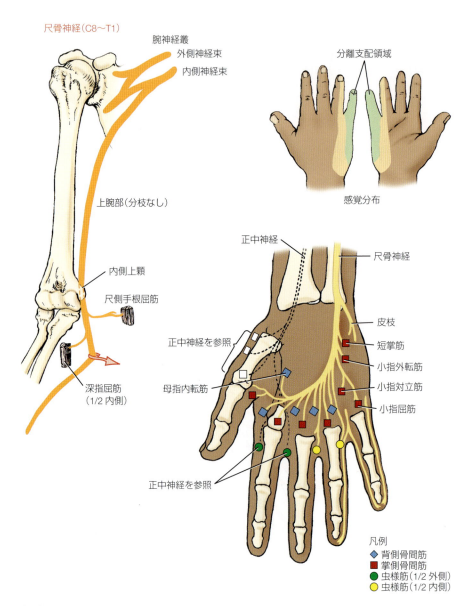

図7.42　右尺骨神経の経路
右尺骨神経の経路において，多くの手内在筋を支配していることを示す．感覚分布は，右上に示している．（Waxman S: Clinical neuroanatomy, ed 25, New York, 2003, McGraw-Hill より改変）

第8章

脊柱の構造と機能

▶ 本章の概要

- 正常な弯曲
- 重心線
- 骨学
  - 頭蓋骨
  - 標準的な椎骨
  - 椎間板
  - 椎骨と椎間板の表記
  - さまざまな椎骨
- 脊柱の支持構造
- 運動学
  - 頭頸部
  - 胸腰部
  - 機能的考察
  - 腰仙関節と仙腸関節
- 筋と関節の相互作用
  - 頭頸部と体幹の筋の神経支配
- 頭頸部の筋
- 背面にある頭頸部の筋
- 体幹の筋
- その他の関連する筋：
  - 腸腰筋と腰方形筋
- まとめ
- 確認問題
- 参考文献

▶ 学習目標

- 脊柱の正常弯曲を理解し，これらの弯曲がどのようにして脊椎の安定性をもたらすのか説明できる．
- 脊椎と頭蓋骨の特徴を理解する．
- 脊柱の靱帯と軟部組織，椎間板の重要な役割を述べることができる．
- 頸椎，胸椎，腰椎，仙椎，それぞれの特徴を述べることができる．
- 脊柱頭頸部および胸腰部における屈曲，伸展，側屈，軸回旋の正常可動域を挙げることができる．
- 椎間関節の向きが，どのようにして脊柱の動きを決定するのか説明できる．
- 椎間孔の直径を減少，または増加させる椎骨の動きを述べることができる．
- 屈曲，伸展，側屈が椎間板変位に与える影響を述べることができる．
- 脊柱頭頸部の前面，または背面にある筋の作用を説明できる．
- 脊柱胸腰部の前面，または背面にある筋の作用を説明できる．
- 脊柱の部分的な安定性と全体的な安定性とを，区別して考えることができる．
- 持ち上げ動作を安全または危険なものにする要因について，述べることができる．

🔑 キーワード

ウォルフの法則	後弯	脊髄神経	前弯
胸郭出口症候群	骨盤後傾	脊柱側弯症	馬尾
狭窄症	骨盤前傾	脊柱の中間位	
コアスタビリティ運動	重心線	脊椎すべり症（前方すべり）	
後屈（起き上がり）	髄核ヘルニア	前屈（うなずき）	

　脊柱は33個の椎骨から構成され，頸椎・胸椎・腰椎・仙椎・尾椎の5領域に分けられる．通常，頸椎7・胸椎12・腰椎5・仙椎5・尾椎4の分節がある．成人では，仙椎および尾椎は癒合しており，それぞれ仙骨と尾骨を形成する．本章では主に，頸部・胸部・腰部の運動に焦点をあてる．それぞれの領域では，屈曲，伸展，側屈，

水平面での回旋という運動を示す．関節運動の大きさは，主に骨・筋・靱帯の形態や機能の違いによって，各領域で異なる．2個の椎骨の間で生じる関節運動はほんのわずかであるが，複数の椎骨間の動きが重なることで，各領域の運動は大きいものになる．

疾病，外傷，あるいは高齢による影響は，神経・筋系の問題や，脊柱を含む筋骨格系の問題を引き起こすことがある．脊柱に問題が生じた場合，脊髄や神経根，骨組織，周囲の結合組織と解剖学的に密接な関係があるため，それらに疼痛あるいはその他の機能障害を引き起こす可能性がある．例えば椎間板ヘルニアは，障害部位付近の神経根を圧迫し，痛みや機能減弱，反射抑制の原因となる．さらに，不良姿勢やある特定の動きを脊柱に強いると，付近の神経を損傷する可能性が高まる．

本章では，正常な姿勢と脊柱の運動の理解に必要な，解剖学的構造と運動学的相互作用の概要を示す．本章の内容は，背中や頸部でよくみられる身体機能障害の理解だけでなく，治療のためのリハビリテーションの原理への理解の基礎となるであろう．

正常な弯曲

脊柱は，図 8.1 のように一連の曲線からなる．この曲線は，右側からみた正常な安静時の姿勢である．頸部と腰部は矢状面でみるとゆるやかな**前弯** lordosis を示し，わずかに伸展する．対照的に，胸部と仙尾骨はゆるやかな**後弯** kyphosis を示し，わずかに屈曲する．胸部と仙

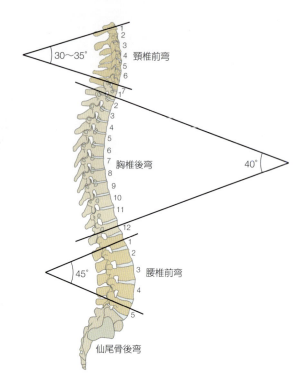

図 8.1　右側面からみた脊柱の正常弯曲
安静姿勢でみられる各領域の正常弯曲．（Neumann DA: Kinesiology of the musculoskeletal system: foundations for physical rehabilitation, ed 2, St Louis, 2010, Mosby, Fig. 9.39 より）

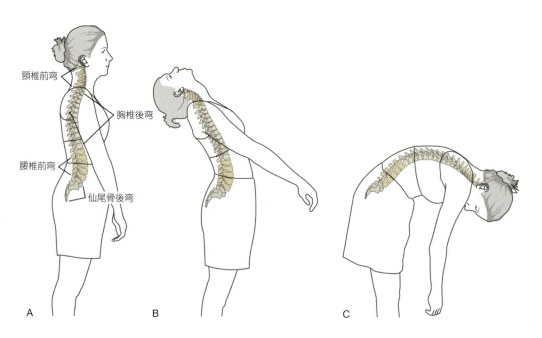

図 8.2　側面からみた脊柱の弯曲
A：立位時における脊椎の自然な弯曲．B：脊柱が伸展すると，頸椎と腰椎の前弯は増大するが，胸椎の後弯は減少する（まっすぐになる）．C：脊柱が屈曲すると，頸椎と腰椎の前弯は減少するが，胸椎の後弯は増大する．（Neumann DA: Kinesiology of the musculoskeletal system: foundations for physical rehabilitation, ed 2, St Louis, 2010, Mosby, Fig. 9.8 より）

骨部の前方へのくぼみは，胸郭や骨盤の中にある生命維持に重要な器官を収める部分となっている．

脊柱の弯曲は，固定的ではない．これらは多種多様な姿勢や動作に応じて，柔軟に適応する(図8.2)．例えば身体が後方に反り返ると，頸部や腰部の前弯は増大するが，胸部の後弯は減少する(図8.2B)．対照的に，身体が前方に曲がると腰部と頸部の前弯は減少し，胸部の後弯は増大する(図8.2C)．

正常な脊柱弯曲は，軸性骨格全体に強度と安定性をもたらす．興味深いことに，直線的な脊柱よりも，正常な弯曲を有する脊柱のほうが，より大きな垂直方向の圧縮力を支えられる．正常な弯曲が保たれていれば，弯曲の凸側に沿って付着する結合組織や筋の張力によって，圧縮力を減弱させることができる．脊柱弯曲には弾性があるため，脊柱への大きな負荷を静的に支えるのではなく，負荷を受けてわずかに"たわむ"ことで支えるのである．

疾病，外傷，遺伝的な靱帯のゆるみ，あるいは習慣的な不良姿勢によって，正常な脊柱弯曲は増大(あるいは減少)する．これらの脊柱弯曲の変性は，筋や関節の局所的な負担を生み，さらには肺が膨らむのに必要な胸腔の容量を減少させることもある．

重心線

身体の**重心線** line of gravity は，常に変動する．理想的な姿勢における重心線は，側頭骨の乳様突起，第2仙椎前方，股関節の少し後方，膝と足関節の少し前方を通過する(図8.3)．この図に示すように，重心線は脊椎弯曲の向きが変わるところを通る．その結果，理想的な姿勢の場合，重力が脊椎弯曲の最適な形状を維持する力となり，少ない筋活動で無理なく立つことを可能にする．このように生体力学にかなった理想的な姿勢をとることによって，立位や座位の保持に必要となるエネルギーを減少させている．

多くの場合，筋の緊張あるいは弱化，外傷，悪習慣，体脂肪，疾病，遺伝等さまざまな要因のために，必ずしも理想的な姿勢を得られるとは限らない．図8.4はよくみられる5つの不良姿勢を表す．これらの姿勢が長期にわたると，脊柱を不安定にするとともに，体幹や上下肢，あるいは身体全体の動きを別の動きに置き換えるような代償的戦略が必要となることもある．例えば図8.4Cのような**円凹背** sway back の姿勢には，しばしば腰部伸筋の過度な緊張や，腹筋の過度な伸張(筋力低下の可能性もある)が関連する．この姿勢は，腰椎を相互に連結させる椎間板や関節の剪断力を増加させる．このため背中や頸部の痛みを治療するセラピストは，リハビリテーションプログラムにおいて，まず不良姿勢を修正することから始める．

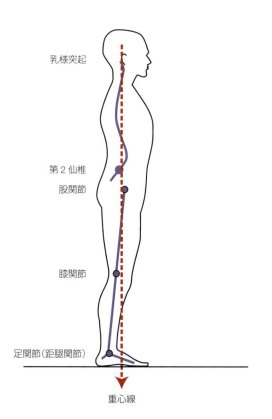

図8.3　典型的な立位姿勢での重心線

(Neumann DA: Arthrokinesiologic considerations for the aged adult. In Guccione AA, editor: Geriatric physical therapy, ed 2, Chicago, 2000, Mosby より改変)

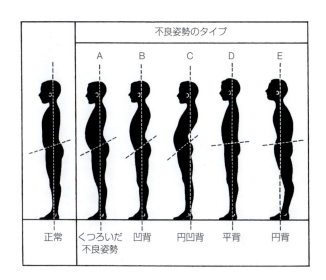

図8.4　正常および不良姿勢

(McMorris RO: Faulty postures, Pediatr Clin North Am 8: 217, 1961 より)

骨学

頭蓋骨

頭蓋骨は，脳を保護する骨の容器であるといえる．ここでは筋や靱帯の付着部としての骨の特徴について述べ，その他については詳述しない．その形態的特徴は，**図 8.5，6**に示す．

外後頭隆起（しばしば，**知恵の隆起** bump of knowledge と称される）は，項靱帯や上部僧帽筋が付着する頭蓋後方の中央に位置し，触診可能な目印となる．上項線は側面に沿って広がり，後頭隆起から乳様突起への骨の尾根といえる．下項線は上項線の真下に位置し，頭蓋骨の底面付近にある．これらの項線は多くの筋や靱帯の付着部となる．

大後頭孔は，文字通り"大きな穴"で，頭蓋骨の底面にあり，脊髄が脳に連絡するための通路となる（**図 8.6**）．後頭顆は，大後頭孔の前外側縁から突き出ており，環椎（第 1 頸椎）と関節をなす（環椎後頭関節）．耳の真後ろには，頭部と頸部の筋が付着する触診可能な乳様突起があり，とりわけ胸鎖乳突筋の付着部となっているため，特にわかりやすい．

標準的な椎骨

すべての椎骨にはいくつかの共通する特徴があり，基本的な構造のほとんどは胸椎でみられるので，ここでは胸椎をさまざまな視点から眺めることによって，椎骨の特徴をみていく（**図 8.7**）．椎体は大きな円筒状であり，主に体重を支持する役割を担う．椎間板は厚く，水分を豊富に含んだ円板状の線維軟骨であり，衝撃の吸収装置として働く．椎間板の詳細は，次項で述べる．椎間板は各椎体間に挟まれ，互いの椎体を連結する．

それぞれの椎骨の後方には脊柱管があり，脊髄を収納し，かつ保護する．椎弓根は太く短い突起で，椎体から突出し，横突起につながる．椎弓板は薄い板状の骨で，脊柱管の後壁をなす．また椎弓は，横突起を棘突起の基部に連結する．

各椎骨には，上関節面と下関節面がある．ある椎骨の

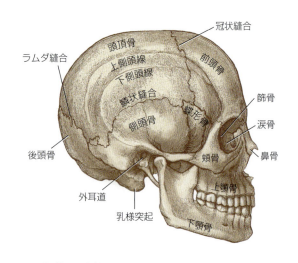

図 8.5　頭蓋骨の側面
(Neumann DA: Kinesiology of the musculoskeletal system: foundations for physical rehabilitation, ed 2, St Louis, 2010, Mosby, Fig. 9.2 より)

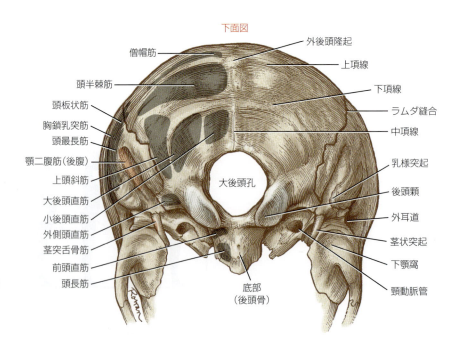

図 8.6　頭蓋骨の下面
遠位筋付着部は灰色，近位筋付着部は赤色で示す．(Neumann DA: Kinesiology of the musculoskeletal system: foundations for physical rehabilitation, ed 2, St Louis, 2010, Mosby, Fig. 9.3 より)

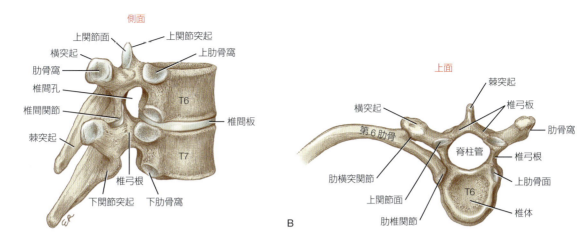

図8.7 椎骨の基本的な特徴
A：2つの胸椎の側面．B：第6胸椎(T6)の上面．(Neumann DA: Kinesiology of the musculoskeletal system: foundations for physical rehabilitation, ed 2, St Louis, 2010, Mosby, Fig. 9.5 より)

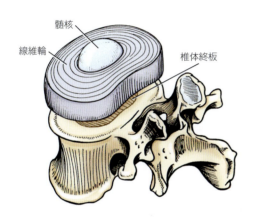

図8.8 椎骨から切り離した椎間板の模式図
(Kapandji IA: The physiology of joints, vol 3, New York, 1974, Churchill Livingstone より改変)

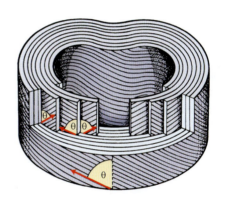

図8.9 髄核を取り除いた椎間板の模式図
(Bogduk N: Clinical anatomy of the lumbar spine, ed 5, New York, 2012, Churchill Livingstone より)

下関節面は，その下の椎骨の上関節面と関節をなし，左右一対の椎間関節を構成する．これらの関節は，**椎間関節** facet joint とよばれ，脊椎運動の方向を導くという特徴がある．

左右の椎間孔は椎骨と椎骨の間に存在し，神経根の出入り口となる．椎間孔は2つの椎骨によって形成されるため，脊椎の運動によってその孔の直径が変化する．これについては，後述する．

椎間板

椎間板は，脊柱にかかる圧縮力や剪断力を吸収・伝達するという，きわめて重要な役割を担う．椎間板は，髄核，線維輪，椎体終板という3つの要素からなる(図8.8)．

髄核とは，椎間板中央にあるゼラチン状の組織である．70〜90%が水分で，水圧による緩衝装置として働き，連結する椎骨間の力の伝達を分散させる．線維輪は，線維軟骨が輪状に10〜20個程度，層をなして密集した組織で，髄核の周囲を取り巻く．図8.9に示すように，線維輪の線維は斜めに走行し，各層の線維の走行は互いに直角に近い角度で交わることによって，線維輪の壁を強化している(訳注：線維輪は多層構造で，それぞれの線維は推体終板に対して約60°の角度をもって交互に走行している)．2個の椎骨が体重や筋力によって圧縮されると，髄核は外側へ向かって圧迫され，その応力によって線維輪内に張力が生じる(図8.10)．この張力は弾力性のある椎間板を安定させ，体重を支持するのに十分な構造に変化させる．椎体終板は，椎間板を上下の椎骨に接続し，椎間板への栄養供給を補助する．

椎骨と椎間板の表記

椎骨は，頭蓋骨から仙骨の方向に向けて(上から下に)番号がつけられている．例えばC3は，上から3番目の頸椎を示す．T8は第8胸椎を，L4は第4腰椎を示す．その他も同様に表される．

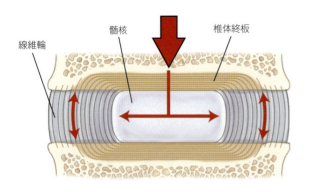

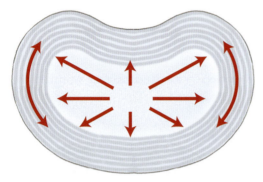

図8.10 椎間板を通過する力の伝達メカニズム
髄核内の圧力は線維輪の安定した荷重支持構造の応力に変換される．（Bogduk N: Clinical anatomy of the lumbar spine, ed 5, New York, 2012, Churchill Livingstone より改変）

椎間板は2個の椎骨の位置によって示される．例えばL4～L5椎間板は，第4腰椎と第5腰椎の間にある椎間板を示し，C6～C7椎間板は第6頸椎と第7頸椎の間にある椎間板を示す．

脊髄神経は，椎骨と同様の要領で表記される．しかしながら，頸髄神経は同じ記号の椎骨の上を通過するのに対し，胸髄神経，腰髄神経は同じ記号の胸椎，腰椎の下を通過することに注意しなければならない（図8.19参照）．

さまざまな椎骨

それぞれの椎骨は共通する解剖学的特徴を有するが，部位の違いによって，異なる特徴をもつ．**表8.1**とともに，脊柱の各領域に特有の骨学的特徴について説明する．

▶頸椎

7個ある頸椎は，全脊椎の中で最も小さく，また最も可動性が高い領域である．それは頭部や頸部の幅広い可動域に反映されている（**図8.11**）．

第1，2頸椎は，それぞれ環椎（C1），軸椎（C2）とよばれ，頸椎領域においても特徴的である．頸椎の横突起には，横突孔という穴がある．その他の頸椎（C3～C7）は，頸椎に典型的なものである．詳細は以下の通りである．

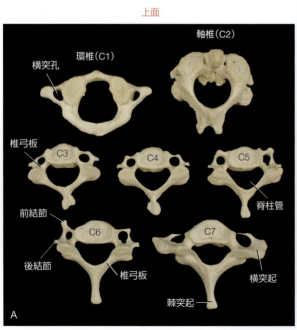
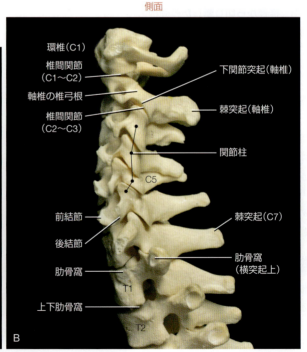

図8.11 7個の頸椎の上面（A）と側面（B）
（Neumann DA: Kinesiology of the musculoskeletal system: foundations for physical rehabilitation, ed 2, St Louis, 2010, Mosby, Fig. 9.14, 9.18 より）

表 8.1 脊椎の骨学的特徴

	椎体	上関節面	下関節面	棘突起	脊柱管	横突起	解説
環椎（C1）	なし	凹形。面は一般に上向き	平坦あるいはやや凹形。面は下方を向く	なし。小さな後結節に変化	三角形。頸部の中で最も大きい	頸部の中で最も大きい	2つの大きな外側塊があり、前弓と後弓に連結する
軸椎（C2）	垂直に突き出た歯突起がある	平坦あるいはやや凹形。面は一般に上向き	平坦。面は前面および下方を向く	最も大きく、先が二又である	大きく、三角形をなす	前および後結節をつくる	大きな棘突起がある
C3～C6	横長。鈎状突起がある	平坦。面は後上方を向く	同上	先が二又である	大きく、三角形をなす	前および後結節として終わる	典型的な頸椎と考えられる
C7	横長	同上	典型的な胸椎へと移行する	大きく隆起し、容易に触診できる	三角形をなす	厚く、隆起している。大きな前結節を有することもある（余分な肋骨 extra rib）	大きく隆起した棘突起があるため、隆椎とよばれる
T2～T9	幅と奥行きが同等。第2～9肋骨頭が付着する肋骨窩がある	平坦。面は後方を向く	平坦。面は前方を向く	長く、鋭い。下方へ傾く	円形。頸椎よりも小さい	水平および、やや後方に突出し、肋骨結節のための肋骨窩がある	典型的な胸椎と考えられる
T1 および T10～T12	幅と奥行きが同等。T1は、第1肋骨に対応する肋骨窩と第2肋骨に部分的に対応する肋骨窩がある。T10～T12は、それぞれに対応する肋骨窩がある	同上	同上	同上	同上	T10～T12は、肋骨窩を欠くこともある	主に肋骨付着の形態の違いから、非定型な胸椎と考えられる
L1～L5	横長。L5はやや楔形（後方よりも前方の高さが大きい）	やや凹形。面は中央から後中央を向く	L1～L4はやや凸形。面は外側から前-外側を向く。L5の面は平坦で前面、および、やや外側を向く	太く、長方形をなす	三角形。馬尾を収める	細長く、外側へ突出する	上関節突起には、乳頭突起がある
仙骨	癒合している。（訳注：仙骨の中で）第1仙椎の椎体は最も触知しやすい	平坦。面は後方、および、やや中央を向く	なし	なし。正中仙骨稜に置き換わる	同上	なし。外側仙骨稜に置き換わる	
尾骨	4つの痕跡的な椎骨が融合している	痕跡的	痕跡的	痕跡的	第1尾椎で終わる	痕跡的	

(Neumann DA: Kinesiology of the musculoskeletal system: foundations for physical rehabilitation, St Louis, 2002, Mosby, Table 9.4 より)

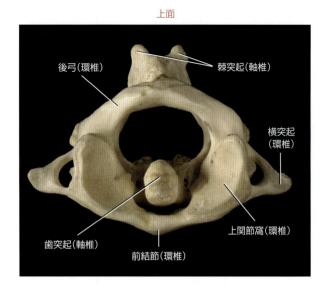

図 8.12　環軸関節をなす環椎（C1）と軸椎（C2）の上面
（Neumann DA: Kinesiology of the musculoskeletal system: foundations for physical rehabilitation, ed 2, St Louis, 2010, Mosby, Fig. 9.21 より）

1．典型的な頸椎（C3〜C7）

　頸椎の横突起には，脳に向かう椎骨動脈の保護通路として機能する横突孔という孔がある（図 8.11A）．C3〜C7 の椎体の後外側縁には，鉤状突起がある．フックに似た鉤状突起と隣接する椎骨とがなす関節（鉤椎関節）により，頸椎は積み上げられた 1 セットの棚のような形をつくる（図 8.13 参照）．頸椎でみられる棘突起の大部分は先端が二分しており，その両側ともに筋が付着する．
　C3〜C7 の椎間関節（面）を観察すると，関節面が屋根の傾きのように，水平面および前額面に対して約 45°の傾斜をもつように方向づけられていることがわかる（図 8.11B）．この関節面の向きは，脊椎の動きに重要な影響を及ぼす．これは，のちに詳述する．

2．環椎（C1）

　ギリシャ神話の神アトラス Atlas は，彼の背中で地球の重量を支えたといわれる．第 1 頸椎（環椎）もまたアトラス atlas とよばれるが，これは頭蓋の重量を支える機能を，神アトラスに例えたものである．環椎は，基本的に左右に張り出した 2 つの大きな塊からなり，前弓と後弓によって結びつけられている（図 8.12）．外側塊の上には大きな凹面の上関節面（窩）があり，後頭骨の後頭

 臨床的な視点 >> 骨棘と椎間板変性疾患

　椎間板は，過剰磨耗，あるいは関節炎，加齢等によって脱水状態になると，衝撃吸収体としての機能，および頸椎内に間隙をつくり出す機能を失う．図 8.13 に，頸椎の一部を示す．C3〜C4 間の椎間板は正常で，水分も豊富な状態を示し，椎骨における骨対骨の圧縮力を回避する構造となっている．しかしながら，C4〜C5 間の椎間板は，変性してほとんど平坦化している．その結果，鉤状突起における骨対骨の圧縮力が生じ，骨棘形成が促進されているのである．

　骨棘は，ウォルフの法則 Wolff's law（骨は高負荷の部分で発達し，低負荷の部分で再吸収される）に従って変化する．図 8.13 のように，骨棘は脊髄神経根を損傷する可能性があり，ほとんどの場合，損傷された神経の支配領域に痛みと筋力低下が起こる．
　また，椎間板の変性は椎間孔の狭窄を伴い，そこから出る神経への有痛性の損傷の原因となる．

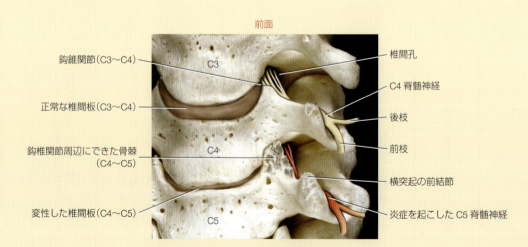

図 8.13　正常な形態を示す C3〜C4 頸椎椎間板と変性した C4〜C5 頸椎椎間板
C4〜C5 頸椎椎間板における過度の圧縮により骨棘形成が発生するとともに，骨棘が C5 脊髄神経根を侵害している．（Neumann DA: Kinesiology of the musculoskeletal system: foundations for physical rehabilitation, ed 2, St Louis, 2010, Mosby, Fig. 9.16 より）

顆と環椎後頭関節をなす．その他の特徴として，頸椎の中で最も大きな横突起をもつことが挙げられる．

3. 軸椎（C2）

軸椎 axis の語は，歯突起とよばれる先の鋭い大きな骨突起に由来する．歯突起は，頭部と頸上部間の回旋運動の軸として機能する（図 8.12）．軸椎（C2）の上関節面は比較的平坦であり，平らな環椎の下関節面と適合する．この構造によって，頭を左右に振るときのように，軸椎上で環椎（および頭部）が水平面を自由に回旋できる．なお C2 の棘突起には幅があり，触診することができる（図 8.12）．

▶胸椎

12 個ある胸椎は，鋭く下方に伸びた棘突起と，後方にあり外側に突出した大きな横突起が特徴的である．ほとんどの胸椎の椎体と横突起には，肋骨の後面と関節をなす肋骨窩がある（図 8.14）．多くの肋骨の前方部分は，胸骨に直接あるいは間接的に付着する．それゆえ，肋骨，胸椎，胸骨は胸腔の容積を決定する．注目すべき点は，胸椎の椎間関節が前額面においてほとんど一直線に並ぶことである．

▶腰椎

腰椎の椎体は幅が広く大きいため，上半身の重量を支持するのに適している（図 8.15）．棘突起は幅広く長方形をしており，厚い椎弓板と椎弓根によって椎体につながる．腰椎上部の関節面は矢状面に面しているが，腰椎下部（L4，L5）では前額面のほうに向いていく（図 8.15）．

▶仙骨

仙骨は三角形をなし，脊柱の重量を骨盤へ伝える．幅広く平らな仙骨岬角（図 8.16）は，L5 と関節をなす（腰仙移行部）．後面は凹凸に富み，山脈状で，多くの筋や靱帯の付着がある．仙骨管（図 8.16）は，馬尾（脊髄の下

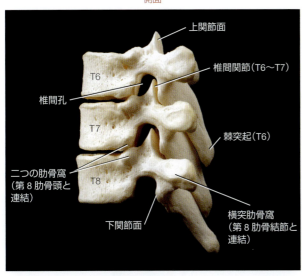

図 8.14　第 6～8 胸椎の側面

（Neumann DA: Kinesiology of the musculoskeletal system: foundations for physical rehabilitation, ed 2, St Louis, 2010, Mosby, Fig. 9.22 より）

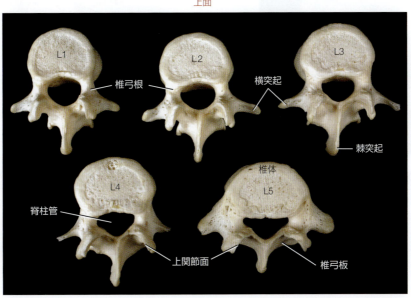

図 8.15　5 個の腰椎の上面

（Neumann DA: Kinesiology of the musculoskeletal system: foundations for physical rehabilitation, ed 2, St Louis, 2010, Mosby, Fig. 9.23 より）

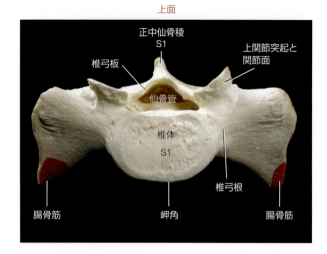

図 8.16 仙骨の上面
腸骨筋の付着部を赤色で示す．（Neumann DA: Kinesiology of the musculoskeletal system: foundations for physical rehabilitation, ed 2, St Louis, 2010, Mosby, Fig. 9.28 より）

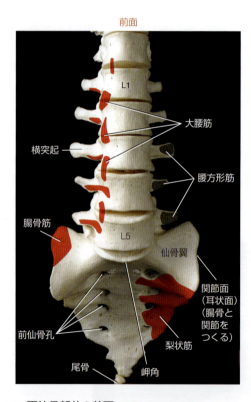

図 8.17 腰仙骨部分の前面
筋の付着部を赤色で示す．灰色で示す部分は腰方形筋の上位付着部である．（Neumann DA: Kinesiology of the musculoskeletal system: foundations for physical rehabilitation, ed 2, St Louis, 2010, Mosby, Fig. 9.26 より）

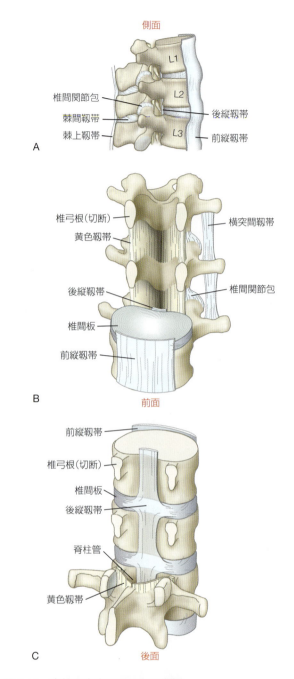

図 8.18 脊柱を安定させる主な靱帯
A：第1～3腰椎（L1～L3）の側面．B：L1～L3の前面（L1とL2の椎体部分は取り除いてある）．C：L1～L3の後面（L1とL2の椎弓根より背面の部分は取り除いてある）．BとCでは，脊柱管から神経組織が省かれている．（Neumann DA: Kinesiology of the musculoskeletal system: foundations for physical rehabilitation, ed 2, St Louis, 2010, Mosby, Fig. 9.11 より）

骨学 179

考えてみよう！ ＞＞ 馬尾

　成人の脊髄の尾側端は，通常，L1（第1腰椎）の近傍で終わる（**図 8.19**）．それゆえ，腰仙部の脊髄神経は，それぞれに対応する椎間孔へ到達する前に，長い距離を下方へ走行しなければならない．この細長い神経の束は，馬の尻尾に似ている．つまり，**馬尾** cauda equina という名前は，文字通り"馬の尻尾"を意味している．

　腰仙部領域の重度の外傷は，脊髄でなく，馬尾神経を損傷することになる．馬尾は末梢神経であるため，損傷すれば，筋の麻痺や萎縮，感覚異常，反射抑制が生じる．

　馬尾（L1 レベル）よりも上位の脊椎の外傷は，脊髄そのものを損傷する可能性が高い．脊髄損傷もまた，筋の麻痺や感覚異常の原因となる．しかしながら，末梢神経損傷とは対照的に，脊髄という中枢神経系の損傷では，痙性や反射亢進が出現する．

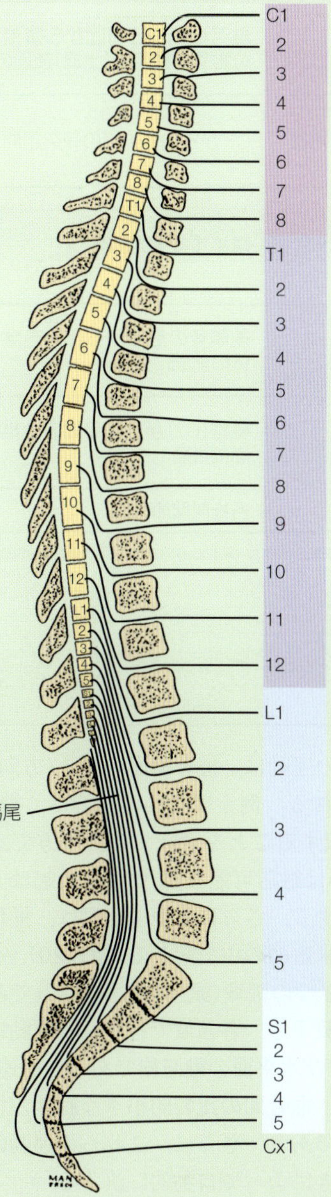

図 8.19　脊柱に対する脊髄と神経根の関係
神経根は右にラベルをつけた．馬尾は L1 椎骨レベルから始まることに注意しよう．（Neumann DA: Kinesiology of the musculoskeletal system: foundations for physical rehabilitation, ed 3, St Louis, 2017, Mosby, Fig. III.1 より）

端終末部から伸びる末梢神経）を収納，および保護している．4対の後仙骨孔には仙骨神経の後枝が通る．仙骨の前面には4対の前仙骨孔（**図 8.17**）があり，それぞれの孔から脊髄神経の前枝が連絡して仙骨神経叢をなす．

▶ 尾骨

　尾骨は，4個の癒合した椎骨からなる小さな三角形の骨である（**図 8.17**）．尾骨の基部は下位仙骨と関節をなし，仙尾骨結合を形成する．

脊柱の支持構造

　他の関節と同様に，脊柱の関節部も靱帯によって支えられている．靱帯の役割は，①不要あるいは過度の動きの阻止，②内在する器官の保護（**図 8.18**）である．これらの機能は特に重要である．というのも，脊柱の構造が完全でなければ，柔らかく脆弱な脊髄を保護することができないからである．

　脊柱の構造を支える主な靱帯を**表 8.2**に示した．脊柱を支持する靱帯は，体内の他の靱帯と似ていることに注意しよう．これらが長時間短縮している場合には，切れたり，弱化したり，過度に短くなることがある．

　また，筋の活動も，脊柱の安定化と保護に対して重要な役割をもつが，これについては後述する．

表 8.2 脊柱の主な靱帯

靱帯	付着部	機能	解説
黄色靱帯	椎弓板（下縁）前面から隣接する下位椎骨の椎弓板（上縁）後面の間	屈曲の制限	弾性線維を多く含む 脊髄の後面に位置する 腰椎部で最も厚くなる
棘上靱帯と棘間靱帯	C7 から仙骨までの棘突起間	屈曲の制限	頭頸部にある項靱帯は，棘上靱帯の伸張，また頸背部の両側の筋を分ける中隔となり，頭部を支える
横突間靱帯	隣接する横突起間	対側の側屈を制限	頸椎部には少ししか線維がない 胸椎部では丸みを帯び，局所の筋と絡み合う 腰椎部では，靱帯は薄く，膜質である
前縦靱帯	後頭骨の基部から仙骨を含む全椎体の前面に付着	脊柱の安定性を補強 伸展の制限，あるいは頸椎部と腰椎部における過度の前弯を制限	
後縦靱帯	軸椎（C2）から仙骨間の全椎体の後面に付着	脊柱の安定 屈曲の制限 線維輪後部の強化	脊柱管内にあり，脊髄前方に位置する
椎間関節包	各椎間関節の縁	椎間関節の補強と支持	過度の椎間運動によって緊張する

（Neumann DA: Kinesiology of the musculoskeletal system: foundations for physical rehabilitation, St Louis, 2002, Mosby, Table 9.3 より）

運動学

通常，脊椎の運動は，椎骨前面の動き（方向）の変化としてとらえられる．例えば右への回旋は，椎骨前面（椎体）が右へ回転することを意味する．一方で，体表からみえる（あるいは触診可能な）背面の棘突起は，反対方向の左側へ回旋する．さらに脊椎の運動は，椎体を通る回転の軸に関連する面の中で起こる（図 8.20）．

本章では，2 つの領域（頭頸部と胸腰部）でみられる運動について記載する．各領域で行われる運動は屈曲，伸展，側屈，および水平面の軸回旋である．前述のように，脊椎の運動は，椎骨間の比較的小さな動きが積み重なった，その総和である．さらに，これらの運動は，主に椎間関節面の向きによって自動的に決まる．

頭頸部

頭頸部は，環椎後頭関節，環軸関節，C2〜C7 までの頸部関節 3 種類の連結である．頭頸部は，脊椎の運動の中で最も可動性が高い．この領域の個々の関節は，頭部のポジショニングのために協調的に機能し，視線を目標に向けること，音を聞くこと，目と手を協調させること，身体の平衡を保つこと等に重要な役割を果たす．**表 8.3** には，頭頸部の各領域における平均的な可動域を示す．

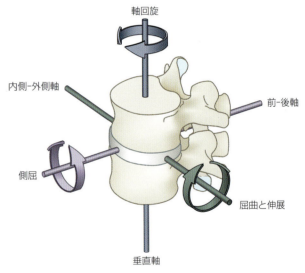

軸骨格の骨運動学で使用される用語

共通用語	運動面	回転の軸	その他の用語
屈曲と伸展	矢状面	内側-外側軸	前屈と背屈
左右側方向への屈曲	前額面	前-後軸	左右への側屈
左右への回旋*	水平面	垂直軸	回転，ねじり

＊：椎骨前方部の運動方向によって回転軸が決まる．

図 8.20 脊椎の骨運動学で使用される用語

（Neumann DA: Kinesiology of the musculoskeletal system: foundations for physical rehabilitation, ed 2, St Louis, 2010, Mosby, Fig. 9.30 より）

表 8.3　頭頸部の関節可動域測定*

関節あるいは部位	屈曲と伸展（矢状面での角度）	軸回旋（水平面での角度）	側屈（前額面での角度）
環椎後頭関節	屈曲：5° 伸展：10° 計：15°	わずか	約5°
環軸関節	屈曲：5° 伸展：10° 計：15°	35〜40°	わずか
頸部内の領域 （C2〜C7）	屈曲：35〜40° 伸展：55〜60° 計：90〜100°	30〜35°	30〜35°
頭頸部全域	屈曲：45〜50° 伸展：75〜80° 計：120〜130°	65〜75°	35〜40°

＊水平面，および前額面の運動は，片側の可動域のみを表示している．各可動域は複数のデータから編集しており（本文参照），被験者間の個体差が含まれている．（Neumann DA: Kinesiology of the musculoskeletal system: foundations for physical rehabilitation, ed 2, St Louis, 2010, Mosby, Table 9.7 より）

考えてみよう！＞＞椎間関節：関節面の向きによって動きが決まる

椎間関節は，上にある椎骨の下関節面と，下にある椎骨の上関節面とがなす関節である．脊柱の運動の方向や範囲は，主に椎間関節の向きによって決定される．椎間関節は，列車を導く線路のような働きをする．

椎骨は，骨の抵抗の少ない方向に自然に動く．この抵抗は，椎間関節面の向きによって決まる．このことは，脊柱の運動の理解に役立つであろう．

図 8.21 に，椎骨の上関節面の向きを示す．軸椎（C2）の上関節面は，ほぼ水平面と同じ向きである．したがって C1〜C2 関節（環軸関節）は，水平面で最も自由に運動し，頭部を左右へ十分に回すことができる．

C2〜C7 の椎間関節面は水平面から前額面へ 45°傾く（図 8.23 参照）．この関節面のアライメントは，水平面での大きな回旋と側屈を可能にする．

胸椎の椎間関節面は，前額面とほぼ同じ向きである（図 8.21 左下）．この関節面のアライメントは十分な側屈を可能にするが，肋骨が付着するために，本来は可能な運動が制限される．

図 8.21 のように，上位腰椎の椎間関節面は，矢状面とほぼ同じ向きである．この構造は，屈曲・伸展といった矢状面の運動に有利に働く．一方，下位腰椎の椎間関節面は前額面のほうへ向きを変える．この関節面のアライメントは側屈に有利に働き，歩行やランニングで自然に起こる**骨盤挙上** hip-hiking に役立つ．より重要なポイントは，この L5 と S1 間の前額面に近い椎間関節面の向きによって，下位腰椎が仙骨に対して前方へ滑らなくなっていることである．

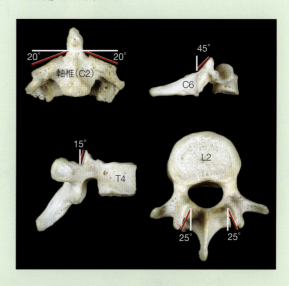

図 8.21　頸椎，胸椎，腰椎の上関節面の向き

（Neumann DA: Kinesiology of the musculoskeletal system: foundations for physical rehabilitation, ed 2, St Louis, 2010, Mosby, Fig. 9.32 より）

▶屈曲と伸展

図8.22，23に示すように，頭頸部の最大伸展は80°であり，最大屈曲は45〜50°である．矢状面での運動（屈曲と伸展）における全体の25%は環椎後頭関節と環軸関節で生じ，残りはその他の頸椎内の領域（C2〜C7）で生じる．

環椎後頭関節は，屈曲・伸展の運動が行いやすいようにできており，後頭顆とそれに対応する環椎の上関節面は，**揺り椅子** rocking chair のような形で適合する．後頭顆は伸展時に後方へ転がり（図8.22A），屈曲時には前方へ転がる（図8.23A）．関節運動学的な法則は第1章で述べたが，この関節の運動における**転がり** roll と**滑り** slide は，反対方向に起こる．

環軸関節は主に水平面の運動（回旋）を行いやすいようにできているが，その他にも10°の伸展，5°の屈曲が可能である（図8.22B，23B）．

その他の頸部内の領域（C2〜C7）での屈曲と伸展は，弧の形を描くように動くが，これは椎間関節が傾斜することによる．前述のように，これらの関節は水平面および前額面に対して45°の傾きをもつ．伸展時には，上に位置する椎骨の下関節面が下に位置する椎骨に対して，後方および下方へ滑り（図8.22C），屈曲時には伸展時と逆の動きをする（図8.23C）．

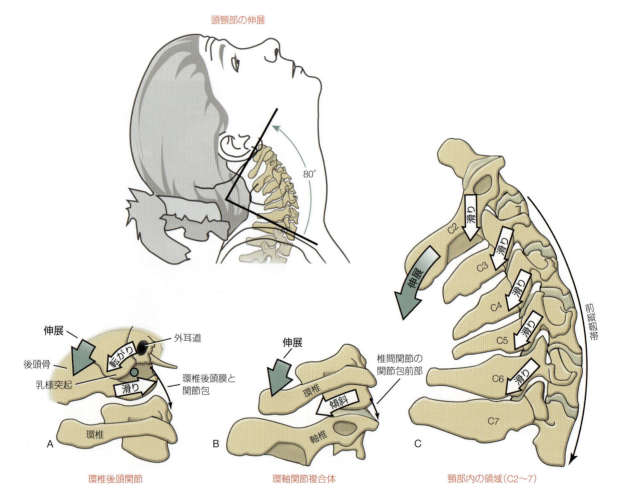

図8.22　頭頸部の伸展
A：環椎後頭関節．B：環軸関節．C：頸部内の領域（C2〜C7）．伸張されて緊張した組織を細い黒色の矢印で示す．（Neumann DA: Kinesiology of the musculoskeletal system: foundations for physical rehabilitation, ed 2, St Louis, 2010, Mosby, Fig. 9.45より）

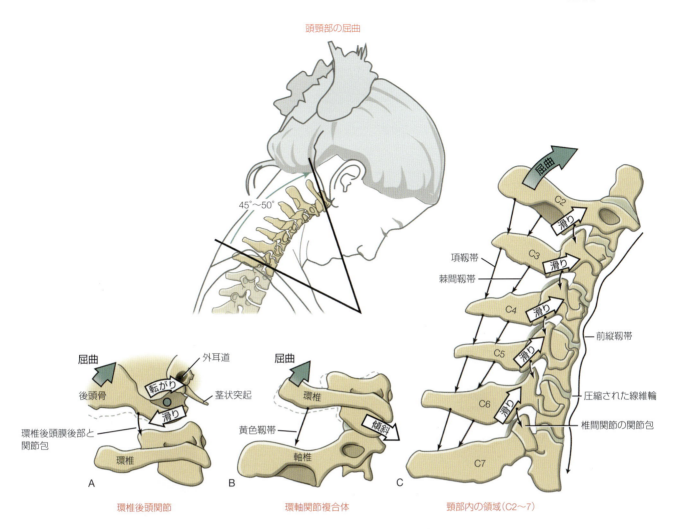

図 8.23 頭頸部の屈曲
A：環椎後頭関節．B：環軸関節．C：頸部内の領域(C2〜C7)．伸張されて緊張した組織を細い黒色の矢印で示し，ゆるんだ組織を波形の黒色の矢印で示す．（Neumann DA: Kinesiology of the musculoskeletal system: foundations for physical rehabilitation, ed 2, St Louis, 2010, Mosby, Fig. 9.46 より）

▶ 軸回旋

ある物体に視線を向けたり，あるいは音源に耳を向けたりするために，頭頸部の回旋は不可欠である．図8.24のように，頭頸部の回旋は左右に80°，合わせて160°近い可動域をもつ．眼球の水平面における可動域（150〜160°）を加えると，視野の広さは，体幹を動かさなくても360°近くにまで達する．

頭頸部で行われる回旋運動の約半分は，環軸関節によるものである．歯突起と平らな軸椎(C2)の上関節面は，輪状の環椎(C1)を自由かつ安全に，それぞれ左右に45°回旋させる（図8.24A）．ここで留意すべき点は，頭が輪状の環椎から独立して回旋しないことである．後頭骨が深く座るような役割をもつ環椎後頭関節は，回旋に強い抵抗を示す．そのため，頭部の回旋は，環椎と頭蓋が固定した状態で軸椎上を回旋することになる．

C2〜C7の回旋は，主に椎間関節の傾きによって導かれる．これらの関節の動きが合わさって左右へ45°回旋することができ，また，ごくわずかであるが，自動的に側屈を伴う（図8.24B）．頭頸部の右回旋でみられるC2〜C7の動きを，図8.24Bに示す．

▶ 側屈

頭頸部は，それぞれ左右に40°側屈する．環椎後頭関節においては，ごくわずかではあるが，それぞれ左右に5°側屈する（図8.25A）．側屈の大部分はC2〜C7の各関節の動きによって起こる．

C2〜C7での側屈の動きを，図8.25Bに示す．繰り返し述べるが，この側屈は45°傾いた（訳注：環椎後頭関節の5°の傾斜を含む）椎間関節の傾斜による．椎間関節の関節面の傾斜により，側屈に連動して，水平面においてわずかな回旋が生じる．

184　第8章　脊柱の構造と機能

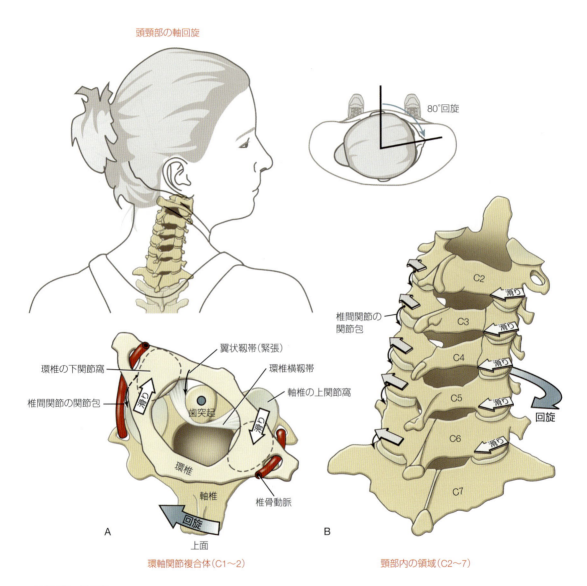

図 8.24　頭頸部の軸回旋
A：環軸関節．B：頸部内の領域（C2〜C7）．（Neumann DA: Kinesiology of the musculoskeletal system: foundations for physical rehabilitation, St Louis, ed 2, 2010, Mosby, Fig. 9.48 より）

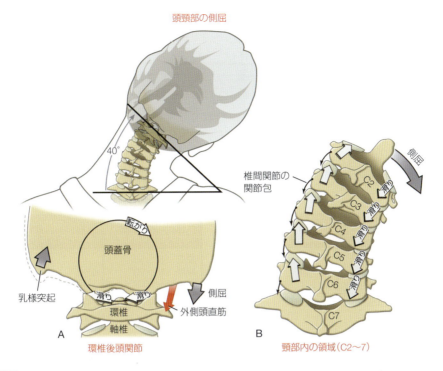

図 8.25　頭頸部の側屈
A：環椎後頭関節．B：頸部内の領域（C2〜C7）．(Neumann DA: Kinesiology of the musculoskeletal system: foundations for physical rehabilitation, ed 2, St Louis, 2010, Mosby, Fig. 9.49 より)

臨床的な視点 >> 屈曲・伸展が椎間孔直径に及ぼす影響

　椎間孔は，脊髄から出る脊髄神経の通路である．その名の通り，2つの隣接する椎骨の間でつくられる孔である．そのため，両椎骨の動きや位置によって形状が変化し，それに伴い孔の大きさも変わる．
　屈曲により椎間孔の直径は増大し，逆に伸展では直径が減少する(**図 8.26**)．このことは椎間孔狭窄を呈する患者にとって，臨床的に意味のあることである．例えば，椎間孔内における骨棘形成は，この空間を通過する**脊髄神経** spinal nerve 圧迫の原因となる．骨棘形成の結果，うずくような痛み，感覚麻痺，反射減弱，放散痛のような症状が現れる．
　椎間孔狭窄，あるいは骨棘形成を呈する患者に対しては，神経根圧迫を軽減するために，頸部を屈曲させたり頭部を前方へ突き出す姿勢をとるよう促す．これらの姿勢では下位頸椎の屈曲姿勢によって椎間孔の空間が広くなるため，そこから出る神経があまり圧迫されずにすむ．
　頸部神経根圧迫に対する治療として，刺激を受ける神経の圧迫を減らして痛みを緩和するために，頸部を軽く屈曲させた状態で牽引する方法がよく行われる．

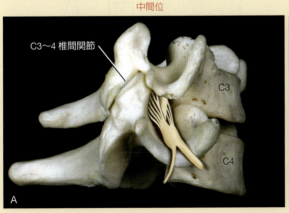
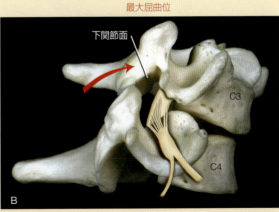

図 8.26　頸椎が中間位(A)および屈曲位(B)にあるときの椎間孔の大きさの比較
椎間孔のスペースは屈曲時に著明に増加し，脊髄神経根は通過しやすい．(Neumann DA: Kinesiology of the musculoskeletal system: foundations for physical rehabilitation, ed 2, St Louis, 2010, Mosby, Fig. 9.50 より)

胸腰部

解剖学上の相違点は認められるが，通常，胸椎と腰椎は協調的に働き，このために，骨盤や下肢と比較して体幹はより大きな可動域を有する．したがって胸腰部の運動は，まとめて記載することにした．胸腰部の参考可動域を表8.4，5にまとめた．

▶屈曲と伸展

胸腰部の屈曲の概要を，図8.28に示す．胸・腰椎は協調して，前方へ85°屈曲する．この屈曲運動のうち，約50°は腰椎で起こる．たった5つの椎骨で構成される腰椎部において，これほどの動きが生じることには驚かされる．腰部でみられる大きな屈曲運動は腰椎のもつ形態的特徴に関係する．それは椎間関節の関節面が，矢状面のほうを向いていることである．屈曲の大きな可動域

表8.4　胸部の参考可動域

屈曲と伸展 （矢状面での角度）	回旋 （水平面での角度）	側屈 （前額面での角度）
屈曲：30～40° 伸展：20～25° 計：50～65°	30～35°	25～30°

（Neumann DA: Kinesiology of the musculoskeletal system: foundations for physical rehabilitation, ed 2, St Louis, 2010, Mosby, Table 9.8 より）

表8.5　腰部の参考可動域

屈曲と伸展 （矢状面での角度）	回旋 （水平面での角度）	側屈 （前額面での角度）
屈曲：40～50° 伸展：15～20° 計：55～70°	5～7°	20°

（Neumann DA: Kinesiology of the musculoskeletal system: foundations for physical rehabilitation, ed 2, St Louis, 2010, Mosby, Table 9.9 より）

臨床的な視点 >> 頭部の前方突出：自動的な顎引きによる不良姿勢の治療

頭部の前方突出は，頭頸部領域の不良姿勢の一つである．これは，典型的にはテーブル上に置かれた本を読むときのように，長時間にわたって頭部を過度に前方の位置へ保持する姿勢である．また頭部の突き出しによって，下位頸椎は屈曲し，上位頸椎は伸展（通常は過伸展）する（図8.27A）．この姿勢が長期にわたると，上位頸椎の筋や靭帯が短縮し，この部分の骨構造が接近した状態になじんでしまう（図8.27A において，頭蓋底面にC1とC2の棘突起が接近していることに注目しよう）．

この頭部の前方突出の治療の一つが，顎を引くことである（図8.27B）．顎を引くことは，実質的に頭部を後方へ引きつけることにつながる．この運動により，下位頸椎は伸展し，また上位頸椎は大きく屈曲して，頭部の前方突出が抑制される．また，この運動を定期的に行うことによって，頭部の前方突出が改善されることも多い．

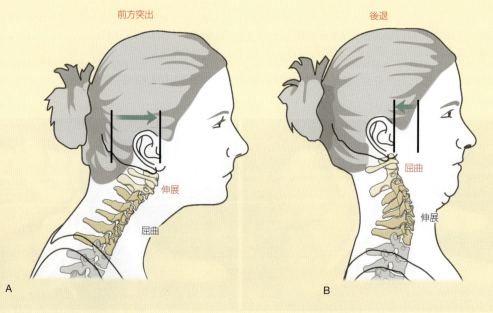

図8.27　頭部の前方突出および後退
A：前方突出の際，上位頸椎は伸展するのに対して，下位頸椎は屈曲する．B：対照的に後退の際は，上位頸椎が屈曲するのに対して，下位頸椎は伸展する．（Neumann DA: Kinesiology of the musculoskeletal system: foundations for physical rehabilitation, ed 2, St Louis, 2010, Mosby, Fig. 9.47 より）

運動学　187

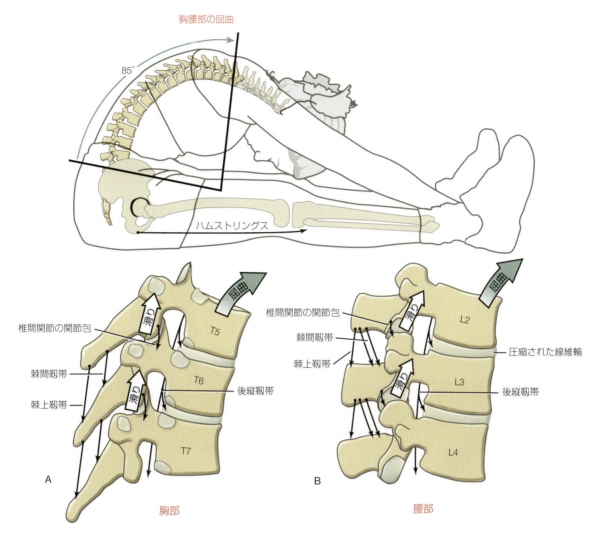

図 8.28　胸腰部の屈曲
A：胸部の動き．B：腰部の動き．（Neumann DA: Kinesiology of the musculoskeletal system: foundations for physical rehabilitation, ed 2, St Louis, 2010, Mosby, Fig. 9.52 より）

は機能的に重要で，物体を床から拾うために身体を前方へ屈曲させることを可能にする．違う見方をすると，自由度の高い可動性が，腰部における椎間板ヘルニアの高い発生率に，一部関与しているのかもしれない．胸腰部が屈曲する際の関節運動学的な動きを，**図 8.28** に示す．

胸腰部でみられる伸展運動は，およそ 35～40°である（**図 8.29**）．胸部の伸展は，前縦靱帯の緊張とともに，下方へ傾斜している棘突起が接触するために制限される．

▶軸回旋

胸腰部は，左右それぞれの方向へ 40°回旋することができ，回旋の大部分は胸部で起こる（**図 8.30**）．腰部の回旋運動が制限されるのは，腰椎の解剖学的特徴によって説明できる．つまり，椎間関節の関節面の向きが矢状面にほぼ等しいために，椎骨の回旋が物理的に妨げられるのである．

図 8.30A，B に示すように，腰椎部が右へ回旋した場合，上位椎骨の下関節面が，下位椎骨の上関節面とすぐに衝突するが，これによって回旋運動は著しく制限される．実際，1 つの腰椎間で生じる回旋は，1°にも満たない．腰椎は，屈曲を有利に行えるように軸回旋を犠牲にした構造となっているといえる．

このように腰部の回旋は制限されているが，胸腰部全体でみると，その制限は，胸部の回旋によって一部相殺される．胸腰部の回旋は 17 の脊椎分節（胸椎 12，腰椎 5）で行われ，全体として片側 40°近くまで回旋することができる．しかし，80°まで回旋することができる頭頸部と比較すると，胸腰部における回旋の制限は大きいといえる．

▶側屈

胸腰部は一般に，45°の側屈が可能である（**図 8.31**）．胸腰部の椎骨間の動きを，**図 8.31A，B** に示す．

188　第 8 章　脊柱の構造と機能

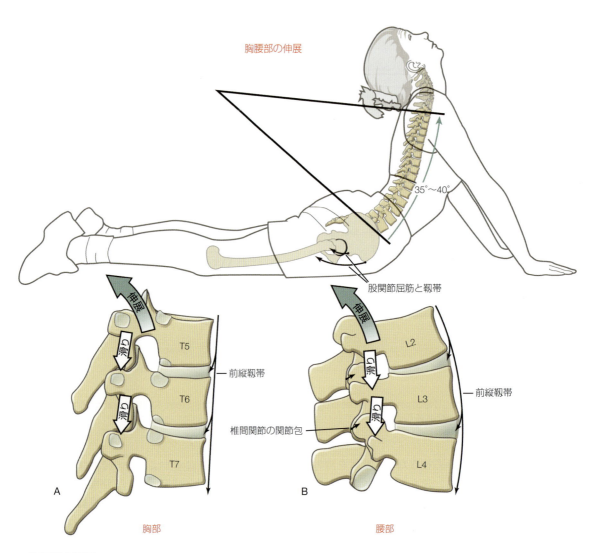

図 8.29　胸腰部の伸展
A：胸部の動き．B：腰部の動き．（Neumann DA: Kinesiology of the musculoskeletal system: foundations for physical rehabilitation, ed 2, St Louis, 2010, Mosby, Fig. 9.53 より）

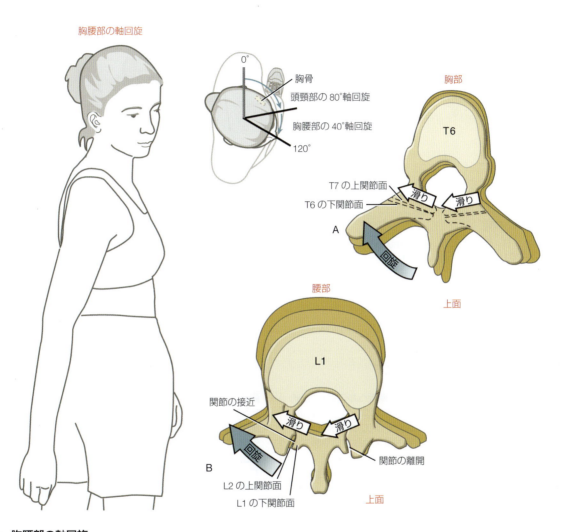

図 8.30 胸腰部の軸回旋
A：胸部の動き　B：腰部の動き．（Neumann DA: Kinesiology of the musculoskeletal system: foundations for physical rehabilitation, ed 2, St Louis, 2010, Mosby, Fig. 9.54 より）

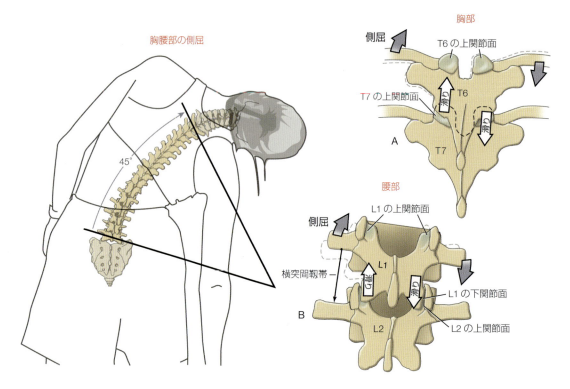

図 8.31　胸腰部の側屈
A：胸部の動き　B：腰部の動き．（Neumann DA: Kinesiology of the musculoskeletal system: foundations for physical rehabilitation, ed 2, St Louis, 2010, Mosby, Fig. 9.55 より）

 臨床的な視点 >> 髄核ヘルニア

　隆起した，あるいは脱出した椎間板（椎間板ヘルニア）の正式な名称は，髄核ヘルニアである．椎間板ヘルニアのうち最も痛みを伴うのは，脊髄や脊髄神経根がある後-側方か，あるいは後方へ髄核が移動したものである．患者が訴える放散痛や感覚麻痺は，神経を椎間板が圧迫することで生じる．

　通常，椎間板ヘルニアには4種類あり，痛みや障害の程度も，それぞれで異なる（図8.32）．

- **膨隆**：膨隆した髄核は線維輪内にとどまるが，隆起した椎間板が神経組織を圧迫する可能性がある．
- **突出**：膨隆した髄核が椎間板の後縁まで達するが，線維輪の外層内にとどまる．
- **脱出**：線維輪が断裂し，椎間板から硬膜外へ髄核が完全に漏れ出る．
- **分離**：髄核の一部や線維輪の破片が，硬膜外の空間にはまり込む．

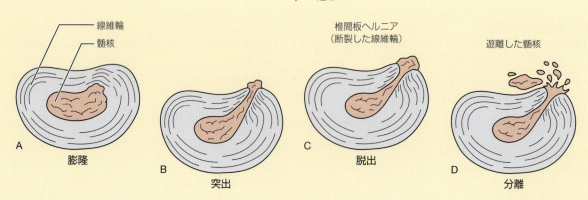

図 8.32　4種類の椎間板ヘルニア
A：膨隆．B：突出．C：脱出．D：分離．（Magee DL: Orthopedic physical assessment, ed 5, Philadelphia, 2008, Saunders, Fig. 9.8 より）

運動学　191

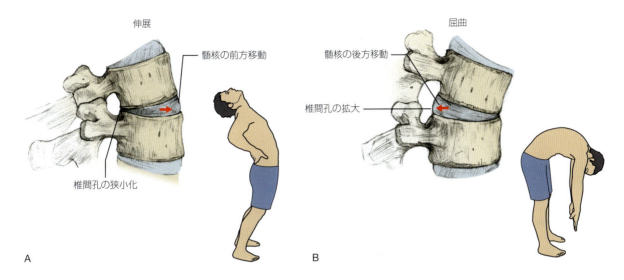

図 8.33　椎間板に対する伸展と屈曲の影響
A：腰椎の伸展は髄核の前方移動をもたらし，椎間孔を狭くする．B：腰椎の屈曲は髄核の後方移動をもたらし，椎間孔を広くする．

機能的考察

▶椎間板の変位

椎骨の傾斜等の動きは，椎間板内にある髄核の比較的小さな移動（あるいは変位）をもたらす．髄核は，周囲を線維輪で囲まれた，椎間板の中央に位置するゼリー状の組織である．髄核はほぼ流動体であるため，椎間の圧迫力を避けるようにして移動する傾向がある（**図 8.33**）．例えば腰椎が伸展する際，椎体における後側の圧迫力は前側よりも強くなる．その結果，髄核は圧力の少ない前方へ押される（**図 8.33A**）．屈曲時にはその逆の現象が起こり，髄核は後方へ移動する（**図 8.33B**）．このように，原則として椎間板内の髄核は，脊柱の運動と反対方向へ移動する．

脊柱の運動に伴う髄核の小さな変位は，自然に発生する．しかしながら，長時間あるいは過度の圧迫が重なると，線維輪が崩壊し，生じた亀裂から髄核が漏れ出す等，髄核ヘルニアへ進行する危険性がある．**髄核ヘルニア** herniated nucleus pulposus の多くは腰椎でみられ，特に後方（脊髄，馬尾あるいは神経根のある方向．**図 8.34**）への発生頻度が高い．このようなヘルニアは，殿部や下肢に局所的あるいは放射状に広がる痛みを誘発することもある．

腰部の椎間板ヘルニアは神経症状を伴うことが多い．ヘルニアの形成は座位での不良姿勢，あるいは物体の不適切な持ち上げ方に関係すると考えられる．このような日常的な動作とヘルニアとの関連性について，以下に述べる．

腰部を丸く屈曲させるような前かがみの座位は，腰椎における自然な前弯を減弱させ，特に慢性化すると，髄核の後方変位の危険性が高まり，また長期化すると，線

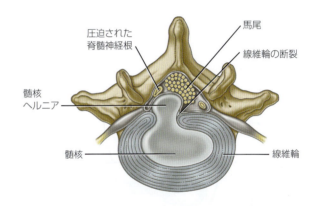

図 8.34　脊髄神経や馬尾神経を圧迫する腰椎の髄核ヘルニアの上面

（Neumann DA: Kinesiology of the musculoskeletal system: foundations for physical rehabilitation, ed 2, St Louis, 2010, Mosby, Fig. 9.60 より）

維輪後方の壁は過伸張を受けて弱くなる．この弱体化が進めば，髄核の後方変位を制限できなくなってしまう．また髄核ヘルニアは，荷物の持ち上げ等で突発的に発生することもある．例えば，荷物を床から持ち上げる際には，身体を前方に曲げる必要がある．このとき，股関節や膝関節を屈曲させずに，腰部脊柱を過屈曲させると，髄核は圧迫されて後方へ移動する．荷物の重さに加え，脊柱を支える筋の収縮によって椎間板に加えられる圧力は，よりいっそう大きくなる．

図 8.35 に，さまざまな姿勢における椎間板への圧力の違いを示す．留意すべき点は，背臥位（訳注：棒グラフの左端）では椎間板への圧力が最も小さいことである．背臥位は，髄核ヘルニアを発症した患者にとって，比較的楽な姿勢として選択される．

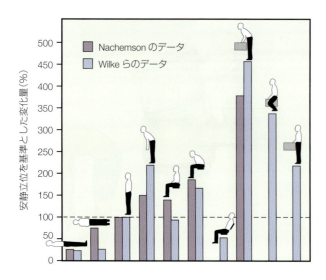

図 8.35　さまざまな姿勢で生じる椎間板への圧力の比較
(Wilke HJ, Neef P, Caimi M et al: New in vivo measurements of pressures in the intervertebral discs in daily life, Spine 24: 755-762, 1999 より改変．本章末の参考文献参照)

椎間板の多くの治療法は，腰椎の運動力学に基づく．例えば腰椎後方への髄核ヘルニアは，脊椎の伸展を用いた治療をする．理論的には，脊椎を伸展させる運動によって後方へ変位していた髄核を前方，つまり元の中央の位置へと戻し，脊髄神経組織への影響を取り除くのである．しかしながら，急性の背部痛には慎重に対処しなければならない．さらに，治療とともに，物体の安全な持ち上げ方や，座位での適切な姿勢をとることの利点についても，患者に指導する必要がある．

▶骨盤前傾および後傾の治療的意味

骨盤前傾 anterior pelvic tilt とは，上体(体幹)をまっすぐに保持したままで，骨盤を股関節に対して前方へ弧を描くように回旋する状態である．図 8.36A に示すように，骨盤前傾は自動的に腰椎を伸展させ，前弯を強める．逆に，**骨盤後傾** posterior pelvic tilt は，骨盤を後方へ回旋させることで腰椎を屈曲させ，後弯を強める(図 8.36B)．

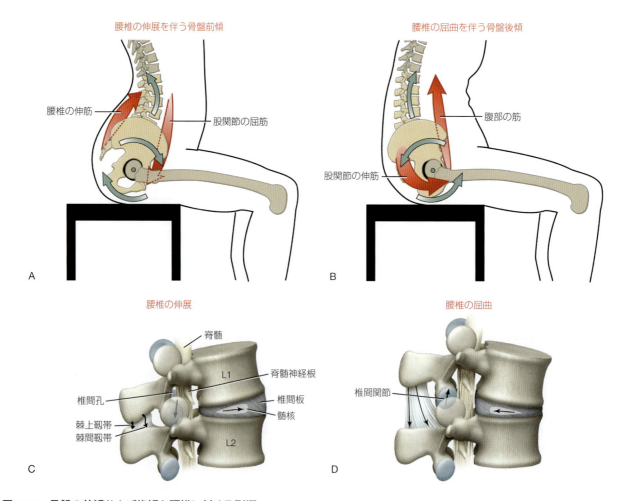

図 8.36　骨盤の前傾および後傾と腰椎に対する影響
AとCのような骨盤前傾は，腰椎の前弯を増大させる．その結果，髄核は前方へ変位し，椎間孔直径が減少する．BとDのような骨盤後傾は，腰椎を屈曲させ，前弯を減少させる．その結果，髄核が後方へ変位するとともに，椎間孔直径が増大する．
(Neumann DA: Kinesiology of the musculoskeletal system: foundations for physical rehabilitation, ed 2, St Louis, 2010, Mosby, Fig. 9.63 より)

考えてみよう！ >> 脊柱側弯症

脊柱側弯症 scoliosis（ギリシャ語の"弯曲"に由来．英語ではcurvature）とは，脊柱の変形であり，主に胸腰椎の前額面での異常な弯曲によって特徴づけられている．脊柱の動きは力学的に連動しているために，脊柱側弯症の影響は前額面ほどではないが，水平面や矢状面にも及ぶ．

脊柱側弯症のほとんどに共通するパターンは，T7〜T9部分を頂点とする単一の側方カーブを描くことである．その他のパターンとして，代償的な弯曲が腰椎に生じる場合が多い．例えば，図8.37Aは，胸椎左側弯および腰椎右側弯を呈する思春期の女性の背面である．脊柱側弯症のタイプは弯曲の頂点側（凸側）に従って名づけられる（訳注：例えば左側に弯曲の頂点があれば，左側弯）．構築性側弯症では，前方屈曲の際に，胸椎の不要な回旋によって肋骨に強制的な力が働き，しばしば独特の**肋骨隆起** rib hump が観察される（図8.37A 下図）．

セラピストは，各弯曲（凹側）の短縮した組織のストレッチや，凸側の筋の強化，装具療法，軟部組織のモビライゼーション，姿勢矯正の指導などを含む保存療法を通じて，脊柱側弯症を治療する．重症例，あるいは保存療法によって変形の進行が阻止できない場合には，整形外科的手術が必要になることもある（図8.37B）．

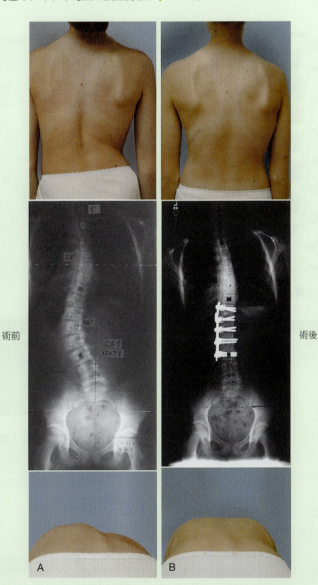

図8.37 側弯症を患う少女の後姿
A：術前に撮影された後姿の写真とレントゲン撮影の画像を観察すると，前額面における胸腰部の曲線が確認される．胸部曲線の頂点が左にあるので，これが左側弯症であることに注目してほしい．さらに，下の写真は少女が前屈姿勢になったときに撮影されたもので，左側に特徴的な"rib hump（肋骨隆起）"がみられる．B：前方矯正固定術の手術法を受けた後に撮影された同じ少女の写真とレントゲン画像である．下の写真で観察される矯正された肋骨隆起の状態に注目してほしい．（Neumann DA: Kinesiology of the musculoskeletal system: foundations for physical rehabilitation, ed 3, St Louis, 2017, Mosby, Fig. 9.76 より）

表 8.6　腰部の屈曲および伸展の生体力学的影響

運動	生体力学的影響
屈曲	①髄核が後方（神経組織方向）へ移動する傾向がある ②椎間孔の直径が大きくなる ③椎間板への負荷が大きくなる（椎間関節の負担が椎間板へ移動する） ④後方にある結合組織（黄色靱帯，椎間関節包，棘間・棘上靱帯，後縦靱帯）や，線維輪後方縁の緊張が増大 ⑤線維輪前方縁の圧縮
伸展	①髄核が前方（神経組織から離れる方向）へ移動する傾向がある ②椎間孔の直径が小さくなる ③椎間関節への負荷が大きくなる（椎間板の負担が椎間関節へ移動する） ④後方にある結合組織（黄色靱帯，椎間関節包，棘間・棘上靱帯，後縦靱帯）や，線維輪後方縁の緊張が減少 ⑤線維輪前方縁の伸張

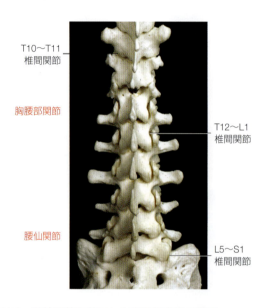

図 8.38　腰仙関節に着目した胸腰部脊椎の後面

（Neumann DA: Kinesiology of the musculoskeletal system: foundations for physical rehabilitation, ed 2, St Louis, 2010, Mosby, Fig. 9.56 より）

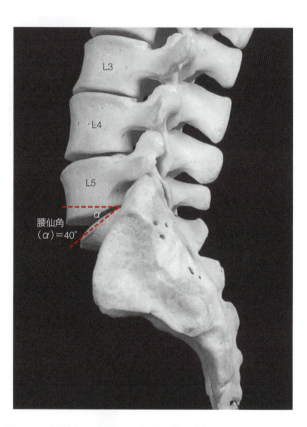

図 8.39　腰仙角に着目した腰仙関節の側面

（Guy Simoneau 氏の協力を得て作成された．Neumann DA: Kinesiology of the musculoskeletal system: foundations for physical rehabilitation, St Louis, 2002, Mosby, Figure 9-40 より改変）

　腰痛の治療における理学療法アプローチには，骨盤の前傾と後傾がプログラムの一部として取り入れられる．前述のように骨盤の運動は，腰椎の伸展あるいは屈曲運動を伴う．腰椎の伸展や屈曲は，生体力学的に多くの影響を与える（**表 8.6**）．屈曲あるいは伸展のどちらを選択するかは，患者の病態および治療目標に従って決定される．

　例えば**狭窄症** stenosis の患者においては，骨盤後傾を促す治療が行われるであろう．それによって腰椎は屈曲し，その結果，椎間孔は拡大する（**図 8.36D**）．これにより，神経根の損傷に起因する疼痛症状は緩和するであろう．対照的に，椎間板ヘルニアによって神経症状が発現した患者に対しては，骨盤前傾を保持させ，腰椎前弯を維持・増大させるであろう．これは，髄核の後方変位を防ぎ，隣接する神経組織への圧迫を抑制する効果をもたらすと考えられるからである（**図 8.36C**）．

腰仙関節と仙腸関節

▶腰仙関節

　L5〜S1 の関節は，腰仙関節（腰仙連結）とよばれる（**図 8.38**）．上半身全体の重量は，この部分を介して骨盤に伝えられる．L5〜S1 の連結は，前方にある椎体間の関節と，後方にある一対の椎間関節とでなされる．通常，腰仙関節は，仙骨底が水平面に対して 40°前方へ傾く．この傾斜は，腰仙角とよばれる（**図 8.39**）．L5〜S1 の椎間関節における関節面は，一般に前額面とほぼ一致する

臨床的な視点 >> 前方脊椎すべり症

前方脊椎すべり症 anterior spondylolisthesis では，ある椎骨が他の椎骨に対して前方変位する．この変位は，腰仙関節部分（L5〜S1 間）でよく発生する（図 8.40）．椎間関節部（上下の関節突起間部）の骨折が原因となって発症することが多い．

前方脊椎すべり症の重症例では，腰仙移行部を通過する馬尾神経を損傷する．

原則として前方脊椎すべり症では，腰椎を最大限まで伸展（あるいは過度に腰椎前弯）するような運動は，禁忌である（極端に骨盤を前傾させることも禁忌である）．このような運動や姿勢は，仙骨の水平面に対する角度を増加させ，L5 が仙骨の基部上をさらに前方へ滑りやすくするだけでなく，椎間孔の空間を減少させて，この部分を通過する神経をさらに圧迫することになる．

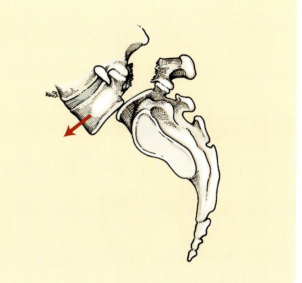

図 8.40 腰仙関節（L5〜S1）で発症した前方脊椎すべり症
(Marx J, Hockberger R, Walls R: Rosen's emergency medicine: concepts and clinical practice, ed 6, St Louis, 2006, Mosby, Fig. 51.3 より)

（図 8.38）．これにより，腰椎が仙骨（腰仙角）の上を前方へ平行移動して"滑り降りる"のが防止される．仙骨底に対して腰椎が過度に前方変位した病態を，**脊椎すべり症** spondylolisthesis という．これは，ギリシャ語の"脊椎"を意味する"spondylo"と，"滑る"を意味する"listhesis"に由来する．

▶ 仙腸関節

仙腸関節は，仙骨の関節面と左右両方にある腸骨との間で形成される．仙腸関節の主な機能は，上半身の荷重による応力をV字形の仙骨によって骨盤や下肢に分配することである．体重負荷の大きい立位姿勢においては，下肢から伝わる力の向きを変えて，仙骨および最終的には脊柱にその力を伝える（図 8.41）．また，女性においては，この仙腸関節が分娩時にゆるみ，それによって産道を開く働きももつ．

仙腸関節は一般に，ほとんど動かない．これらの関節が比較的固定されることで，腸骨と仙骨が安定する．これは歩行やランニングのような大きな負荷（応力）を，的確に仙骨や脊柱に伝えるための必要条件となる．仙腸関節は，多くの靱帯によって支持される（図 8.42）．さらに，仙腸関節を交差して走行する梨状筋や，ハムストリングス，腹部の筋等の活動によって直接的，あるいは間接的な安定化作用を受ける．

仙腸関節における仙骨の限定的な運動は，ある特定の筋の作用によって起こるのではないと通常は考えられる．仙骨は標準で 2°，あるいは，それ以下の回旋しかみられない．また可動性も認められるが，通常は 2 mm よりも少ない．仙腸関節の運動学的解釈を本書の範囲内で詳細に説明することは困難であるが，基本的な運動に

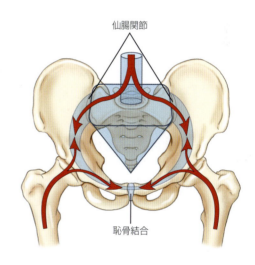

図 8.41 骨盤の前面図
身体荷重は仙骨を介して骨盤に伝わり，下肢からの反力と骨盤内でリングを形成する．(Kapandji IA: The physiology of joints, vol 3, New York, 1974, Churchill Livingstone より)

ついては以下に説明する．

仙骨が両腸骨間を矢状面において回旋することを，**前屈** nutation（うなずき），あるいは**後屈** counternutation（起き上がり）とよぶ（図 8.43）．うなずくようにみえる前屈は，仙骨が両腸骨に対する前方への回旋である．逆に後屈運動は，仙骨の両腸骨に対する後方への回旋である．これらの運動は，仙骨前縁の動きとしてとらえられる．

仙腸関節は，脊柱，骨盤，下肢と連結し，身体の負荷が大きい場所に位置する．靱帯，筋，筋膜等の広範囲の連結にもかかわらず，仙腸関節は尻もちをつく，あるいは尾骨を打撲すること等によってアライメントが乱れる．アライメントの乱れは，骨盤をすぐに不安定にし，

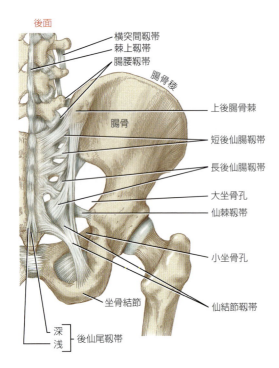

図 8.42　仙腸関節を補強する主な靱帯を含む右側腰仙関節の後面

(Neumann DA: Kinesiology of the musculoskeletal system: foundations for physical rehabilitation, ed 2, St Louis, 2010, Mosby, Fig. 9.71 より)

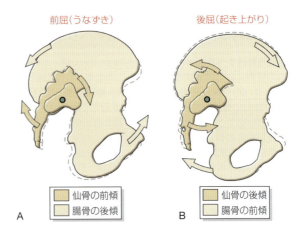

図 8.43　仙腸関節の運動

A：前屈（うなずき）．B：後屈（起き上がり）．(Neumann DA: Kinesiology of the musculoskeletal system: foundations for physical rehabilitation, ed 2, St Louis, 2010, Mosby, Fig. 9.73 より)

痛みを誘発したり，代償的な姿勢（姿勢の著しい変化）を伴ったりする．このような場合，理学療法では正常なアライメントを再構築するために，あるいは少なくとも炎症や疼痛を減少させるために，軟部組織のモビライゼーションや自動運動，物理療法等を含む治療を行う．

筋と関節の相互作用

頭頸部と体幹の筋の神経支配

　脊髄神経が椎間孔から出ると，すぐに前枝と後枝に分かれる（図 8.44）．短い神経の後枝は，頸部や体幹の背側にあるほとんどの筋を支配する．前枝は頸神経叢，腕神経叢，腰仙骨神経叢をなすだけでなく，体幹や頸部の前-外側にあるほとんどの筋を支配する．この知識により，頸部や体幹の筋の神経支配が予測可能となる．一部には例外があるが，例えば第 6～12 胸椎の間にある脊柱後面の筋は，T6～T12 の脊髄神経から分岐する複数の後枝から神経支配を受ける．一方で，前-外側の体幹筋は，T6～T12 の脊髄神経から分岐した前枝で構成される神経線維に支配される（肋間神経という）．Box 8.1 では，さまざまな脊髄神経に共通する機能を示す．

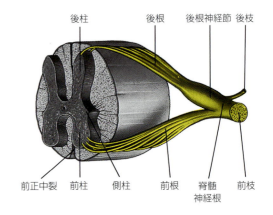

図 8.44　脊髄の断面にて後根（感覚神経）と前根（運動神経）を示す

脊髄神経は，細い後枝と太い前枝に分かれる．(Standring S: Gray's anatomy: the anatomical basis of clinical practice, ed 40, St Louis, 2009, Elsevier より改変)

Box 8.1　脊髄神経の構成要素に共通する機能

- 前根神経：筋に指令を送る運動性（遠心性）軸索を主に含む．
- 後根神経：末梢から脊髄へ情報を送る感覚性（求心性）軸索を主に含む．
- 脊髄神経：前根神経と後根神経からなる．
- 後枝：体幹および頭頸部の深層背部筋を支配する脊髄神経の背側分枝．
- 前枝：体幹および頭頸部の前-外側の筋を支配する脊髄神経の腹側分枝．また，頸神経叢，腕神経叢，腰仙骨神経叢を構成する．

頭頸部の筋

頭頸部にある多数の筋は，前方と後方の2グループに分類される．前方にある筋は頭頸部を屈曲させるのに対し，後方にある筋は伸展させる作用をもつ．また，この領域にあるほとんどすべての筋は，頭頸部を側屈，あるいは水平面で回旋させる作用をもつ．

▶前面にある頭頸部の筋

1. 表在筋

頭頸部における表在筋には，胸鎖乳突筋および前斜角筋，中斜角筋，後斜角筋がある．これらの筋は一般に，この領域にある深層筋よりも長い．また運動という機能に加えて，これらの表在筋は"張り綱線"として機能し，頭頸部の安定化にも寄与する．

ATLAS

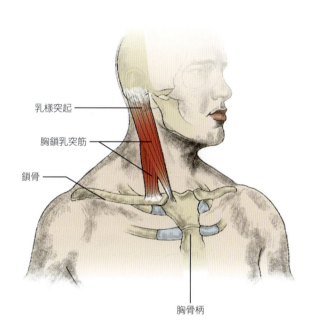

■ 胸鎖乳突筋

下位付着部 ［胸骨頭］胸骨柄の上面．
　　　　　　［鎖骨頭］鎖骨の内側 1/3.
上位付着部 側頭骨乳様突起．
神経支配 脊髄副神経（脳神経XI）．
収縮作用 ［両側性収縮］頭部や頸部の屈曲，頭・上位頸椎の伸展．
　　　　　　［片側性収縮］収縮側とは反対側への頭頸部の回旋，頭頸部の側屈．

解説 一側の胸鎖乳突筋の筋緊張が亢進すると，斜頸とよばれる状態になる．これは，胸鎖乳突筋のもつすべての作用が同時に表れた状態であり，頭頸部が，屈曲・側屈・対側への回旋の位置に固定される．この状態は，しばしば小児にもみられ，一般的な治療としては，筋のストレッチや周辺軟部組織のモビライゼーションが行われる．また，この筋は頸部の主な屈筋と考えられているが，胸鎖乳突筋の牽引線が頭部の内側-外側回転軸の後方に移った場合には，上位頸椎（C1〜C3）に対して伸展トルクを生じさせる．

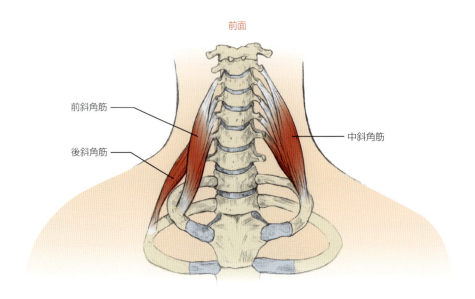

前面

前斜角筋
後斜角筋
中斜角筋

■ 斜角筋

①前斜角筋
下位付着部 　　第1肋骨.
上位付着部 　　C3〜C7の横突起.

②中斜角筋
下位付着部 　　第1肋骨.
上位付着部 　　C2〜C7の横突起.

③後斜角筋
下位付着部 　　第2肋骨外側面.
上位付着部 　　C5〜C7の横突起.

神経支配(全筋) 　前枝(C3〜C7).
収縮作用(全筋) 　[両側性収縮]頸の屈曲(前・中斜角筋), 第1, 2肋骨挙上による吸気の補助.
　　　　　　　　　[片側性収縮]側屈.
解説 　斜角筋(6つすべて)は, 大きくて固定されていないアンテナ塔を支えるケーブルと同じような方法で, 頭頸部の安定に貢献する. またこれらの筋は肋骨に付着するため, 筋収縮によって肋骨を上方へ持ち上げ, これによって呼吸における吸気を補助する作用を示す. 慢性閉塞性肺疾患(COPD)を呈する患者においては, 斜角筋の活動が目立つ場合がある. また呼吸機能を補助するために, これらの筋を長期にわたって過度に使用すると, 筋の肥大を招く.

2. 深層筋

頸長筋と頭長筋は，頭頸部の前面にある（図8.45）．これらの筋は，頸部や頭部を屈曲させるとともに，頭頸部を安定させる機能をもつ．

前頭直筋と外側頭直筋は環椎の横突起から上行し，大後頭孔付近の後頭骨に付着する短い筋である（図8.45；図8.47 参照）．この2つの筋は，環椎後頭関節に対してのみ作用する．前頭直筋は屈筋であり，外側頭直筋は側屈筋である．これらの小さな筋による微調整は，視覚や前庭機能の働き（姿勢調整）に重要である．これらの4つの筋の解剖学的特徴を，表8.7 に示す．

考えてみよう！＞＞胸郭出口症候群

胸郭出口症候群 thoracic outlet syndrome では，腕神経叢および鎖骨下動脈の圧迫によって，手や腕に筋力低下や，感覚麻痺，うずくような痛み等の症状が現れる．
　腕神経叢と鎖骨下動脈は，前斜角筋と中斜角筋の間を走行する．もしこれら2つの筋が著しく硬くなったり，肥大したりすると，腕神経叢と鎖骨下動脈の神経血管束が圧迫を受け，神経根性の徴候や脈の減弱が現れる可能性がある．

背面にある頭頸部の筋

1. 後頭下筋

後頭下筋は環椎，軸椎，後頭骨に付着する4つの筋からなり，脊柱後方の深層筋に分類される（図8.46）．これらは短く，比較的厚い筋で，環軸関節や環椎後頭関節の微調整を行う．その働きは，目標物へ視線を向けたり，音源に耳を傾けたり，頭部の姿勢を整えたりするのに重要である．これらの筋の緊張や圧痛は，"頭部を前方へ突出する"姿勢に関連する．これらの筋の解剖学的特徴を，表8.8 に示す．図8.47 は頭頸部領域にある筋群の作用を示している．頭蓋に付着する多くの頸部筋は，環椎後頭関節における内側-外側回転軸に対して屈筋，あるいは伸筋として作用するとともに，前-後回転軸に対して左右の側屈筋として働く．

2. 表在性の頸部の伸展筋

頭板状筋と頸板状筋は，僧帽筋上部および中部線維の真下（すぐ深層）にある．解剖学的には異なるが，通常これらの筋は一緒なって協調的に働き，伸展，側屈を行い，また，頭部や頸部の収縮側への回旋を行う．肩甲挙筋の近傍に沿って走行するこれらの筋は，次のアトラス形式の頁で示す．

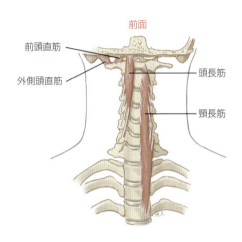

図 8.45　頸部前面の深層筋
（Luttgens K, Hamilton N: Kinesiology: scientific basis of human motion, ed 11, New York, 2008, McGraw-Hill より）

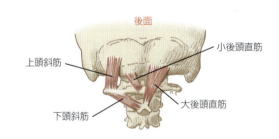

図 8.46　後頭下筋群
（Luttgens K, Hamilton N: Kinesiology: scientific basis of human motion, ed 11, New York, 2008, McGraw-Hill より）

表8.7　前部にある頭頸部深層筋

筋	下位付着部	上位付着部	作用	神経支配
頸長筋	椎体とC3〜T3の横突起	横突起とC1〜C6の椎体	頸部の屈曲	前枝C2〜C8
頭長筋	C3〜C6の横突起	大後頭孔の前部（後頭骨）	両側性収縮：頭部と頸部の屈曲	前枝C1〜C3
前頭直筋	C1の横突起	後頭顆の直前部分	頭部の屈曲（環椎後頭関節のみ）	前枝C1〜C2
外側頭直筋	C1の横突起	後頭顆外側	片側性収縮：側屈（環椎後頭関節のみ）	前枝C1〜C2

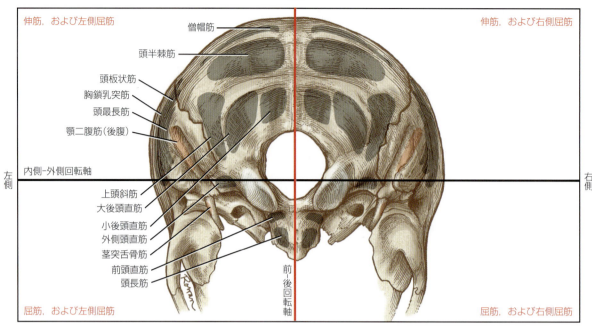

図 8.47　頸筋群の付着部が示された頭蓋骨の下面
筋の作用は内側-外側回転軸（黒線）および前-後方向回転軸（赤線）に対する筋の付着部の位置に基づいている．（Neumann DA: Kinesiology of the musculoskeletal system: foundations for physical rehabilitation, ed 3, St Louis, 2017, Mosby, Fig. 10.23 より）

表 8.8　後頭下筋

筋	下位付着部	上位付着部	作用（頭部と頸部）	神経支配
大後頭直筋	C2 の棘突起	後頭骨下項線の外側	両側性収縮：伸展（環椎後頭関節と環軸関節） 片側性収縮：側屈（環椎後頭関節のみ） 収縮方向への回旋（環軸関節のみ）	後頭下神経（後枝 C1）
小後頭直筋	C1 の後結節	後頭骨下項線の内側	両側性収縮：伸展（環椎後頭関節のみ）	後頭下神経（後枝 C1）
上頭斜筋	C1 の横突起	後頭骨上項線と下項線の間（外側面）	両側性収縮：伸展（環椎後頭関節のみ） 片側性収縮：側屈（環椎後頭関節のみ）	後頭下神経（後枝 C1）
下頭斜筋	C2 の棘突起の先端	C1 の横突起下縁	両側性収縮：伸展（環軸関節のみ） 片側性収縮：収縮方向への回旋（環軸関節のみ）	後頭下神経（後枝 C1）

ATLAS

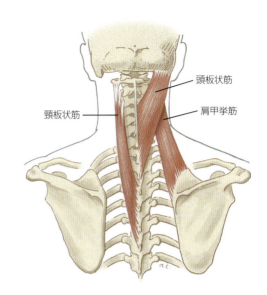

左頸板状筋および右頭板状筋の後面．参考として肩甲挙筋を示した．（Luttgens K, Hamilton N: Kinesiology: Scientific basis of human motion, ed 9, Madison, Wis, 1997, Brown and Benchmark より改変）

■ 頭板状筋

下位付着部	後靱帯の下半分*と C7〜T3 の棘突起．
上位付着部	乳様突起，後頭骨の上項線外側 1/3．
神経支配	後枝（C2〜C8）．
作用	**[両側性収縮]** 頭頸部の伸展． **[片側性収縮]** 頭頸部の側屈，収縮側への頭頸部の回旋 （*訳注：具体的には，C3〜C6 の高さに相当する）．

■ 頸板状筋

下位付着部	T3〜T6 の棘突起．
上位付着部	C1〜C3 の横突起．
神経支配	後枝（C2〜C8）．
作用	**[両側性収縮]** 頸部の伸展． **[片側性収縮]** 収縮側への頸部の回旋，頸部の側屈．
解説	頭板状筋や頸板状筋は，薄い帯のような筋で，頭頸部に対する僧帽筋上部線維の作用を補強する．

■ 肩甲挙筋

下位付着部	肩甲骨の上角，および肩甲骨内側縁上部．
上位付着部	C1〜C4 の横突起．
神経支配	肩甲背神経，および前枝（C3, C4）．
作用	**[両側性収縮]** 頭頸部の伸展． **[片側性収縮]** 収縮側への頭頸部側屈，収縮側への頭頸部回旋．
解説	肩甲挙筋の片側性の緊張は肩甲骨を挙上させるとともに，上部頸椎の同側への回旋と側屈を含む複数の運動を連鎖的に引き起こす．

▶機能的考察：頭頸部の微調整

頭頸部の運動や姿勢を最適に制御することは，日常生活においてきわめて重要である．頭部や頸部を自在に制御する能力は，目や耳の協調的な配置（例えば，誰かの話し声に目や耳を向ける動作）に必要不可欠である．また頭頸部にある多くの筋の制御は，神経学的にも，脳の視覚系や前庭系領域の活動と関連があると考えられる．

これを確かめるために，簡単な実験をしてみよう．まず，前にあるものをじっとみつめよう．それから頭を動かさずに，素早く，できるだけ左側で遠くにあるものをみる．そうすると，頭を静止状態に保とうとしているにもかかわらず，視線を向けたほうへ，少しだけ頭頸部が回旋する（訳注：これは，頭頸部の筋の制御と脳の視覚系や前庭系領域の活動との関連を示唆する）．

頭頸部は，3つの面（前額面，矢状面，水平面）において大きな可動域を有するが，頭頸部にある多くの深層筋の主な機能は，頭頸部の微調整を行うことである．先に述べたように，脊椎の運動は各椎骨の運動と連動して機械的に生じるが，それぞれの運動は椎間関節の関節面の向きによって決まる．後頭下筋等の頭頸部の深層筋は，椎間関節の向きによって決まる二次的な作用（多くの場合は望ましくない作用）を，無効にする働きがある．これら深層筋の作用はわずかではあるが，重要である．

体幹の筋

▶前-外側面にある体幹筋

体幹の前-外側面に位置する筋には，腹直筋，外腹斜筋，内腹斜筋，腹横筋がある．これらの筋（しばしば総称して腹筋と表現される）は，体幹に可動性と安定性をもたらす重要な筋群である．特に体幹の安定性を保持する能力は重要で，さまざまな身体活動に貢献する．腹筋の収縮は，腹腔内圧や胸腔内圧を増加させる．これは，荷物の持ち上げ動作や咳，排便，分娩等の過程で，腰椎の固定を含むさまざまな機能に有効である．

腹筋が両側性に収縮すると，胸骨の剣状突起と恥骨の距離が短くなる．これによって，胸部の屈曲，骨盤の後傾，あるいはその両方の現象が同時に起こる．腹筋による骨盤を後傾させる能力は重要で，腹筋群の活動状態の指標とされることがある．この能力は，股関節の伸展筋の収縮に起因する，強い骨盤前傾の影響を緩和するのに必要である．そのためセラピストは，不必要な腰椎前弯を防ぐために，股関節の屈筋の強い活動（例：下肢の伸

 考えてみよう！ ＞＞ むち打ち症に関連する筋の外傷

自動車事故等によって，頭頸部のむち打ち症が生じることがある．むち打ち症は，頭部や頸部の屈曲，伸展，あるいはその両方の動きが範囲を超えて起こった結果として，発生する（図8.48）．

一般に，頸部屈曲によるむち打ち症と比較すると，頸部過伸展によるむち打ち症のほうが，筋や軟部組織の損傷の程度が大きい．なぜならば，頸部の過度な屈曲は，顎が胸郭にぶつかることで妨げられるからである（図8.48B）．特に，頸長筋や頭長筋は過伸展による損傷を受けやすい．

臨床的に，過伸展損傷を受けた患者では，頸長筋および頭長筋領域（頸部前側の深層）の著しい圧痛と防御性スパズムがみられる．これらの障害により，頸部が不安定となり，肩をすくめる動作等が困難になる．これは，頸筋やその他の屈筋によって頭頸部が十分に安定しないので，僧帽筋上部線維は安定した頭蓋付着部を失うことになるからである．結果として，僧帽筋上部線維は，肩甲帯を効率的に持ち上げられなくなる．

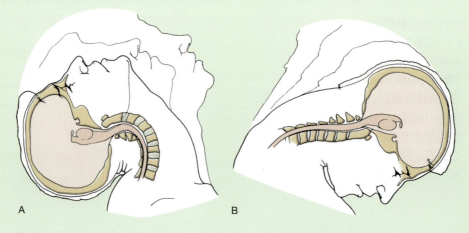

図8.48 むち打ち症
むち打ち症では，頸部伸展（A）による影響が，頸部屈曲（B）よりも大きい．結果として，頸部前面の組織がより損傷を受けやすい．
(Porterfield JA, DeRosa C: Mechanical neck pain: perspectives in functional anatomy, Philadelphia, 1995, Saunders より)

展挙上等）に先行して，腹筋の活動を促すことが多い．

腹筋が片側性に収縮した場合，体幹は回旋，あるいは側屈する．ほとんどの場合，これらの筋群は協調して両側性に活動する．それによって，屈曲・回旋・側屈が適切に組み合わされた運動を実施することができる．例えば，自動車を乗り降りする際の，体幹で起こる屈曲・回旋・側屈が組み合わされた運動を想像してみると，よくわかるであろう．

 考えてみよう！＞＞胸腰筋膜

4つの腹筋のうち，2つは直接，胸腰筋膜に付着する．この筋膜は，全腰椎の棘突起，および仙骨背面，腸骨背面に付着する広大で厚いシート状の結合組織である．この組織は，脊柱起立筋，腰方形筋，広背筋等の筋をしっかりと包み込んでいる．

腹筋が収縮すると，胸腰筋膜の筋緊張が増大する．それゆえ，腹筋の活動は腰背部を機械的に支持する力として貢献することとなる．われわれはよく，荷物を持ち上げる直前やその最中に腹部に力を入れ，一時的に息を止めるが，これは身体を守るための，自然な仕組みなのかもしれない．

腰背部を過度に屈曲させるようなぐったりとした座位の姿勢は，胸腰筋膜を過伸張する可能性がある．この組織が弱化すると，腹筋や腰背部から伝わる力の有効性が低下する．これが，適切な座位の姿勢が身体機能にとって重要であることの，もう一つの理由である．

 臨床的な視点＞＞慢性的な頭部の前方突出に伴う筋緊張の異常

頭頸部の良好な姿勢は，周囲筋の"バランス"，および筋の長さに影響する（図8.49A）．筋緊張の異常や不良姿勢（コンピューターの画面を長時間見続けると起こりやすいと考えられている）は，周囲筋を強く短縮させたり，伸張させたりする．その結果，筋のアンバランスな状態をつくり出す要因となってしまう．頭部の前方突出姿勢は，その姿勢をとらせる要因に関係なく，その姿勢自体が周囲筋の緊張度を変えてしまう．肩甲挙筋や頭半棘筋のような頭頸部の伸筋群は過度に伸張され，疲労の原因となる．図8.49Bに示すような頭と目を水平にするような姿勢では，大後頭直筋のような後頭下筋群は常に短縮し，疲労感を生じさせる．このような頭頸部の筋への負担は，時間が経つと限局的な痛みを伴う筋痙攣や，"トリガーポイント（発痛点）"の発生につながってしまう．さらに，この姿勢に関連する痛みが発生してしまったら，その痛みは長期間続いたり，頭痛や顎関節に放散する痛みに広がってしまう可能性もある．

慢性的な頭部前方突出に対する治療は，正しい頭部の姿勢を復元することがポイントとなる．この目標は，良姿勢への気づきや，人間工学に基づいた環境整備，関連する筋肉のストレッチと強化，専門的な徒手療法等のアプローチを通じて達成される．

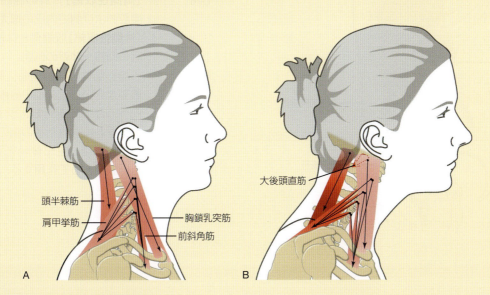

図8.49 頭頸部の理想的な姿勢と不良姿勢
A：理想的な姿勢の保持を助けるために支持ワイヤーとしての役割を担う頭頸部の4つの筋群．B：頭部の前方突出は肩甲挙筋や頭半棘筋への負担を増大させる．大後頭直筋（後頭下筋の一つ）の上部は拡大する．活動量の多い筋，あるいはより負担の大きい筋ほど濃い赤色で示している．（Neumann DA: Kinesiology of the musculoskeletal system: foundations for physical rehabilitation, ed 2, St Louis, 2010, Mosby, Fig. 10.31 より）

ATLAS

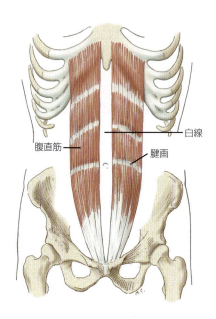

■ 腹直筋

下位付着部	恥骨稜.
上位付着部	剣状突起, 第5〜7の肋軟骨.
神経支配	肋間神経(T7〜T12).
作用	体幹の屈曲, 骨盤後傾, 腹腔および胸腔内圧の増大.
解説	左右の腹直筋は, 白線とよばれる腱鞘によって分離される. この組織は縦に走行する強靭な結合組織で, 左右の腹筋群線維を連結させる. また, 3つの腱画が腹直筋上を横断する. これによって, 腹部に波紋状の模様ができる.

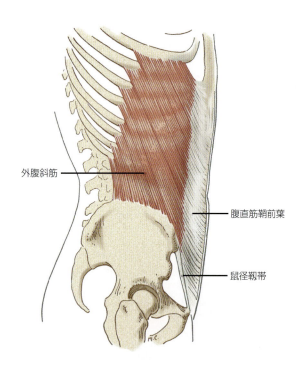

■ 外腹斜筋

側面付着部	第4〜12肋骨の側面.
中央付着部	腸骨稜, 白線.
神経支配	肋間神経(T8〜T12).
作用	**[両側性収縮]** 体幹の屈曲, 骨盤後傾, 腹腔および胸腔内圧の増大. **[片側性収縮]** 収縮側とは反対側への体幹の回旋, 体幹の側屈.
解説	外腹斜筋は, 腹部側面にある筋の中で最も大きい. この筋の線維は下-内側方向へ向かって走行し, ジャンパーの前ポケットに入れた手の指の向きに近い. 外腹斜筋は, 主に体幹を反対側へ向ける回旋筋として作用する.

筋と関節の相互作用　205

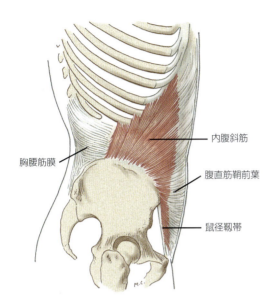

■ 内腹斜筋

側面付着部	腸骨稜，鼠径靱帯，胸腰筋膜．
中央付着部	第9〜12肋骨，白線．
神経支配	肋間神経（T8〜T12）．
作用	**[両側性収縮]** 体幹の屈曲，骨盤後傾，腹腔および胸腔内圧の増大，胸腰筋膜の緊張の増大． **[片側性収縮]** 体幹の側屈，収縮側方向への体幹の回旋
解説	内腹斜筋は外腹斜筋の深層に位置する．この筋の走行は，上-内側方向（腸骨稜から胸骨方向）を向き，外腹斜筋とは直角に近い走行となる．主な作用は，収縮する方向へ体幹を回旋させることである．

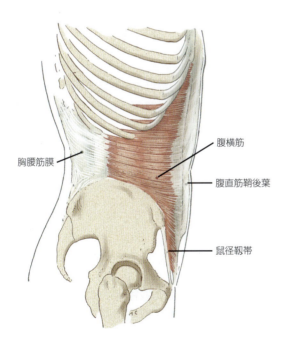

■ 腹横筋

側面付着部	腸骨稜，胸腰筋膜，第6〜12の肋軟骨，鼠径靱帯．
中央付着部	白線．
神経支配	肋間神経（T7〜T12）．
作用	腹腔内圧の増大，胸腰筋膜の緊張の増大．
解説	腹横筋は腹部にある筋の中で最も深層に位置する筋である．この筋は**コルセット筋** corset muscle としても知られ，その主な作用として腹腔内圧の増大が挙げられる．また内腹斜筋と同様に，筋収縮によって胸腰筋膜を引き寄せる．その結果，胸腰筋膜の緊張を高め，荷物等の持ち上げでの腰部の安定を支持する．

その他の関連する筋：腸腰筋と腰方形筋

腸腰筋と腰方形筋は実際には体幹筋に含まれないが，この2つの筋は腰部の可動性と安定性に強く関連する．

腸腰筋は，腸骨筋と大腰筋という2つの筋が組み合わさったものである．筋の第一の作用は股関節の屈曲であるが，腹筋運動（起き上がり）のような体幹や骨盤の運動にも有力な役割をもつ．もし腹筋が収縮せずに腸腰筋が収縮すれば，強い骨盤前傾が起こる．腸腰筋に関しては次の第9章で詳述するが，腹筋運動（起き上がり）の運動学的な理解を促すために，本章でいくつかの解剖学的な特徴について解説する．

腰方形筋は，解剖学的に腹壁後方の筋と考えられる．この筋の下位付着部は腸骨稜であり，上位付着部は第12肋骨と第1～4腰椎（L1～L4）の横突起である．しかしながら，腹筋とは異なり，腰方形筋の両側性の収縮は腰椎を伸展させる．

腰方形筋と大腰筋は，腰椎の両側を垂直に近い方向に走行する．これらの筋が両側性に強く収縮すると，腰仙関節を含め，脊柱の付け根全体にわたって縦方向に強力な安定性をもたらす．

ATLAS

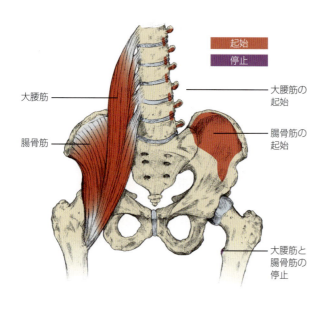

■ 腸腰筋

①大腰筋
近位付着部　T12～L5の横突起．

②腸骨筋
起始　　　　腸骨窩．
停止　　　　大腿骨小転子．
神経支配　　大腿神経．
作用　　　　股関節の屈曲，体幹の屈曲，骨盤の前傾．
解説　　　　腹部の筋は骨盤を後傾させるのに対し，腸腰筋は骨盤を前傾させる．両者がともに活動することで，矢状面において骨盤をしっかりと安定させる．

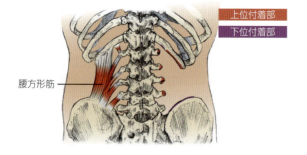

■ 腰方形筋

下位付着部　腸骨綾．
上位付着部　L1～L4の横突起，第12肋骨．
神経支配　　前枝（T12～L3）．
作用　　　　[両側性の収縮]腰椎の伸展．
　　　　　　[片側性の収縮]体幹の側屈．
解説　　　　臨床的に，腰方形筋は**ヒップハイカー** hip-hiker として知られており，片側性の収縮では収縮側の骨盤を持ち上げる．股関節の屈筋の筋力低下あるいは麻痺を呈する患者に対しては，腰方形筋を収縮させ，片方の骨盤を上方へ挙上させるよう指導する．歩行時に足を前へ進めるために，この腰方形筋の作用を利用して，足を地面から持ち上げるのである．

▶機能的考察

1. 腹筋運動（起き上がり）の分析

　腸腰筋（とその他すべての股関節の屈筋群），および腹筋（訳注：腹直筋，内腹斜筋，外腹斜筋，腹横筋等の腹筋群）は，基本的な腹筋運動（起き上がり）を行ううえで，ともに活動する．この運動は腹筋を強化するための運動ととらえられがちであるが，この運動自体は，ベッドから起き上がるような，日常の中で頻繁に行われる基本的な動きである．

　図8.50では，腹筋運動を，体幹屈曲相と股関節屈曲相の2相に分けて示す．体幹屈曲相では，腹筋（特に腹直筋）の強い収縮が観察され，胸骨剣状突起と恥骨間の距離を縮め，腰椎前弯のカーブを平坦化する（図8.50A）．この初期の相は，開始から両方の肩甲骨が接地面から離れるまでの期間である．腹筋は腹筋運動の際，常に活動する．しかし，股関節屈曲相（図8.50B）に移行すると，股関節の屈筋（腸腰筋や大腿直筋等，股関節の屈筋）の強い収縮がみられるようになる．この相では，股関節の屈筋が骨盤を起こし（回旋させ），骨盤の動きに付随して体幹が前方へ向かい，胸は膝に近づく．

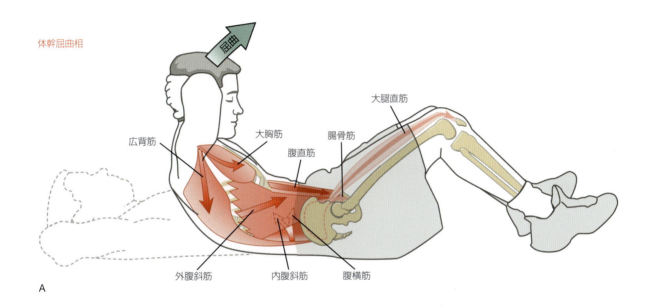

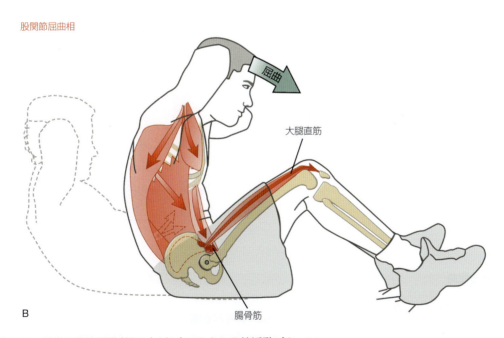

図8.50　通常の腹筋運動（起き上がり）でみられる筋活動パターン

A：腹筋運動における体幹屈曲相では，腹筋の強い収縮が起こる．B：股関節屈曲相では，股関節屈筋の強い活動が認められる．
(Neumann DA: Kinesiology of the musculoskeletal system: foundations for physical rehabilitation, ed 2, St Louis, 2010, Mosby, Fig. 10.22より)

腹部の筋力が低下した患者は，特徴的なやり方で腹筋運動を試みようとする．その一つが，股関節の屈筋を優位に働かせる方法である．その結果，股関節の屈筋が開始直後から活動するため，骨盤や体幹を上前方へ起こす際に過度の骨盤前傾や腰椎前弯がみられる．

2. 腹斜筋の共同

3つの面（前額面，矢状面，水平面）すべてを含む体幹の運動を行うために，腹部の筋はさまざまな方法で収縮する．例えば図8.51に示すような，斜めを向いて起き上がろうとする場合の筋活動を考えてみよう．図では，体幹の動きをコントロールするために共同して働く左右の腹斜筋の活動を示した．左側への回旋を伴う体幹の屈曲は，右外腹斜筋と左内腹斜筋の収縮によってコントロールされる．

ここで，側臥位から横向きに起き上がるような体幹の側屈運動と比較してみよう．その動きは同側の外腹斜筋と内腹斜筋の収縮によってコントロールされるはずである．例えば，側臥位から左側へ側屈する場合は，左外腹斜筋と左内腹斜筋を収縮させなければならない．また次の項で述べるが，側屈や回旋の動きは，体幹背部の筋によって補助される．

▶ 体幹背部の筋

1. 脊柱起立筋

脊柱起立筋は大きく，棘突起からおおよそ片手の幅の広さで，各筋は脊柱の両側をランダムに走行するが，全体としては縦方向に走行する筋群である．この筋群は脊柱全体，および頭頸部に広がり，それらの安定性に貢献する．

脊柱起立筋は，棘筋，最長筋，腸肋筋という3つの細い柱状の筋で構成される（図8.52）．

それぞれの筋柱は，さらに3つの領域に分けられる．脊柱起立筋の下の部分は広く厚い腱に集まり，仙骨表面に付着する．さらにこの厚い共同腱は，胸腰筋膜の表面部分に融合する．脊柱起立筋の付着部や作用については，表8.9にまとめた．

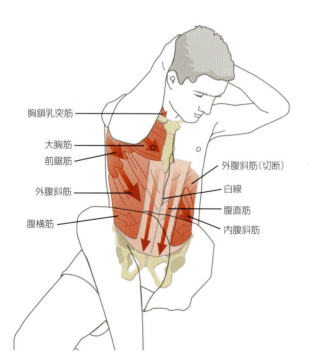

図8.51 体幹の左方回旋を伴う屈曲
左斜め上へ向けた腹筋運動では，右外腹斜筋と左内腹斜筋が強く収縮し，腹直筋も同様に強く収縮する．(Neumann DA: Kinesiology of the musculoskeletal system: foundations for physical rehabilitation, ed 2, St Louis, 2010, Mosby, Fig. 10.15 より)

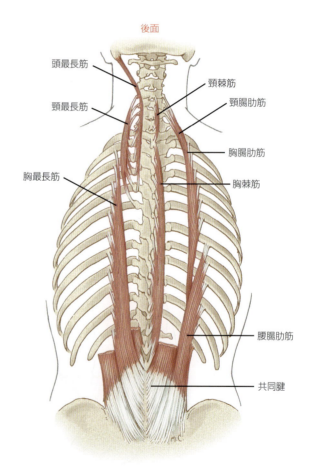

図8.52 脊柱起立筋
(Luttgens K, Hamilton N: Kinesiology: scientific basis of human motion, ed 11, New York, 2008, McGraw-Hill より)

考えてみよう！ >> 腹筋群の強化

多くの機能的な活動を遂行するためには、強く、また時として長時間継続するような腹筋群の活動が必要である。したがって、これらの筋群の機能低下は、身体の静的安定性や体幹・骨盤の姿勢アライメント、上下肢筋の運動に必要な体幹部に近い部位の安定性を含む多くの活動に影響を与える。図8.53は、腹筋群を強化する一般的な4つの方法を示している。

①アイソメトリック運動：臨床的に、腰椎椎間板ヘルニアが疑われるような対象者で、軸性骨格を曲げるような動きを伴わない腹筋群強化運動が望ましい場合、"プランクタイプ"（身体を固定した状態のまま静止する）の運動がよいであろう。体幹を固定した状態で保持するには、腹筋群や背筋群の同時収縮が必要である。このような同時収縮は、脊柱の安定性を高める。

②腹筋運動（クランチ法）：股関節屈筋の作用を制限し、腹部の筋群を特定して活動させようとする場合に用いる。

③腹筋運動（シットアップ法）：この運動では、完全な腹筋群の活性化が必要とされるが、股関節屈筋群や骨盤を前傾させる筋群等の活動も関与する。よって、股関節屈筋群や腹筋群の両方を強化する運動法である。しかしながら、この運動は腰椎屈曲の程度が大きくなるため、さまざまな背部障害を呈する対象者には禁忌となることがある。

④腹筋運動（逆シットアップ法）：下肢や骨盤を体幹のほうに向けて屈曲させる運動（胴体のほうを足側へ運ぶ通常のシットアップ法と対照的な動き）である。このタイプの運動トレーニングは応用的な方法として用いられる。

(1)アイソメトリック運動	(2)骨盤の動きはなく体幹を屈曲させる	(3)下肢を固定し、体幹と骨盤を屈曲させる	(4)体幹を動かさずに骨盤（および下肢）を屈曲させる
〈例図〉 ①"四つん這い"の姿勢をとり、体幹を固定したまま、一側の上肢と反対側の下肢を挙げる 〈他の例〉 ②バランスボールのような不安定なものの上に座りながら、体幹をまっすぐにした姿勢を保持する ③腕立て伏せの姿勢をとり、体幹をまっすぐに固定した状態を保持する 	〈例図〉 ①足台を用いて行う、あるいは足台を用いないで行う部分的な腹筋運動（クランチ法） 〈他の例〉 ②斜め上へ向けて起き上がる動きを、①の方法に取り入れる ③体幹の側面を曲げるような運動 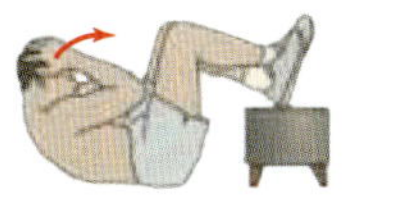	〈例図〉 ①一般的な腹筋運動（シットアップ法） 〈他の例〉 ②斜め上へ向けて起き上がる動きを、①の方法に取り入れる ③①の運動において、手の位置を変えたり、おもりを持つことによって外力の作用を変化させる 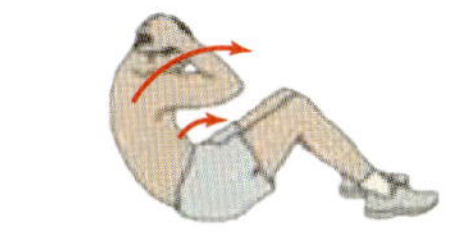	〈例図〉 ①重力に抗って股関節を屈曲させる腹筋運動（逆シットアップ法）。他に、股関節屈曲に抵抗を加える方法がある 〈他の例〉 ②斜め上へ向けて屈曲させる運動を、①の方法に取り入れる ③仰臥位の姿勢をとり、膝を伸ばしたまま挙上させる ④仰臥位の姿勢で骨盤を後傾させる 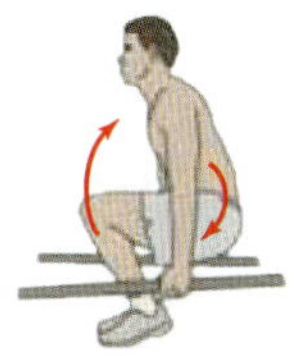

図8.53 腹筋群を強化する一般的な4つの方法
(Neumann DA: Kinesiology of the musculoskeletal system: foundations for physical rehabilitation, ed 2, St Louis, 2010, Mosby, Fig. 10.21 より)

表8.9 脊柱起立筋

筋	下位付着部	上位付着部	作用	神経支配
腸肋筋 腰腸肋筋 胸腸肋筋 頸腸肋筋	共同腱 第6～12肋骨角 第3～7肋骨角	第6～12肋骨角 第1～6肋骨角 C4～C6の横突起	両側性収縮：伸展 片側性収縮：側屈	脊髄神経近接の後枝
最長筋 胸最長筋 頸最長筋 頭最長筋	共同腱 T1～T4の横突起 T1～T5の横突起とC3～C7の関節突起	T1～T12の横突起 C2～C6の横突起 側頭骨乳様突起	両側性収縮：伸展 片側性収縮：側屈	脊髄神経近接の後枝
棘筋 胸棘筋 頸棘筋 頭棘筋	共同腱 項靱帯とC7～T1の棘突起 頭半棘筋と混同	T1～T6の棘突起 C2の棘突起 頭半棘筋と混同	両側性収縮：伸展	脊髄神経近接の後枝

臨床的な視点　＞＞　前方屈曲に必要となる柔軟性：股関節と腰背部の作用

身体を床に向かって前方へ屈曲させるには，股関節や腰背部にある筋と，その他の軟部組織の柔軟性が重要な要素となる（図8.54A）．図8.54Bは，股関節屈曲を制限するハムストリングスが緊張している状態（赤色の円）を表す．腰背部の柔軟性によって，体幹の前方屈曲の可動域がほとんど制限されないことに注目しよう．これに相対する状態を図8.54Cに示す．腰背部は硬いが（赤色の円），股関節の柔軟性（例えば，ハムストリングスの柔軟性）が増大することで，十分な量の前方屈曲が得られている．

図8.54B，Cにおける，2つの代償的な前方屈曲姿勢は，理学療法の臨床においてしばしばみられる．そして，細かな観察を行うことで，セラピストは制限因子となる主要な部位を特定することができる．ある部位に異常がある場合，その他の部位に対する代償の要求が大きくなる．その結果，代償を行う部位へのストレスが原因となって障害が発現する可能性がある．

なお，この図のように，運動の制限因子を特定するために動作を個々の構成要素へ分解することは，重要である．

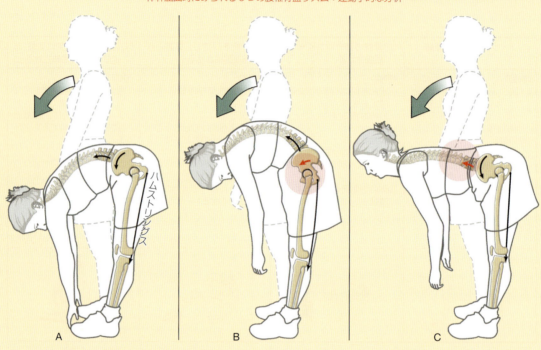

図8.54　体前屈における腰背部と股関節の協調性
A：十分な体前屈のための，股関節やハムストリングス，腰背部の適度な柔軟性を示す．B：ハムストリングスの緊張のため，腰椎の過屈曲を伴う．C：腰背部の緊張のため，ハムストリングスの過度の柔軟性を必要とする．（Neumann DA: Kinesiology of the musculoskeletal system: foundations for physical rehabilitation, ed 2, St Louis, 2010, Mosby, Fig. 9.61 より）

2. 横突棘筋

横突棘筋は，半棘筋，多裂筋，回旋筋からなる（図8.55，56）．この筋は脊柱起立筋の深部に位置し，横突起から上位椎骨の棘突起へと，斜めに走行する．横突棘筋は線維がほぼ同じ方向に走行し，長さや横切る脊椎分節数だけが異なる（表8.10）．これらの筋は，特に腰部や頭頸部においてよく発達し，これらの領域を安定させる重要な要素となる．

すべての横突棘筋は，脊柱を伸展させる．加えて，これらの筋の大部分の線維は斜めに走行するため，収縮側とは反対側への回旋をつくり出すのに好都合である．また，より水平に近い（より短い）筋ほど，より大きい水平面での回旋をもたらす．例えば多裂筋は，半棘筋よりも効果的な回旋筋である．

体幹の回旋の際には，横突棘筋は腹斜筋とともに収縮する．例えば左方への回旋は，主に右の外腹斜筋と左の内腹斜筋の収縮によって起こり，さらに右の横突棘筋の働きによって補強される．

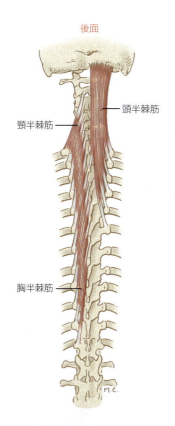

図 8.55　胸半棘筋，頸半棘筋，頭半棘筋の後面
(Luttgens K, Hamilton N: Kinesiology: scientific basis of human motion, ed 11, New York, 2008, McGraw-Hill より)

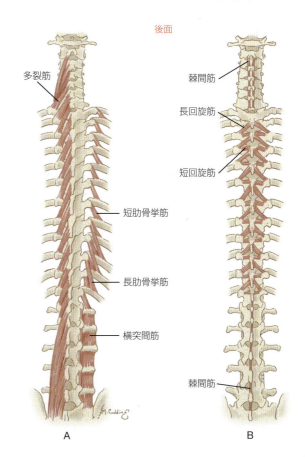

図 8.56　横突棘筋（多裂筋と回旋筋）と，短い脊椎分節間に存在する筋（棘間筋と横突間筋）
(Luttgens K, Hamilton N: Kinesiology: scientific basis of human motion, ed 11, New York, McGraw-Hill より)

表 8.10　横突棘筋

筋	下位付着部	上位付着部	作用	神経支配
半棘筋	C4〜T12 の横突起	下位付着部よりも，6〜8 脊椎分節上位に位置する棘突起 頭半棘筋は，後頭骨下項線の真上に付着	両側性収縮：伸展 片側性収縮：収縮側とは反対側へ回旋	脊髄神経近接の後枝（C1〜T12）
多裂筋	T1〜T12 の横突起 L1〜L5 の乳頭突起 仙骨	下位付着部よりも，2〜4 脊椎分節上位に位置する棘突起	両側性収縮：伸展 片側性収縮：収縮側とは反対側へ回旋	脊髄神経近接の後枝（C4〜S3）
回旋筋	全椎骨の横突起	下位付着部よりも，1〜2 脊椎分節上位に位置する棘突起	両側性収縮：伸展 片側性収縮：収縮側とは反対側へ回旋	脊髄神経近接の後枝（C4〜L4）

　横突棘筋のさまざまな付着部，作用，神経支配については，表8.10に示す．

3．短い脊椎分節間の筋

　短い脊椎分節間の筋には，横突間筋と棘間筋がある（図8.56）．横突間筋は椎骨の横突起間に連続して付着し，この筋が片側性に収縮した場合，側屈を補助する．一方，棘間筋は椎骨の棘突起間に連続して付着し，脊柱を伸展する．

　これら2つの筋は，個々の椎間連結における運動をコントロールする．これらの小さな筋は矢状面，および前額面における脊柱の縦方向の安定性を高めながら，脊椎の運動の微調整を行う．またこれらの筋群は，感覚フィードバックの豊富な発信源でもあり，姿勢アライメントを無意識にコントロールするのに不可欠である．

4．機能的考察
(1)椎間分節の安定と脊柱全体の安定

　体幹背部の筋は，脊柱の縦方向の安定性に重要な役割をもつ．それぞれの筋は，互いに異なる方法で安定性を

高めている．

脊柱起立筋は，背部の体幹の筋の中で最も表層に位置し，脊柱の両側を縦に上行する．またこの筋は脊柱に並走するため，傍脊柱筋ともよばれる．それぞれの筋柱（脊柱起立筋内の）は，多くの椎間分節をまたがって付着する．そのためこの筋の機能は，脊柱全体の伸展と側屈のコントロールだけである．脊柱起立筋は，精密な椎間の制御はできないが，直立姿勢の維持や荷物の持ち上げ等，重力に抗うさまざまな活動を行ううえで重要な，脊柱の伸展力の起点となる．

横突棘筋は，比較的少ない椎間分節をまたがって斜め方向（ほぼ垂直からほぼ水平まで）に走行する（**図 8.57**）．解剖学的な特徴から，この筋は脊柱アライメントに対し，より精密で多方向にわたるコントロールを行う．

深層の脊椎分節間筋（訳注：横突間筋，棘間筋）は，1つの椎間分節だけをつないでいる．これらの筋は，脊柱の縦方向の安定性に加え，最も精密なコントロールを行う．

(2) 持ち上げでの正しい方法と誤った方法

持ち上げにおいて，たとえ持ち上げる物体が適度な大きさであったとしても，身体中には大きな圧迫力と剪断力が生じる．とりわけ脊柱の付け根部分には，最も大きな負荷が加わる．その負荷が非常に大きくなると，腰部領域内の筋や靱帯，椎間関節，椎間板の構造的な許容範囲を超えてしまうおそれがある．持ち上げは，腰部損傷を引き起こす主要なリスクファクターである．そのためセラピストおよび関連スタッフは，患者に対して適切な持ち上げ方法や，誤ったやり方を避ける方法を指導する．

最適な持ち上げ方法は，腰部にかかる力を上肢や下肢，体幹の筋によって分担させる方法である（**図 8.58**）．しかし，誤ったやり方では，持ち上げに要求される大きな応力が直接，腰部に集中する．この影響は，腰部の筋にかかる負担だけでなく，腰部や腰仙部の椎間板と椎間関節に対する圧迫力を増大させる．腰椎を屈曲させる，ある

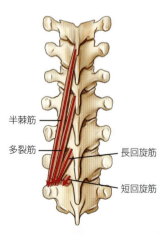

図 8.57　左側を走行する横突棘筋群の簡略図
これらの筋群は，通常両側性に走行しているが，簡略化するために右側の筋群を省略していることに注意しよう．
(Neumann DA: Kinesiology of the musculoskeletal system: foundations for physical rehabilitation, ed 2, St Louis, 2010, Mosby, Fig. 10.11 より)

筋群	横断する椎間関節の平均個数
半棘筋	6〜8
多裂筋	2〜4
回旋筋	1〜2

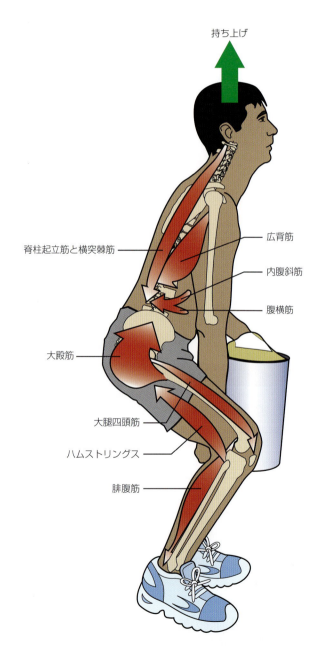

図 8.58　健常者の持ち上げで働く筋の典型的な活動パターン
(Urquhart DM, Hodges PW, Story IH: Postural activity of the abdominal muscles varies between regions of these muscles and between body positions. Gait Posture 22: 295, 2005. In Neumann DA: Kinesiology of the musculoskeletal system: foundations for physical rehabilitation, ed 2, St Louis, 2010, Mosby より改変)

表 8.11　安全な持ち上げに貢献すると考えられる要因

考慮すべき事項	論理的根拠	解説
できるだけ身体の近くに外部荷重を保持する	負荷のモーメントアーム（支点と作用点の距離）を，最小限にする．それによって背筋に求められる負担を軽減する	必ずしも可能ではないが，荷重を両膝の間に保持することが理想である
できるだけ腰椎の弯曲を自然な形状に保ったままで持ち上げ，過度の屈曲や伸展を避ける 脊柱の正しい姿勢は，快適さや実用性のうえでも重要である	腰椎の正常弯曲を保つよう意識することにより，脊柱の過度な伸展および屈曲を防ぐことができる．腰椎を最大限に屈曲した状態で背部伸展筋を積極的に収縮させると，椎間板損傷の可能性が高まる．対照的に，腰椎を最大限に伸展させた状態で背部伸展筋を積極的に収縮させると，椎間関節を損傷する可能性がある	腰椎を軽度から中等度に屈曲あるいは伸展させた状態での持ち上げ方法は，健康な人，あるいは作業経験者においてよくみられる．腰椎を最小限から中等度に屈曲あるいは伸展させる状態は，それぞれに生体力学的利点が含まれる **軽度から中等度に屈曲**：背部靱帯の他動的緊張が増加する．その結果，その部分の強い安定性が得られる **軽度から中等度に伸展**：椎間関節の各椎間距離が短くなり（より近くに密集する），その部分の強い安定性が得られる
持ち上げる際，腰部の筋に対する負担を最小限に抑えるために，股関節や膝の伸展筋を十分に活用する	腰部の伸展筋による非常に大きな力は，その筋自体，あるいは椎間板，椎骨終板，椎間関節を損傷させる可能性がある	股関節炎や膝関節炎を呈する人は，背部の筋の作用を補助するために，下肢の筋を効果的に使用することができない可能性がある スクワット運動をするような持ち上げ方法は下肢の筋の活動を促進させるが，そのぶん身体全体の仕事量も増加することになる
持ち上げる重荷の垂直移動距離，および水平移動距離を最小限に抑える	重荷を動かす距離を最小限に抑えることは，持ち上げ全体の仕事量を減少させ，それによって疲労を少なくする（重荷移動距離の抑制は，腰部や下肢の過運動を減少させる）	取っ手，あるいは，高さ調節可能な荷台の使用が役立つ
持ち上げる際に身体のねじれを避ける	脊椎に対するねじれの応力は，椎間板損傷を生じさせる可能性を増す	作業環境を適切にデザインすることで，持ち上げの際に身体をねじる必要性を，少なくすることができる
できるだけゆっくり，スムーズに持ち上げることを意識する	ゆっくり，またスムーズな持ち上げ方法は，筋や結合組織において発生する最大負荷が大きくなるのを防ぐ	
適度に足を広げ，またわずかに前後させて下肢による支持基盤を大きくし，持ち上げる	足を広げて支持基盤を大きくすることにより，身体が全体的に安定し，滑ったり転んだりするのを防ぐことができる	
可能であれば，機器等の補助装置を使用するあるいは，持ち上げる際に他人に手伝ってもらう	持ち上げの際に補助を受けることで，本人の負担が軽減される	引き上げ機器（ホイヤーリフト）（訳注：リフターの1種）を使用する あるいは，2人で持ち運べば，持ち上げに対して安易な態度をとらず，慎重になるであろう

(Neumann DA: Kinesiology of the musculoskeletal system: foundations for physical rehabilitation, St Louis, 2002, Mosby, Table 10.15 より)

いは腰を丸めるような誤ったやり方は，筋，関節，椎間板に対する負荷を増大させ，その結果として，損傷のリスクも増大させることになる．**表 8.11** に，持ち上げを安全に行うための要因をリストアップし，説明を加えた．

表 8.12 は頸椎の関節可動域測定で参照される表である．内容は可動域測定の際に用いられる解剖学的基準を含み，正常な可動域も表示している．これらの正常範囲はいくつかの要因で変動することがあることに注意しなければならない．一方で，腰椎の可動域は別の異なる方法で測定する必要があるため，この表では取り上げていない．

まとめ

脊柱は，身体運動に必要な多くの機能と関連性をもつ．その半固定的な構造は，体幹全体，および頭部や頸部（間接的ではあるが上肢も）のための，安定した軸となる．さらに脊柱には，環椎（第1頸椎）から仙骨下部までの傷つきやすい脊髄や，脊髄から出る脊髄神経の保護という重要な役割がある．脊柱のどこかに骨折あるいは脱臼が起こると，脊髄損傷をきたし，その後に四肢麻痺や対麻痺という障害を伴うことになる．

脊柱の頭蓋末端の関節や椎骨は，きわめて特殊化している．環椎後頭関節，環軸関節，および頸椎内の関節は相互作用しながら，頭部や頸部の広範囲に及ぶ三次元の運動をつくり出す．これにより，特殊感覚（視覚，聴覚，嗅覚，平衡感覚）にとって最適となるよう，頭部や頸部を動かすことができる．実際，頭頸部領域の可動域は，他のどの脊柱領域よりも大きい．頭頸部領域の微細な動きをコントロールする特殊な筋群は，不良姿勢，頸部の関節炎，あるいは脊髄神経の圧迫が原因で，しばしば痛みを伴ったり，炎症を起こしたりする．

胸腰部領域は，3つの大きな役割をもつ．第一の役割は，心臓や肺のような多くの重要な臓器を保護することである．第二の役割は，この領域の関節や筋が，咳や強制呼気を含む呼吸器として機能するために十分な可動性

考えてみよう！▶▶脊柱の安定性を得る

　脊柱を安定させる第一の要因は，筋の収縮力である．靱帯やその他の結合組織は脊柱の安定性の第二の要因となるが，筋のみが，力の大きさやタイミングをコントロールできる．腹部および背部の体幹の筋が生じる収縮力は全体として作用し，コアスタビリティをもたらす．

　コアスタビリティ運動は多くの場合，背部の障害に対するリハビリテーションプログラムとして不可欠となる．これらの運動は，脊柱の正常弯曲維持のための筋力強化に重点を置く．このような脊柱の正常弯曲のアライメントは，**脊柱の中間位** neutral spine とよばれ，各領域の支持構造に負荷される内・外力を，ムラなく分散すると考えられる．

　コアスタビリティ運動 core stabilization exercise では，体幹を安定させる内在筋，外在筋の両方に対して，治療的介入を実施するプログラムが設定される．脊椎内に付着する内在筋には，横突棘筋や短い脊椎分節間に存在する筋が含まれる．前述のように，これらの筋は緻密な脊椎分節間の安定性に重要な働きをする．外在筋は，頭や胸骨，肋骨，骨盤を含む脊柱外に付着する．外在筋としては，腹筋群，脊柱起立筋，腰方形筋，大腰筋等がある．これらの筋は，身体の幅広い領域にわたって，大きな応力をつくり出す．

　内在および外在の安定化筋の筋力を増強すると同時に，コントロール能力を高めることは，背部障害の原因となる脊柱の不安定化作用を抑制すると考えられている．コアスタビリティ運動プログラムでは，さまざまな運動を行ったり活動的姿勢をとる際に，腰椎と骨盤の中間位，すなわち最適な肢位に保つような運動が同時に行われる．例えば，立位のような静的な姿勢で好ましい脊柱の肢位を整えた後に，軽いスクワットやダッシュを行う．

表8.12　頸部の関節可動域測定

運動	回転軸	基本軸	移動軸	参考可動域（自動）
屈曲	耳朶	垂直線（重心線）	鼻の基部へ伸びる線	50°
伸展	耳朶	垂直線（重心線）	鼻の基部へ伸びる線	60°
回旋	頭頂の中央点	左右の肩峰を結ぶ線に対する平行線	鼻梁に沿う線	80°
側屈	C3〜C4棘突起付近の固定されていない，いわゆる"Floating axis"	胸椎棘突起に沿う垂直線	後頭を通る正中線	40〜45°

をもち，調整される必要があることである．そして第三の役割は，腹部の筋群および背部の筋群，腸腰筋，腰方形筋が体幹や全身にコアスタビリティをもたらすことである．このようにコアスタビリティをコントロールすることは，上下肢の安定した支持基盤を構築すると同時に，必然的に高い負荷を受けやすい腰椎，および腰仙部領域をサポートすることにもなる．

　脊柱の下端（あるいは尾側）には，重要で相互に関連しあう2つの機能がある．第一の機能は，腰仙関節と仙腸関節の機能である．この部分は，体重や筋活動から生じる大きな力を，骨盤を通して下肢へ伝達する．これらの大きな応力は，身体の許容範囲を超えてしまうこともあり，脊椎すべり症や仙腸関節の部分的な脱臼の原因となる．第二の機能は，脊柱の尾側端と股関節との相互作用である．この2つが機械的に組み合わされることで，体幹の運動を最大限に引き出す．例えば立ったままで，床に手を伸ばしたり触れたりするには，腰部を前方へ十分に屈曲させる必要があるのと同様に，骨盤も大腿に対して前傾させなければならない．脊椎尾側と股関節の動きに制限があるとき，他の領域に対する可動性の要求（つまり代償運動）が増加し，股関節炎，あるいは腰椎椎間板ヘルニアや椎間関節の炎症の原因になることもある．

　脊柱内の運動制限を伴う疼痛は，筋の硬直や筋力低下，靱帯の裂傷，椎間板ヘルニア，骨棘の神経根圧迫，関節炎のような多岐にわたる原因，あるいはこれらの病変が併発することによって発症することが多い．実際の機能障害の原因が何であるかにかかわらず，理学療法では脊柱の痛みや機能障害に対して保存療法を優先する．しかしながら，医学的診断だけでなく，多くの治療手技の背後にある論理的根拠を理解するためには，まず解剖学とキネシオロジー（身体運動学）を正しく理解しなければならない．

確認問題

1 ▶ 骨盤が前傾する際に，自然に現れる現象はどれか．
ⓐ 腰椎前弯の増大
ⓑ 腰椎前弯の減少
ⓒ 腹部筋活動の活性化
ⓓ 股関節屈筋の最大に近い伸張

2 ▶ 椎間板の中央の水分を豊富に含んだ部分はどれか．
ⓐ 椎体終板
ⓑ 髄核
ⓒ 線維輪
ⓓ 椎弓根

3 ▶ 次のうち，横突孔がある椎骨はどれか．
　ⓐ 頸椎
　ⓑ 胸椎
　ⓒ 腰椎
4 ▶ 第2頸椎を表す言葉はどれか．
　ⓐ 馬尾
　ⓑ 椎弓根
　ⓒ 環椎
　ⓓ 軸椎
5 ▶ 腰椎でみられる最も大きな運動面はどれか．
　ⓐ 前額面
　ⓑ 矢状面
　ⓒ 水平面
6 ▶ 頭頸部でみられる最も大きな運動面はどれか．
　ⓐ 前額面
　ⓑ 矢状面
　ⓒ 水平面
7 ▶ 腰椎の運動において，椎間板髄核の後方移動がみられるのはどれか．
　ⓐ 側屈
　ⓑ 回旋
　ⓒ 屈曲
　ⓓ 伸展
8 ▶ 脊柱の正常弯曲について正しいのはどれか．
　ⓐ 頸部と腰部は，どちらも前弯の形状である
　ⓑ 胸部と腰部は，どちらも後弯の形状である
　ⓒ 頸部と仙骨の領域は，どちらも後弯の形状である
　ⓓ 腰部は脊柱の中で唯一，前弯の形状である
9 ▶ 椎間孔直径の減少を伴う動きはどれか．
　ⓐ 屈曲
　ⓑ 伸展
10 ▶ 前方脊椎すべり症に関する表現で，最も適切なのはどれか．
　ⓐ 頸椎の屈曲が減少する
　ⓑ 黄色靱帯の伸張
　ⓒ ある椎骨がもう一つの椎骨に対して前方にずれる，もしくは移動する
　ⓓ 前縦靱帯と腹直筋の同時伸張
11 ▶ 腰椎の前方屈曲でみられるのはどれか．
　ⓐ 前縦靱帯の伸張
　ⓑ 椎間孔直径の増大
　ⓒ 髄核の後方移動
　ⓓ bとc
　ⓔ a〜cのすべて
12 ▶ 斜頸の典型的な原因はどれか．
　ⓐ 腰部脊柱起立筋の緊張
　ⓑ 胸鎖乳突筋の緊張
　ⓒ 胸椎と腰椎の過度の側屈
　ⓓ 腰方形筋の衰弱

13 ▶ 外腹斜筋について正しいのはどれか．
　ⓐ 右外腹斜筋の収縮によって左へ回旋する
　ⓑ 右外腹斜筋の収縮によって右へ回旋する
　ⓒ 両側の外腹斜筋の収縮は，骨盤を後傾させる
　ⓓ aとc
　ⓔ bとc
14 ▶ 次のうち，骨盤前傾作用を示すのはどれか．
　ⓐ 脊柱起立筋
　ⓑ 股関節の屈筋
　ⓒ 腹直筋
　ⓓ aとb
　ⓔ bとc
15 ▶ 脊柱側弯症について，正しいのはどれか．
　ⓐ 主に脊柱胸腰部における前額面の偏位である
　ⓑ 脊柱のカーブの凹側によって左右が名づけられる
　ⓒ 脊柱のカーブの凸側によって左右が名づけられる
　ⓓ aとb
　ⓔ aとc
16 ▶ 横突棘筋に含まれる筋はどれか．
　ⓐ 多裂筋
　ⓑ 内腹斜筋
　ⓒ 腸肋筋
　ⓓ 腹横筋
17 ▶ 頸椎の側屈が起こる運動面はどれか．
　ⓐ 前額面
　ⓑ 矢状面
　ⓒ 水平面
18 ▶ 腹筋運動で強く収縮する筋として，正しいのはどれか．
　ⓐ 腰方形筋と脊柱起立筋
　ⓑ 腸肋筋と横突棘筋
　ⓒ 腸腰筋と腹直筋
　ⓓ 斜角筋と後頭下筋
19 ▶ 右腰方形筋の収縮でみられるのはどれか．
　ⓐ 腰椎の左回旋
　ⓑ 骨盤左側部の引き上げ
　ⓒ 骨盤右側部の引き上げ
　ⓓ 体幹の左方への側屈
20 ▶ 胸郭出口症候群の原因となるのは，どの筋の過度の緊張あるいは肥大か．
　ⓐ 腸腰筋
　ⓑ 前および中斜角筋
　ⓒ 外腹斜筋
　ⓓ 大後頭直筋
21 ▶ 腹腔内圧を高め，コルセット筋とよばれる筋はどれか．
　ⓐ 腰方形筋
　ⓑ 脊柱起立筋
　ⓒ 腹横筋
　ⓓ 頭板状筋と頸板状筋

22 ▶ 骨盤後傾は腹筋を活性化する．
- ⓐ 正しい
- ⓑ 誤り

23 ▶ 歯突起は第1頸椎にある．
- ⓐ 正しい
- ⓑ 誤り

24 ▶ 胸部での側屈は，胸椎と肋骨との関節によって大きく制限される．
- ⓐ 正しい
- ⓑ 誤り

25 ▶ 頸椎は，全椎骨の中で最も幅が広く，最も厚い椎体をもつ．
- ⓐ 正しい
- ⓑ 誤り

26 ▶ 前方への脊椎すべり症に対しては，過伸展が治療の一つとなる．
- ⓐ 正しい
- ⓑ 誤り

27 ▶ 頭頸部における回旋のおよそ半分は，環軸関節で行われる．
- ⓐ 正しい
- ⓑ 誤り

28 ▶ 腰椎における面関節（椎間関節）表面のほとんどは，前額面のほうを向く．
- ⓐ 正しい
- ⓑ 誤り

29 ▶ 骨盤後傾は，腰椎椎間孔の直径を減少させる．
- ⓐ 正しい
- ⓑ 誤り

30 ▶ 脊髄神経は，横突孔を通って脊柱から出る．
- ⓐ 正しい
- ⓑ 誤り

31 ▶ 頸部では，左右それぞれに90°の軸回旋が可能である．
- ⓐ 正しい
- ⓑ 誤り

参考文献

Adams, M.A. & Hutton, W.C. (1982) Prolapsed intervertebral disc: a hyperflexion injury: 1981 Volvo Award in Basic Science. Spine, 7(3), 184-191.

Anderst, W.J., Donaldson, W.F., III, Lee, J.Y., et al. (2014) In vivo cervical facet joint capsule deformation during flexion-extension. Spine, 39(8), E514-E520.

Ayturk, U.M., Garcia, J.J. & Puttlitz, C.M. (2010) The micromechanical role of the annulus fibrosus components under physiological loading of the lumbar spine. Journal of Biomechanical Engineering, 132(6), 061007.

Barker, P.J., Hapuarachchi, K.S., Ross, J.A., et al. (2014) Anatomy and biomechanics of gluteus maximus and the thoracolumbar fascia at the sacroiliac joint. Clinical Anatomy, 27(2), 234-240.

Bogduk, N. (1997) Clinical anatomy of the lumbar spine (3rd ed.). New York: Churchill Livingstone.

Bogduk, N. & Mercer, S. (2000) Biomechanics of the cervical spine. I: normal kinematics. Clinical Biomechanics, 15(9), 633-648.

Brasiliense, L.B., Lazaro, B.C., Reyes, P.M., et al. (2011) Biomechanical contribution of the rib cage to thoracic stability. Spine, 36(26), E1686-E1693.

Castanharo, R., Duarte, M. & McGill, S. (2014) Corrective sitting strategies: an examination of muscle activity and spine loading. Journal of Electromyography Kinesiology, 24(1), 114-119.

De Troyer, A., Estenne, M., Ninane, V., et al. (1990) Transversus abdominis muscle function in humans. Journal of Applied Physiology, 68(3), 1010-1016.

Hartman, J. (2014) Anatomy and clinical significance of the uncinate process and uncovertebral joint: a comprehensive review [Review]. Clinical Anatomy, 27(3), 431-440.

Haughton, V. (2011) The "dehydrated" lumbar intervertebral disk on MR, its anatomy, biochemistry and biomechanics. [Review]. Neuroradiology, 53(Suppl-4).

Hebert, J.J., Koppenhaver, S.L., Magel, J.S., et al. (2010) The relationship of transversus abdominis and lumbar multifidus activation and prognostic factors for clinical success with a stabilization exercise program: a cross-sectional study. Archives of Physical Medicine & Rehabilitation, 91(1), 78-85.

Holmes, A., Han, Z.H., Dang, G.T., et al. (1996) Changes in cervical canal spinal volume during in vitro flexion-extension. Spine, 21(11), 1313-1319.

Imai, A., Kaneoka, K., Okubo, Y., et al. (2010) Trunk muscle activity during lumbar stabilization exercises on both a stable and unstable surface. Journal of Orthopaedic & Sports Physical Therapy, 40(6), 369-375.

Ishii, T., Mukai, Y., Hosono, N., et al. (2006) Kinematics of the cervical spine in lateral bending: in vivo three-dimensional analysis. Spine, 31(2), 155-160.

McGill, S.M. (2000) Biomechanics of the thoracolumbar spine. In Z. Dvir (Ed.), Clinical biomechanics. Philadelphia: Churchill Livingstone.

McKenzie, R.A. (1981) The lumbar spine: mechanical diagnosis and therapy. Waikanae, New Zealand: Spinal Publications.

Mueller, J., Mueller, S., Stoll, J., et al. (2014) Trunk extensor and flexor strength capacity in healthy young elite athletes aged 11-15 years. Jounal of Strength and Conditioning Research, 28(5), 1328-1334.

Nachemson, A. (1960) Lumbar intradiscal pressure: experimental studies on post-mortem material. Acta Orthopaedica Scandinavica. Suppl, 43, 1-104.

Neumann, D. (2017) Kinesiology of the musculoskeletal system: Foundations for physical rehabilitation (3rd ed.). St Louis: Elsevier.

Okubo, Y., Kaneoka, K., Imai, A., et al. (2010) Electromyographic analysis of transversus abdominis and lumbar multifidus using wire electrodes during lumbar stabilization exercises. Journal of Orthopaedic & Sports Physical Therapy, 40(11), 743-750.

Olson, K.A. (2015) Manual physical therapy of the spine (2nd ed.). St Louis: Elsevier.

Park, R.J., Tsao, H., Cresswell, A.G., et al. (2012) Differential activity of regions of the psoas major and quadratus lumborum during submaximal isometric trunk efforts. Journal of Orthopaedic Research, 30(2), 311.

Skrzypiec, D.M., Klein, A., Bishop, N.E., et al. (2012) Shear strength of the human lumbar spine. Clinical Biomechanics, 27(7), 646-651.

Standring, S. (2016) Gray's anatomy: the anatomical basis of clinical practice (41st ed.). St Louis: Elsevier.

Swinkels, R.A. & Swinkels-Meewisse, I.E. (2014) Normal values for cervical range of motion. Spine, 39(5), 362-367.

Wilke, H.J., Neef, P., Caimi, M., et al. (1999) New in vivo measurements of pressures in the intervertebral disc in daily life. Spine, 24(8), 755-762.

Xia, Q., Wang, S., Kozanek, M., et al. (2010) In-vivo motion characteristics of lumbar vertebrae in sagittal and transverse planes. Journal of Biomechanics, 43(10), 1905-1909.

第9章

股関節の構造と機能

▶ 本章の概要

骨学
- 腸骨
- 坐骨
- 恥骨
- 寛骨臼
- 大腿骨

関節学
- 一般的な特徴
- 股関節内の支持構造
- 股関節外の支持構造
- 股関節の伸展の重要性
- 運動学

筋と関節の相互作用
- 股関節の筋と神経支配
- 股関節の筋

まとめ
確認問題
参考文献

▶ 学習目標

- 股関節と骨盤の特徴を確認する.
- 股関節を支える構造を説明できる.
- 股関節の屈曲と伸展,外転と内転,内旋と外旋の正常可動域を述べることができる.
- 運動を生み出すために用いられる股関節の3つの運動戦略を説明できる.
- 股関節の運動面と回旋軸を説明できる.
- 股関節の筋の起始と停止を理解し,筋の働きを説明できる.
- 骨盤前傾と骨盤後傾に必要なフォースカップルを説明できる.
- 股関節の屈曲拘縮の影響を生体力学的な視点から説明できる.
- 股関節と膝関節の屈曲や伸展により二関節筋の長さが変化する.このことが動作にどのような影響を及ぼすかを説明できる.
- 歩行の立脚相における股関節の外転筋の役割を説明できる.
- 患側股関節の反対側上肢で杖を使うと,どのような効果があるのか説明できる.

キーワード

外反股	拘縮	骨盤前傾	フォースカップル
開放運動連鎖(開連鎖,開放連鎖)	股関節挙上	正常な前捻角	閉鎖運動連鎖(閉連鎖,閉鎖連鎖)
関節反力	股関節落下	トレンデレンブルク徴候	
頸体角	骨盤後傾	内反股	

　股関節は,大きな球状をした大腿骨頭とソケット状の寛骨臼からなる.股関節は,さまざまな運動の土台となるため,3つすべての運動面で広範囲な運動を提供する必要がある.一般的な股関節の運動は,①1段上に足を持ち上げたり(固定した骨盤に対して大腿骨を回転させる),②歩行やランニング,椅子からの立ち上がり,床の物を拾う(固定した大腿骨に対して骨盤もしくは体幹を回転させる),というような日常的な行為の中で股関節に運動が生じる.

　地面のティーを拾うゴルファーを例に挙げよう.前に出した片脚で支えながら,体幹を前屈しティーを拾う.持ち上がった後方の下肢と体幹,そして骨盤が,支持側下肢の大腿骨頭を軸にして回転する.この回転動作の中心にあるのが,支え続けている股関節である.

　股関節は,立ったり,座ったり,歩いたり,走っている間安定した土台を提供するために,いくつもの解剖学

的な特徴をもつ．大腿骨頭は，深い関節窩と靱帯，関節包に取り囲まれて安定している．さらに，数多くの筋が安定性に貢献しつつ，さまざまな身体活動に必要な，大きな筋力を発揮する．つまり，股関節周囲筋の筋力低下は，身体活動に大きな影響を及ぼす．

本章では，股関節の障害に適切な治療を実施するために，股関節の筋や構造，運動学について述べる．

骨学

寛骨は，**無名骨** innominate bone ともよばれる（ラテン語由来で"名前をつけがたい"の意，図 9.1）．左右の寛骨は，腸骨，坐骨，恥骨の 3 つの骨が癒合して形づくられる．骨盤は，寛骨と後方にある楔状の仙骨とで形成される．仙骨と寛骨がなす関節が，仙腸関節である（図 9.2，3）．

腸骨

腸骨は，寛骨上部の翼状の部分である（図 9.1〜3）．腸骨稜は腸骨上縁の長い隆起で，容易に触れることができる．セラピストは，骨盤の左右の対称性を確認するた

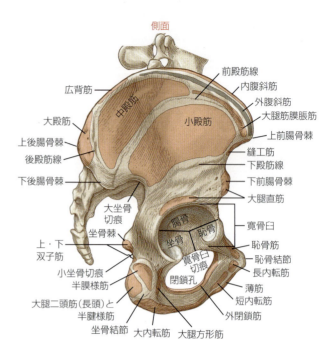

図 9.1　寛骨の右側面
筋の起始は赤色，停止は灰色で示す．（Neumann DA: Kinesiology of the musculoskeletal system: foundations for physical rehabilitation, ed 2, St Louis, 2010, Mosby, Fig. 12.2 より）

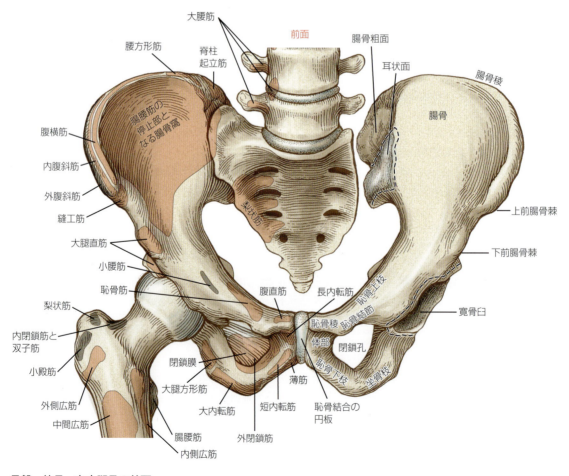

図 9.2　骨盤，仙骨，右大腿骨の前面
筋の起始は赤色，停止は灰色で示す．仙骨の左側は，仙腸関節の耳状面がみえるように切断して示す．（Neumann DA: Kinesiology of the musculoskeletal system: foundations for physical rehabilitation, ed 2, St Louis, 2010, Mosby, Fig. 12.1 より）

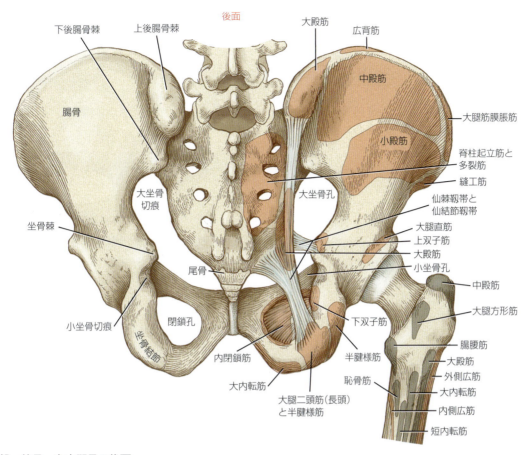

図 9.3　骨盤，仙骨，右大腿骨の後面
筋の起始は赤色，停止は灰色で示す．(Neumann DA: Kinesiology of the musculoskeletal system: foundations for physical rehabilitation, ed 2, St Louis, 2010, Mosby, Fig. 12.3. より)

めに，しばしば腸骨稜の高さを比較する．腸骨稜の前方にある鋭い突端は，**上前腸骨棘** anterior-superior iliac spine (ASIS) とよばれる．**下前腸骨棘** anterior-inferior iliac spine (AIIS) は，上前腸骨棘の下方にあり，大腿直筋の付着部である．腸骨稜の後方にある隆起は**上後腸骨棘** posterior-superior iliac spine (PSIS) とよばれ，上前腸骨棘よりも丸く容易に触れることができる．また，仙腸関節の位置を確認するときには，上後腸骨棘の近くのくぼみが役に立つ．**下後腸骨棘** posterior-inferior iliac spine (PIIS) は，上後腸骨棘の下方に位置する骨突起の先端で，大坐骨切痕の上方にある突起である．

大坐骨切痕は，下後腸骨棘と坐骨棘との間に形成された半円形のスペースで，太い坐骨神経が通過する．仙棘靱帯と仙結節靱帯は，大坐骨切痕を大坐骨孔へと変化させる．

腸骨窩は，腸骨前方のなめらかな凹面で，腸骨筋の起始部である．腸骨と仙骨で，仙腸関節を形成する．

坐骨

坐骨は，寛骨の後方下位に位置する（**図9.1～3**）．坐骨棘は，大坐骨切痕の下位にある特徴的な後方の突起である．坐骨結節は，坐骨の後方下位面にある突起で，ハムストリングスの4筋のうち3つの筋の起始となる．座位では，文字通り坐骨結節で座るような位置となる．この突出した骨の構造は，しばしば床ずれの好発部位となる．床ずれは，感覚が脱失している場合（訳注：例えば脊髄損傷）や座位姿勢を頻回に変化させる能力を欠く人に生じる．坐骨枝は，坐骨結節から前方に伸び，恥骨下枝へと続く．

> **考えてみよう！＞＞妊娠時の関節のゆるみ**
>
> 妊娠中の女性の体には，**リラキシン** relaxin とよばれるホルモンが分泌される．このホルモンは，骨盤の靱帯の柔軟性を増して出産に備える．
> この作用の影響から，骨盤が変形しそうなゆるんだ感じを受ける．これはおそらく，仙腸関節と恥骨結合の適合不良が原因とみられる．
> セラピストは，しばしば骨盤の安定性を補う筋の強化を勧める．

恥骨

恥骨は，①恥骨上枝，②恥骨下枝の2本の枝が恥骨稜から伸びて前側で結合する．恥骨稜と寛骨は恥骨結合で連結する．この比較的固定された関節は，骨盤前方の"環"を形成する（図9.2, 3）．

大きい円形の開口部は，恥骨枝と坐骨によって閉鎖孔を形成する．閉鎖孔は閉鎖膜によって覆われており，内閉鎖筋と外閉鎖筋の起始部となる．

寛骨臼

寛骨臼は，大腿骨頭を囲む深いカップ状の構造をとる（図9.4）．興味深いことに寛骨臼は，腸骨，坐骨，恥骨の3つの組み合わせで形成される．

月状面は，寛骨臼のU字状の関節面である．内側は厚い関節軟骨に覆われており，寛骨臼と大腿骨頭が接触する部分である．寛骨臼窩は，寛骨臼の陥没した深部の底である．通常，大腿骨頭とは接触しないことから，関節軟骨で覆われていない．

大腿骨

大腿骨は，人体内で最も長い骨である．この骨の長さのおかげで，大きな歩幅で歩くことができる（図9.5, 6）．

大腿骨近位部は，頭部，頸部，体部（軸）から形成される．大腿骨頭には，窩とよばれる小さなカップ状の陥没があり，そこに大腿骨頭靱帯が入り込む．頸部は，大腿骨頭と軸（体部）を連結し，大転子と上側方で接する．

大転子は，大腿骨頸部と軸（体部）の接合部付近から横に伸びる大きな突起であり，容易に触れることができる．大転子には，股関節の多くの筋が停止する．小転子は，後内側の尖った突起であり，腸腰筋が停止する．転子間稜は，大転子と小転子を結ぶ骨の隆起である．転子間稜の前方には，転子間線がある．この線は，前方の股関節包の停止の目印となる．転子窩は，大転子の後内側の小さな窩である．股関節の短い外旋筋の多くは，転子窩の近くかその上部に停止する．

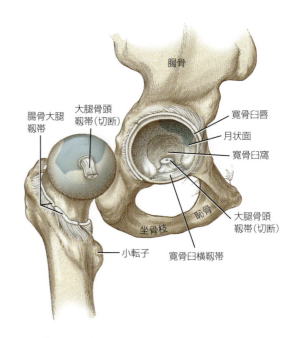

図9.4　寛骨臼の内部がみえるように切断した右股関節
関節軟骨が最も厚い領域を青色で強調している．（Neumann DA: Kinesiology of the musculoskeletal system: foundations for physical rehabilitation, ed 2, St Louis, 2010, Mosby, Fig. 12.11 より改変）

遠位へ伸びる**粗線** linea aspera（ラテン語由来で"ざらざらした線"の意）は，大腿骨の後面に沿った少し隆起した骨の線を意味する．この骨性隆起には，内転筋の多くが停止しており，大腿四頭筋のうちの2つの起始となる．恥骨筋が停止する恥骨筋線は，小転子から上部側面へ走る小さな骨稜である．殿筋粗面は，粗線の上部横面から始まり，大殿筋が停止する．内転筋結節は，膝内側の近位部にある，触れることができる隆起で，大内転筋が停止する．

大腿骨の内側・外側顆状突起および上顆，顆間切痕と顆間溝は，膝に関わる重要な特徴であるため，次章で詳述する．

 臨床的な視点 >> 床ずれと骨学の関係

皮膚表面とその下の組織が，ある一定期間にわたり圧迫され続けて，十分な血流量が得られなくなると床ずれが発生する．大転子，仙骨，坐骨結節のような股関節周囲の骨ばった部位は，特に床ずれを起こしやすい危険な部位である．この骨ばった部位は，骨を取り囲む軟部組織が少ないことから，少しの圧力でも血流が滞り，栄養分の供給を阻害する．

また，座っているときや寝ている間ずっと，この骨ばった部位は高い圧力を集中的に受けやすい．床ずれは，**褥瘡** decubitus（ラテン語由来で"下に横になること（臥位）"を意味する），または褥瘡潰瘍とよばれる．

脊髄損傷者は感覚が低下していることから，通常は痛みを伴うような高い圧力を知覚できない．それゆえ，床ずれの発症リスクが高い．セラピストは，以下の方法によって床ずれを予防する．

- クッションを用いて圧力の緩和を図る：通常は車椅子にクッションを置いて，リスクの高い骨ばった部位の圧力を減少させる．
- 以下の患者教育を行う．
  ・適切なポジショニングの重要性（骨隆起部位に長時間にわたって圧力がかかることを避ける）．
  ・定期的に，"**吊り上げ** boost"のような圧力からの開放を行う．
  ・良好な衛生状態を維持する（清潔と乾燥を保つ）．

骨学 221

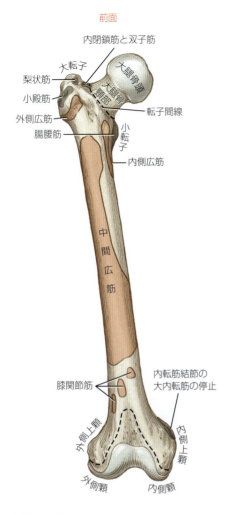

図 9.5 右大腿骨の前面
筋の起始は赤色，停止は灰色で示す．関節包の停止を点線で示す．(Neumann DA: Kinesiology of the musculoskeletal system: foundations for physical rehabilitation, ed 2, St Louis, 2010, Mosby, Fig. 12.4 より)

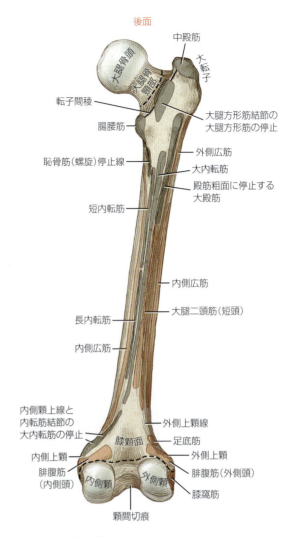

図 9.6 右大腿骨の後面
筋の起始は赤色，停止は灰色で示す．関節包の停止を点線で示す．(Neumann DA: Kinesiology of the musculoskeletal system: foundations for physical rehabilitation, ed 2, St Louis, 2010, Mosby, Fig. 12.5B より)

▶頸体角

頸体角 angle of inclination は，前額面において，大腿骨頸部と大腿骨の間でつくられる角度を指す（**図 9.7A**）．成人の正常な頸体角は，125°である．頸体角によって，大腿骨の軸を正中に向ける．大腿骨の軸が正中に向くことによって，体重を膝関節で受ける．**図 9.7A** において赤色の点で示されるように，125°の頸体角は股関節の最も適切なアライメントである．

股関節の頸体角異常は，幼児期の発達異常や外傷によって生じることがある．頸体角が 125°より小さいものを**内反股** coxa vara（**図 9.7B**），125°よりも大きいものを**外反股** coxa valga（**図 9.7C**）という．**図 9.7B，C** の赤色の点の配置が一致しないことに注意すること．いずれにしても，異常な頸体角では股関節は不安定になるか，高いストレスが加わる．この場合，外科的治療である大

腿骨頭または寛骨臼の再置換術が必要になる可能性がある．矯正をしない場合は，異常に高いストレスが関節に加わり，関節の変形や痛み，歩行の異常を引き起こす．

▶前捻角

視覚的なものを文章で説明するのは困難であるが，大腿骨は長軸に対して自然なねじれがある．このねじれは，大腿骨の体部と頸部の間の捻転として説明される．捻転の角度は，机の上に大腿骨を置くことで認識できる．大腿骨顆状突起は机の面と平行であるが，大腿骨頸部は通常は 15°上方へ突出している．この 15°のねじれの角度は，**正常な前捻角** normal anteversion とよばれ，上方向から認識できる（**図 9.8A**）．正常な頸体角と同様に，正常な前捻角は大腿骨頭と寛骨臼の最適なアライメントに寄与する．**図 9.8B** の赤色の点において，**過度な前捻**

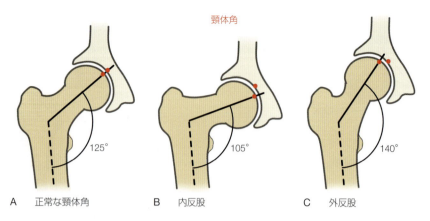

図9.7 大腿骨近位部
A：正常な頸体角．B：内反股．C：外反股．赤色の点は，各股関節面の異なるアライメントを示す．最適なアライメントはAである．（Neumann DA: Kinesiology of the musculoskeletal system: foundations for physical rehabilitation, ed 2, St Louis, 2010, Mosby, Fig. 12.7 より）

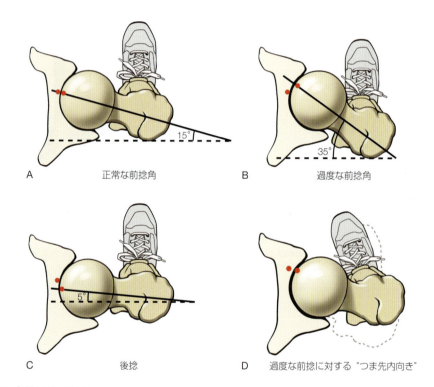

図9.8 上部からみた右股関節の角度
A：大腿骨頭の15°の前捻は，正常である．B：過度な前捻．C：股関節の後捻．D：過度な前捻の股関節では，つま先を内向きにすることで股関節の適合性を改善する．（Neumann DA: Kinesiology of the musculoskeletal system: foundations for physical rehabilitation, ed 2, St Louis, 2010, Mosby, Fig. 12.8 および 12.9B より）

角 excessive anteversion の股関節を示す．
　前捻角が小さく15°未満の股関節を図9.8Cに示す．立っているときや歩行の際に，前捻角が大きい場合は股関節を内旋させることで，また，前捻角が小さい場合は股関節を外旋させることで，股関節の正常なアライメントへと近づけるような調節をする．図9.8Dに代償動作を示すが，股関節を内旋させるように"つま先を内向き"にすることで過度に大きい前捻角を調整する．これにより体重によって加わる圧縮力を適切に分散させるために，"つま先を内向き in-toeing"や"つま先を外向き out-toeing"にすることで適切なアライメントへ近づけようとしている．このことをセラピストは気づかなければならない．

関節学

一般的な特徴

股関節には，日常的な歩行から激しい運動の間ずっと，脱臼方向への負荷が加わっている．股関節は，その負荷に耐えうる構造となっている．大腿骨頭は，多くの靱帯や筋により深い寛骨臼（後述）の中に確実に保持される．厚い関節軟骨や筋，関節唇，大腿骨近位部の海綿骨（スポンジ状）の構造は，日常的に股関節に加わる大きな力を緩衝させる．これらの防衛機構のいずれかが機能不全に陥ると，疾患や損傷を引き起こし，くわえて加齢を機に関節弱化につながる可能性がある．

股関節内の支持構造

図9.4では，以下の支持構造を示す．

- **寛骨臼横靱帯**：寛骨臼切痕にまたがり，寛骨臼の"カップ"を完成させる．
- **大腿骨頭靱帯**：寛骨臼横靱帯から大腿骨頭窩まで走行する，管状で鞘状の結合組織．閉鎖動脈から分岐した大腿骨頭靱帯内の血管は大腿骨頭へ血液を供給する．
- **寛骨臼唇**：寛骨臼の外側端を取り囲む線維軟骨の尖った環または唇のこと．上唇が窩を深くすることで確実に大腿骨頭を保持し，股関節の安定性を高める．関節唇は，大腿骨頭を"密閉"し部分的な真空状態を形成することで，股関節の安定を高める．
- **関節軟骨**：寛骨臼の月状面を覆い，関節内の緩衝作用をもつ．歩行の立脚期に高い関節圧力が加わる大腿骨頭上部の関節軟骨は，最も厚くなっている．

股関節外の支持構造

股関節関節包の外面は，厚い靱帯によって補強される．その靱帯は腸骨大腿靱帯，坐骨大腿靱帯，恥骨大腿靱帯である．これらの靱帯は，寛骨臼の端から大腿骨の前面へ付着する．以下の靱帯は，股関節を安定させるために重要な役割を果たす．

- **腸骨大腿靱帯またはY（ワイ）靱帯**（図9.9）：逆Y字型に似た形をした，厚く強い靱帯である．体内で最も厚い靱帯の一つで，大腿骨転子間線に付着する．股関節の過剰な伸展を制限する．
- **坐骨大腿靱帯**（図9.10）：大腿骨頸部のまわりを螺旋状に走行し，大転子の先端に付着する．股関節の伸展と内旋を制限する．
- **恥骨大腿靱帯**（図9.9）：大腿骨の転子間線下半分に停止する．股関節の外転と伸展を制限する．

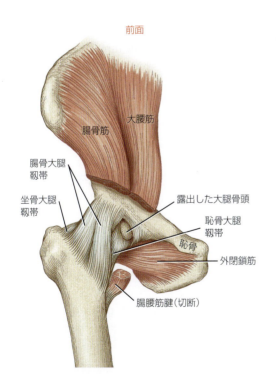

図9.9　右股関節の前面
腸骨大腿靱帯と恥骨大腿靱帯を露出させるために，腸腰筋は切断して示す．（Neumann DA: Kinesiology of the musculoskeletal system: foundations for physical rehabilitation, ed 2, St Louis, 2010, Mosby, Fig. 12.14 より）

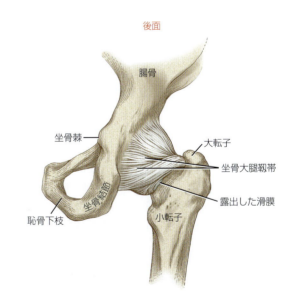

図9.10　右股関節の後面
関節包と坐骨大腿靱帯．（Neumann DA: Kinesiology of the musculoskeletal system: foundations for physical rehabilitation, ed 2, St Louis, 2010, Mosby, Fig. 12.15 より）

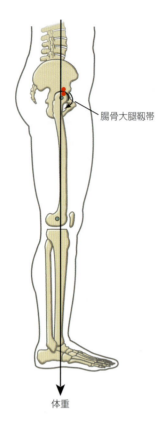

図9.11　立位での重心線
伸展位で立つと，重心線は通常通る部位よりもわずか後方となり，それは股関節伸展のトルクを生み出す．股関節前方の関節包と靱帯が股関節伸展を制限する．赤色の点は，股関節の最適なアライメントを示す．（Neumann DA: An arthritis home study course. The synovial joint: anatomy, function, and dysfunction, La Crosse, Wis, The Orthopedic Section of the American Physical Therapy Association, 1988 より）

股関節の伸展の重要性

▶効率が良い楽な立位

　通常，股関節周囲の筋がわずかに活動するだけで長時間の立位が可能である．まるで，筋収縮を必要としていないかのような安楽な立位は，股関節の重心線と靱帯の位置関係によって成り立つ．直立姿勢で立っている間，矢状面での重心線は，股関節内側-外側軸の後方を通過する（**図9.11**）．したがって，重力は受動的な股関節の伸展トルクとして働き，対抗する力がなければ骨盤は後傾してしまう．しかし，重力によって股関節が伸展すると，股関節の3つすべての靱帯が引っ張られ，ゴムバンドのように股関節屈曲へ作用する．この靱帯の張力と重力のバランスによって，驚くほど小さな筋活動で立っていられるのである．

　このメカニズムは，麻痺した下肢での立位の保持に有効である．ここでは，腰髄損傷後の両下肢麻痺（対麻痺）の例を示す（**図9.12**）．患者は，長下肢装具と松葉杖を使って立っている．体幹と骨盤を後方に反らせて股関節を伸展することによって，腸骨大腿靱帯は伸ばされる．

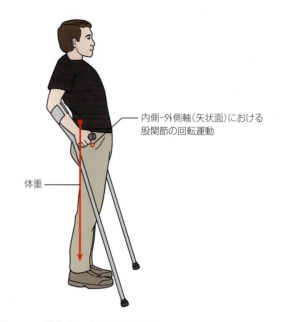

図9.12　対麻痺の人における立位
対麻痺の人が，膝と足関節の装具の助けで立っている．骨盤と体幹を後方に傾けることで，腸骨靱帯等が伸ばされる．これにより，受動的な股関節の屈曲トルクが生じ，股関節と骨盤の安定を助ける．

この靱帯の張力によって，股関節周囲の筋を活動させなくとも，股関節と骨盤を安定させることで立位を保持できる．

▶股関節屈曲位の拘縮

　股関節屈曲位の**拘縮** contracture とは，股関節の筋や靱帯に起因した他動的な伸展の制限であり，軽度であれ重度であれ，運動機能が低下した場合にしばしばみられる機能障害である．

　長時間座る等，股関節を屈曲したままの姿勢が続くと，股関節屈曲位の拘縮になりやすい．車椅子生活や，寝たきりのように，長い間，股関節を屈曲している状態を考えてみよう．ゆるんだ股関節の屈筋や靱帯は，時間とともにその姿勢に適応して，短縮してしまう．筋や靱帯が短縮もしくは拘縮に陥ってからでは，積極的なストレッチを行ったとしても元の長さを再び獲得するのは困難である．股関節の屈曲拘縮は，長期的な影響として，股関節が不安定になり，その他多くの部位や構造へ悪影響を及ぼす．

　股関節に屈曲拘縮がある者が立位を保とうとすると，重心線は矢状面において骨盤が前方に回転する方向へと移動する（**図9.13**）．これでは，前述した少ないエネルギーで立っていられるメカニズムを利用できなくなり，立位の保持には股関節伸筋や体幹伸筋の継続した活動が必要となる．こうなると，たいていの人は疲れて座ることを選択するようになる．座位は，股関節の屈筋と靱帯が短縮する状態となるため，悪循環に陥ってしまう．

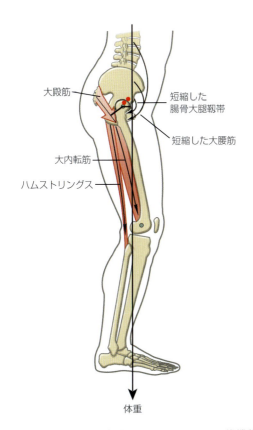

図 9.13　股関節屈曲位の拘縮におけるいくつかの代償戦略
前弯の増大，膝関節の屈曲，股関節の伸筋（大殿筋，大内転筋，ハムストリングス）の活性化が生じる．赤色の点は，大腿骨頭と寛骨臼の一致すべき場所のずれを示す．（Neumann DA: An arthritis home study course. The synovial joint: anatomy, function, and dysfunction, La Crosse, Wis, 1998, Orthopedic Section of the American Physical Therapy Association, 1998 より）

　中程度から重度の股関節屈曲位の拘縮では，体幹を起こすために，脊柱の下部を伸展しなければならず，腰椎の**前弯**lordosis の増大を引き起こす（**図 9.13**）．重度の場合は，腰部の伸筋に緊張が生じ，腰椎椎間関節を消耗させる．

　図 9.13 の股関節を屈曲した立位姿勢は，股関節に負担がかかる可能性が高い．股関節が伸展位にある正常な立位は，圧迫荷重が加わる部位と関節軟骨の厚い部位が一直線となり，圧迫荷重を均一に分散させる．一方，股関節屈曲位の拘縮では，圧迫荷重を分散するべき部位では支えていない（**図 9.13**，赤色の点）．これでは，時が経つにつれて，関節の異常な消耗や損傷を引き起こし，関節炎となる可能性が増す．重度な股関節屈曲位の拘縮があると，膝関節を曲げないと立位をとれない．膝関節を曲げた姿勢には，大腿四頭筋の持続した活動が必要となるため，膝関節屈曲位の拘縮がさらに悪化する可能性が増す．

運動学

　股関節は基本的に，①屈曲，②伸展，③外転，④内転，

> **考えてみよう！** ＞＞＞ワインディングアップ（振りかぶる動作）によって構造による受動的な力を増す
>
> 　サッカー選手は，股関節の関節包や靱帯にエネルギーを蓄えることにより，キックの力を高める．選手は，キックの前に"振りかぶる"ことにより，素早く股関節を伸展する．大きな靱帯が引っ張られることでエネルギーが蓄えられる．これは，ゴムバンドが引っ張られることでエネルギーを蓄えるのと同じである．
> 　キックの場合は，伸ばされた靱帯が元に戻ろうとすることが，股関節の屈筋に付加的なトルクを供給する．引き伸ばされた筋もゴムバンドと同じように作用するため，キックの前に振りかぶると股関節前面の筋の弾性による反発力から付加的な恩恵を得ることができる．

> **考えてみよう！** ＞＞＞疼痛が股関節屈曲拘縮につながる理由
>
> 　通常の股関節は関節内圧が気圧より低い．この低い圧力は，わずかな吸引力を生み出し，股関節の安定に寄与している．しかし，股関節の損傷や関節炎等の退行性変化が生じると，関節腔内に関節液が蓄積（腫脹）する．関節内圧を増加させ，関節包や他の構造に対する圧が増加し，痛みを引き起こす場合がある．
> 　興味深いことに，股関節内にどれくらい関節液が溜まっているかにかかわらず，股関節を屈曲した状態にあるときは関節内圧が低くなるとの報告がある．なぜ変形性股関節症患者が立位や臥位，歩行の間でさえも，股関節屈曲位を好んで維持させるのか説明できるかもしれない．残念なことに，長い間股関節を屈曲していると靱帯や股関節屈筋が短縮した状態に適応してしまう．これが股関節屈曲拘縮につながるのである．

⑤内旋，⑥外旋の 6 つの運動が可能である．身体の中心に位置する股関節では，以下の 3 つの異なる運動戦略をもって大腿骨と骨盤の運動が行われる．

1. 骨盤に対する大腿骨の運動（開放運動連鎖）

　相対的に固定された骨盤に対して大腿骨が回転する（例：1 段上に足を持ち上げる）．
　この開放運動連鎖は，思い浮かべるのが比較的容易である．

2. 腰椎と骨盤が同じ方向へ動く腰椎骨盤リズム（閉鎖運動連鎖，長い弧を描く運動）

　腰椎と骨盤が同じ方向へ回転して股関節が屈曲する運動がある．この股関節の閉鎖運動連鎖は，固定された大腿骨の上で体幹の可動域を有効に使いたいときに用いら

臨床的な視点 >> ちょっとの工夫で予防しよう！

股関節の屈曲拘縮は，機能低下の悪循環へと陥る可能性がある．既述のように，いったん拘縮が形成されてしまうと，改善することが極度に困難となる．セラピストは，股関節の屈曲拘縮が発生しやすい人を特定して，拘縮の予防に努めなければならない．

股関節屈曲位の拘縮を予防する方法

- **腹臥位**：この姿勢は，股関節が中間位か伸展位となる．腹臥位になることが可能であれば，関節包や靱帯，屈筋に対し，長時間にわたる低強度のストレッチを行うことが可能となる．
- **股関節の伸筋を強化する**：以下の2つの要素を達成する．
  - 股関節の屈曲位から自動運動にて伸展する．
  - 股関節の筋力に偏りがありそうな場合は，（ゆっくりと確実に）伸展する．
- **患者教育**：屈曲した姿勢を定期的に動かすことで，拘縮が発生する可能性を減らす．特に以下のことを強調する．
  - 許す限り，座位姿勢から立ち上がることを促す．
  - まっすぐ横になる（ベッドでの頭の高さを低くする）．
  - 臥位のときに膝の下に枕を入れることを避ける．
- **股関節の屈筋のストレッチ**：家庭でのエクササイズに取り入れ，定期的にストレッチを行う．

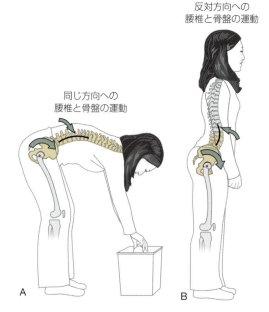

図9.14　股関節の閉鎖運動連鎖
A：腰椎と骨盤が同じ方向へ動く腰椎骨盤リズム．体幹と骨盤が同じ方向に回転することに注目しよう（長い弧を描く運動）．B：腰椎と骨盤が反対方向へ動く腰椎骨盤リズム．骨盤と腰椎が互いに反対方向に回転することに注目しよう（短い弧を描く運動）．(Neumann DA: Kinesiology of the musculoskeletal system: foundations for physical rehabilitation, ed 2, St Louis, 2010, Mosby, Fig. 12.21 より)

れる．例えば，身体を曲げてつま先を触れたり，地面から物を拾い上げたりする際の運動である（図9.14A）．体幹を大きく移動させるために，腰椎と骨盤は同じ方向へ屈曲していることに注目しよう．

3. 腰椎と骨盤が反対方向へ動く腰椎骨盤リズム（閉鎖運動連鎖，短い弧を描く運動）

体幹は動かさずに直立させたままで骨盤を回転させると，固定された大腿骨の上で骨盤を前傾することができる．前述の運動戦略で説明したように，この骨盤の回転は股関節の閉鎖運動連鎖ともいえる．しかし，この運動戦略の異なるところは，体幹が直立したままで骨盤が回転することである（図9.14B）．体幹が動かないまま直立であることから，腰椎は骨盤とは反対方向へ回転（骨盤前傾の場合は腰椎は前弯する）しなければならない．

第8章で既述したが，この動きは骨盤の前傾と後傾の運動で容易に理解できる．

以下では，股関節で可能な6つの運動について述べる．それぞれ，3つの運動戦略とからめて簡潔に説明する．

▶股関節の屈曲

股関節の屈曲は，内側-外側軸，矢状面の骨盤と大腿骨の間の運動である．股関節の屈曲は，骨盤前面と大腿骨前面の距離を縮める．

1. 骨盤に対する大腿骨の運動（開放運動連鎖）

固定された骨盤に対し，大腿骨が前方へ回転して股関節は屈曲する．膝（または大腿）が胸部のほうへと近づく運動として観察できる（図9.15A）．股関節の正常な屈曲の可動域は，0～120°である．

2. 腰椎と骨盤が同じ方向へ動く腰椎骨盤リズム（閉鎖運動連鎖，長い弧を描く運動）

腰椎と骨盤が同じ方向へ回転する股関節の屈曲は，身体を曲げてつま先に触れる際や，物を地面から拾い上げる際にみられる運動である（図9.15B）．体幹を大きく曲げて腰椎が前方へ屈曲するとき，固定された大腿骨頭上で骨盤は前方へ回転する．

3. 腰椎と骨盤が反対方向へ動く腰椎骨盤リズム（閉鎖運動連鎖，短い弧を描く運動）

体幹を直立させたまま**骨盤前傾** anterior pelvic tilt させると，腰椎（ここでは前弯）と骨盤が反対方向へ回転する（図9.15C）．骨盤は，股関節の内側-外側軸で前傾する．第8章で既述したように，**傾斜** tilt は，短い弧を描く運動を意味する．この動きは，以下の運動で容易に理解できる．

座位または立位の際，体幹や胸部を直立に保ったまま骨盤を前傾する．正しく行えば，腰部はより伸展（前弯

関節学 227

図 9.15 股関節の屈曲
A：骨盤に対する右大腿骨の屈曲（開放運動連鎖）．細い黒色の線は伸ばされている組織を表す．B：腰椎と骨盤が同じ方向へ動く腰椎骨盤リズムによる股関節の屈曲（長い弧を描く運動）．C：腰椎と骨盤が反対方向へ動く腰椎骨盤リズムによる股関節の屈曲（骨盤前傾）．股関節の屈曲と腰椎の伸展の連動した動きに注目しよう（短い弧を描く運動）．（Neumann DA: Kinesiology of the musculoskeletal system: foundations for physical rehabilitation, St Louis, 2002, Mosby, Fig. 12.23A，および 9.8C, 12.25A より改変）

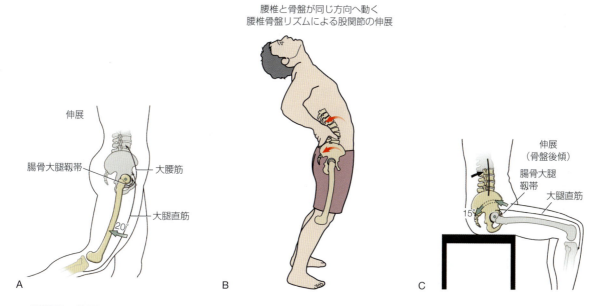

図 9.16 股関節の伸展
A：骨盤に対する右大腿骨の伸展（開放運動連鎖）．B：腰椎と骨盤が同じ方向へ動く腰椎骨盤リズムによる股関節の伸展．体幹の後屈を最大にすることに注目しよう（長い弧を描く運動）．C：腰椎と骨盤が反対方向へ動く腰椎骨盤リズムによる股関節の伸展（骨盤後傾）．細い黒色の矢印は，引き伸ばされた組織を示す（短い弧を描く運動）．（Neumann DA: Kinesiology of the musculoskeletal system: foundations for physical rehabilitation, St Louis, 2002, Mosby, Fig. 12.23A，および 9.8B, 12.25A より改変）

の増大）しアーチ状となる．骨盤を前傾する際に，胸部や体幹を直立に保つには，腰椎を伸ばさなければならない．このように，腰椎は骨盤を大腿骨の上で回転させる一方で，体幹を直立させたままでいる．

骨盤前傾の可動域は30°であり，可動域の大部分は腰椎伸展の柔軟性で決まる．

以下，腰椎と股関節の重要な関係をさらに述べる．

▶ 股関節の伸展

股関節の伸展は，内側-外側軸，矢状面での骨盤と大腿骨の間の運動である．股関節の伸展は，骨盤の後面と大腿骨の後面の距離を縮める．

1. 骨盤に対する大腿骨の運動（開放運動連鎖）

固定された骨盤に対し大腿骨が後方へ回転して股関節は伸展する（**図 9.16A**）．この運動は，後方へ歩くときに

観察できる．股関節の伸展の可動域は，20°である．股関節の伸展は関節の前方にある靱帯と筋肉の緊張によって制限される．

2. 腰椎と骨盤が同じ方向へ動く腰椎骨盤リズム（閉鎖運動連鎖，長い弧を描く運動）

固定された大腿骨上で骨盤を後傾させると，腰椎と骨盤が同じく後方へ回転する．この運動は，後ろに体幹を反ったり（図 9.16B），つま先を触れた後に直立した姿勢に戻る運動で観察できる．骨盤と腰椎とが同じ方向へ一体となって回転する運動である．

3. 腰椎と骨盤が反対方向へ動く腰椎骨盤リズム（閉鎖運動連鎖，短い弧を描く運動）

体幹を直立させたまま骨盤後傾 posterior pelvic tilt すると，大腿骨の上で骨盤は後方へ回転し腰椎は反対方向へ回転する（図 9.16C）．この運動は，骨盤前傾で説明された運動（前頁）とは反対方向の運動である．骨盤を後傾させる間，体幹の直立を維持するために，腰椎の弯曲は少なくなる（前弯 lordosis の減少）．

▶ 股関節の外転

股関節の外転は，前-後軸，前額面での大腿骨と骨盤の間の運動である．（どの運動戦略による運動なのか等とは関係なく）股関節の外転は，以下のように腸骨稜と大腿骨の側面の距離を縮める．

1. 骨盤に対する大腿骨の運動（開放運動連鎖）

固定された骨盤に対し大腿骨が正中線から外側に向けて離れていく動きが股関節の外転である（図 9.17A）．この開放運動連鎖による正常な可動域は，0〜40°である．

2. 腰椎と骨盤が同じ方向へ動く腰椎骨盤リズム（閉鎖運動連鎖，長い弧を描く運動）

固定された大腿骨に対して骨盤が回転することで股関節が外転する．この外転は，腰椎と骨盤が同じ方向へ回転する．例えば床の上のスーツケースを持ち上げるために体幹を側方へ曲げる場合，腰椎と骨盤が同じ方向へ回転することにより体幹は大きく側屈することができる．

3. 腰椎と骨盤が反対方向へ動く腰椎骨盤リズム（閉鎖運動連鎖，短い弧を描く運動）

体幹を直立させたまま股関節挙上（股関節引き上げ） hip-hiking させると，相対的な股関節の外転が起こる（図 9.17B）．骨盤前傾や骨盤後傾と同様に，骨盤の回転方向とは反対へ腰椎は回転する．そのため，体幹は直立のままである．図 9.17B で示すように，股関節挙上は，挙上側とは対側の体幹側面を伸ばす．この閉鎖運動連鎖は，歩行中の遊脚側の下肢を地面に引きずらないで振り

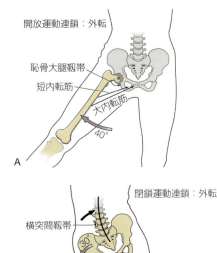

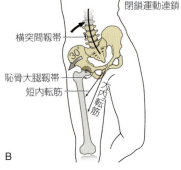

図 9.17　股関節の外転
A：骨盤に対する大腿骨の運動による右股関節の外転（開放運動連鎖）．B：閉鎖運動連鎖による腰椎と骨盤が反対方向へ動く腰椎骨盤リズムでの右股関節の外転（左股関節挙上，短い弧を描く運動）．黒色の矢印は伸ばされた組織を示す．
（Neumann DA: Kinesiology of the musculoskeletal system: foundations for physical rehabilitation, St Louis, 2002, Mosby, Fig. 12.23B，および 12.25B より改変）

出すために観察される代償動作である．下肢を前方へ振り出すときに余分なクリアランスが要求される患者（例：足関節背屈能力の低下）に用いられる歩行パターンである．

▶ 股関節の内転

股関節の内転は，前-後軸，前額面での骨盤と大腿骨の間の運動である．（どの運動戦略による運動なのか等とは関係なく）股関節の内転は，骨盤と大腿骨内側面の距離を縮める．

1. 骨盤に対する大腿骨の運動（開放運動連鎖）

固定された骨盤に対し大腿骨が正中線をまたいで内側へ動くことによって，股関節の内転が起こる（図 9.18A）．この開放運動連鎖の正常な可動域は，0〜25°である．

2. 腰椎と骨盤が同じ方向へ動く腰椎骨盤リズム（閉鎖運動連鎖，長い弧を描く運動）

大腿骨に対して，骨盤と大腿骨が前額面で回転すると股関節は内転する．この運動は比較的まれな運動ではあるが，立位で左へ大きく体幹を側屈した際の右下肢に観察できる．

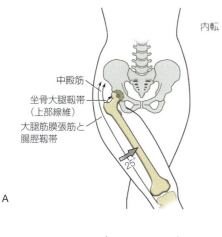

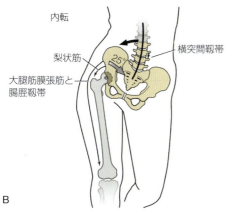

図9.18 股関節の内転
A：骨盤に対する大腿骨の運動による右股関節の内転（開放運動連鎖）．B：腰椎と骨盤が反対方向へ動く腰椎骨盤リズム（閉鎖運動連鎖）による右股関節の内転（短い弧を描く運動）．これは，左側への"股関節落下"とよばれることがある．細い黒色の矢印は，引き伸ばされた組織を示す．（Neumann DA: Kinesiology of the musculoskeletal system: foundations for physical rehabilitation, St Louis, 2002, Mosby, Fig. 12.23B, および12.25B より改変）

3. 腰椎と骨盤が反対方向へ動く腰椎骨盤リズム（閉鎖運動連鎖，短い弧を描く運動）

股関節落下（股関節引き下げ）hip drop は，固定された大腿骨とは反対側の骨盤が落下することによって股関節を内転させる（図9.18B）．例えば，右足で片足立ちすると骨盤の左側は下がってしまう．このとき，体幹を直立位に保つためには，腰椎を右に側屈（伸びるように）させなければならない．股関節外転筋の筋力低下がある患者が，歩行の立脚期に骨盤の高さを保持できないときにみられる．

▶ 股関節の内旋と外旋

股関節の内旋と外旋は，垂直軸での運動である．股関節の内旋と外旋の運動は類似しているため，まとめて説明する．これまでの運動と同様に3つの運動戦略がある．

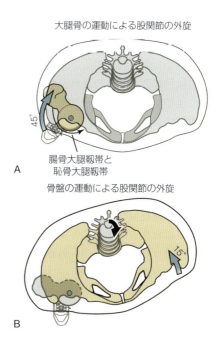

図9.19 開放運動連鎖と閉鎖運動連鎖での股関節の外旋
A：骨盤に対する大腿骨の運動による股関節の外旋（開放運動連鎖）．B：短い弧を描く，腰椎と骨盤が反対方向へ動く腰椎骨盤リズムによる股関節の外旋．これは閉鎖運動連鎖による右股関節の外旋である．（Neumann DA: Kinesiology of the musculoskeletal system: foundations for physical rehabilitation, St Louis, 2002, Mosby, Fig. 12.23C, および 12.47 左，12.25C より）

1. 骨盤に対する大腿骨の運動（開放運動連鎖）

伸ばした足のつま先と膝の向きが内側に回転（内旋）したり，外側に回転（外旋）したりすることで観察できる．固定された骨盤に対して大腿骨が運動する．大転子を触診すると，この運動が大腿骨の回旋であることを確かめることができる．正常な内旋の可動域は0〜35°，外旋の可動域は0〜45°である．図9.19 に，外旋のみを示す．

2. 腰椎と骨盤が同じ方向へ動く腰椎骨盤リズム（閉鎖運動連鎖，長い弧を描く運動）

足を組むような運動において，大腿骨の上で骨盤は回旋し，反対側の下肢を床から持ち上げる．このとき，股関節では内旋と外旋が行われる．これは，日常的に観察される運動である．骨盤の回転に続いて体幹の回旋が導かれる．大腿骨に対して骨盤や腰椎，体幹が同じ方向に回旋するのが，この運動戦略である（図9.19B）．右下肢で踏ん張り，左へ鋭く回旋（右股関節の外旋）する際に，腰椎と骨盤が同じ方向に回旋運動することでさらに回旋しやすくなる．

3. 腰椎と骨盤が反対方向へ動く腰椎骨盤リズム（閉鎖運動連鎖，短い弧を描く運動）

固定された大腿骨の上で骨盤が回旋することで股関節

は内旋および外旋する．そのとき，体幹を回旋させずに固定したままでも行うことができる（図9.19B）．固定された支持脚の上で骨盤を回旋すると，腰椎は骨盤とは反対方向への回転が起こる．この運動を観察するのは難しいが，骨盤の運動から体幹を"分離する"ために重要である．この運動は，歩行やランニングの際に，進行方向に体の向きを維持し続けることを可能にする．図の外旋に注目しよう．

▶関節運動学

通常，股関節の運動は凹面の骨盤寛骨臼の中で凸面の大腿骨頭が動くことを説明することが多い．股関節の運動は，転がりや滑りを伴って，内・外転，内・外旋が行われる．股関節の屈曲や伸展の際，大腿骨頭は内側-外側軸にて回転する．股関節の参考可動域を，表9.1に示す．

筋と関節の相互作用

股関節の筋と神経支配

大腿神経と閉鎖神経の2つは，腰神経叢から伸びる最も大きな神経である（図9.20A）．大腿神経は，大部分の股関節の屈筋と，膝伸筋のすべてに分布する．閉鎖神経は，主に股関節の内転筋に分布する（図9.20B）．

坐骨神経は，坐骨神経叢から伸びる体内で最も太い神経である（図9.21A）．この太い神経は，脛骨神経と総腓骨神経の2つに分かれる．坐骨神経から脛骨側へ伸びる神経枝は，大部分のハムストリングスと大内転筋ハムストリング部（伸展部）に分布する．坐骨神経から腓骨側へ伸びる神経枝は，残りのハムストリングスである大腿二頭筋短頭と多くの足関節筋に分布する．仙骨神経叢から

表9.1 股関節の運動の概要

運動	参考可動域（自動）	回転軸	運動面
屈曲	0〜120°	前額軸	矢状面
伸展	0〜20°	前額軸	矢状面
外転	0〜40°	矢状軸	前額面
内転	0〜25°	矢状軸	前額面
内旋	0〜35°	垂直（縦方向）	水平面
外旋	0〜45°	垂直（縦方向）	水平面

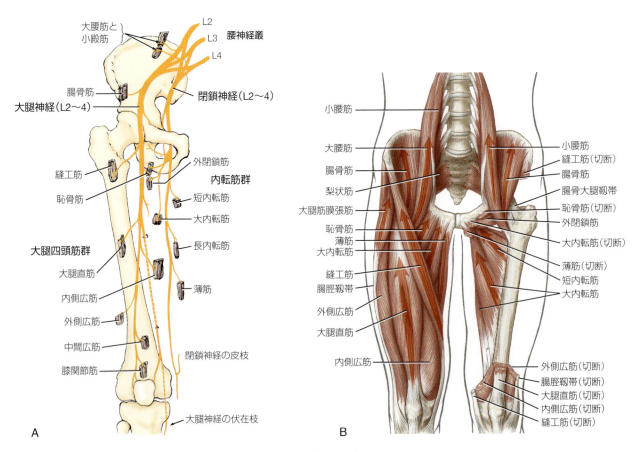

図9.20　右股関節の前面（A）と大腿神経および閉鎖神経が分布する股関節前面の筋（B）
A：大腿神経および閉鎖神経の一般的な経路を示す．B：身体の右側で屈筋と内転筋を示し，左側で短内転筋と大内転筋を切除したものを示す．（A：Waxman S: Correlative neuroanatomy, ed 24, New York, 2000, Lange Medical Books/McGraw-Hillより改変．B：Neumann DA: Kinesiology of the musculoskeletal system: foundations for physical rehabilitation, ed 2, St. Louis, 2010, Mosbyより）

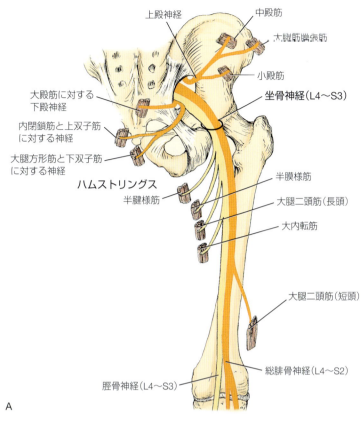

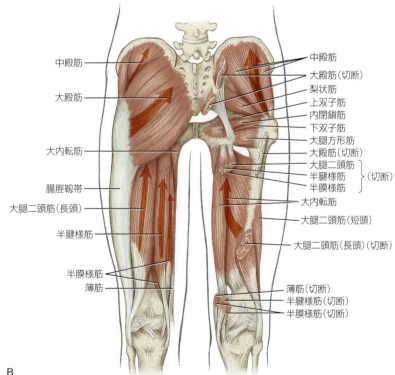

図9.21 右股関節の後面(A)と股関節後面の筋(B)
A：坐骨神経と上殿神経を示す．坐骨神経は，脛骨神経および総腓骨神経からなることに注目しよう．（A：Waxman S: Correlative neuroanatomy, ed 24, New York, 2000, Lange Medical Books/McGraw-Hill より改変．B：Neumann DA: Kinesiology of the musculo-skeletal system: foundations for physical rehabilitation, ed 2, St. Louis, 2010, Mosby より）

伸びる神経は，殿筋，筋膜脹筋，および6つの短い外旋筋群のうちの5つに分布する．詳細は，図9.21B，表9.2に示す．

股関節の筋

股関節は，たくさんの大きく力強い筋に取り囲まれている．これらの筋によって，下肢をさまざまに動かし，体をあらゆる方向へと移動させるための推進力を生み出す．他の比較的小さな筋は，股関節を安定させ，さまざまな運動の微調整に役立つ．これらの筋は個々に述べられることもあるが，実際は取り囲む（周囲の）筋全体が相互作用することによって，下肢を機能させている．

▶ 股関節の屈筋

主な股関節の屈筋は，腸腰筋，大腿直筋，縫工筋，大腿筋膜張筋である．解剖学的に股関節の内転筋と分類されるものの多くが，股関節を屈曲させることができる．これらの筋は股関節の内転筋の項で詳述する．股関節のすべての屈筋は，内側–外側軸において股関節を回旋させる．閉鎖運動連鎖では，股関節の屈筋すべてが骨盤を前傾させる能力をもつ．それは，骨盤の前傾が股関節の屈曲であることから理解できるだろう．

> **主な股関節の屈筋**
> - 腸腰筋
> - 大腿直筋
> - 縫工筋
> - 大腿筋膜張筋

表9.2　股関節の筋肉と神経支配の概要

神経	神経支配筋	神経支配領域
大腿神経	大腿直筋 縫工筋 外側広筋 内側広筋 中間広筋	大腿前方
閉鎖神経	薄筋 恥骨筋 大内転筋：内転筋部 長内転筋 短内転筋 外閉鎖筋	大腿内側
坐骨神経の脛骨神経枝	半膜様筋 半腱様筋 大腿二頭筋：長頭 大内転筋*：ハムストリング部(伸展部)	大腿後面
上殿神経	中殿筋 小殿筋 大腿筋膜張筋	外側殿部
下殿神経	大殿筋	後殿部
梨状筋に対する神経 閉鎖筋に対する神経 大腿方形筋に対する神経	梨状筋 内閉鎖筋と上双子筋 大腿方形筋と下双子筋	後殿部深層

＊訳注：坐骨神経には，脛骨神経部分と総腓骨神経部分があり，膝窩部で分枝する前に大内転筋，大腿二頭筋長頭，半膜様筋，半腱様筋（この4つは脛骨神経部分），大腿二頭筋短頭（総腓骨神経部分）に支配を与える．本書では便宜的に"坐骨神経の脛骨神経枝"または"坐骨神経の総腓骨神経枝"と表記した．なお大内転筋については，慣例的に"坐骨神経の支配を受ける"とすることも多いため，注意を要する．

臨床的な視点 >> 腰背部の治療に利用される骨盤の傾斜

第8章で述べた通り，骨盤の前傾と後傾には，股関節と腰椎が同時に運動することが必要である．このことから，骨盤の傾斜は，腰背部を治療するリハビリテーションプログラムの中心的な要素となっている．

一部の人は，腰椎のスウェーバック（過度の前弯）やフラットバック（低前弯）が自然な姿勢だと誤解をしている．時が経つにつれて，これらの姿勢は椎間関節を過剰に圧縮し椎間板ヘルニアとなる．また，椎間板の可動性を増加させ，広範な腰背部痛を出現させることがある．

セラピストは，腰椎の異常な姿勢をやわらげるために，骨盤の傾斜運動を提示することが多い．骨盤の前傾と後傾は，腰椎が動いている視覚的なヒントを与える．この視覚的なヒントは，リハビリテーションプログラムの指導に役立つ．

考えてみよう！ >> 腸腰筋：傾斜させる

骨盤前傾は，体幹を直立に保持したまま腰椎と骨盤が反対方向へ動く骨盤の前方回転のことである．体幹が動かないように保持するには，骨盤と体幹の運動を分離するために，腰椎を伸ばさなければならない（腰椎前弯の増大）．

腸腰筋は，これらの2つの課題に最も適した筋である．腸骨筋は，固定された大腿骨の起始（腸骨窩）が小転子のほうへ引き寄せられることで骨盤を前傾させる．同時に，大腰筋が下部腰椎を前方に引き寄せることで腰椎前弯を増大させる．

ATLAS

筋と関節の相互作用

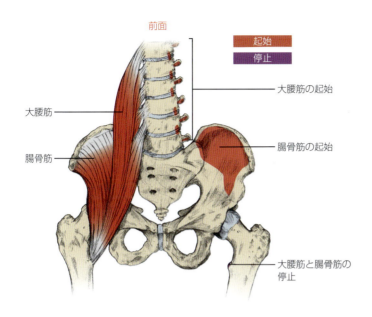

前面　起始　停止
大腰筋の起始
大腰筋
腸骨筋
腸骨筋の起始
大腰筋と腸骨筋の停止

半膜様筋は大腿二頭筋短頭の次に示す．この図では半腱様筋と大腿二頭筋長頭は取り除かれている．大腿二頭筋短頭の詳細は第10章に示す．

■ 腸腰筋

腸腰筋は，大腰筋と腸骨筋という2つの筋からなる．

起始　　　[大腰筋]椎間円板を含むT12〜L5の椎体と横突起．
　　　　　[腸骨筋]腸骨稜の腸骨窩と内唇．
停止　　　[大腰筋]大腿骨小転子．
　　　　　[腸骨筋]大腿骨小転子．
大腰筋と腸骨筋の神経支配
　　　　　大腿神経．
大腰筋と腸骨筋の作用（腸腰筋の作用）
　　　　　股関節屈曲，骨盤前傾，下肢に対する体幹の屈曲．

解説　腸腰筋は，身体で最も力強い股関節の屈筋である．また腸腰筋は，大腿骨の上で骨盤を回転させることにおいて，腰椎と骨盤が反対方向へ動く腰椎骨盤リズムと，腰椎と骨盤が同じ方向へ動く腰椎骨盤リズムのどちらにも適した筋である．したがって，腸腰筋の硬直や弱化は，体幹，腰部，骨盤，股関節の機能障害を引き起こす可能性がある．

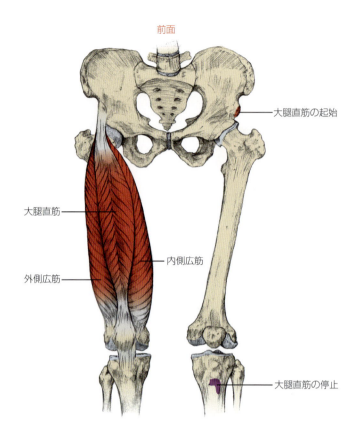

■ 大腿直筋

起始	下前腸骨棘.
停止	脛骨粗面.
神経支配	大腿神経.
作用	股関節の屈曲, 膝関節の伸展.

解説 大腿直筋は, 四頭筋群の中で唯一, 股関節と膝関節をまたぐ筋である. この二関節筋は, 股関節の屈筋であり, 膝関節の伸筋でもある. 大腿直筋は二関節筋であることから, 膝関節や股関節の肢位が大腿直筋の機能に影響し, 逆もまた同じである.

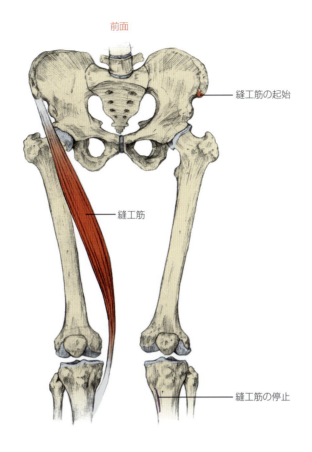

■ 縫工筋

起始	上前腸骨棘.
停止	脛骨粗面の内側（鵞足*を経て）.
神経支配	大腿神経.
作用	股関節の屈曲，股関節の外転，股関節の外旋，膝関節の屈曲，膝関節の内旋.
解説	縫工筋は体内で最も長い筋肉である．縫工筋は大腿前面を斜めに横切って巻きつき，股関節前方と膝関節後方の内側-外側軸で交差する．縫工筋は，股関節の屈曲と膝関節の屈曲という反対の作用をもつ．もし，縫工筋の作用を思い出せないときは，踵を反対側の脛骨上を上向きに滑らせてみよう．踵が膝に届いたときの肢位が答えを教えてくれるであろう．その答えとは，股関節の屈曲，外旋，外転，および膝関節の屈曲である．

＊：鵞足は"ガチョウの足"を意味し，脛骨近位部の内側面で合流する縫工筋，薄筋，半腱様筋の3つに分かれた外見を表す．

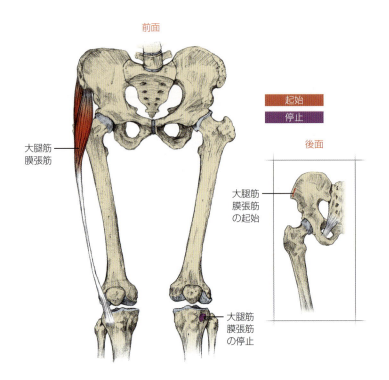

■ 大腿筋膜張筋

起始	上前腸骨棘より後方の腸骨稜の外側面.
停止	腸脛靱帯の近位部.
神経支配	上殿神経.
作用	股関節の屈曲,股関節の外転,股関節の内旋.

解説 腸脛靱帯は,腸骨稜から脛骨外側結節まで走行する厚い結合組織の帯である.大腿筋膜張筋の機能は,腸脛靱帯を緊張させることであり,股関節と膝関節の外側面を横断して安定性を増強する.

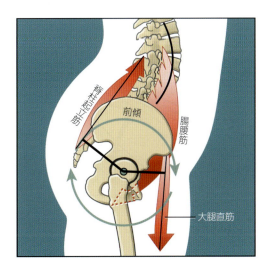

図 9.22　股関節の屈筋と脊柱起立筋のフォースカップルによる骨盤前傾
増大した腰椎前弯に注目しよう．（Neumann DA: Kinesiology of the musculoskeletal system: foundations for physical rehabilitation, St Louis, 2002, Mosby, Fig. 12.30 より）

 臨床的な視点 >> 腰椎前弯の増大による股関節屈筋の短縮の代償

セラピストは，股関節屈筋の短縮を調べるためにトーマステストを用いる．トーマステストは，仰向けで一方の股関節と膝関節を屈曲させたまま手で保持させて，検査対象である対側の下肢を診療台へ下ろしていく．下肢が診療台につかない場合は，股関節の屈筋が短縮しているとみなす（図 9.23A）．

非検査側（左）の下肢を屈曲させて，骨盤を中間位か少し後傾したポジションで固定していることに注意しよう．このように骨盤が固定されていないと，検査側（右）の下肢が骨盤前傾と腰椎前弯を増大させることによって診療台についてしまう．股関節伸展最終域まで大腿骨が伸展しないため，試験は無効となる（図 9.23B）．

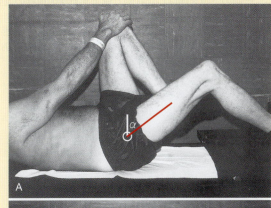

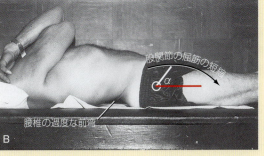

図 9.23　トーマステストで明らかとなった股関節屈筋の短縮の例
A：骨盤と腰背部を固定された状態では，股関節屈筋群に右下肢を診療台につけるまでの柔軟性はない．B：腰椎を過度に前弯させることによって，大腿後面を診療台につけることができる．当然これは，股関節の伸展によるものではない．（Neumann DA: Kinesiology of the musculoskeletal system: foundations for physical rehabilitation, St Louis, 2002, Mosby, Fig. 9.69 より）

1．機能的考察
(1) 骨盤前傾を行うフォースカップル

骨盤前傾は，股関節の屈筋と脊柱起立筋（腰背部伸筋）との**フォースカップル（偶力）**force-couple によって行われる（図 9.22）．これら2つの筋群の関係は，車のハンドルを回すときの左手と右手の関係に似ている．股関節の屈筋が下方に引くと同時に，脊柱起立筋は上方に引く．

筋が硬直した場合に，これらの筋の密接な関係が観察できる．例えば，股関節の屈筋が短縮している人は，腰部（脊柱起立筋）も短縮していることがある．これは，立

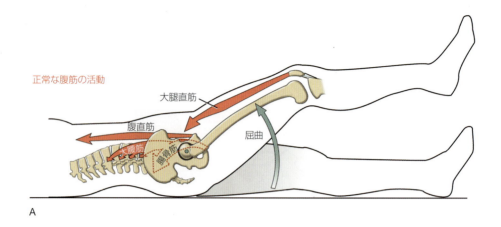

図 9.24　一側の下肢を伸ばした状態で挙上する際の腹筋の重要性
一側の下肢を伸ばした状態で挙上する際，腹筋には安定を提供する役割がある．A：腹筋が正常に活動していれば，骨盤は安定し，骨盤の前傾を防ぐ．B：腹筋筋力の低下もしくは虚脱した状態で下肢を伸ばしたまま挙上すると，骨盤前傾が起こる．骨盤前傾に伴う腰椎前弯の増大に注目しよう．（Neumann DA: Kinesiology of the musculoskeletal system: foundations for physical rehabilitation, St Louis, 2002, Mosby, Fig. 12.31 より）

位時のスウェーバック（腰椎前弯を伴う胸椎の過度の後弯）で観察される（第8章，図8.4）．第8章で解説されたように，これらの姿勢は時間とともに腰仙部に悪影響を及ぼすことがある．この姿勢の異常を治療するときは，セラピストは股関節の屈筋の硬直とともに，腰背部の伸筋の短縮も考慮する必要がある．

(2) 股関節の屈曲のために安定を提供する腹筋

歩行や走行，階段を上るといった日常的な活動において，股関節の屈筋は下肢を持ち上げる．この股関節の屈筋の活動は，腹筋が提供する安定力に高く依存している．腹筋が提供する安定力は，**下肢伸展挙上** straight leg raising（SLR）を行うときの腹直筋を分析するとわかりやすい．図9.24Aは，伸ばした下肢を挙上するために活動する，主な2つの股関節の屈筋を示す．

一側下肢を伸ばした状態で挙上するには，股関節の屈筋による非常に大きな力を必要とする．この動作のために，下肢の重量のおそらく10倍を超える力が必要となる．腹筋の筋力が低下した場合，下肢挙上を試みると不必要に骨盤が前傾し，その結果，腰椎の過度の前弯が起こる（図9.24B）．不安定な骨盤と腰椎は，下肢の重量を支えられずに前方へ引っ張られ，骨盤前傾を呈する．こ

れを予防するために，腹筋は骨盤を後傾させて，安定化を図る（図9.24A）．不必要な骨盤前傾は，同時に腰椎の前弯を増大させる（図9.24B）．この理由から，腰椎の過度の前弯の多くは，腹筋の筋力低下の徴候とされる．

▶ 股関節の伸筋

主な股関節の伸筋は，大殿筋とハムストリングス（大腿二頭筋長頭，半腱様筋，半膜様筋）が挙げられる．大内転筋ハムストリング部（伸展部）もまた，主な股関節伸筋と考えられる（本章で後述する）．これらの強力な筋群は，走る，階段を上る，立ち上がるといった，上方および前方への推進力を必要とする日常的な活動で用いられる．また，大腿骨を固定して股関節伸筋を活動させると，骨盤は後傾する．

主な股関節の伸筋
● 大殿筋
● 半腱様筋
● 半膜様筋
● 大腿二頭筋長頭
● 大内転筋：膝腱部（後部）

臨床的な視点 >> 膝関節の伸展を補助する大殿筋

　大殿筋が股関節を伸展することは，よく知られている．一方で，足部が地面に安定して接していれば，膝関節伸展の最終域20〜30°を大殿筋の作用で伸展することもできる．この膝関節の伸展を補助する近位筋の使用は，膝関節伸筋麻痺や，伸筋をもたない義肢のような場合に有益な代償動作となる．

　膝関節の軽度屈曲位で立っているときの大殿筋の強い収縮は，大腿骨を後方に引く作用をもつ．足部（または義肢）が地面と接しているならば，大腿骨に連なって脛骨を後方に引く．膝関節の伸筋（大腿四頭筋）の活動がなくても，膝関節の伸展が可能となる（図9.25）．膝関節が完全伸展位であれば，膝関節内側-外側軸の前方に重心線が位置し，膝関節は機械的に固定される．この方法を利用して，階段を上ったり，やや傾斜した坂道を歩くことができるようになる．だが，手すりや杖等の援助は必要である．この代償動作には，股関節の十分な伸展可動域が不可欠となる．この事実は，下肢切断患者のリハビリテーションプログラムで強調され，完全な股関節の伸展を獲得することの重要性を示す．

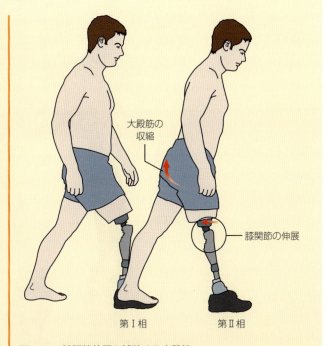

図9.25　膝関節伸展を補助する大殿筋
股関節の伸筋を活性化させ，義肢の膝関節を伸展させる．

ATLAS

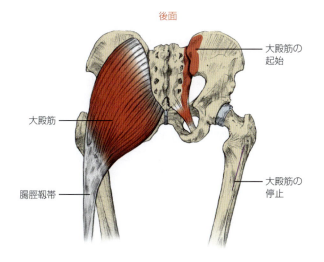

■ 大殿筋

起始	後腸骨，仙骨，尾骨，仙骨結節および仙結節靱帯．
停止	腸脛靱帯と殿筋粗面．
神経支配	下殿神経．
作用	股関節の伸展，股関節の外旋，骨盤後傾，下肢に対する体幹の伸展．
解説	大殿筋は股関節の強力な伸筋で，坂道を上ったり，急な階段を上るといった重力に抗う活動で必要となる．

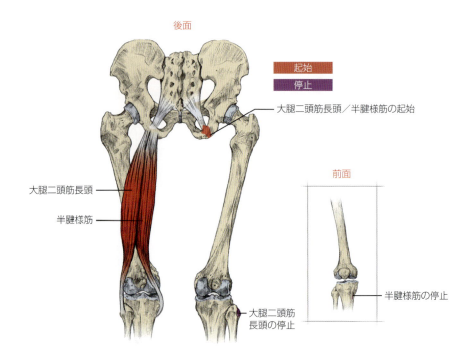

■ 半腱様筋

起始	坐骨結節.
停止	脛骨（鵞足）の近位部内側面.
神経支配	坐骨神経の脛骨神経枝.
作用	股関節の伸展，骨盤後傾，膝関節の屈曲，膝関節の内旋.
解説	この筋の腱は帯状であるが，膝関節の後方-内側面で容易に触診できる．抵抗を加えて膝関節を屈曲させると，より容易に触診できるようになる．

■ 大腿二頭筋長頭

起始	坐骨結節.
停止	腓骨頭.
神経支配	坐骨神経の脛骨神経枝.
作用	股関節の伸展，骨盤後傾，膝関節の屈曲，膝関節の外旋.
解説	大腿二頭筋は，長頭と短頭から構成される．大腿二頭筋長頭は，ハムストリングスの代表的な筋であり，股関節と膝関節の後面を横断する二関節筋である．短頭は単関節筋である．大腿二頭筋の遠位腱は，膝関節の屈曲に抵抗を加えると，屈曲した膝関節の後方-外側面で容易に触診できる．半膜様筋は，大腿二頭筋短頭の隣に位置する．半腱様筋と大腿二頭筋長頭は取り除いてある．大腿二頭筋の詳細は第10章に示す．

筋と関節の相互作用　241

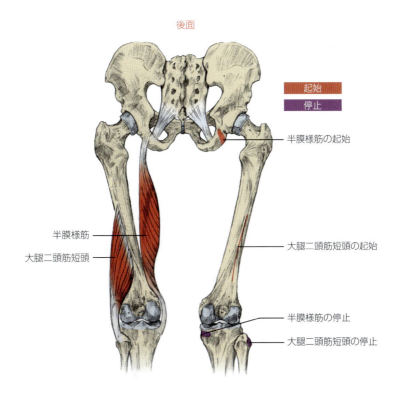

■ **半膜様筋**

起始	坐骨結節.
停止	脛骨内側顆-後面.
神経支配	坐骨神経の脛骨神経枝.
作用	股関節の伸展, 骨盤後傾, 膝関節の屈曲, 膝関節の内旋.

解説　しばしば, 半膜様筋と半腱様筋とをあわせて内側ハムストリングスとよぶ. 半膜様筋はその名の通り, 半腱様筋よりも平らな膜様の筋である.

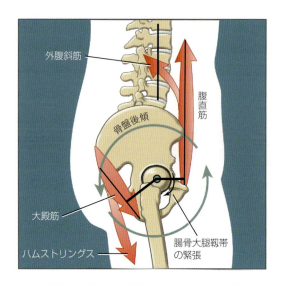

図9.26 股関節の伸筋（大殿筋とハムストリングス）と腹筋のフォースカップルによる骨盤後傾

腰椎前弯の減少に注目しよう．（Neumann DA: Kinesiology of the musculoskeletal system: foundations for physical rehabilitation, St Louis, 2002, Mosby, Fig. 12.41 より）

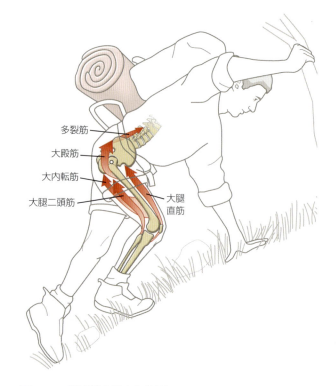

図9.27 股関節の強力な伸展

山を登るときには，大殿筋，ハムストリングス，内転筋等の股関節の伸筋による強い活動が必要となる．腰背部の伸筋群（例えば，多裂筋）の収縮は骨盤を安定させることも要求される．（Neumann DA: Kinesiology of the musculoskeletal system: foundations for physical rehabilitation, St Louis, 2002, Mosby, Fig. 12.43 より）

1．機能的考察

(1) 骨盤後傾を行うフォースカップル

骨盤後傾は，腹筋と股関節の伸筋とのフォースカップルによって行われる（図9.26）．これら2つの筋群の相互作用により，あらゆる姿勢において股関節と骨盤の制御を行う．

第8章で既述したように，骨盤後傾は腰椎の前弯を減少させる．このことから，腰背部の障害に対して骨盤後傾を強調したエクササイズが用いられる．例えば，L5〜S1間の脊椎前方すべり症の患者は，骨盤をより後傾したポジションを保持するように訓練される．骨盤後傾は，腰椎前弯の減少に加えて，脊椎の前方剪断力を少なくする．

(2) 股関節の強力な伸展

走行やジャンプのような活動では，股関節伸展の大きなトルクを必要とし，多くは非常に速い伸展トルクが要求される．また，股関節を最大屈曲位から伸展する際に，伸展トルクが必要とされる．おそらく，より大きい力を生み出すために，股関節を屈曲することによって股関節の伸筋を適切な長さに伸ばしているのであろう．例えば，重い荷物を背負って急な丘陵を登るときには，股関節の3つの大きな伸筋が活動する（図9.27）．ハムストリングスと大殿筋が股関節をまたいで引き伸ばされることが股関節の伸展能力を最大に発揮するために役立つ．股関節が屈曲位だと大内転筋ハムストリング部（伸展部）は，股関節の伸筋として作用する．

興味深いことに，解剖学的肢位では股関節の屈曲を補助するはずの内転筋は，股関節の屈曲位では股関節の伸展に作用する筋へと変化する．自動車の変速ギアのように，股関節が屈曲位にあると多くの筋群が協働して強い伸展トルクを生み出す．

▶ 股関節の外転筋

主な股関節の外転筋は，中殿筋，小殿筋，大腿筋膜張筋である．その他に梨状筋，縫工筋，および，第二の股関節外転筋とされる大殿筋上部線維がある．

主な股関節の外転筋
● 中殿筋
● 小殿筋
● 大腿筋膜張筋

骨盤を固定したままで股関節の外転筋が収縮すると，大腿骨は正中線から離れるほうへと外転する．この外転は，筋にとって比較的軽い負荷で行うことができる．股関節の外転筋に大きな（または普通の）負荷をかける活動は，いわゆる片足立ちで，大腿骨が地面に固定された閉鎖運動連鎖で起こる．右下肢で片足立ちをしているとき

考えてみよう！ >> ハムストリングス：典型的な二関節筋の動き

　ハムストリングスは，股関節と膝関節をまたぐ二関節筋である．このハムストリングスの位置は，多くの活動において，筋収縮による筋の短縮に有利な構造となっている．第3章で述べたように，筋収縮の効率を小さくすることは力を生み出す能力の維持に役立つ．

　ここで，座位からの立ち上がりを例に考えよう．座位では，股関節と膝関節は屈曲している．したがって，ハムストリングスは，股関節をまたいでいるため伸ばされるが，一方で膝関節をまたいでいるため相対的にゆるめられる（図9.28A）．股関節と膝関節を完全に伸展した立位では，ハムストリングスは股関節をまたいでいるためゆるめられるが，逆に膝関節をまたいでいるため伸ばされる（図9.28B）．

　実際，筋収縮によりハムストリングスが短縮する際に，横断する筋の長さを股関節と膝関節で"取り引き"して調節することによって機能させる．この能力は，全可動域を通して筋力が発揮できるようにすることに役立つ．

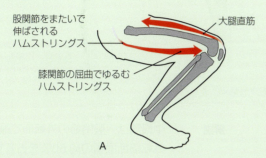
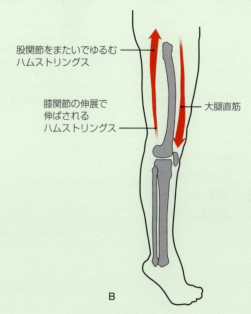

図9.28　ハムストリングス：典型的な二関節筋の動き
股関節と膝関節の屈曲から股関節と膝関節の伸展の肢位に移行するとき，"長さを取り引きする"ハムストリングスの能力．
A：かがんだ（スクワット）姿勢において，ハムストリングスは股関節をまたいで引き伸ばされるが，膝関節でゆるめられる．
B：立位において，ハムストリングスは股関節でゆるめられるが，膝関節の伸展によって伸ばされる．

に骨盤の左側を**挙上** hiking させることで右股関節の外転筋の強い収縮を確認できる（股関節の外転筋は，大転子と腸骨稜の間で触診できる）．また，骨盤の左側をゆっくり下ろすと，右股関節の外転筋の遠心性収縮が生じる．いずれも骨盤の回転軸は大腿骨頭の前-後方向にある．

　股関節の外転筋への要求が最も頻回な活動は，歩行である．左下肢を振り出し右下肢は支持期にある歩行場面で，股関節の外転筋への要求を考えてみよう（**図9.29**）．左下肢の振り出しによって生じる骨盤の"落下"を防止するために，右股関節の外転筋は大きな収縮力を供給しなければならない．つまり，股関節の外転筋の筋力低下は，歩行や片足立ちにおいて不安定を招く．

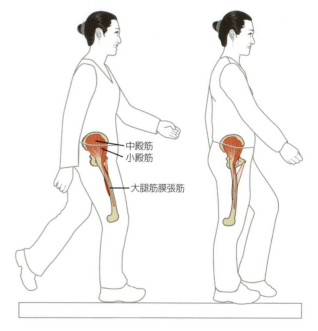

図9.29　歩行の立脚相における股関節の外転筋（中殿筋と小殿筋）の活動

（Neumann DA: Kinesiology of the musculoskeletal system: foundations for physical rehabilitation, ed 2, St Louis, 2010, Mosby, Fig. 12.36, 中央より）

ATLAS

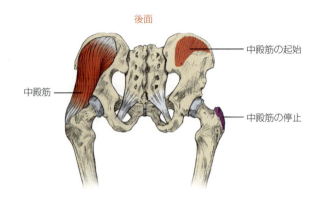

■ 中殿筋
- 起始　　腸骨の外側面.
- 停止　　大腿骨大転子.
- 神経支配　上殿神経.
- 作用　　股関節の外転.

解説　中殿筋は，股関節の外転筋で最も大きく，外転筋断面積の約60%を占有する．中殿筋の主な作用は，外転である．前部線維は屈曲と内旋の補助を行い，後部線維は伸展と外旋の補助を行う．

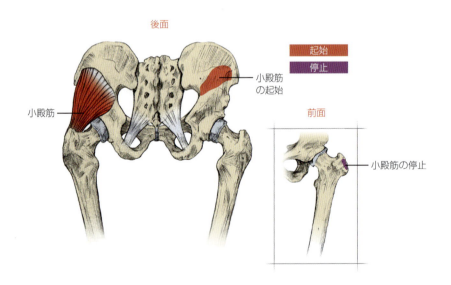

■ 小殿筋
- 起始　　腸骨の外側面(中殿筋の下).
- 停止　　大腿骨大転子.
- 神経支配　上殿神経.
- 作用　　股関節の外転，股関節の内旋.

解説　小殿筋は中殿筋と比べると，形は似るが若干小さい．深部にあり，中殿筋の前方に位置する．この部位で股関節の内旋に作用し，前部線維で股関節の屈曲を補助する．

1. 機能的考察

(1) 股関節外転筋の重要な機能：単下肢支持期において骨盤の高さを維持する

すでにみてきたように，股関節の外転筋は，歩行時の前額面での骨盤の制御に重要な役割を果たす．歩行の立脚相（または片足立ち）では，支持側下肢の股関節外転筋は，反対側の骨盤が下がらないように高さを保つ必要があり，落下することを防いでいる．このことは，股関節の関節炎や不安定性，痛みの治療を行うときに重要な意味をもつ．

図9.30は，片足立ちの際に股関節の外転筋（および股関節）に加わる力の**生体力学** biomechanicsを示す．この

考えてみよう！>>大転子は，トルクの増幅をどのようにして補助するのか？

股関節の外転筋は，歩行の立脚相において，大きな外転トルクを供給しなければならない．筋トルクは，筋収縮力と内的モーメントアームの組み合わせによって増加させることを第1章で説明した．

長期にわたる過剰な力は関節を痛めることがあるため，ある特定の課題を行うために必要な筋力の産生を制限する．

特定の課題に必要な筋力を最小化する方法として，内的モーメントアームを長くすることが重要である．中殿筋と小殿筋は，大腿骨の突出した大転子に付着することによって，外転のためのモーメントアームを大幅に増大させる．片足立ちにおいて骨盤の高さの保持に必要な外転トルクの供給は，長いモーメントアームと少ない筋力で可能となる．整形外科医は，殿筋の外転モーメントアームを増加させる方法として，大転子の外側突出を故意に増大させる．この治療は，股関節外転筋の筋力低下，大きな負荷によって生じる耐えがたい痛み，不安定な股関節を有する患者に対して行う．理論的には，股関節の外転に必要な力を減少させるのである．

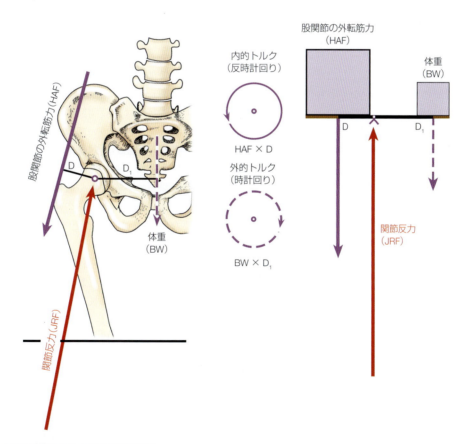

図9.30 骨盤を水平に保持する右股関節外転筋
左図は右下肢の片足立ちである．体重（BW）は，非常に長い外的モーメントアームで，回転するトルクを生じる．一方，比較的短い内的モーメントアーム（D）では，反対回りに回転トルクが生じるため，股関節の外転筋力（HAF）は大きくなければならない．反時計回りのトルク（実線の円）は，HAF×Dによって生み出される．時計回りのトルク（点線の円）は，BW×D_1によって生み出される．股関節の外転筋力とBWの組み合わせは，BWの3倍（赤色の矢印）に及ぶ関節反力（JRF）を生じる．股関節の外転筋に似た，シーソーの力学を右図に示す．シーソーの支柱は，股関節の回旋軸であるといえる．(Neumann DA: Biomechanical analysis of selected principles of hip joint protection. Arthritis Care Res 2: 146-155, 1989より．Copyright © American College of Rheumatology)

図は右下肢での片足立ちの場面で，骨盤の高さを保持する右股関節外転筋の収縮（下向きの紫色の矢印）を示す．この外転筋は，固定された大腿骨に対して外転トルクにより骨盤を引き上げる．つまり，股関節の外転筋力（HAF）と内的モーメントアーム（D）の積である．外転トルクは，体重（BW）×外的モーメントアーム（D_1）で生じる大腿骨の内転トルクと釣り合わなければならない．これらの対抗する回転トルクは，互いに反作用として働く（点線と実線の円を比較しよう）．対抗する回転トルクが等しいのであれば，骨盤は平衡状態にあると考えられる．言い換えると，骨盤は前額面で水平に保持される．

平衡状態では，大腿骨頭と寛骨臼の間に生じる圧縮力は，体重の数倍にも達する．股関節の外転筋は，片足立ちの際に，体重よりもはるかに大きな力を負担する．この負荷量を算出すると，体重による外的モーメントアームの半分である（DとD_1を比較しよう）．股関節の外転筋が体重の2倍もの力を生み出すことができるのは，この生体力学的てこの仕組みによるものである．

片足立ち時に生じる股関節の外転筋の生体力学は，バランスを保つシーソーの力学に似ている（DとD_1を参照しよう）．シーソーがバランスを保つ（すなわち，骨盤を水平に保つ）状態は，レバーアームが短い側（股関節の外転筋）に座った人の体重が，レバーアームが長い側（体重）に座った人の2倍という状態である．したがって，片足立ちのたびに，股関節の外転筋は少なくとも体重の2倍の力を生み出さなければならない．

ほとんどの研究において，片足立ちでの**関節反力** joint reaction force（JRF）は，体重の3倍であると報告されている．この力は，①股関節の外転筋の収縮力（体重の2倍）と，②体重自体によって生み出される．この関節反力を，**図 9.30**（赤色の矢印）に示す．

歩行の立脚相で生じる力は大きいが，正常な股関節では十分に耐えられるものである．実はこの力が股関節を安定させ，関節軟骨を栄養するのである．しかし，股関節に痛みや炎症がある場合は，さらなる関節の炎症や変性を起こす．したがってセラピストは，痛みや炎症のあ

臨床的な視点 >> トレンデレンブルク徴候

さまざまな疾患が，股関節の外転筋の弱化を引き起こす．これらの疾患には，筋ジストロフィー，ギラン・バレー症候群，ポリオ（急性灰白髄炎）が含まれる．股関節の外転筋の機能低下は，関節炎，関節の不安定性（関節の安定性の低下），殿部の外科手術等でも起こりうる．

股関節外転筋の筋力低下の典型的な指標が，**トレンデレンブルク徴候** Trendelenburg sign である．トレンデレンブルク試験では，患側下肢の片足立ちの姿勢をとらせる．例えば，右股関節が弱いと思われる患者には，右下肢だけで立つように指示する．挙上した下肢のほうの骨盤が落下する場合は，トレンデレンブルク徴候陽性と判断する．

多くの患者は，筋力が低下している支持側下肢のほうへ体幹を傾けて代償しようとするため，検査をする際には注意が必要となる．支持側へ体幹を傾けることによって，外的モーメントアーム（図 9.30，D_1を参照）を，股関節回旋軸のより近く（または直上）にもってくる．この代償は，骨盤の反対側を支えるために必要な股関節の外転トルクを減少させる．筋力低下した側への代償的な傾きが歩行でみられる場合，中殿筋歩行または代償性トレンデレンブルク歩行とよばれる．

る股関節に加わる力を小さくする方法を指導する（関節保護の原則）．後述の，患側股関節の反対側の手で杖を使用すること等は，股関節の外転筋の生体力学に則ったものである．これについては，**Box 9.1**で扱う．

(2)なぜ患側股関節の反対側の手で杖を使用するのか？

関節炎や骨折，ゆるんだ人工関節，炎症疾患による痛みは，股関節の不安定性や股関節周囲の筋力低下につながる可能性がある．これらの治療には，股関節に加わる不必要な負荷を減らすことを目的とした指導が行われる．

股関節を大きな力から保護する簡単で効果的な方法として，杖の使用が挙げられる．具体的には，患側股関節の反対側（対側）の手で杖を使用する．患側の反対側の手で杖を使用することは，直感的に間違っていると思うかもしれない．だが，以下の生体力学の説明により，疑問は解消されるであろう．

すでに説明したが，片足立ちのときに骨盤を水平に保持するために股関節の外転筋は大きな力を生み出さなければならない．股関節に加わる大きな力（体重を含む）は，大腿骨頭を寛骨臼へと圧迫する．杖を使用する目的は，必要とされる股関節の外転筋の力を減じて，罹患して不安定な股関節への圧縮力を弱めることにある．**図 9.31**に，左手で杖を使用して，右下肢で片足立ちを行う図を示す．杖の力が上向きなのは，杖を地面に押す力と同じ力が反作用として働くことを示す．この杖の力（CF）と非常に長いモーメントアーム（D_2）は，右股関節

Box 9.1　股関節保護の原則

病変のある股関節を，さらなる炎症や変性から守るための方法を以下に示す．
- 患側股関節の反対側の手で，杖を使用する．
- 過剰な体重を減らす．
- ゆっくりと歩く．
- 股関節屈曲拘縮のような，問題のある姿勢を修正する．
- 股関節と腰背部の柔軟性を維持する．
- 重い荷物の運搬や，特に患側股関節の反対側の片手で持ち運ぶことは避ける．荷物の運搬は，股関節の外転筋に負荷がかかる外的モーメントアームを生み出す．
- 片足での過度の屈曲や，片足での立ち上がりを避ける．

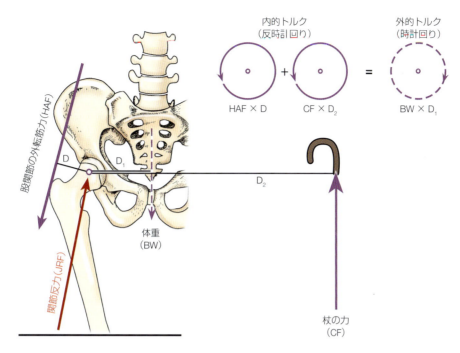

図 9.31　左手で使用される杖が，右股関節の外転筋のトルクをどのように減少させるのか

図は，右下肢での片足立ちである．杖によって生み出される小さなトルク（$CF \times D_2$）は，股関節の外転筋が生み出す回転トルク（$HAF \times D$）と同じ方向であることに注目しよう．股関節の外転筋への要求が少ないということは，股関節の関節反力（JRF）がより少なくなることを意味する．D：股関節の外転筋の内的モーメントアーム．D_1：体重（BW）による外的モーメントアーム．D_2：杖の力による外的モーメントアーム．HAF：股関節の外転筋力．（Neumann DA: Hip abductor muscle activity in persons with hip prosthesis while carrying load in one hand, Phys Ther 76: 1320-1330, 1996 より．Copyright © American Physical Therapy Association）

の外転トルクを生じる．このトルク（$CF \times D_2$）が，右股関節の外転筋（$HAF \times D$）と同じ方向へ骨盤を回転させることに注目しよう．外的トルク（$BW \times D_1$）は，$HAF \times D$ と $CF \times D_2$ の合計と釣り合う．

杖を使うことによって，本来は右股関節の筋が生み出さなければならなかったトルクの多くを，代わりに生み出すのである．したがって，骨盤は水平に維持される．理論的には，体重の10％ほどの力を杖に加えることによって，片足立ちのときに股関節に加わる力を50％減らすことが可能となる．

▶ 股関節の内転筋

主な股関節の内転筋は，恥骨筋，長内転筋，薄筋，短内転筋，大内転筋である．この筋群の主な作用は，内転トルクを生み出して，下肢を正中線の方向へ動かすことである．後述するように，この内転トルクは大腿骨を骨盤の恥骨結合近くまで動かすこともできる．また，股関節の肢位によっては，股関節の内転筋は屈筋としても作用する．

主な股関節の内転筋
- 恥骨筋
- 長内転筋
- 薄筋
- 短内転筋
- 大内転筋：伸展（前）頭・内転（後）頭

ATLAS

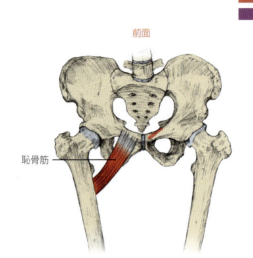

■ 恥骨筋

起始	恥骨上枝の恥骨筋線.
停止	大腿骨後面の恥骨筋線.
神経支配	閉鎖神経.
作用	股関節の内転, 股関節の屈曲.

解説 短い矩形の恥骨筋は, 股関節の内転筋の中で, 大腿骨の最も近位に付着する. 股関節前面から大内転筋と大腿薄筋を示す.

筋と関節の相互作用　249

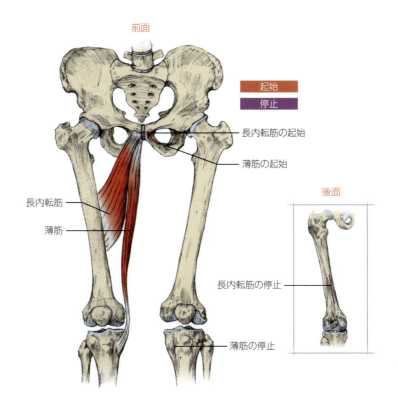

■ 長内転筋

- 起始　　恥骨体の前面.
- 停止　　大腿骨の粗面の中央 1/3.
- 神経支配　閉鎖神経.
- 作用　　股関節の内転，股関節の屈曲.
- 解説　　最も表層にある内転筋の一つである.

■ 薄筋

- 起始　　恥骨体と下枝.
- 停止　　脛骨の近位内側面（鵞足）.
- 神経支配　閉鎖神経.
- 作用　　股関節の内転，股関節の屈曲，膝関節の屈曲，膝関節の内旋.
- 解説　　**薄筋** gracilis という語は，"ほっそりと優雅な gracile" という語と関連する．薄筋の停止腱は，鵞足の一部を形成し，膝関節の内側に支持性を与える．

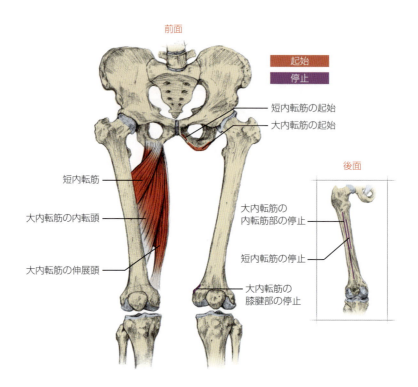

■ 短内転筋

起始	恥骨下枝の前面.
停止	大腿骨粗面の近位1/3.
神経支配	閉鎖神経.
作用	股関節の内転，股関節の屈曲.
解説	短内転筋は，内転筋の中層を占める．ちょうど大内転筋の深部に位置する．

■ 大内転筋

ハムストリング部（伸展部）

起始	坐骨結節.
停止	大腿骨の遠位部の内結節.
神経支配	坐骨神経の脛骨神経枝*.
作用	股関節の伸展，股関節の内転.

＊：表9.2，訳注参照．

内転筋部

起始	坐骨枝.
停止	大腿骨粗面.
神経支配	閉鎖神経.
作用	股関節の内転，股関節の屈曲.
解説	大内転筋は，内転筋部とハムストリング部（伸展部）という2つの異なる筋頭をもつ．両方とも，股関節の主たる内転筋である．しかし，ハムストリング部（伸展部）の神経支配（坐骨神経の脛骨神経枝）や股関節伸展という作用はハムストリングスと似ている．一方，内転筋部は，神経支配（閉鎖神経）や股関節内転屈曲という作用は短内転筋と似ている．

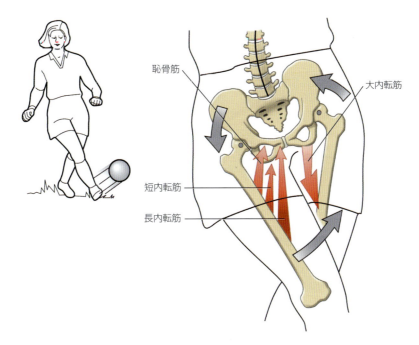

図9.32　サッカーボールを蹴るときの股関節内転筋の相互作用
左大内転筋が収縮すると，固定された大腿骨の上で骨盤右側を引き下げる．右の内転筋群は，大腿骨を正中線のほうへ加速させる力を生み出す．（Neumann DA: Kinesiology of the musculoskeletal system: foundations for physical rehabilitation, St Louis, 2002, Mosby, Fig. 12.35 より）

1. 機能的考察

(1) 前額面での内転筋の機能

内転筋の最も明らかな機能は，大腿骨を内転させる（例えばサッカーボールを蹴るために，正中線を越えて下肢を強く振る）ことである．また，内転筋群の活動によって，地面に固定された下肢とは反対側の骨盤を引き下げることもできる．**図9.32**では，左右の内転筋が両股関節を内転するために，収縮するところを示す．この図では，右股関節の内転筋は，ボールに向けて下肢を加速させている．左股関節の内転筋は，骨盤の右側を自動的に下げることによって，さらにこの動きに力強さを加える．

(2) 矢状面での内転筋の機能

股関節がどのような位置にあっても，大内転筋のハムストリング部（伸展部）は股関節の伸筋として力強く機能する．しかし，他の内転筋は，股関節の位置によって屈筋や伸筋として機能する．

同じ筋が反対の作用をもつことについて，不可能だと思うかもしれない．**図9.33**では，短距離走を例に挙げ，代表的な内転筋である長内転筋で説明する．股関節の屈曲角度が50〜60°を超えるとき（**図9.33A**），長内転筋の力線は，股関節の内側-外側軸の後方となる．このことで長内転筋は股関節伸筋として作用する（大内転筋の作用に似ている）．対照的に，股関節が伸展位であるとき（**図9.33B**），長内転筋の力線は股関節内側-外側軸の前方になる．このことで長内転筋は股関節屈筋として作用する（大腿直筋の作用に似る）．内転筋の作用は，回転軸に対して矢状面での筋の位置が移動するにつれて変化する．したがって，全力疾走やサイクリング，深い屈曲位からの立ち上がり動作（スクワット）のような活動で，屈曲と伸展トルクの供給源として役立つ．全力疾走の間に内転筋群が屈筋から伸筋へと切り替わることは，走行の際に内転筋に肉離れを起こしやすい理由となっている．

▶股関節の外旋筋

股関節の主な外旋筋は，大殿筋，縫工筋，および6つの短い外旋筋，すなわち梨状筋・上双子筋・内閉鎖筋・下双子筋・外閉鎖筋・大腿方形筋である（**図9.34**）．大殿筋と縫工筋の解剖については既述した．6つの外旋筋の起始，停止，作用，神経支配は，**表9.3**に示す．以下，外旋筋の機能をまとめて記述する．

主な股関節の外旋筋
- 大殿筋
- 縫工筋
- 梨状筋
- 上双子筋
- 内閉鎖筋
- 下双子筋
- 外閉鎖筋
- 大腿方形筋

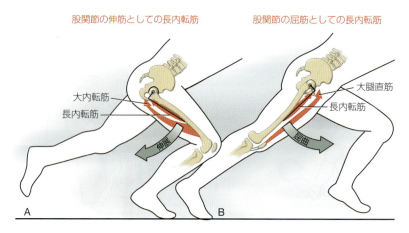

図 9.33　長内転筋による股関節の屈曲と伸展の作用
股関節内転筋の代表として長内転筋を例に挙げ，股関節の屈曲と伸展の作用をもつことを示す．A：股関節が屈曲位であると，内転筋は伸展トルクを生み出す．B：股関節が伸展位であると，内転筋は屈曲トルクを生み出す（Neumann DA: Kinesiology of the musculoskeletal system: foundations for physical rehabilitation, ed 2, St Louis, 2010, Mosby, Fig. 12.33 より）

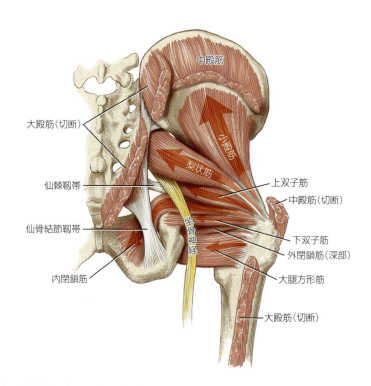

図 9.34　短い股関節外旋筋：梨状筋，上双子筋，内閉鎖筋，下双子筋，外閉鎖筋，大腿方形筋
（Neumann DA: Kinesiology of the musculoskeletal system: foundations for physical rehabilitation, ed 2, St. Louis, 2010, Mosby より）

表 9.3　短い股関節外旋筋の概要

筋	起始	停止	作用	神経支配
梨状筋	仙骨の前方	大転子の頂部	外旋	梨状筋への神経
内閉鎖筋	閉鎖膜の内側面	大転子	外旋	内閉鎖筋への神経
外閉鎖筋	閉鎖膜の外側面	大転子（転子窩）	外旋	閉鎖神経
上双子筋	坐骨棘の背面	大転子：内閉鎖筋腱移行部	外旋	内閉鎖筋への神経
下双子筋	坐骨結節	大転子：内閉鎖筋腱移行部	外旋	大腿方形筋への神経
大腿方形筋	坐骨結節の外側面	方形結節	外旋	大腿方形筋への神経

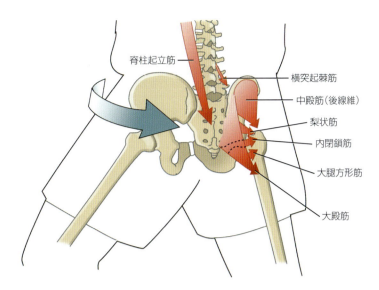

図9.35 下肢が地面に接している際の股関節外旋筋の機能
左方向への素早い切り返しは，右の外旋筋の収縮により固定された大腿骨の上で骨盤が回旋する（閉鎖運動連鎖）．（Neumann DA: Kinesiology of the musculoskeletal system: foundations for physical rehabilitation, ed 2, St Louis, 2010, Mosby, Fig. 12.45 より）

1. 機能的考察：多くのスポーツでみられる切り返し動作

下肢が地面に接して固定されているときの股関節外旋筋の主な機能を示す．例えば，固定された右の大腿骨の上で骨盤が左へと水平回旋するのは右股関節の外旋筋によるものである．概して，走行中に切り返して方向転換を行うときに骨盤の回旋が観察できる．例えば，全力疾走中のサッカー選手が，進行方向を急に左方向へ変えるために右足で切り返す．この動きは，右股関節の外旋筋によって閉鎖運動連鎖による股関節の外旋がなされる（図9.35）．

強力な大殿筋は，他の外旋筋を補助するような構造をもっている．大殿筋は，股関節の伸筋と外旋筋であることを思い出そう．右下肢をしっかりと接地して左へ押すと（左下肢は自由），右の大殿筋は急速に，そして力強く骨盤を左へと回旋させる．骨盤を回旋すると，大殿筋はただちに新しい向きへ加速するために必要な股関節の伸展トルクを生み出す準備ができている．

6つの短い外旋筋は，鋭い動きの際に大殿筋を補助する．これらの外旋筋は，骨盤回旋の細かな制御に加えて，股関節を動的に安定させる重要な筋である．これは肩の回旋筋腱板と同様に，短い外旋筋のほとんどが水平線への牽引力を有しており，外旋筋の作用により大腿骨頭を寛骨臼に効率的に引きつける．

▶股関節の内旋筋

力強い内旋トルクを生み出すためには，筋は水平面上に位置する必要がある．これは，大腿骨軸に対して90°の角度で，筋が横切る方向である．この位置は，筋のトルクを最大にする．前述した外旋筋の場合と同じ理由で，固定された大腿骨の上で骨盤を回旋させるために効果的な筋の走行である．しかし，解剖学的肢位において大部分の内旋筋が垂直に近い方向に走行している．このため，強力な内旋トルクを生み出すことができない．

内旋トルクは，3つの筋（中殿筋前部線維，小殿筋，大腿筋膜張筋）から，力の総和として生み出される．これら内旋筋の解剖は既述した．内旋筋は，歩行での遊脚下肢の方向転換を補助し，股関節屈筋や縫工筋のような外旋筋とのバランスをとることを補助する．

股関節伸展のとき，内旋筋は大腿骨の軸とほぼ平行な位置になるにもかかわらず，股関節が屈曲するときは，大腿骨に対して90°近い角度で交差する．その結果，股関節が伸展位から屈曲位へ移行するときに，内旋トルクは50%増加する．内旋筋の徒手筋力検査を行う際は，このことを知っておかなければならない．

主な股関節の内旋筋
● 中殿筋（前部線維）
● 小殿筋
● 大腿筋膜張筋

表9.4は，股関節の関節可動域測定で参照される表である．可動域の測定に必要な解剖学的基準を記載した．また，自動運動による参考可動域（正常値）も記載した．これらの正常な可動域は，数々の理由によって自然な変化があることに注意が必要である．

考えてみよう！ >> 梨状筋のストレッチング

臨床でよく観察される梨状筋の短縮やスパズム，炎症は，仙腸関節への異常なストレスや坐骨神経（梨状筋のすぐ下を通過する．図9.34）の絞扼へつながることが知られている．

殿部に生じる放散痛や股関節後方の深部に認める痛み，直接に梨状筋がトリガーとなる痛み等は，しばしば梨状筋症候群とよばれている．通常の治療であれば，梨状筋をストレッチする．ストレッチするときの肢位は，股関節屈曲位＋外旋位とする（自分の左肩のほうへ右の下腿をもってくるイメージ）．梨状筋の主な機能は股関節の外旋であることから，梨状筋を伸張するための股関節の肢位は誤っているように感じるが，運動学に基づく考察により，この伸張方法がなぜ効果的なのかを説明してくれる．

解剖学的肢位での梨状筋は，股関節の外旋筋（股関節伸展位）である．梨状筋がもつ張力方向を，擬態化したゴムチューブにより視覚化して，筋の作用を示す．図9.36Aに表されているように，梨状筋がもつ張力方向は垂直軸での回旋方向であり，梨状筋が収縮すると股関節は外旋する．図9.36Bは，股関節屈曲90°を超える深い屈曲位での梨状筋の張力方向を表す．股関節屈曲位では，梨状筋の張力方向が大腿骨頭の運動軸の前方へと位置が変わることで，外旋筋であった梨状筋を内旋筋へと変える．したがって，梨状筋を適切に伸張するためには，股関節屈曲位では外旋位でなければならない．この概念は，ストレッチの原則に矛盾していない．その筋がもつ作用の反対方向の肢位をとることで，筋を効果的に伸張できるという重要な原理を確認することができた．肢位が変化するとともに，筋の作用も変化することを知っておく必要がある．

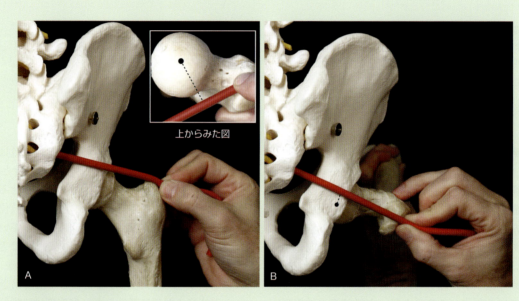

図9.36 梨状筋の変化する機能
A：股関節が解剖学的肢位にあるとき，梨状筋（赤い紐）が収縮すると股関節を外旋させる作用を示す．右上にある図は上方からみたものであり，後方へ引っ張り外旋させる．点線はモーメントアームを示す．B：股関節屈曲位では，梨状筋がもつ牽引力の方向が内旋方向へ変化する．

表9.4 股関節の関節可動域測定

運動	回転軸	基本軸	移動軸	参考可動域（自動）
屈曲	大転子	骨盤の正中線（側面）	大腿骨外顆	120°
伸展	大転子	骨盤の正中線（側面）	大腿骨外顆	20～30°
外転	上前腸骨棘	反対側の上前腸骨棘	膝蓋骨に向かう大腿骨の正中線	40°
内転	上前腸骨棘	反対側の上前腸骨棘	膝蓋骨に向かう大腿骨の正中線	20°
内旋	膝蓋骨の中間点，膝蓋骨上	垂直線（重力と平行線）	脛骨稜（脛骨の中心線）	35～45°
外旋	膝蓋骨の中間点，膝蓋骨上	垂直線（重力と平行線）	脛骨稜（脛骨の中心線）	45°

臨床的な視点 >> 内旋筋の過剰な亢進

脳性麻痺患者の多くは，杖や松葉杖の助けを借りることで歩行が可能となる．多くは，かがみ歩行とよばれる典型的な歩行パターンを呈する．この"かがみ歩行"という用語は，股関節が屈曲し，内旋して歩行することを指す．

かがみ歩行は，弱い股関節伸筋と強すぎる屈筋（たいていが痙縮によるもの）によって引き起こされる．興味深いことに，既述のように増大した股関節の屈曲の力は，内旋筋を強化する．実際に，内旋筋はかがみ歩行を支配する．

かがみ歩行の保存療法の一つに，股関節の屈曲を伸ばして股関節伸筋を強化する方法がある．この方法で成功した場合，立位や歩行の際，より大きな股関節の伸展位をとるようになる．股関節を大きく伸展させる姿勢をとることによって，内旋筋の過剰な緊張を弱めることができる．たいていは，手術により優位な内旋筋の緊張を（いくつかの内転筋と同様に）伸ばして弱めることが求められる．

まとめ

他の関節と同様に，股関節も安定性と運動性を確保する必要がある．歩いたり，走ったり，階段を上ったり，椅子に座ったり立ち上がったりするときに，股関節の大きな可動性が必要となる．しかし，股関節は重力や筋からの圧力等の計り知れない侵襲を受けつつ，体重を支えるための安定性を提供しなければならない．股関節は，骨の構造や靱帯による支持，まわりを取り囲む筋等によって，安定性と運動性の問題を解決しているのである．

大腿骨頭と寛骨臼の構造はさまざまな方向への運動性を提供するだけでなく，大腿骨頭を安定して収納するために寛骨臼は深い構造となっている．また，股関節を安定させるための強い靱帯がある．さらに，多くの強い筋によって補強される．

本当に股関節の機能を知るには，腰椎との関係の理解が不可欠である．腰椎は，骨盤に（解剖学的にも機能的にも）直接連結しており，大腿骨の運動に対しての骨盤の運動を増幅させる．例えば，床の物を拾い上げるときの屈曲姿勢は，股関節と腰椎は同じ方向へ屈曲することが要求される．これとは逆に，腰椎は大腿骨と骨盤の間の運動を代償することが要求され，骨盤の前傾のときには腰椎の前弯を増大させる．

股関節は身体の中央に位置するため，股関節の障害は運動連鎖のうえで多くの問題を生じてしまう．実際に，腰背部と下肢の問題の多くは，股関節が原因であると考えられる．股関節の正しいアライメントと股関節の運動を調整することは，腰背部と下肢の機能障害に対する治療の基礎となる．

確認問題

1 ▶ 外反股の説明はどれか．
 ⓐ 立位にて骨盤が前傾した股関節屈曲位である
 ⓑ 頸体角は125°より大きい状態
 ⓒ 立位にて骨盤が後傾した股関節伸展位である
 ⓓ 頸体角は125°より小さい状態

2 ▶ 上前腸骨棘はどの骨のランドマークか．
 ⓐ 坐骨
 ⓑ 大腿骨近位部
 ⓒ 腸骨
 ⓓ 恥骨

3 ▶ 腸骨大腿靱帯，坐骨大腿靱帯，恥骨大腿骨靱帯のすべてが制限する動きはどれか．
 ⓐ 股関節の伸展
 ⓑ 股関節の屈曲
 ⓒ 股関節の外転
 ⓓ 股関節の内旋

4 ▶ 股関節に屈曲拘縮を有する患者の立位姿勢はどれか．
 ⓐ 腰椎前弯が増大した姿勢
 ⓑ 骨盤を後傾した姿勢
 ⓒ 腸骨大腿靱帯の過剰な伸張
 ⓓ aとc
 ⓔ bとc

5 ▶ 骨盤前傾の説明として正しいのはどれか．
 ⓐ 体幹を直立に保持したままで，大腿骨上での骨盤の運動による股関節の伸展
 ⓑ 体幹を直立に保持したままで，大腿骨上での骨盤の運動による股関節の屈曲
 ⓒ 開放運動連鎖による股関節の伸展
 ⓓ 体幹と骨盤とが同じ方向へ動く股関節の屈曲

6 ▶ 股関節屈曲の正常可動域はどれか．
 ⓐ 0～90°
 ⓑ 0～50°
 ⓒ 0～30°
 ⓓ 0～120°

7 ▶ 骨盤の右側を挙上する人についての正しい記述はどれか．
 ⓐ 右股関節の外転筋の能動的収縮によって生じる
 ⓑ 閉鎖運動連鎖による左股関節の外転
 ⓒ 左中殿筋の活性化を必要とする
 ⓓ aとc
 ⓔ bとc

8 ▶ 主に閉鎖神経が分布する筋群はどれか．
 ⓐ 股関節の伸筋
 ⓑ 股関節の外転筋
 ⓒ 股関節の内転筋
 ⓓ 股関節の外旋筋

9 ▶ 水平面での動きはどれか．
 ⓐ 股関節の屈曲

ⓑ 股関節の内旋
　　　ⓒ 股関節の外転
　　　ⓓ 股関節の伸展
10 ▶ 股関節の屈筋はどれか．
　　　ⓐ 腸腰筋
　　　ⓑ 半腱様筋
　　　ⓒ 梨状筋
　　　ⓓ 大殿筋
11 ▶ 骨盤後傾させるフォースカップルに関わる筋はどれか．
　　　ⓐ 腸腰筋
　　　ⓑ 大殿筋
　　　ⓒ 腹直筋
　　　ⓓ aとb
　　　ⓔ bとc
12 ▶ 骨盤前傾に必要なのはどれか．
　　　ⓐ 大殿筋と脊柱起立筋のフォースカップル
　　　ⓑ 腰椎前弯の増大
　　　ⓒ 腰椎前弯の減少
　　　ⓓ ハムストリングスの強い収縮
13 ▶ 腹筋の筋力が弱い場合，股関節の屈曲を妨げるのはどれか．
　　　ⓐ 腰椎前弯の増加
　　　ⓑ 腰椎前弯の減少
　　　ⓒ 大殿筋の同時活性化
　　　ⓓ 恥骨大腿靱帯の断裂
14 ▶ 骨盤後傾について正しいのはどれか．
　　　ⓐ 腰椎の前弯を増加させる
　　　ⓑ 腸腰筋と脊柱起立筋のフォースカップルで行われる
　　　ⓒ 腰椎前弯を減少させる
　　　ⓓ aとb
　　　ⓔ bとc
15 ▶ 股関節が90°まで屈曲されるときについて正しいのはどれか．
　　　ⓐ 大殿筋はゆるめられる
　　　ⓑ 多くの内転筋にとって，股関節を伸展するための好ましい姿勢
　　　ⓒ 腸骨大腿靱帯は緊張する
　　　ⓓ 大腰筋の最大限に伸張される
16 ▶ 右下肢の片足立ちのとき，骨盤左側の落下を防ぐために必要な筋はどれか．
　　　ⓐ 左の股関節の外転筋
　　　ⓑ 右の股関節の外転筋
　　　ⓒ 左の股関節の内転筋
　　　ⓓ 右の股関節の内転筋
17 ▶ 左の股関節が関節炎で痛む場合に，セラピストが最も勧める治療方法はどれか．
　　　ⓐ 左下肢への強い抵抗運動
　　　ⓑ 左手で杖を使用する
　　　ⓒ 深くしゃがみこむ運動を行う
　　　ⓓ 右手で杖を使用する
18 ▶ 大殿筋の作用でないものはどれか．
　　　ⓐ 股関節の伸展
　　　ⓑ 股関節の外旋
　　　ⓒ 骨盤後傾
　　　ⓓ 股関節の内旋
19 ▶ 大腿神経を切断した場合，最も弱くなる運動はどれか．
　　　ⓐ 股関節外旋
　　　ⓑ 股関節屈曲
　　　ⓒ 股関節伸展
　　　ⓓ 股関節内転
20 ▶ 正しいのはどれか．
　　　ⓐ 股関節の外旋の正常可動域は0〜15°である
　　　ⓑ 股関節の伸展の正常可動域は0〜90°である
　　　ⓒ 股関節の外転の正常可動域は0〜40°である
　　　ⓓ 股関節の屈曲の正常可動域は0〜100°である
21 ▶ 腸腰筋をストレッチする際，骨盤の安定のために注意すべきことはどれか．
　　　ⓐ 不要な腰椎前弯
　　　ⓑ ハムストリングスの不要なストレッチ
　　　ⓒ 腰椎を過剰に平らにすること
　　　ⓓ 大腿四頭筋の収縮
22 ▶ 骨盤前傾は股関節の屈曲である．
　　　ⓐ 正しい
　　　ⓑ 誤り
23 ▶ 安静時立位のときの重心線は，股関節の内側-外側軸の前を通る．
　　　ⓐ 正しい
　　　ⓑ 誤り
24 ▶ 骨盤後傾に伴い，腰椎前弯は減少する．
　　　ⓐ 正しい
　　　ⓑ 誤り
25 ▶ 右股関節に関節炎がある患者がスーツケースを運ぶとき，身体の右側で運ばなければならない．
　　　ⓐ 正しい
　　　ⓑ 誤り
26 ▶ 大腿直筋は，股関節屈曲と膝関節屈曲で最大限に伸ばされる．
　　　ⓐ 正しい
　　　ⓑ 誤り
27 ▶ ハムストリングスの4筋のうちの3つは，坐骨結節に付着する．
　　　ⓐ 正しい
　　　ⓑ 誤り
28 ▶ 股関節は2°の自由度をもつ楕円関節である．
　　　ⓐ 正しい
　　　ⓑ 誤り
29 ▶ 股関節の外転は，内側-外側軸で行われる．
　　　ⓐ 正しい

問31〜35は，上のダンベルスクワットを行っている写真を参照して答えなさい．すべての問は，立位からしゃがんだ姿勢までの動作のみで考えなさい．

    ⓑ 誤り

30 ▶ トレンデレンブルク徴候陽性は，股関節の内転筋の虚弱を示す．
    ⓐ 正しい
    ⓑ 誤り

31 ▶ 大殿筋は遠心性収縮である．
    ⓐ 正しい
    ⓑ 誤り

32 ▶ この運動は，股関節の矢状軸で行われる．
    ⓐ 正しい
    ⓑ 誤り

33 ▶ 腸腰筋は遠心性収縮である．
    ⓐ 正しい
    ⓑ 誤り

34 ▶ 運動終了時のハムストリングスは，最大限に引き伸ばされる．
    ⓐ 正しい
    ⓑ 誤り

35 ▶ 腸骨大腿靱帯は，運動終了時に引き伸ばされている．
    ⓐ 正しい
    ⓑ 誤り

参考文献

Barker, P.J., Hapuarachchi, K.S., Ross, J.A., et al. (2014) Anatomy and biomechanics of gluteus maximus and the thoracolumbar fascia at the sacroiliac joint. Clinical Anatomy, 27(2), 234-240.

Bergmann, G., Graichen, F. & Rohlmann, A. (1993) Hip joint loading during walking and running, measured in two patients. Journal Biomechanics, 26, 969-990.

Bloom, N. & Cornbleet, S.L. (2014) Hip rotator strength in healthy young adults measured in hip flexion and extension by using a hand-held dynamometer. PM & R, 6(12), 1137-1142.

Cadet, E.R., Chan, A.K., Vorys, G.C., et al. (2012) Investigation of the preservation of the fluid seal effect in the repaired, partially resected, and reconstructed acetabular labrum in a cadaveric hip model. American Journal of Sports Medicine, 40(10), 2218-2223.

Cahalan, T.D., Johnson, M.E., Liu, S., et al. (1989) Quantitative measurements of hip strength in different age groups. Clinical Orthopaedics and Related Research, 246, 136-145.

Clarke, N.M. (2014) Developmental dysplasia of the hip: diagnosis and management to 18 months. Instructional Course Lectures, 63, 307-311.

Dewberry, M.J., Bohannon, R.W., Tiberio, D., et al. (2003) Pelvic and femoral contributions to bilateral hip flexion by subjects suspended from a bar. Clinical Biomechanics (Bristol, Avon), 18, 494-499.

Dostal, W.F. & Andrews, J.G. (1981) A three-dimensional biomechanical model of hip musculature. Journal of Biomechanics, 14, 803-812.

Flack, N.A., Nicholson, H.D. & Woodley, S.J. (2014) The anatomy of the hip abductor muscles. Clinical Anatomy, 27(2), 241-253.

Fuss, F.K., & Bacher, A. (1991) New aspects of the morphology and function of the human hip joint ligaments. American Journal of Anatomy, 192, 1-13.

Gottschall, J.S., Okita, N. & Sheehan, R.C. (2012) Muscle activity patterns of the tensor fascia latae and adductor longus for ramp and stair walking. Journal of Electromyography & Kinesiology, 22(1), 67-73.

Hidaka, E., Aoki, M., Izumi, T., et al. (2014) Ligament strain on the iliofemoral, pubofemoral, and ischiofemoral ligaments in cadaver specimens: biomechanical measurement and anatomical observation. Clinical Anatomy, 27(7), 1068-1075.

Higgins, B.T., Barlow, D.R., Heagerty, N.E., et al. (2015) Anterior vs. posterior approach for total hip arthroplasty, a systematic review and meta-analysis. Journal of Arthroplasty, 30(3), 419-434.

Hollman, J.H., Hohl, J.M., Kraft, J.L., et al. (2012) Effects of hip extensor fatigue on lower extremity kinematics during a jump-landing task in women: a controlled laboratory study. Clinical Biomechanics, 27(9), 903-909.

Krebs, D.E., Elbaum, L., Riley, P.O., et al. (1991) Exercise and gait effects on in-vivo hip contact pressures. Physical Therapy, 71, 301-309.

Kurrat, H.J. & Oberlander, W. (1978) The thickness of the cartilage in the hip joint. Journal of Anatomy, 126, 145-155.

Lee, S.P., Souza, R.B. & Powers, C.M. (2012) The influence of hip abductor muscle performance on dynamic postural stability in females with patellofemoral pain. Gait & Posture, 36(3), 425-429.

Martin, H. D., Hatem, M. A., Kivlan, B. R., et al. (2014) Function of the ligamentum teres in limiting hip rotation: a cadaveric study. Arthroscopy, 30(9), 1085-1091.

Nepple, J.J., Philippon, M.J., Campbell, K.J., et al. (2014) The hip fluid seal-Part II: the effect of an acetabular labral tear, repair, resection, and reconstruction on hip stability to distraction. Knee Surgery Sports Traumatology Arthroscopy, 22(4), 730-736.

Neumann, D.A. (1989) Biomechanical analysis of selected principles of hip joint protection. Arthritis Care Research, 2, 146-155.

Neumann, D.A. (1996) Hip abductor muscle activity in persons with a hip prosthesis while carrying loads in one hand. Physical Therapy, 76, 1320-1330.

Neumann, D.A. (1998) Hip abductor muscle activity as subjects with hip prostheses walk with different methods of using a cane. Physical Therapy, 78, 490-501.

Neumann, D.A. (1999) An electromyographic study of the hip abductor muscles as subjects with a hip prosthesis walked with different methods of using a cane and carrying a load. Physical Therapy, 79, 1163-1173.

Neumann, D.A., Soderberg, G.L. & Cook, T.M. (1988) Comparison of maximal isometric hip abductor muscle torques between hip sides. Physical Therapy, 68, 496-502.

Neumann, D.A. (2010) The actions of hip muscles. Journal of Orthopaedic and Sports Physical Therapy, 40, 82-94.

Neumann, D.A. (2016) The hip. In S. Standring (Ed.), Gray's anatomy (British edition): the anatomical basis of clinical practice. (41st ed.). St Louis: Elsevier.

Neumann, D.A. & Garceau, L.R. (2015) A proposed novel function of the psoas minor revealed through cadaver dissection. Clinical Anatomy, 28, 243-252.

Neumann, D.A. (2017) Kinesiology of the musculoskeletal system: Foundations for physical rehabilitation (3rd ed.). St Louis: Elsevier.

Philippon, M.J., Ejnisman, L., Ellis, H.B., et al. (2012) Outcomes 2 to 5 years following hip arthroscopy for femoroacetabular impingement in the patient aged 11 to 16 years. Arthroscopy, 28(9), 1255-1261.

Philippon, M.J., Pennock, A. & Gaskill, T.R. (2012) Arthroscopic reconstruction of the ligamentum teres: technique and early outcomes. Journal of Bone & Joint Surgery-British Volume, 94(11), 1494-1498.

Philippon, M.J., Devitt, B.M., Campbell, K.J., et al. (2014) Anatomic variance of the iliopsoas tendon. American Journal Sports Medicine, 42, 807-811.

Roach, K.E. & Miles, T.P. (1991) Normal hip and knee active range of motion: the relationship to age. Physical Therapy, 71, 656-665.

Semciw, A.I., Green, R.A., Murley, G.S., et al. (2014) Gluteus minimus: an intramuscular EMG investigation of anterior and posterior segments during gait. Gait Posture, 39(2), 822-826.

Standring, S. (2016) Gray's anatomy: the anatomical basis of clinical practice (41st ed.). New York: Churchill Livingstone.

Stearns, K.M. & Powers, C.M. (2014) Improvements in hip muscle performance result in increased use of the hip extensors and abductors during a landing task. American Journal Sports Medicine, 42(3), 602-609.

Wingstrand, H., Wingstrand, A. & Krantz, P. (1990) Intracapsular and atmospheric pressure in the dynamics and stability of the hip: a biomechanical study. Acta Orthopaedica Scandinavica, 61, 231-235.

第 10 章

膝関節の構造と機能

> 本章の概要

骨学
　大腿骨遠位部
　脛骨近位部
　腓骨近位部
　膝蓋骨
関節学
　一般的な特徴

正常なアライメント
支持構造
運動学
筋と関節の相互作用
　膝関節の筋の神経支配
　膝関節の筋

膝関節の内旋筋と外旋筋
まとめ
確認問題
参考文献

> 学習目標

- 膝関節を構成する4つの骨と，それらの主な特徴を説明できる．
- 膝関節の主な支持構造を述べることができる．
- 膝関節の運動面，および回旋軸を述べることができる．
- 膝関節の筋の起始と停止を示すことができる．
- 膝関節の筋を支配する神経を示すことができる．
- 膝関節の筋の主な作用を説明できる．
- 膝蓋骨を過度に外側へ偏位させる要因を説明できる．
- 膝蓋大腿関節の膝蓋骨と大腿骨の関節面にかかる圧迫力の強さが，スクワットの深さによってどのように変化するのか説明できる．
- ハムストリングスの短縮が，生体力学的にどのように影響するのか説明できる．
- 膝関節の運動に関わる多関節筋群について，他動的および自動的に不全となる理由を説明できる．
- ハムストリングスと大腿直筋が最も効果的に筋力を発生させる股関節と膝関節の複合運動について述べることができる．

キーワード

圧迫力	過度の外反膝	終末強制回旋機構	反張膝
外反膝	Q角	伸展ラグ	
鵞足	膝蓋骨の外側トラッキング	内反膝	

　膝関節は，脛骨大腿関節と膝蓋大腿関節から構成される．図10.1のように脛骨大腿関節は，大腿骨遠位部の丸い大きな骨端表面と脛骨近位部の比較的平らな骨端面との間で形成され，膝蓋大腿関節は，膝蓋骨と大腿骨遠位部との間で構成される．これら2つの関節は，膝関節の解剖学的な構成要素である．

　膝関節の運動は2つの面で生じ，矢状面で屈曲と伸展，水平面で内旋と外旋が起こる．しかし，普段の生活では，ランニングや急に方向転換をするような身体活動が多いため，これら2つの面の関節運動が同時に起こる．また，膝関節は下肢の中央にある関節であるため，座位からの立ち上がりのような日常生活動作で頻繁に使用され，股関節と足関節とともに動くことが欠かせない．この相互に依存する運動学的特徴は，ハムストリングス，大腿直筋，腓腹筋のような多関節筋が多く存在することを考えれば明らかである．膝関節，股関節，足関節の解剖学的，

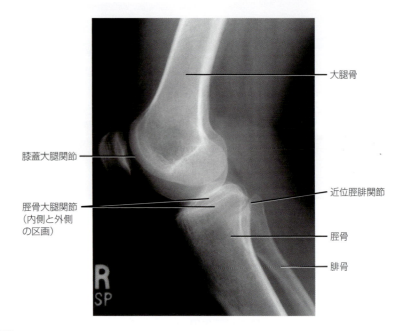

図10.1 膝関節のX線像
(Neumann DA: Kinesiology of the musculoskeletal system: foundations for physical rehabilitation, ed 2, St Louis, 2010, Mosby, Fig. 13.1 より)

運動学的な関係は，膝関節のリハビリテーションで用いられる多くの治療方法の基礎となる．

股関節と異なり，膝関節の脛骨大腿関節には深い凹状のソケットが存在しないため，骨の適合性という観点からみると膝関節は比較的不安定である．そのために膝関節の安定性には多くの強い靱帯と筋が欠かせないが，反面，それらの軟部組織は非常に外傷を受けやすい．したがって，膝のリハビリテーションとその評価の基本には，これら軟部組織についての正確な解剖学的知識が必要となる．これらの軟部組織の構造と機能が，本章の重要なテーマである．

骨学

大腿骨遠位部

大腿骨遠位部の**内側顆** medial condyle および**外側顆** lateral condyle は，脛骨の内側顆と外側顆に接する丸い大きな突出である．condyle とはギリシャ語の kondylos に由来し，拳を握ったときの**中手指節関節** knuckle を意味する．顆間溝は，大腿骨の内側顆と外側顆の間の滑らかな曲線部分であり，膝蓋骨の後面と関節をなす（**図10.2**）．顆間窩は大腿骨遠位部の後下面にあり，内側顆と外側顆とを分ける．この窩は，前十字靱帯と後十字靱帯が動く溝となっている．大腿骨の内側上顆と外側上顆（**図10.3**）は，それぞれ内側顆と外側顆の上方にあり，はっきりと触知できる骨の突出部分で，これらは膝関節の内側側副靱帯と外側側副靱帯の付着部である．

脛骨近位部

脛骨近位部の内側顆と外側顆は，それぞれ大腿骨内側顆と外側顆と関節をなすために，滑らかで浅くくぼんだ形になっている（**図10.4**）．両顆は，全体的に平らな面であるため，**脛骨高原** tibial plateau とよばれる．顆間隆起は，脛骨の内側顆と外側顆を分ける2つの尖った突起である．この構造は，前十字靱帯と後十字靱帯の付着部としての役割を担い，内側半月板と外側半月板もそこに付着する．脛骨粗面は，脛骨近位部の前面にある骨の突出部分であり，大腿四頭筋の停止部位になる．

骨学　261

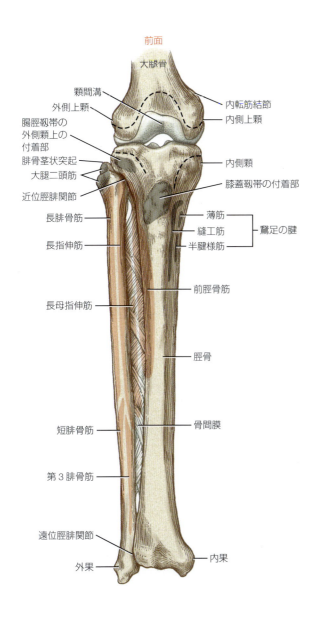

図10.2　右大腿骨遠位部，脛骨，腓骨の前面
筋の起始を赤色で，停止を灰色で示す．（Neumann DA: Kinesiology of the musculoskeletal system: foundations for physical rehabilitation, ed 2, St Louis, 2010, Mosby, Fig. 13.3Aより）

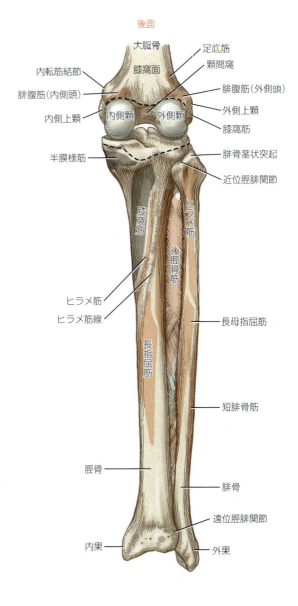

図10.3　右大腿骨遠位部，脛骨，腓骨の後面
筋の起始を赤色で，停止を灰色で示す．（Neumann DA: Kinesiology of the musculoskeletal system: foundations for physical rehabilitation, ed 2, St Louis, 2010, Mosby, Fig. 13.3Bより）

考えてみよう！＞＞オスグッド・シュラッター病

ランニングやジョギングのような身体活動では，大きな膝関節伸展力を発生させる大腿四頭筋が必要である．この大腿四頭筋によって生じる力は，膝蓋腱を介して脛骨粗面を強く引っ張る．思春期において大腿四頭筋の強い筋収縮が頻繁に起こると，脛骨粗面の一部が引き離されて未成熟な骨構造が健全に発達するのを妨げることがある．この状態はオスグッド・シュラッター病として知られており，しばしば痛みを伴い脛骨粗面が拡大する．

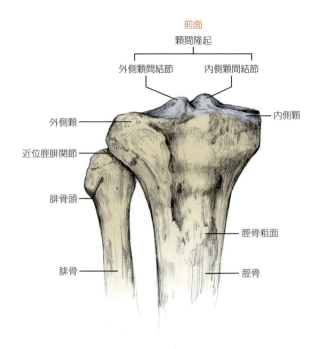

図10.4 脛骨顆，顆間隆起，脛骨粗面を示した脛骨の前面

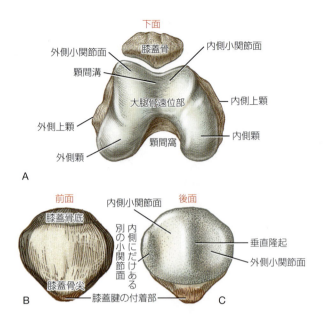

図10.5 膝蓋骨の3つの異なる面
膝蓋骨後面にある関節面と大腿骨の顆間溝が接する状態を下方からみた図（A）と膝蓋骨の前面（B）と後面（C）．大腿四頭筋の付着部を灰色で示す．膝蓋腱の近位付着部を赤色で示す．(Neumann DA: Kinesiology of the musculoskeletal system: foundations for physical rehabilitation, ed 2, St Louis, 2010, Mosby, Fig. 13.2，および13.5より改変)

腓骨近位部

腓骨は細長い骨で（**図10.4**），脛骨の骨幹の外側縁に沿って横に並ぶ．腓骨頭は腓骨の上端にある丸い形をした部分であり，脛骨の上外側面と結合し，しっかりとした近位脛腓関節を構成する．腓骨頭は，**外側側副靱帯** lateral collateral ligament（LCL）の遠位端と大腿二頭筋の停止部である．

膝蓋骨

膝蓋骨 patella（あるいは knee cap）は，小さい皿状の骨で，大腿四頭筋腱の中に埋まっている．そのために膝蓋骨の動きは大きくなり，異常な滑りや亜脱臼になる危険性が高い．しかし，膝蓋骨後面が大腿骨顆間溝面と合致することによって，膝蓋大腿関節は安定している（**図10.5A**）．膝蓋骨底（あるいは膝蓋骨上極）は，大腿四頭筋腱と結合し，膝蓋骨尖（あるいは膝蓋骨下極）は，膝蓋腱の近位端と結合する（**図10.5B**）．膝蓋骨裏の関節面（内側・外側小関節面）は，大腿骨の顆間溝と関節を構成している．膝蓋骨の外側小関節面は，内側小関節面に比べて傾斜が急になっているため，溝の形状が内側と外側で異なる大腿骨顆間溝と適合する（**図10.5C**）．

関節学

一般的な特徴

脛骨大腿関節と膝蓋大腿関節には，それぞれ膝関節の運動学的な役割がある．例えば歩行の場合，脛骨大腿関節の動きは，前方への下肢の振り出しに不可欠である．脛骨大腿関節周囲の結合組織は，この関節運動をただ導くだけではなく，関節の安定性を高める役割もある．さらに，外力を吸収したり，外力を伝える役割も担う．また，その関節周囲にある筋組織は，膝関節全体の安定化と衝撃の吸収という結合組織とは異なる重要な役割を果たす．

膝蓋大腿関節は，膝関節内部の精巧な構造を保護するとともに，大腿四頭筋のモーメントアームを大きくして伸展トルクの効率を高めている．大腿四頭筋は，その活動の大きさに比例して膝蓋骨と大腿骨との間に大きな**圧迫力** compression force を発生させるため，この大きな圧迫力を考慮して理学療法を行うことが重要である．例えば大腿四頭筋の筋力増強訓練を計画するときや，痛みや関節炎を伴う膝関節を損傷させる力からどうやって保護するのかを，患者に説明するとき等に重要である．

考えてみよう！ ＞＞膝蓋骨の動きと安定性

膝関節が正常な運動をするうえで，膝蓋骨は以下の重要な役割を果たす．

- 大腿四頭筋が発生させる力を，膝関節を越えて下方に伝える伝達器の役割．
- 大腿四頭筋の"てこの作用（内的モーメントアーム）"を増大させる役割．

膝蓋大腿関節が正常に働く場合，膝関節の屈曲では膝蓋骨は遠位方向へ滑り，膝関節の伸展では膝蓋骨は近位方向に滑る（**図10.6A～C**）．膝蓋骨が遠位，近位どちらの方向に滑るとしても，膝蓋骨は常に大腿骨の顆間溝の中にはまって安定していなければならない．膝蓋骨の解剖学的な形状は，その安定性の獲得に適したものになっている．それは，凸状をした膝蓋骨後面の曲面が，凹状をした大腿骨顆間溝の曲面に合致しているからである（**図10.6D**）．大腿四頭筋の強い活動は，最終的に膝蓋骨を外側へ牽引するように働くが，顆間溝外側の関節面の傾斜が急勾配になっており，膝蓋骨後面がこの傾斜部分と合致するため，膝蓋骨が外側方向へ亜脱臼（脱臼）するのを防いでいる．この顆間溝外側面の傾斜がゆるやかになっている人ほど，膝蓋大腿関節の外側方向へ亜脱臼を起こす可能性が高くなる．

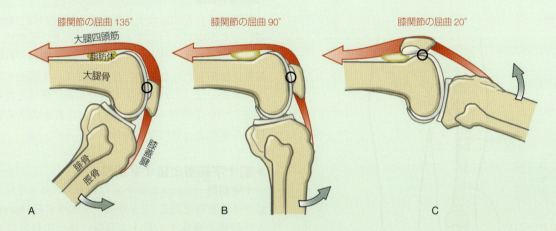

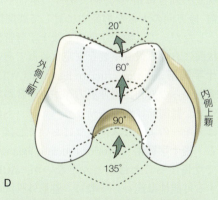

図10.6 膝関節が伸展するときの膝蓋大腿関節の運動
膝関節を屈曲135°（A）から屈曲90°（B）まで伸展させるとき，また屈曲20°（C）まで伸展するときの，膝蓋骨が上方へ移動する動きに注目しよう．Dは，屈曲135°から屈曲20°まで膝関節を動かしたときの，膝蓋骨の軌跡とその位置を前方からみた図である．
（Neumann DA: Kinesiology of the musculoskeletal system: foundations for physical rehabilitation, ed 2, St Louis, 2010, Mosby, Fig. 13.23A～Dより）

正常なアライメント

図10.7Aのように(第9章でも述べたが)，大腿骨近位部にある125°の頸体角によって大腿骨遠位部は正中線に近づき，脛骨と関節をなす．脛骨は通常，立位時には地面に対して垂直になっているため，大腿骨と脛骨は必然的に直線にはならない．大腿骨は，一般に170～175°の外側角度で脛骨と接する(大腿骨は脛骨の長軸より15～20°外側に傾いている)．この大腿骨と脛骨の縦軸方向の配置(アライメント)は，正常な**外反膝** genu valgumとよばれるが，この角度は変化しやすい．なぜならば，股関節または足関節のどちらかでアライメントの不整が生じると，膝関節がその変化に適応しようとするからである．外側角度が170°以下の場合は，**過度の外反膝** excessive genu valgum(あるいは knock-knee)といわれる(**図10.7B**)．反対に，外側角度が180°以上の場合は**内反膝** genu varumとよばれ，いわゆるO脚姿勢となる(**図10.7C**)．

支持構造

膝関節は，どんなに大きな内旋や外旋のねじれの力を受けても安定していることが要求される．膝関節の安定性は，筋の他に，前十字・後十字靱帯，内側・外側側副靱帯，関節包の後部構造，半月板によって保たれる．以下の本文では，これら重要な結合組織の構造と基本的な機能について述べる．**表10.1**に，これらの構造の主な機能の要約と一般的な受傷機序を示した．

▶前十字靱帯と後十字靱帯

十字靱帯 cruciate ligamentは脛骨と大腿骨を相互に連結させる靱帯である．"十字架"を意味する cruciate は，十字靱帯を構成する前十字靱帯と後十字靱帯がX形に交差していることを示している(**図10.8**)．十字靱帯の主な制動の向きは前-後方向であり，歩行や走行時に起こる前-後方向の大きな剪断力に対して膝関節を安定させる．したがって，前十字靱帯と後十字靱帯は，膝関節の矢状面における最も重要な安定化装置である．

前十字靱帯 anterior cruciate ligament(ACL)は，回旋力，側方からの外力，過伸展力等が組み合わされた，大きな外力が膝関節にかかるサッカー，フットボール，あるいはスキーのようなスポーツにおいてしばしば損傷を受ける．**後十字靱帯** posterior cruciate ligament(PCL)が単独で受傷することはほとんどないが，ACLとともに断裂する可能性は高い．一般に，整形外科医は断裂した十字靱帯を修復するために，断裂した靱帯を他の筋についている腱(自家移植片)あるいは遺体から取り出した腱(同種移植片)と置き換える．どちらの外科的処置をするにせよ，適切な術後のリハビリテーションと再建靱帯保護のためにはACLとPCLの構造と機能に関する知識が必要となる．

表10.1はACLとPCLの主な機能をまとめたものであり，それぞれを**図10.9，10**に示した．

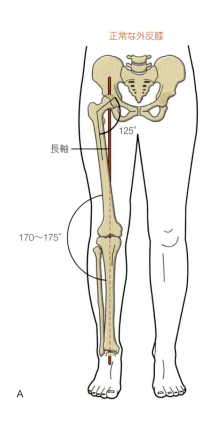

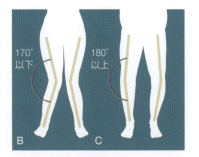

図10.7 膝関節でみられる前額面における変形
A：正常な外反膝．B：過度の外反膝．C：内反膝．
訳注：BとCは，それぞれ両側性の変形の場合，それぞれX脚，O脚とよばれる．(Neumann DA: Kinesiology of the musculoskeletal system: foundations for physical rehabilitation, ed 2, St Louis, 2010, Mosby, Fig. 13.6 より)

表10.1 膝関節の支持構造の機能と外傷の受傷機序

構造	機能	一般的な受傷機序
前十字靱帯（ACL）	①固定された大腿骨に対して，自由に動く脛骨が前方へ変位することに抵抗する．あるいは，地面に接地して固定された脛骨に対して，大腿骨が後方へ変位することに抵抗する ②膝関節の過度の伸展に抵抗する ③外反変形，内反変形や水平面の過度の回旋に抵抗する	①過伸展した場合 ②足部が固定された状態で，膝関節に大きな外反力や内反力が加わった場合 ③上記のどちらかで，膝関節に大きなねじれの力（回旋力）が加わった場合
後十字靱帯（PCL）	①固定された大腿骨に対して，自由に動く脛骨が後方へ変位することに抵抗する．あるいは，地面に接地して固定された脛骨に対して，大腿骨が前方へ変位することに抵抗する ②膝関節の過度の屈曲に抵抗する ③外反変形，内反変形や水平面の過度の回旋に抵抗する	①膝関節が過度に屈曲した場合 ②ダッシュボード外傷（例：大腿骨に対して脛骨が後方へ強制的に変位させられた場合） ③極端な過伸展（過伸展により，膝関節後方の関節面が開離した場合） ④足部が固定され膝関節に外反や内反させる大きな力が加わった場合 ⑤上記のいずれかで，膝関節に大きなねじれの力（回旋力）が加わった場合
内側側副靱帯（MCL）	①膝関節の外反変形に抵抗する ②膝関節の過伸展に抵抗する	①足部が固定され膝関節に外力が加わった場合 ②膝関節が極端に過伸展した場合
外側側副靱帯（LCL）	①膝関節の内反変形に抵抗する ②膝関節の過伸展に抵抗する	①足部が固定され膝関節に内力が加わった場合 ②膝関節が極端に過伸展した場合
関節包の後面構造	①膝関節の過伸展に抵抗する	①極端に過伸展した場合
内側半月板と外側半月板	①脛骨大腿関節の適合性を全体的に向上させる ②膝関節が受ける圧迫力と剪断力を分散させる	①膝関節に過度の外反力や内反力が生じた場合 ②膝関節に過度の回旋が起こった場合，特に大きな圧迫力を伴った場合に起こりやすい

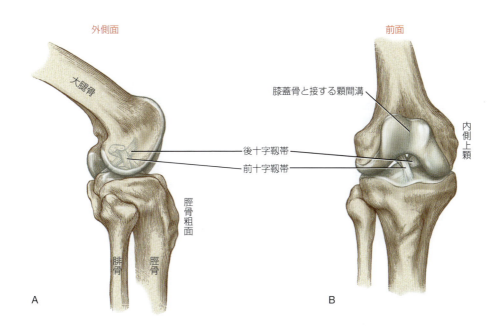

図10.8 前十字靱帯（ACL）と後十字靱帯（PCL）
A：外側面．B：前面（Neumann DA: Kinesiology of the musculoskeletal system: foundations for physical rehabilitation, ed 2, St Louis, 2010, Mosby, Fig. 13.19 より）

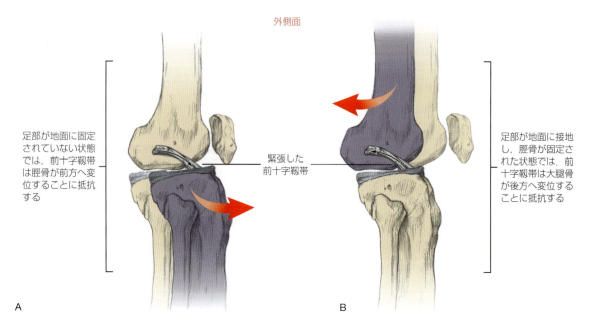

図10.9　矢状面における前十字靱帯(ACL)の主な機能
A：大腿骨に対して脛骨が前方へ変位することに抵抗する．B：脛骨に対して大腿骨が後方へ変位することに抵抗する．

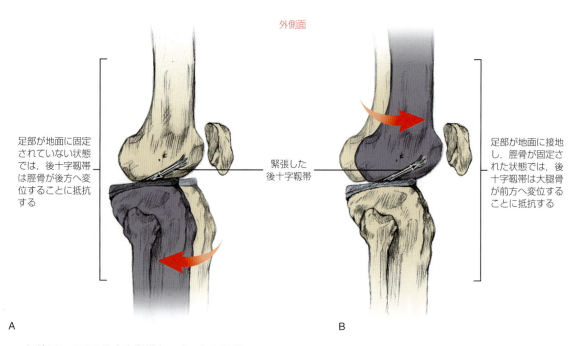

図10.10　矢状面における後十字靱帯(PCL)の主な機能
A：大腿骨に対して脛骨が後方へ変位することに抵抗する．B：脛骨に対して大腿骨が前方へ変位することに抵抗する．

前十字靱帯(ACL)と後十字靱帯(PCL)の主な機能

- **ACL**
  - 固定された大腿骨に対して，脛骨が前方に変位しないように抵抗する：足部を地面に接地しない状態(図10.9A)．
  - 固定された脛骨に対して，大腿骨が後方に変位しないように抵抗する：足部を地面に接地した状態(図10.9B)．

- **PCL**
  - 固定された大腿骨に対して，脛骨が後方に変位しないように抵抗する：足部を地面に接地しない状態(図10.10A)．
  - 固定された脛骨に対して，大腿骨が前方に変位しないように抵抗する：足部を地面に接地した状態(図10.10B)．

臨床的な視点 >> 前十字靱帯（ACL）再建術後に，自動的な膝関節の完全伸展を避ける理由

ACL再建術後に行うリハビリテーションの多くは，膝関節40°屈曲位から完全伸展位までの自動運動，あるいは抵抗運動を制限する．それは，この関節角度の範囲で大腿四頭筋の筋活動は前方への剪断力となり，脛骨が大腿骨に対して前方に牽引されるという運動学的な理由からである（図10.11）．ACLの重要な機能の一つは，大腿骨に対して脛骨が前方にずれるのを防ぐことである．したがって，ACL再建術後の早期リハビリテーションでは，新しく移植した組織を保護する方法の一つとして，開放運動連鎖で膝関節を完全伸展させる抵抗運動，つまり，移植組織を最大限に伸張する運動を避けるようにする．

また，このときにセラピストは膝関節の伸筋と屈筋を同時収縮させる膝関節の伸展運動を指導する．例えば，監視下で比較的動きの小さな，軽いスクワットのような運動を行わせる．その後，患者が徐々に良くなるに従い，リハビリテーションの後半では開放運動連鎖と閉鎖運動連鎖の膝関節伸展運動をバランスよく組み込むとよい．セラピストはACL再建術後に起こりやすい症状（痛みの増強，浮腫，不安定性）に対し常に注意を払わなければならない．加えて，大腿四頭筋の筋萎縮を長引かせないことにも注意が必要である．

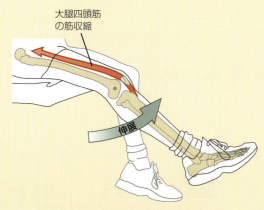
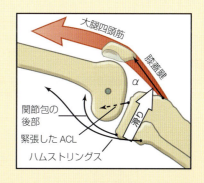

図10.11 膝関節とACLとの関係
大腿四頭筋の収縮は，膝を伸展させるとともに脛骨を大腿骨に対して前方に移動させる．また，膝関節伸展はACLの大部分，関節包後部，ハムストリングスの筋群，外側側副靱帯（LCL）および隣接包（最後の2つの構造は図中には描かれていない）を引き延ばす．大腿四頭筋とACLは膝関節伸展の最終可動域のほとんどで拮抗した関係にあること着目してほしい（膝蓋腱と脛骨との間の付着角度がαによって示されている）．（Neumann DA: Kinesiology of the musculoskeletal system: foundations for physical rehabilitation, ed 3, St Louis, 2017, Mosby, Fig. 13.20Aより）

▶内側側副靱帯と外側側副靱帯

内側側副靱帯 medial collateral ligament（MCL）と**外側側副靱帯** lateral collateral ligament（LCL）は，膝関節の関節包の内側と外側を強化する（図10.12A）．これらの靱帯は，膝関節の前額面における主要な安定化装置であり，過度に外反させる力に対して膝関節を保護する．

MCLは大きく平らな靱帯で，大腿骨内側上顆と脛骨内側近位部との間（膝関節の内側）にある．MCLの主な機能は，膝関節を外反させる外力に抵抗することである（図10.12B）．MCLの一部の線維は，膝関節の内側半月板にも結合するため，MCLの外傷は内側半月板の損傷も同時に引き起こす可能性がある．

LCLは断面が丸いコードのような靱帯で，大腿骨外側上顆と腓骨頭に付着して膝関節の外側をまたいでいる．LCLの主な機能は，内反させる外力から膝関節を保護することである（図10.12C）．

膝関節は，通常の歩行や走行において前額面のストレスを受けることはほとんどないが，急な方向転換や外部からの強い衝撃（前額面上）は，側副靱帯（特にMCL）をしばしば損傷させる．例えば，身体の横からタックルを受けたフットボール選手を考えてみよう（図10.13）．足部は地面にしっかりと固定されている状態で膝関節の外側から内側方向へ外力が加わるために，強制的に外反膝をつくることになり，しばしばMCLが断裂する．

側副靱帯の主な役割は，膝関節の内側と外側を安定させることであるが，それに加えて，完全伸展位ではピンと張られて緊張が増大するために，立位時に伸展した膝関節を固定する役割も担う．この構造的な固定メカニズムは立位時に大腿四頭筋を休ませることにも役立っている．一方で，この伸展時の緊張増大は側副靱帯が外傷を受けやすい状態にもなっている．膝関節の完全伸展位ではあらかじめMCLがすでに伸びきっていることも，衝撃を受けたときに側副靱帯をより断裂しやすい状態にしている．

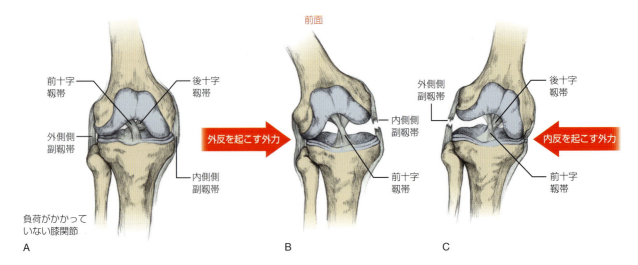

図10.12　側副靱帯損傷のメカニズム
A：内側側副靱帯（MCL）と外側側副靱帯（LCL），前十字靱帯（ACL）と後十字靱帯（PCL）を示した右膝の前面．B：外反力により発生したMCLの断裂．C：内反力により発生したLCLの断裂

図10.13　側副靱帯損傷の一例
伸展した膝関節が外側からタックルされると，膝関節は外反させる大きな外力を受ける．

側副靱帯の主な機能
- 内側側副靱帯（MCL）：膝関節を外反させる外力に抵抗する．
- 外側側副靱帯（LCL）：膝関節を内反させる外力に抵抗する．
- 2つの側副靱帯の完全伸展位における緊張：膝関節の固定を助ける．

考えてみよう！＞＞おそるべき三徴候

"おそるべき三徴候 terrible triad"（訳注：日本では，不幸の三徴（候）といわれることが多い）とは，前十字靱帯（ACL），内側側副靱帯（MCL），内側半月板が同時に外傷を受けることである．足部が地面にしっかりと固定され，膝関節が完全伸展位あるいはそれに近い姿勢にあるときに，膝関節に大きな回旋力と外反力がかかると，この外傷が起こりやすくなる．膝の構造に"おそるべき三徴候"を生じさせる三つ組み外力（回旋力，外反力，伸展力）があることに注目しよう．

▶内側半月板と外側半月板

　内側半月板と外側半月板は，半月形の線維軟骨性の円板であり，脛骨の内側顆と外側顆の上にある（図10.14）．半月板は，体重と筋収縮によって生じた膝関節にかかる圧迫力を吸収する重要な役割を担う．歩行中，膝関節にかかる圧迫力は通常体重の2～3倍にも達する．体重負荷によって半月板が外側へ広がり，関節の接触面積が3倍近く大きくなることにより膝関節にかかる圧力を減少させる．また，半月板はカップ状をしており，膝関節の不揃いの関節面の形状を補っている．そのため，膝関節は運動学的に関節として機能しやすくなるとともに，より安定する．
　内側半月板の一部分はMCLと結合する．このため，MCLの過度のストレス，あるいは変形が内側半月板に損傷を与える可能性がある．

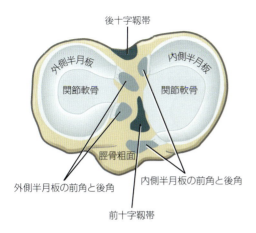

図10.14 内側半月板と外側半月板の形状を示した脛骨の上面

(Neumann DA: Kinesiology of the musculoskeletal system: foundations for physical rehabilitation, ed 2, St Louis, 2010, Mosby, Fig. 13.11Bより)

半月板の主な機能

- 膝関節の衝撃吸収装置として働く(例えば,摩擦の減少や圧迫力の軽減等).
- 関節の接触面積を増大させ,関節内の圧力を分散させる.
- 関節内の適合性を向上させる.
- 正常な関節運動を導く.

▶関節包の後部構造

関節包の後部の主な役割は,膝関節の過伸展を防ぐことである.関節包の後面には,弓状膝窩靭帯と斜膝窩靭帯の2つの大きな厚い靭帯が存在する(**図10.16**).

膝関節の筋・骨格系の障害によって膝にかかる力が不均衡になり,膝関節が著しく過伸展になることがある.肘関節とは異なり,膝関節には完全伸展を妨げる骨性の構造がないため,過伸展させる力が長く続くと関節包後部が過剰に伸張された状態が持続することになる.その結果,**反張膝** genu recurvatum とよばれる異常な過伸展位となり,膝関節の関節包の後部と他の多くの構造が持続的に伸張された状態になる.

 考えてみよう! ▶▶ **半月板の外傷と治癒**

半月板の主な役割は,膝関節にかかる大きな圧迫力を吸収して軽減することである.しかし,半月板は線維軟骨性構造のため,脛骨に対して大腿骨顆のねじれる動き,あるいは"大腿骨顆を押しつけて回す"動きから外傷を受けやすい.半月板はいったん損傷すると完全には治癒しない.特に半月板の内側1/3の部分では困難であり,それはこの部分の血液供給が乏しいためである(**図10.15**).

- 内側1/3:血管が存在しない
- 中間1/3:血液の供給が乏しい
- 外側1/3:血液が供給されている

半月板の外側1/3の外傷は,比較的血液の供給があるために外科的処置をしなくても治癒する.

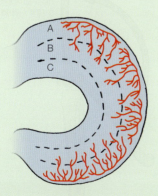

図10.15 半月板への血液の供給
外側部分(A)では血液の供給は良好であり,中間部分(B)にも血液の供給はある.しかし,内側部分(C)には血液の供給はほとんどない.(Shankman G: Fundamental orthopedic management for the physical therapist assistant, ed 3, St Louis, 2011, Mosby, Fig. 18.20Aより改変)

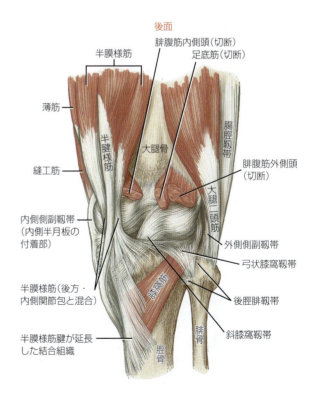

図10.16 斜膝窩靭帯と弓状膝窩靭帯を含む関節包の後面構造を示した右膝の後面

(Neumann DA: Kinesiology of the musculoskeletal system: foundations for physical rehabilitation, ed 2, St Louis, 2010, Mosby, Fig. 13.9より改変)

運動学

▶脛骨大腿関節の骨運動学

脛骨大腿（膝）関節は，屈曲と伸展，内旋と外旋の2つの運動が起こる．

屈曲と伸展は，回転軸が内側-外側軸の矢状面に沿った運動である．関節可動域は，5°の過伸展から屈曲130～140°までである．図10.17のように，膝関節の関節可動域は，足部が自由に動く場合（開放運動連鎖：固定された大腿骨から脛骨の動きをみた場合）も，足部を地面につけて脛骨を固定した場合（閉鎖運動連鎖：固定された脛骨から大腿骨の動きをみた場合）も同じである．唯一の違いは，どの骨が固定されて，どの骨が動いているかということだけである．

膝関節の内旋と外旋は，回転軸が垂直軸あるいは骨の長軸であり水平面に沿った運動である．この運動は**軸性回転** axial rotation ともよばれ，脛骨と大腿骨の間で生じる回転である（図10.18）．膝関節屈曲位では，回旋の可動域は最大40～50°である（表10.2）．しかし，膝関節を完全に伸展したときには回旋はまったく起こらない．

足部を地面に固定した場合（閉鎖運動連鎖）の膝の軸性回転（回旋）は重要であるが，しばしば軽視されがちな動きである．例えばランニング中，真横（90°）に鋭く方向転換する動きを考えてみよう．体幹あるいは上半身は方向転換する方向に向きを変え，大腿骨もそれに伴って回旋するが，足部と脛骨は地面に固定されているため，脛骨の関節面上に大きなねじれが生じる危険がある．体幹

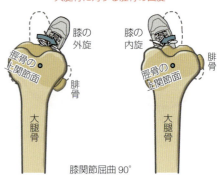

図10.18　右膝関節の内旋と外旋
（Neumann DA: Kinesiology of the musculoskeletal system: foundations for physical rehabilitation, ed 2, St Louis, 2010, Mosby, Fig. 13.14, A より）

表10.2　膝関節の骨運動学

運動	回転軸	運動面	参考可動域（自動）
屈曲 伸展	大腿両顆に通った内側-外側軸	矢状面	0～140° 0～5°（過伸展）
内旋 外旋	垂直軸（長軸）	水平面	0～15°（膝関節を屈曲したとき） 0～30°（膝関節を屈曲したとき）

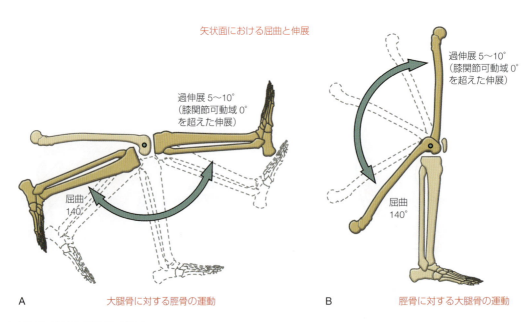

図10.17　矢状面における膝関節の動き
A：大腿骨に対する脛骨の運動．B：脛骨に対する大腿骨の運動．（Neumann DA: Kinesiology of the musculoskeletal system: foundations for physical rehabilitation, ed 2, St Louis, 2010, Mosby, Fig. 13.13 より）

関節学 271

考えてみよう！＞＞前十字靱帯（ACL）外傷の一般的なメカニズム

ACLは，最もよく完全断裂する膝関節の靱帯である．全ACL損傷の約半数の患者は15〜25歳であり，サッカー，バスケットボール，フットボール，スキーのようなスポーツの活動中に最もよく起こる．興味深いのは，スポーツに関係した全ACL損傷の約70％が"まったく接触のない"あるいは"軽い接触"の状態で起こっていることである．このまったく接触のない状態による受傷の多くは，患者がジャンプから着地したとき，地面に足をつけた状態で左右に**方向転換** cuttingするようなとき，あるいは方向転換中に急速に減速させたときに起こっている．これらの調査結果は，以下の3つの生体力学的要因が混在したときに，ACLは外傷を受けやすいことを示唆している．それらは，①膝関節軽度屈曲位あるいは完全伸展位での大腿四頭筋の強い筋活動，②膝関節の著しい**外反の崩れ** valgus collapse，そして，③膝関節の極端な外旋（固定された脛骨に対する大腿骨の内旋）でしばしば起こる．

図10.19に，受傷リスクの高い状態にあるACLの様子を，若い健康な女性がジャンプから着地したイメージ図を用いて示した．特に脛骨に対する大腿骨の内旋（膝関節の外旋）を伴って膝関節が極端に外反する形態に着目しよう．これは股関節の外転筋群と外旋筋群の筋力低下が膝関節の"外反の崩れ"を起こしていることを示している．したがって，アスリートのACL損傷予防プログラムの仕事をしているセラピストは，膝関節の位置を動的にコントロールできるように股関節の外転筋群と外旋筋群に対する筋力強化と神経-筋再教育をそのプログラムによく組み込む．

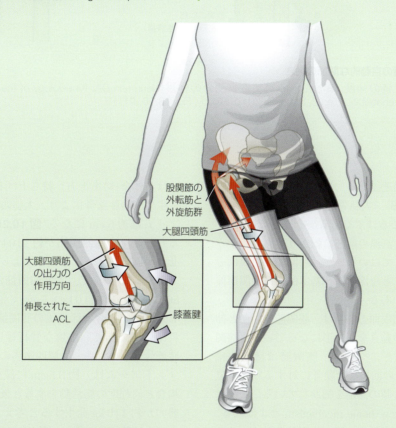

図10.19　健康な女性がジャンプから着地した直後のイメージ
過度の外反膝と固定された脛骨上で大腿骨が過度に内旋することによってできた膝関節が外旋した状態に注目しよう．左の挿入図は，大腿四頭筋の筋力の作用方向に加えて，ACLに緊張が増大している様子を示している．ACLを過剰に伸張する生体力学的な要因が，膝蓋骨を外側に牽引する傾向があることにも注目しよう．（Neumann DA: Kinesiology of the musculoskeletal system: foundations for physical rehabilitation, ed 2, St Louis, 2010, Mosby, Fig. 13.21 より）

を支えている大腿骨の動きは地面に固定された脛骨に対して加速も減速もするため，場合によっては膝関節周囲の筋と靱帯に大きな負荷がかかる．動きの速いスポーツほど急な方向転換に起因する膝関節の外傷がよく発生するが，その外傷の発生機序はこの大きな負荷によってある程度説明できる．

▶脛骨大腿関節の関節運動学

図10.20Aに膝関節伸展時の関節運動学的パターンの一つ（大腿骨に対して脛骨の転がりと滑りが同じ方向に起こる）を示している．これは開放運動連鎖とよばれ，この関節運動は，凹面の脛骨顆が凸面の大腿骨顆に沿って動くことに基づいている．一方，もう一つの膝関節伸

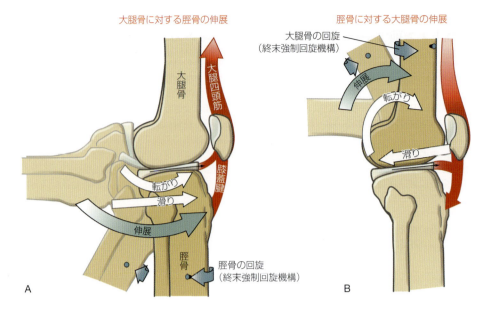

図10.20 膝関節伸展時の自動的な関節の動き
A：大腿骨に対する脛骨の伸展．B：脛骨に対する大腿骨の伸展（Neumann DA: Kinesiology of the musculoskeletal system: foundations for physical rehabilitation, ed 2, St Louis, 2010, Mosby, Fig. 13.16 より）

展パターンの閉鎖運動連鎖では，転がりと滑りが反対方向に起こる（図10.20B）．大腿骨顆の前方回転は，後方への滑りを伴って起こるはずである．そうでなければ，大腿骨は理論上，脛骨高原の前方に転がり落ちてしまうことになる．図に示してはいないが，膝関節の屈曲はその動きが反対であることを除けば，基本的には膝関節伸展の関節運動と同じである．

　脛骨大腿関節の関節表面の形状は，膝関節の屈曲と伸展において軽い回旋の動きを導く形になっている．膝関節が完全伸展に近づくにつれて，膝関節は自動的に10～15°外旋する．この回旋は大腿骨に対する脛骨の位置によって定義され，膝の固定を補助している．これは**終末強制回旋機構** screw-home mechanism とよばれる．この膝の固定機構は，大腿骨に接する脛骨が外旋することによって，あるいは固定された脛骨上で大腿骨が内旋することによってなされる．いずれの場合も，伸展の際に膝関節を固定するのを助ける（図10.20）．

▶膝蓋大腿関節

　膝蓋大腿関節は，滑らかな膝蓋骨後面と大腿骨顆間溝との間の関節である．階段を上る，あるいは座位から立ち上がるといった日常的な活動は，大腿四頭筋による大きな膝関節の伸展トルクを必要とする．ランニング，ジャンプ，あるいは登山のような活動では，この膝関節の伸展トルクは膝蓋骨によって増大され，大腿骨（あるいは身体全体）を上方へ持ち上げるために使われる．

　生体内の膝蓋骨により，大腿四頭筋の内的モーメントアームは約5 cm になる（図10.20A）．この意味を考えるために，大腿四頭筋が約110 kg の最大張力を発生させると仮定しよう．膝蓋骨によってつくられるモーメントアームによって，大腿四頭筋が発生する筋力は，約560 kg・cm（約110 kg×5 cm）の膝伸展トルクに変わる．しかし，膝蓋骨切除術後の膝関節（膝蓋骨を取り除く外科的処置であり，重篤な骨折後によく行われる）では，膝蓋骨がないため，大腿四頭筋にとって有効な内的モーメントアームは，約3.8 cm に減少する．膝蓋骨がある場合と同程度の筋活動をすると仮定して，大腿四頭筋の筋力が約110 kg 発生すると考えたとき，膝関節の伸展トルクは約420 kg・cm（約3.8 cm×110 kg）に減少する．この最大膝関節伸展トルクの損失（約140 kg・cm）は，日常生活で重要な意味をもつ．

　つまり，膝蓋骨が膝関節にあることで大腿四頭筋が生み出すトルクが25%増大するのである．膝蓋骨切除術後は，術前の安定した状態と異なり，術前と同等のトルクを発生するためには，大腿四頭筋は術前と比べて25%以上の筋力を発生しなければならない．したがって，努力して無理に筋力を出し続けた結果，時間が経つと大腿四頭筋は疲労する可能性がある．また，膝蓋大腿関節，あるいは脛骨大腿関節が損傷することもある．

臨床的な視点 >> 足関節の位置の調整によって，膝関節の生体力学的関係を変えることができる

立位時の足関節の状態が，下肢のアライメントを評価する助けとなり，最終的に膝関節の状態を判断する助けとなる．この足関節と膝関節が連動した関係は，軽いスクワット姿勢をとらせることよって確認でき，下腿の前方移動（足部に対する脛骨の相対的な動き）がどのように膝関節を屈曲させるかに着目するとわかりやすい．下腿が足関節を中心に後方へ回転することによって，膝関節は自然と伸展する．これらの関係は臨床上しばしば重要な意味をもつ．その一例を以下に述べる．

図10.21Aに，左の足部が底屈25°で外科的に固定された患者を示した．この患者は，ポリオ（急性灰白髄炎）を患ったため左足関節の筋が完全弛緩性麻痺を起こしている．足関節の安定性を高めるために固定した結果，下腿が後方へ傾き，重心線が膝関節の内側-外側の回転軸よりもかなり前方に移動している．この状態では，重力は膝関節に長い外的モーメントアーム（図中のEMAを参照）で作用するため，強力な伸展トルクが生じ膝関節後面構造を伸張し続けることになる．数年経過すると，この伸展トルクによって膝関節後面構造にゆるみが生じ，反張膝になる（図10.21A）．この負荷がかかる姿勢を改善するために，患者には脛骨を前方に傾ける目的で踵を高くした靴が処方される（図10.21B）．体重を支持するうえで，脛骨と大腿骨がより良い配置になっており，結果として膝関節は相対的にまっすぐとなる．この改善された姿勢は，下肢の機能を改善し膝関節後方の緊張を取り除いている．

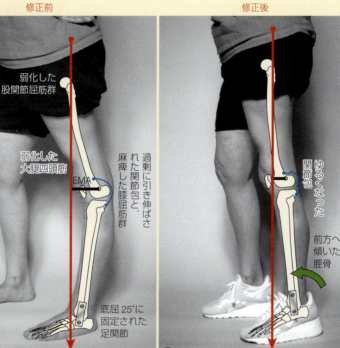

図10.21　踵を上げたテニスシューズ装着による重篤な反張膝の減少
底屈25°に固定された左足関節によって，同側の膝関節に伸展トルクが発生し，膝関節が二次的に顕著な反張膝となった例(A)．患者は踵を上げたテニスシューズを履くことによって，重篤な反張膝が減少できる(B)．EMAは，外的モーメントアームを表す．
(Neumann DA: Kinesiology of the musculoskeletal system: foundations for physical rehabilitation, ed 2, St Louis, 2010, Mosby, Fig. 13.38 より)

筋と関節の相互作用

膝関節の筋の神経支配

膝関節の筋は，①大腿神経，②坐骨神経，③閉鎖神経（第9章，図9.20，21参照）という3つの神経によって支配される（**表10.3**）．

大腿神経は，大腿四頭筋のすべてを支配するため，この神経が損傷するだけで膝関節の伸展筋群は完全に麻痺する．坐骨神経は，①脛骨神経部分と②総腓骨神経部分の2本の枝に分枝する．脛骨神経部分は，ハムストリングスの大部分（半腱様筋，半膜様筋，大腿二頭筋の長頭）を支配する．もう一方の総腓骨神経部分は，大腿二頭筋の短頭を支配する．閉鎖神経は，大腿部の内側を走行し薄筋を支配する．

表10.3　膝関節の筋の神経支配

神経支配	筋
大腿神経	大腿直筋 内側広筋 外側広筋 中間広筋 縫工筋
坐骨神経：脛骨神経部分	ハムストリングス ・半腱様筋 ・半膜様筋 ・大腿二頭筋：長頭
坐骨神経：総腓骨神経部分	大腿二頭筋：短頭
閉鎖神経	薄筋
脛骨神経	腓腹筋 膝窩筋 足底筋

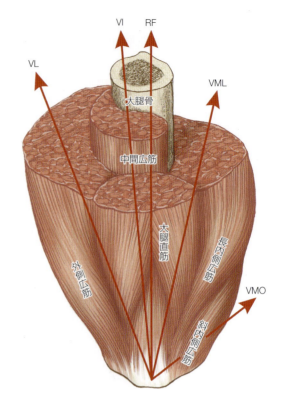

図10.22　右大腿四頭筋の横断面
近位へ向かう矢印は，大腿四頭筋のそれぞれの筋が作用する方向を示す．外側広筋(VL)，中間広筋(VI)，大腿直筋(RF)，長内側広筋(VML)，斜内側広筋(VMO)．(Neumann DA: Kinesiology of the musculoskeletal system: foundations for physical rehabilitation, ed 2, St Louis, 2010, Mosby, Fig. 13.24より)

膝関節の筋

　膝関節の筋は，伸筋群と屈筋群に分けられる．それぞれ重要な役割があるが，膝関節の運動を行うために互いに協調している．例えば，伸筋群は単独で大腿骨の顆間溝に膝蓋骨を滑らせることはできるが，伸筋群だけで膝関節を回旋させようとしてもまったく用をなさないであろう．逆に，伸筋群の回転運動と同様に，屈筋群は単独で膝関節の屈曲をコントロールできるが，いくら努力しても膝蓋骨を動かすことはできない．そこで，座位から立ち上がるような一般的な日常生活動作では，大腿四頭筋(伸筋群)とハムストリングス(屈筋群)の両方が，同時に活動することが必要となる．これらの筋の相互作用については本章の後半で述べる．

▶膝関節の伸筋群：大腿四頭筋

　膝関節を伸展させる4つの筋をまとめて大腿四頭筋とよび，これらは大腿直筋，外側広筋，内側広筋，中間広筋で構成される．これら4つの筋の起始はそれぞれ大腿骨あるいは骨盤の異なる部位から始まり，それらがすべて遠位部で1つになり膝蓋腱となって脛骨粗面に停止する．大腿四頭筋がその長さを変えないで行う収縮(等尺性収縮)は，膝関節の安定化と保護に役立つと考えられる．また，収縮しながら伸張する遠心性収縮は，立位から座位へゆっくりと姿勢を変える動作のように身体の下降スピードを調節するときに利用される．反対に，収縮に伴って短縮する求心性収縮は，膝関節を伸展するときに利用され，例えばジャンプするときのように，しばしば股関節伸展とともに行われる．

　大腿四頭筋の4つの筋はそれぞれ異なる牽引線(図10.22のVL，VI，RF，VML，VMO)をもつが，同じ膝蓋腱と膝蓋骨を利用して膝関節の伸展に作用する．後述するように，膝蓋骨を正常に滑らせるためには，大腿四頭筋の4つの筋が出すそれぞれの筋力は，バランスを保たなければならない．膝関節の屈曲や伸展に伴い，膝蓋骨が大腿骨の顆間溝を上下するときに，膝蓋骨を正しい経路へ導くことは，膝蓋骨やその後面にある軟骨にかかるストレスをできるだけ少なくするために大切である．

膝関節の伸筋群(大腿四頭筋)
● 大腿直筋 ● 外側広筋 ● 内側広筋 ● 中間広筋

臨床的な視点 >> 大腿直筋の伸張

すでに述べたように，大腿直筋の収縮は，膝関節の伸展と股関節の屈曲に作用する．よって，この筋を最大限に伸張するために必要なことは，この2つの関節を大腿直筋による運動方向とは反対に動かすことである．つまり，股関節伸展と膝関節屈曲によって大腿直筋を伸張することができる．

大腿直筋を最大限に伸張するためには，セラピストは骨盤の前傾に細心の注意を払わなければならない．図10.23Aに，骨盤を固定していない状態で大腿直筋を伸張した例を示した．この場合，大腿骨を後方に引くと股関節が伸展するが，それと同時に骨盤は前傾する．大腿直筋の伸張を試みても，骨盤の前傾（これは，本質的に股関節の屈曲である）により，実際には大腿直筋の伸張はごくわずかで，ほとんど効果がない．大腿直筋の正しい伸張の方法を図10.23Bに示す．その方法とは，腹直筋の強力な筋収縮を利用して骨盤を後傾に保つことである．骨盤を上手に固定することによって，大腿骨伸展が大腿直筋を効果的に伸張するように作用する．

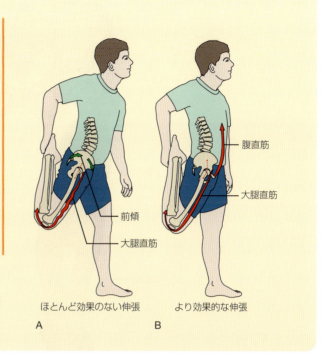

図10.23　大腿直筋の伸張
股関節がほとんど伸展しないため，大腿直筋を伸張する効果が少ない(A)と大腿直筋の効果的な伸張(B)．骨盤が腹直筋によって十分に固定されるため，股関節が伸展する．

ATLAS

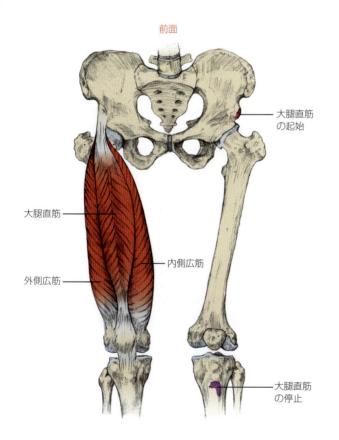

■ 大腿直筋

起始	下前腸骨棘.
停止	脛骨粗面.
神経支配	大腿神経.
作用	膝関節の伸展，股関節の屈曲.
解説	この筋は，股関節と膝関節の前方にあるため股関節の屈筋と膝関節の伸筋として働く．この長い羽状筋は，股関節を伸展し膝関節を屈曲するハムストリングスに対する唯一の拮抗筋である．

第10章 膝関節の構造と機能

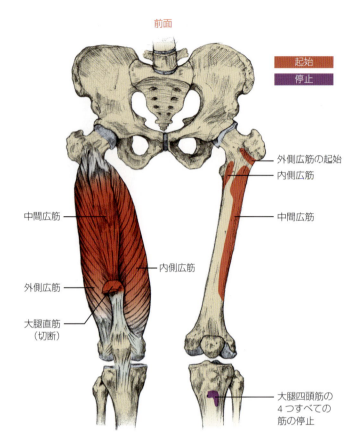

外側広筋，中間広筋，内側広筋をみやすくするために，大腿直筋を切断した．

■ 内側広筋

起始	大腿骨体粗線内側唇と大腿骨転子間．
停止	脛骨粗面．
神経支配	大腿神経．
作用	膝関節の伸展．
解説	この筋は膝蓋骨に向かって遠位方向に走向し，2つの異なる筋線維のグループ（**長内側広筋** vastus medialis longus（VML）と**斜内側広筋** vastus medialis obliquus（VMO））に分けられる（**図10.22**）．この長内側広筋の線維は正中線から約18°外側下方に走行するため，この筋の膝関節伸展筋力の大部分の作用方向は大腿骨と並行しているか，あるいはそれに近い方向に働く．しかしながら，斜内側広筋は正中線に対しておよそ50〜55°の角度で膝蓋骨に結合する．斜内側広筋のより斜め方向の線維は膝蓋骨を内側に引っ張るように働き，内側広筋より大きく力の強い外側広筋が膝蓋骨を外側方向へ牽引することに対抗する．これら2つの力が膝関節でバランスよく働くことで，膝蓋骨は正しい経路を動くことができる．

■ 外側広筋

起始	大腿骨体粗線外側唇，大腿骨転子間，大転子の外側部分．
停止	脛骨粗面．
神経支配	大腿神経．
作用	膝関節の伸展．
解説	外側広筋は大腿四頭筋の中で最も大きく，最も筋力が強い筋である．この筋の重要な特徴は，その牽引の方向が外側に向くことである．この外側へ牽引する力が，膝蓋骨の異常な動きや外側方向への膝蓋骨脱臼を起こす理由の一つとして説明できる．

■ 中間広筋

起始	大腿骨骨幹前面の上方2/3．
停止	脛骨粗面．
神経支配	大腿神経．
作用	膝関節の伸展．
解説	中間広筋は大腿四頭筋の最も深部にあり，大腿直筋の真下に位置する．

臨床的な視点 >> Q角

Q角 Q-angleは，大腿四頭筋を構成するそれぞれの筋が発生する筋力の合力方向を表す．この角度は膝蓋大腿関節の異常な運動（膝蓋骨の異常な動き）の原因を探る手がかりを与える．以下に述べるように，この前額面の角度は角度測定検査によって測定できる．

- **軸心**：膝蓋骨中心
- **基本軸**：上前腸骨棘へ向かう軸
- **移動軸**：脛骨粗面へ向かう軸

Q角（正確には大腿四頭筋角）は一般に13～15°であり（**図10.24A**），これは膝関節の正常な外反の角度である．Q角の大きさは，大腿四頭筋の筋活動によって生じる膝蓋骨に作用する外側方向の力の大きさに影響を与える．Q角がより増大するとその外側方向の力はより大きくなる．**図10.24B**に示したように，大腿四頭筋はもともと膝蓋骨を外側へ牽引する作用をもっている．例えていえば，"弓を引いた際に，弦が矢に作用するような力"（訳注：**弓弦力** bow-stringing force）である．その大きさは大腿四頭筋筋力の大きさと，膝関節の外反の程度に比例する．

通常，斜内側広筋（VMO）の筋力や内側膝蓋支帯線維のようないくつかの内側へ作用する要素が，膝蓋骨を外側へ引っ張る自然牽引力に対して相殺するように働く（**図10.24B**）．しかし，重要なことは，**図10.24B**で示したすべての力が，膝蓋骨に作用する力の合力方向に影響を与えることを理解することである．例えば，もし腸脛靱帯あるいは外側膝蓋支帯線維が硬く短縮したとしたら，膝蓋骨を外側に牽引する力はより大きくなるであろう．反対に，もし腸脛靱帯あるいは外側膝蓋支帯線維がゆるむ，または弱くなったとしたら，膝蓋骨を外側に牽引する力は小さくなり，その結果として膝蓋骨に作用する内側方向の力は相対的に大きくなる．

興味深いことに，女性のQ角は男性よりもやや大きい．Q角が大きくなるほど（それは外反膝と関係づけられるのだが），膝蓋骨を外側方向に牽引する力（bow-stringing force）が大きくなる．このことは，女性の膝蓋骨外側脱臼の発生率がより高いという事実や，男性と比べて膝蓋大腿関節に痛みのある女性が多いという事実の説明となるであろう．

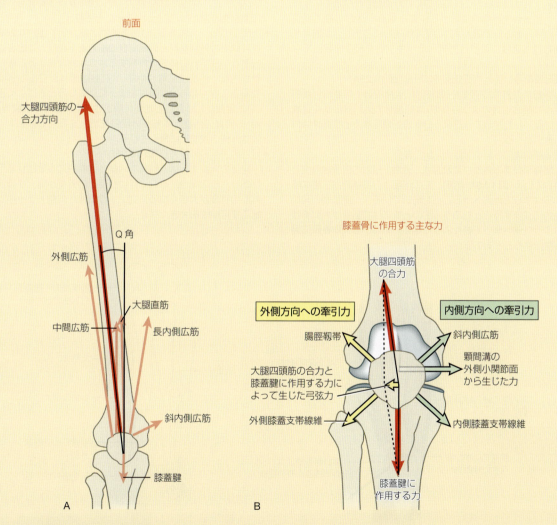

図10.24 膝蓋骨に作用する力の概要
A：大腿四頭筋を構成する筋それぞれの力の合力が，Q角として表される．B：膝蓋骨に作用するそれぞれの力を示した図．（Neumann DA: Kinesiology of the musculoskeletal system: foundations for physical rehabilitation, ed 2, St Louis, 2010, Mosby, Fig. 13.29A，および13.30より）

1. 機能的考察

(1) 膝蓋骨の過度の外側トラッキング

通常，膝蓋骨は顆間溝に沿って内側にも外側にも過度に偏らないで移動する．このように正しく動く場合は，膝蓋骨と大腿骨との接触面積は最大になり圧迫力は分散されるため，ストレスは最小となる．しかし，膝蓋骨が異常な動きをすることは比較的よく起こり，一般に外側方向に偏って動く．

この**膝蓋骨の外側トラッキング** lateral tracking of the patella が過度に生じると，膝蓋大腿関節が圧迫されて摩擦が増大するため，痛み，炎症，関節の変性等が起こり，重篤な場合は膝蓋骨が外側に脱臼する．膝蓋骨の過度の外側トラッキングの原因が，膝関節自体による内因性のものなのか，あるいは膝関節よりも近位または遠位にある外因性のものかを鑑別することが臨床上重要である（**Box 10.1**）．これらの要因を知ることで，より効果的な治療戦略が立てられるであろう．

Box 10.1　膝蓋骨の過度の外側トラッキングを引き起こす要因

内的要因

- 斜内側広筋（VMO）と外側広筋との間の筋力の不均衡（図10.25A）

  通常，大腿四頭筋のこれら2つの向かい合う筋はともに作用して，膝蓋骨を顆間溝に沿って移動させる．VMOの筋力低下あるいは外側広筋の肥大は力の不均衡をつくり出し，膝蓋骨を外側方向へ過度に牽引し外側トラッキングを起こす要因になる．

- 腸脛靱帯あるいは外側膝蓋支帯の短縮（図10.25A）

  腸脛靱帯と外側膝蓋支帯（最終的に大腿四頭筋の遠位付着部に伴った結合組織のようなもの）は膝蓋骨の外側縁に硬く付着している．したがって，これらの構造が短縮すると膝蓋骨は外側へ牽引される．

- 大腿骨顆間溝の外側小関節面勾配の減少

  大腿骨顆間溝の外側小関節面は，通常，相対的に急な角度で傾斜している（図10.5A参照）．この勾配は，膝蓋骨が正常な経路からはずれて外側へ滑ることを防いでいる．小関節面の勾配は病的に減少することもあり，そのときには膝蓋骨が大腿骨顆間溝より外側へ偏って動くようになる，あるいは大腿骨顆間溝から脱臼することもある．

外的要因

- 大きなQ角（図10.25B）

  股関節あるいは足関節のアライメントの不整の結果生じる大きなQ角は，大腿四頭筋の筋活動に由来する膝蓋骨を外側方向に牽引する力（bow-stringing force）を生む．

- 股関節の外旋筋群あるいは外転筋群の筋力低下（図10.25B）

  股関節の外旋筋群と外転筋群の筋力低下を伴った患者は，歩行あるいは下肢に体重を負荷するような動きをするとき，大腿骨が内転・内旋位になりやすい（これは患者が立位からゆっくり座るとき，あるいは階段をゆっくり降りるときによくみられる）．足部がしっかりと地面に固定されていると，大腿骨（股関節）の過度の内旋と内転が外反膝を増大する．その結果，膝蓋骨は外側へ強制的に牽引される．

- 足部の過度の外がえし（図10.25B）

  足部の外がえしは，脛骨を内側へ強制的に移動させる可能性があり，その場合，それに伴い膝関節の外反が増大する．膝の外反の程度が大きくなるに従い，膝蓋骨が外側トラッキングを起こす可能性も大きくなる．

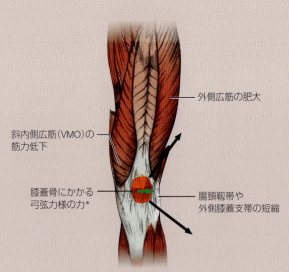
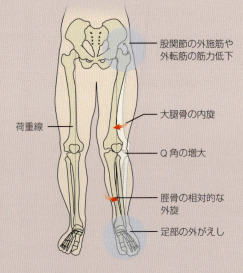

A　膝蓋骨が過度な外側トラッキングを起こす内的要因
B　膝蓋骨が過度な外側トラッキングを起こす外的要因

図10.25　膝蓋骨が過度の外側トラッキングとなる要因
A：膝関節に由来する内的要因．B：膝関節よりも近位部か遠位部に由来する外的要因．
＊訳注：弓弦力とは，弓を引いた際の，弦が矢に作用する力をいう．

(2)深いスクワットによる膝蓋大腿関節内の圧迫力の増大

膝蓋大腿関節の痛みは，臨床的によくみられる膝の症状の一つである．この痛みによる障害の特徴は，大きな圧迫力に耐えるために膝蓋大腿関節を動かさなくなることである．セラピストは膝蓋大腿関節に痛みをもつ患者に対し，膝蓋骨への過度の圧迫力やそれによって生じる膝蓋骨後面の摩耗や破壊を減少させるために，スクワットのようなしゃがむ動作をしないように，あるいは控えるように勧めることが多い．図10.26Aのように，スクワットの姿勢は重心線が膝関節の内側-外側軸後方にあるため，この姿勢をとるために大腿四頭筋を強く活動させなければならない．その結果として，膝蓋骨を大腿骨の顆間溝に押しつける圧迫力が強くなる．図10.26Bは，深いスクワットの姿勢を示す．この図で示すように，深いスクワットの重心線は膝関節の内側-外側軸のはるか後方にあるため，スクワットが深くなるにつれて，より大きな大腿四頭筋の活動が必要となる．そのため，この膝関節伸筋群の筋力増大が，膝蓋大腿関節にかかる圧迫力を増大させる要因になる（図10.26B）．特に膝関節に変形性関節症のような既往がある場合，この大きな合力によって膝蓋大腿関節痛や炎症が悪化することがある．

▶ 膝関節の屈筋群

膝関節の屈筋群には，ハムストリングス，薄筋，縫工筋，腓腹筋，足底筋，膝窩筋が含まれる．興味深いことに，これらの膝関節の屈筋のほとんどは，膝関節を内旋あるいは外旋させる筋でもある．この屈曲と回旋が同時に起こることが重要であり，これについては後述する．

膝関節の屈筋
- 半膜様筋
- 半腱様筋
- 大腿二頭筋：長頭と短頭
- 薄筋と縫工筋
- 腓腹筋と足底筋
- 膝窩筋

1. ハムストリングス

半腱様筋，半膜様筋，大腿二頭筋（短頭と長頭の2つの筋）の4つの筋をまとめて，ハムストリングスとよぶ（図10.27）．

大腿部の後面にあるハムストリングスは，主要な膝屈筋群である．しかし，大腿二頭筋の短頭を除いたハムス

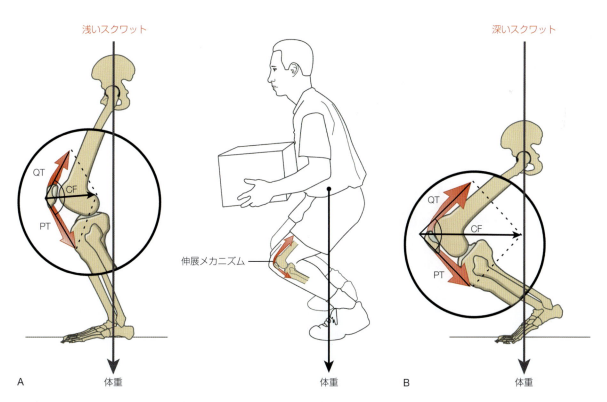

図10.26 スクワットの深さと膝蓋大腿関節にかかる圧迫力との関係
A：浅いスクワットを維持するには，大腿四頭筋の筋力が大腿四頭筋腱（QT）と膝蓋腱（PT）に伝達されることが必要であり，QTとPTの合力ベクトル（CF）が膝蓋大腿関節に作用する．B：深いスクワットでは，より大きな外的屈曲トルク（訳注：膝蓋骨から体重の矢印までの距離がより長くなる）が膝関節に作用するためにより大きな大腿四頭筋筋力が必要となるだけでなく，膝関節角度がより鋭角になるために関節に作用する合力（CF）も大きくなる．（Neumann DA: Kinesiology of the musculoskeletal system: foundations for physical rehabilitation, ed 2, St Louis, 2010, Mosby, Fig. 13.28 より改変）

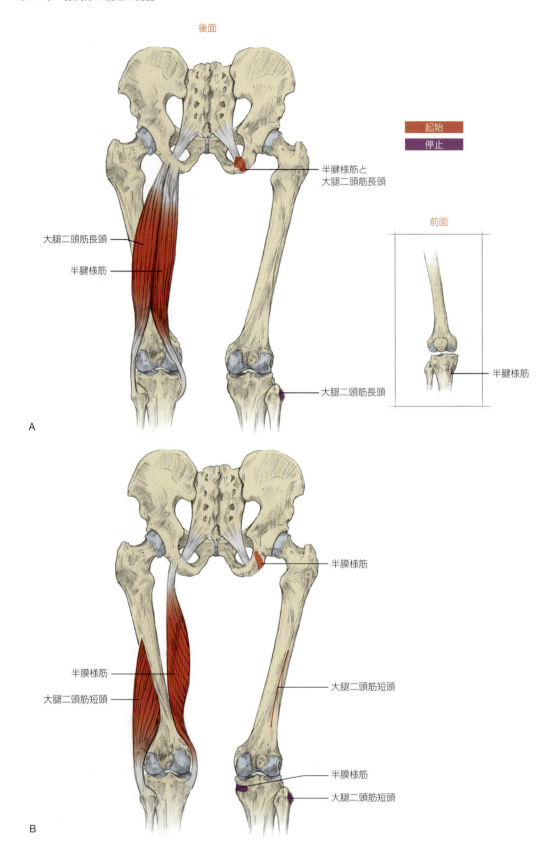

図10.27　ハムストリングスの筋
A：半腱様筋と大腿二頭筋長頭．B：半膜様筋と大腿二頭筋短頭．

トリングスの筋群は股関節の伸展にも関わる．なぜならば，これら3つの筋は膝関節に加えて股関節もまたぐからである．したがって，股関節と膝関節の関節角度がハムストリングスの筋長に影響するために，ハムストリングスの伸張性と筋力の両方が股関節の関節角度に大きく依存する．これはとても重要な特性であるため本章の後半で述べる．ハムストリングスの特徴的な構造は前章で述べたが，簡単なまとめを**表10.4**に示す．

2．薄筋と縫工筋

薄筋と縫工筋が股関節に及ぼす作用については前章で述べた．これらの筋は，膝関節を屈曲すると同時に膝関節を内旋させる．そして，膝関節の内側の安定性を高める重要な役割も担う．

これらの筋の起始は両方とも骨盤にあり，縫工筋は上前腸骨棘に，薄筋は恥骨結合下に付着する（**表10.5**）．これらは互いに並んで遠位に向かい，膝関節の内側-外側回転軸の後方を通る．薄筋と縫工筋の腱は半腱様筋の腱と合流して脛骨近位端の内側に停止する．これら3つの腱は合体して1つの共通の腱になるが，この腱はその形からラテン語で"ガチョウ（鵞鳥）の足"を意味する**鵞足** pes anserinus とよばれる．

臨床的な視点 >> 伸展ラグ

膝の外科的処置後や外傷後，患者は膝関節を伸展させようとしても最後の15～20°で大腿四頭筋が働かず完全に伸展できないことが多々ある．臨床的にはこの機能障害を**伸展ラグ** extensor lag とよび，下肢の機能に悪影響を与えることがある．

膝関節が自動的に完全伸展できないのは，しばしば膝関節包内に滑液が過剰に貯留（腫脹）することに起因する．過剰な滑液が関節内圧を増加させ，膝関節の完全伸展を物理的に妨害すると考えられる．特に，これは伸展の最終域において，関節内圧が最大になるために生じる．また，増加した関節内圧は大腿四頭筋の神経性の抑制を引き起こすため，大腿四頭筋の十分な活動が妨げられる．したがって，膝関節の腫脹を減少させることが膝関節のリハビリテーションにおいて重要となる．

表10.4　ハムストリングス

筋	起始	停止	作用	神経支配
半腱様筋	坐骨結節	脛骨の近位内側面（鵞足を介して）	股関節の伸展 膝関節の屈曲 膝関節の内旋	脛骨神経部分（坐骨神経）
半膜様筋	坐骨結節	脛骨の内側顆の後面	股関節の伸展 膝関節の屈曲 膝関節の内旋	脛骨神経部分（坐骨神経）
大腿二頭筋長頭	坐骨結節	腓骨頭	股関節の伸展 膝関節の屈曲 膝関節の外旋	脛骨神経部分（坐骨神経）
大腿二頭筋短頭	大腿骨体粗線外側唇	腓骨頭	膝関節の屈曲 膝関節の外旋	総腓骨神経部分（坐骨神経）

表10.5　薄筋と縫工筋

筋	起始	停止	作用	神経支配
薄筋	恥骨下枝	脛骨の近位内側（鵞足を介して）	股関節の内転 股関節の屈曲 膝関節の屈曲 膝関節の内旋	閉鎖神経
縫工筋	上前腸骨棘	脛骨の近位内側（鵞足を介して）	股関節の屈曲 股関節の外旋 股関節の外転 膝関節の屈曲 膝関節の内旋	大腿神経

考えてみよう！＞＞鵞足

半腱様筋，縫工筋，薄筋はすべて脛骨の近位部内側にシート状の結合組織で付着する．"ガチョウの足"を意味する鵞足は，これら三筋の腱が，その停止部において三つ又の形で付着することから名づけられた．

これら3つの筋はすべて骨盤の異なる部位から始まるため，股関節の運動において，これらの筋はそれぞれ異なる作用をする．また，これらは異なる神経支配を受けるが，これらの筋は以下の膝関節の運動における3つの共通の機能を果たす．
- 膝関節の屈曲
- 膝関節の内旋
- 膝関節の内側の安定性を保つ内側側副靱帯(MCL)を動的に支持

3. 腓腹筋と足底筋

腓腹筋は2つの筋頭をもつ強力な筋である．足部に大きな底屈トルクを発生することでよく知られ，膝関節の後面をまたぐため膝関節の屈筋でもある．膝関節の後面をまたぐ比較的小さな足底筋とともに並走する．腓腹筋については次章で詳述する．

4. 膝窩筋

本章ですでに述べたように，膝関節は完全伸展すると**終末強制回旋機構**(下腿の外旋)によって固定される．膝窩筋は下腿の効果的な内旋筋であり，その膝関節固定を抑制するトルクを発生する．

例えば，膝関節の伸展位から浅いスクワットを行う際，膝窩筋は大腿骨を軽く外旋させ，膝関節を相対的に内旋させる．この筋の活動が膝関節の固定を解除し，膝関節は屈曲できる．

ATLAS

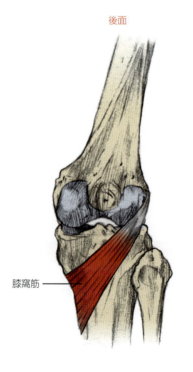
後面
膝窩筋

■ **膝窩筋**

起始	外側大腿骨顆の後面．
停止	脛骨近位部の後面．
神経支配	脛骨神経．
作用	膝関節の内旋，膝関節の屈曲．
解説	膝関節の固定を解除する機能をもつため，この筋は**膝関節の鍵** key of the knee とよばれる．

5. 機能的考察

(1) 女性アスリートはACLの外傷リスクが大きい

女性アスリートは，同じ競技でしかも相対的に同レベルの競技において男性アスリートと比較すると，少なくとも3〜5倍も多くACL損傷を経験しているという報告がある（Arendt, 1999；Evans, 2012；Gwinn, 2000；Messina, 1999）．サッカー，バスケットボールや体操競技のようなジャンプや着地，そして頻繁に片足を軸にして回転するスポーツの競技者は外傷を受けるリスクがより高い．

女性アスリートのそれらの外傷を効率的に予防する，あるいは減少させるトレーニングプログラムの質を向上させるために行われた多くの研究が，ACL損傷の根本的な原因として性差に焦点をあてている．ACL損傷のリスクに寄与するとして引用もしくは研究された多くの要因があるが，それら多くの要因間に普遍的で明確な因果関係を確認するのは困難である．

神経-筋コントロールに関するリスク要因は，スポーツ医学界からかなり注目されている．特に，ジャンプから着地する仕方について女性と男性の特徴的な違いを調査している研究者が注目されている．いくつかの研究で，女性は男性よりも膝がより外反した状態で着地すると報告されている（Chappell, 2007；Ford, 2003；Liederbach, 2014）．この着地の仕方は，MCLも同様にACLに潜在的なダメージを生じさせる大きな伸張力が生じる．着地や左右への急な方向転換動作時の膝関節についてこの不良な姿勢は，膝の筋力の減少，あるいは膝の筋のコントロールが不十分なことから生じているのかもしれない．同様に，股関節外転筋群や外旋筋群の筋力低下やコントロールの不良から生じているのかもしれない．ここで述べたジャンプから不良な体勢で着地した結果は前述しており，図10.19に示している．

また，女性アスリートは体幹，股関節および膝関節がより伸展した状態（屈曲不足）でジャンプから着地をすることが示されている．これはしばしば"こわばった"着地とよばれている（Chappell, 2007；Ford, 2011）．筋電図（EMG）の研究で，ジャンプからこのより伸展した姿勢の着地は"大腿四頭筋優位"着地パターンをつくっていることが示されている（Ford, 2011；Fox, 2014）．この大腿四頭筋優位の着地パターンは，体幹の減速（より遅くさせる）をコントロールするために必要な力の大部分を，ハムストリングスや大殿筋ではなく大腿四頭筋が占めていることを示している（図10.28A）．このとき大

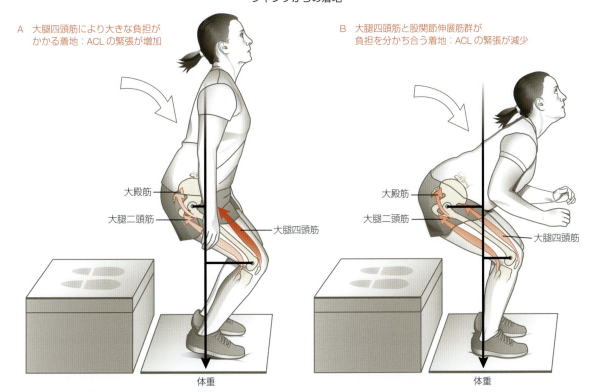

図10.28　ジャンプからの2つの異なる着地パターン
Aは，より硬く体幹をまっすぐに立てた着地パターンを示している．股関節の外的モーメントアームが相対的に小さくなっていることと，膝関節の外的モーメントアームが大きくなっていることに注意してほしい．ここでは大腿四頭筋による大きな膝関節伸展力が必要になる．一方，Bの着地パターンは，結果として股関節と膝関節の外的モーメントアームの相対的長さは逆転する．相対的な筋活動を異なる赤色で示している．図中Aの大腿四頭筋の不釣り合いな大きな筋活動を参照．
注：大腿二頭筋はハムストリングス全体の代表として示されている．ACLは前十字靱帯を示す．（Neumann DA: Kinesiology of the musculoskeletal system: foundations for physical rehabilitation, ed 3, St Louis, 2017, Mosby, Fig. 13.38より）

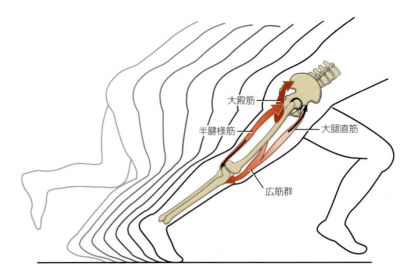

図10.29　走行のプッシュオフ相における右下肢の筋の相互作用
多関節筋の大腿直筋と半腱様筋との関係に注目しよう．股関節の伸展と膝関節の伸展が同時に起こる姿勢では，半腱様筋は股関節で，大腿直筋は膝関節で，それぞれ"筋の長さの借りをつくる（訳注：短縮する）"．それぞれの筋の中で，黒色の矢印は"伸張"される領域を示す．（Neumann DA: Kinesiology of the musculoskeletal system: foundations for physical rehabilitation, ed 2, St Louis, 2010, Mosby, Fig. 13.43 より）

腿四頭筋の大きな力は脛骨に作用するが，ハムストリングスが後方へ牽引する力を出したとしても相殺することができないため，脛骨が前方へ牽引されるかもしれない．つまりACLが緊張する可能性がある．

より安全で優先されるべき典型的な着地を**図10.28B**に図示した．アスリートが，**図10.28A**で示した着地よりも体幹，股関節および膝関節を大きく屈曲させていることに着目してほしい．この屈曲を大きくするように注意を払った着地は，体重により生じる膝関節の屈曲トルクを小さくして，股関節の屈曲トルクを大きくする．つまり，外的モーメントアームの相対的な長さが変化する（**図10.28A**と比較して）．したがって，"こわばった"着地よりも大腿四頭筋の筋活動が小さくなり，相対的にハムストリングスや殿筋の筋活動は大きくなる．大腿四頭筋が発生させる力とハムストリングス（と殿筋）が生じる力は，ここでより釣り合いがとれるため，膝関節にかかる前方への剪断力とそれに伴って生じるACLの前方への緊張は著しく減少する（Escamilla, 2012; Kulas, 2012）．

多くの女性アスリートのためのACL損傷の予防プログラムは，受傷率を下げるために示されている（Benjaminse, 2015; Gagnier, 2013; Mandelbaum, 2005; Postma, 2013）．しかし，これらのプログラムは見込みがあるにもかかわらず，女性のアスリートの全体的なACL損傷の受傷率は高いままである．より効果的な解決方法をみつけるために，これらの外傷の裏にある神経-筋メカニズムあるいは生体力学的メカニズムを今まで以上に理解する必要がある．そのためには今後多くの研究が必要となる．

(2) 大腿直筋とハムストリングスとの共同作用

下肢は，①股関節屈曲と膝関節屈曲，あるいは，②股関節伸展と膝関節伸展が，同時に組み合わさっているときに最も機能的に活動する．例えばジャンプをするときや，急な坂道を上るときの下肢の動きを考えてみよう．股関節と膝関節の運動はでたらめに行われるのではなく，大腿直筋とハムストリングスが効果的に力を発揮できるように，自然にそれぞれの筋が最適な筋長になるようになっている．

もう少し詳しく説明するために，ランニングの自然な動きである股関節の伸展と膝関節の伸展が同時に起こる動きについて考えてみる（**図10.29**）．例えば，半腱様筋が収縮して股関節は伸展するが，半腱様筋自身は短縮する．しかし，同時に膝関節は大腿四頭筋によって伸展するため，半腱様筋は膝関節で他動的に引き伸ばされる．逆に，大腿直筋は膝関節を伸展させるため膝関節では短縮するが，同時に股関節伸展により引き伸ばされる．そのため，股関節と膝関節が連動して伸展する限り，大腿直筋と半腱様筋の双方は，股関節と膝関節を介して相互に過度の収縮（短縮）を避けることができる．もし仮に，これらの連動した動きが起こらなければ，これら二筋は急速に活動できなくなり，力を効果的に発揮できなくなるであろう．例えば，膝関節を屈曲させたまま股関節を伸展させる運動について考えてみよう（**図10.30**）．この普通ではみられない動作では，ハムストリングスは収縮するとすぐに過度の短縮を起こし，筋力を発生させる能力が著しく低下した状態になる．反対に，大腿直筋も過

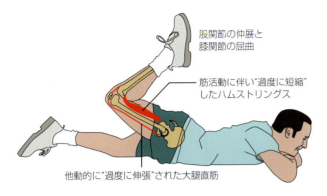

図 10.30 ハムストリングスの不十分な活動と大腿直筋の過度な伸張
股関節伸展と膝関節屈曲が同時に起こった運動では，ハムストリングスは十分に活動できない．また，細い赤色の線で示している大腿直筋も同様に過剰に伸張されている．
(Neumann DA: Kinesiology of the musculoskeletal system: foundations for physical rehabilitation, St Louis, 2002, Mosby, Fig. 13.37Bより)

度に伸張されているため十分に活動できない．

つまり，膝関節屈曲と股関節伸展によって大腿直筋もハムストリングスも機能がより制限されたことになる．表10.6に運動の組み合わせを示した．組み合わせ方によって，大腿直筋とハムストリングスの筋力の発生の仕方は効率的にも非効率的にもなる．

膝関節の内旋筋と外旋筋

薄筋，膝窩筋，縫工筋と同様に，すべてのハムストリングスの筋は，膝関節の水平面で起こる回旋を調節する．内側のハムストリングス（半腱様筋と半膜様筋），薄筋，縫工筋は，膝関節を内旋させる．一方，外側のハムストリングス（大腿二頭筋の長頭と短頭の両方）は，膝関節を外旋する．

興味深いことに，膝関節が完全伸展位付近にある場合，これら2つの筋群が膝関節を回旋する能力はほとんど無視できるが，膝関節が90°に屈曲している場合は，その能力は最大となる．これは，筋が骨幹に対して90°の角度で作用するとき，最も影響を与えることができるという概念を裏づけるものである．

膝関節の内旋筋群の力は，外旋筋群の力よりもかなり大きい．これは，膝関節の内旋筋群のほうが外旋筋群よりも構成する筋の数が多いためであり，特に驚くことではない．内旋筋群が有利に思えるこの不均衡は，膝関節の内旋を加速する（求心性収縮によって），あるいは膝関節の外旋を減速する（遠心性収縮によって）といった，膝関節に必要とされる機能を反映しているのかもしれない．スポーツの活動でしばしばみられる"切り返しcutting（素早い方向転換）"の分析では，膝関節の内旋筋群の遠心性収縮の重要性が示される．例えば，左への急な切り返しでは，通常は右足をしっかりと接地して，左へ押し出す．図10.31のように，この動作は固定された脛骨に対して右大腿骨の内旋を起こす．実際には，膝関節の（大腿骨に対する脛骨の）外旋であることを思い出してほしい．この動きは膝関節に外反力を発生させる．これを確認することは簡単である．切り返しの際，遠心性収縮によって内旋筋群はただ脛骨の外旋を減速するだけではなく，内側側副靱帯（MCL）を動的に保護し，過度の外反へ導く力から膝関節を守っている（図10.31B）．

膝関節の内旋筋と外旋筋
- 内旋筋
  - ・半膜様筋
  - ・半腱様筋
  - ・薄筋
  - ・縫工筋
  - ・膝窩筋
- 外旋筋
  - ・大腿二頭筋：長頭
  - ・大腿二頭筋：短頭

表10.6 効率的または非効率的な筋力を発生させる運動の組み合わせ

股関節あるいは膝関節の運動	内容
効率的な筋力の発生 　股関節屈曲と膝関節屈曲 　股関節伸展と膝関節伸展	大腿直筋とハムストリングスは共同して働くため最適な長さ-張力関係が維持できる 上記と同様に，大腿直筋とハムストリングスは共同して働くため最適な長さ-張力関係が維持できる
非効率的な筋力の発生 　股関節屈曲と膝関節伸展 　股関節伸展と膝関節屈曲	大腿直筋は，両関節で短縮するため十分に活動できない．筋力を発生する能力が極端に減少する ハムストリングスは，他動的に両関節で伸張されるため十分な活動ができなくなる．股関節と膝関節の動きが自然に抑制される 大腿直筋は，他動的に両関節で伸張されるため十分な活動ができなくなる．股関節と膝関節の動きが自然に抑制される ハムストリングスは両関節で短縮するため十分に活動できない．筋力を発生する能力が極端に減少する

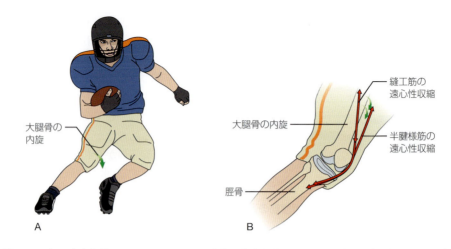

図10.31　右足を軸にして左へ方向転換しようとしている図(A)と方向転換するときに生じる筋力と関節運動を示した図(B)
大腿骨の内旋に加えて膝の外反に注目しよう．膝関節の外旋を減速させるために，内側ハムストリングスの縫工筋は遠心性収縮をする（脛骨に対する大腿骨の過度の内旋を抑制する）．

表10.7　膝関節の関節可動域測定

運動	回転軸	基本軸	移動軸	参考可動域（自動）
屈曲	大腿骨の外側上顆	大転子までの大腿骨の長軸	外果	135～140°
伸展	大腿骨の外側上顆	大転子までの大腿骨の長軸	外果	0～5°（過伸展）

表10.7は，膝関節の一般的な角度測定で参照される表である．この表には解剖学的な位置と関節可動域測定で用いられる軸を示している．自動運動による関節可動域の（正常の）値も示してある．ここで注意してほしいことは，いくつかの理由からこれらの標準的な可動域は本来大きな開きを伴うことである．

まとめ

　膝関節はその構造上，骨だけで安定した支持が得られないため，膝関節の安定性は主に靱帯と膝関節周囲の筋が担っている．そのため膝関節は比較的外傷を受けやすい．さらに膝関節は股関節と足部の間に位置しているため，下肢の両端にあるこれらの関節から多くの大きなストレスを受けている．

　セラピストの視点として大切なことは，膝関節を下肢全体の機能的な動きから考えることである．膝関節のリハビリテーションは，膝関節を構成するそれぞれの関節と筋も対象となるが，通常は膝関節そのものに対するアプローチである．膝関節そのものに焦点をあてた治療では，膝関節を動かす筋を伸張することや筋力の増強，装具の適応，そして損傷した軟部組織の保護が主なものとなる．しかし，慎重に観察をするセラピストは，膝関節のリハビリテーションの治療対象として股関節や足関節にも着目し，それらの機能不全についても治療を施す．

臨床的な視点 >> 大殿筋に対する選択的な徒手筋力検査（MMT）

患者に筋群の弱化がある場合，セラピストはその筋群の中のどの筋が原因なのかを評価して見極めることが重要である．股関節の伸筋群を評価する場合が，これにあてはまるであろう．これらの筋群の形態や機能を理解していれば，セラピストはMMTとして知られる手技を用いて，共通の機能を果たす複数の筋の中で特定の筋を同定することができる．その例を以下に述べる．

- **すべての股関節伸筋群のMMT（図10.32A）**：患者を腹臥位にし，膝関節を伸展したまま最大に努力させて股関節を伸展させる．セラピストは，この運動に対して徒手で抵抗をかけて，その筋力に適切な筋力の段階を決定する．セラピストによって筋力が低いと判断されたとき，この場合はただ股関節伸筋群全体としての筋力低下を示すのみである．
- **大殿筋のMMT（図10.32B）**：患者に腹臥位で膝関節を屈曲させたまま，股関節を最大に努力させて伸展させる．セラピストは，再度徒手で抵抗をかけて，その筋力に適切な筋力の段階を決定する．膝関節屈曲位と股関節伸展位は，ハムストリングスを股関節と膝関節の両方で意図的に短縮させている肢位であるため，その筋群の筋力の関与を最小限に抑えることができる．この手技はハムストリングスの筋収縮と大殿筋の筋活動を"分離"させていると考えられ，このテストによって筋力低下と判断された場合は，大殿筋の筋力が低下していることを示唆している．
- **ハムストリングスのMMT（図10.32C）**：まず患者に膝関節90°屈曲位の状態で腹臥位をとらせる．次にセラピストは膝関節を伸展方向に引くように力を入れ，患者にはその力に抵抗してもらう．もし患者が最大に抵抗しているにもかかわらず，セラピストが膝関節を伸展方向に引っ張ることができたら，ハムストリングスの筋力低下が考えられる．

図10.32　股関節伸筋群に対する2種類の徒手筋力検査（MMT）
A：すべての股関節伸筋群（大殿筋とハムストリングス）に対するMMT．B：大殿筋のみのMMT．C：ハムストリングスのみのMMT．

確認問題

1. 前十字靭帯の主な矢状面の機能はどれか.
   a. 固定された脛骨に対する大腿骨の後方移動に抵抗する
   b. 固定された脛骨に対する大腿骨の前方移動に抵抗する
   c. 固定された大腿骨に対する脛骨の前方移動に抵抗する
   d. a と c
   e. b と c

2. 大腿四頭筋の停止はどれか.
   a. 脛骨高原
   b. 脛骨粗面
   c. 鵞足
   d. 大腿骨外側上顆

3. あなたは患者が O 脚を呈しながら歩行していることに気がついた.この現象が示していると考えられるのはどれか.
   a. 外反膝
   b. 内反膝
   c. 反張膝
   d. 外側半月板損傷

4. 膝関節の外反を起こす外力から,膝関節を保護する主な靭帯はどれか.
   a. 内側側副靭帯
   b. 後十字靭帯
   c. 外側側副靭帯
   d. 弓状膝窩靭帯

5. おそるべき三徴候(不幸の三徴(候))とはどれか.
   a. ハムストリングスに関わる 3 つの主な筋
   b. 深いスクワットの際に生じる三角形の張力
   c. 内側側副靭帯,前十字靭帯,内側半月板の 3 つの組織に同時に起こる外傷
   d. 大腿四頭筋,ハムストリングス,腓腹筋の 3 つの筋が同時に活動すること

6. 膝関節の内側半月板と外側半月板の機能について,最も適切なものはどれか.
   a. 膝蓋骨と大腿骨との間の圧迫力を吸収する
   b. 脛骨と大腿骨との間の圧迫力を吸収して分散させる
   c. ハムストリングスの筋群と大腿骨の両上顆との間の摩擦を防ぐ
   d. 大腿骨と脛骨との間の関節の接触面積を減少させる

7. 膝関節の終末強制回旋機構について,最も適切なものはどれか.
   a. 膝関節の能動的な伸展によって膝蓋骨が上方移動すること
   b. 膝関節の受動的な屈曲によって膝蓋骨が下方移動すること
   c. 膝関節が伸展したときに膝関節の固定に働く自動的な回旋のこと
   d. 内側および外側ハムストリングスの筋が同時に活動すること

8. 大腿神経によって支配される筋はどれか.
   a. 大腿二頭筋長頭
   b. 半腱様筋
   c. 大腿直筋
   d. a と c
   e. b と c

9. 股関節の伸展と膝関節の屈曲に作用する筋はどれか.
   a. 半腱様筋
   b. 大腿二頭筋長頭
   c. 大腿二頭筋短頭
   d. a と b
   e. 上記のすべて

10. 鵞足に関係しない筋はどれか.
    a. 縫工筋
    b. 大腿直筋
    c. 薄筋
    d. 半腱様筋

11. 脛骨神経部分(坐骨神経)に支配されない筋はどれか.
    a. 半腱様筋
    b. 大腿二頭筋長頭
    c. 半膜様筋
    d. 大腿二頭筋短頭

12. 膝関節の内側-外側回転軸で膝関節を前方に回転させる筋の作用はどれか.
    a. 膝関節の屈曲
    b. 膝関節の伸展
    c. 膝関節の内旋
    d. 膝関節の外旋

13. 反張膝について,最も適切なものはどれか.
    a. 固定された大腿骨に対する脛骨の内旋
    b. 著しく過伸展した膝関節
    c. X 脚,あるいは過度に外反した膝関節
    d. O 脚,あるいは過度に内反した膝関節

14. 膝蓋骨の機能について,最も適切なものはどれか.
    a. 膝関節の過度の過伸展を妨げる
    b. 膝蓋骨の内旋で内側ハムストリングスを助ける
    c. 大腿四頭筋の内的モーメントアームを増大させ,膝関節の伸展トルクを増大させる
    d. 膝関節の過度の屈曲を妨げる
    e. b と d

15. 膝蓋骨を過度に外側トラッキングさせる要因はどれか.
    a. 腸脛靭帯あるいは外側支帯の短縮
    b. 足関節と足部の過度の外がえし
    c. 股関節の外転筋と外旋筋の筋力低下
    d. b と c
    e. 上記のすべて

16. 膝関節の伸展ラグ extensor lag について最も適切なものはどれか.
    a. 大腿直筋の活動に続いて起こる内側広筋と外側広筋

の活動
- ⓑ ハムストリングスの活動ののちに起こる大腿四頭筋の活動
- ⓒ 膝関節周囲に起こった浮腫のために，膝関節が完全伸展できないこと
- ⓓ 股関節の伸展に続いて起こる膝関節の伸展

17 ▶ ハムストリングスを最大に引き伸ばすのは，次のどの組み合わせか．
- ⓐ 股関節の屈曲と膝関節の屈曲
- ⓑ 股関節の伸展と膝関節の屈曲
- ⓒ 股関節の屈曲と膝関節の伸展
- ⓓ 股関節の伸展と膝関節の伸展

18 ▶ 膝関節を完全伸展させて立位になったとき，ハムストリングスが短縮した患者にみられる現象は次のどれか．
- ⓐ 骨盤の相対的な前傾
- ⓑ 骨盤の相対的な後傾
- ⓒ 内反膝
- ⓓ 外反膝

19 ▶ 膝関節を屈曲しながら股関節を屈曲する運動の間，大腿直筋は筋力を維持し続けることができるのはなぜか．
- ⓐ 大腿直筋が最大限に引き伸ばされるから
- ⓑ ハムストリングスが股関節の屈曲を助けるから
- ⓒ 大腿直筋が股関節では短縮するが膝関節では伸ばされるため，筋力を発生させるのに最適な筋長を維持できるから
- ⓓ 内側広筋と外側広筋が股関節の屈曲を助け，一方で，単関節筋の大殿筋が膝関節の屈曲を助けるから

20 ▶ 多関節筋でないのはどれか．
- ⓐ 外側広筋
- ⓑ 内側広筋
- ⓒ 大腿直筋
- ⓓ aとb
- ⓔ 上記のすべては多関節筋である

21 ▶ 大腿四頭筋を構成する筋でないものはどれか．
- ⓐ 半膜様筋
- ⓑ 中間広筋
- ⓒ 大腿直筋
- ⓓ 外側広筋
- ⓔ aとc

22 ▶ もし大腿四頭筋が遠心性収縮をするとしたら，どうなるか．
- ⓐ 膝関節の伸展に働く
- ⓑ 股関節の屈曲に働く
- ⓒ 膝関節の屈曲に働く
- ⓓ 膝蓋骨が上方へ移動する

23 ▶ 大きなQ角は，膝蓋骨を過度に外側トラッキングさせる．
- ⓐ 正しい
- ⓑ 誤り

24 ▶ 腓腹筋は，膝関節を伸展させる．
- ⓐ 正しい
- ⓑ 誤り

25 ▶ 膝関節を能動的に伸展させる際，膝蓋骨は上方に移動する．
- ⓐ 正しい
- ⓑ 誤り

26 ▶ 膝窩筋の主な機能の一つは，膝関節の固定を助けることである．
- ⓐ 正しい
- ⓑ 誤り

27 ▶ 深いスクワットは，浅いスクワットよりも膝蓋大腿関節の圧迫力が大きい．
- ⓐ 正しい
- ⓑ 誤り

28 ▶ 股関節の屈曲と膝関節の伸展が同時に起こるとき，大腿直筋は十分に働かない．
- ⓐ 正しい
- ⓑ 誤り

29 ▶ 後十字靱帯の主な機能の一つは，固定された大腿骨に対して脛骨が後方へ移動するのを妨げることである．
- ⓐ 正しい
- ⓑ 誤り

30 ▶ 内側側副靱帯と外側側副靱帯は膝関節の伸展でゆるむため，膝関節の完全伸展位では外傷を受けにくい．
- ⓐ 正しい
- ⓑ 誤り

参考文献

Ardern, C.L., Taylor, N.F., Feller, J.A., et al. (2012) Return-to-sport outcomes at 2 to 7 years after anterior cruciate ligament reconstruction surgery. The American Journal of Sports Medicine, 40(1), 41-48.

Arendt, E.A., Agel, J. & Dick, R. (1999) Anterior cruciate ligament injury patterns among collegiate men and women. Journal of Athletic Training, 34(2), 86-92.

Baldon Rde, M., Serrão, F.V., Scattone Silva, R., et al. (2014) Effects of functional stabilization training on pain, function, and lower extremity biomechanics in women with patellofemoral pain: a randomized clinical trial. Journal of Orthopaedic & Sports Physical Therapy, 44(4), 240-A800.

Benjaminse, A., Gokeler, A., Dowling, A.V., et al. (2015) Optimization of the anterior cruciate ligament injury prevention paradigm: novel feedback techniques to enhance motor learning and reduce injury risk. The Journal of orthopaedic and sports physical therapy, 45(3), 170-182.

Beynnon, B.D., Johnson, R.J., Abate, J.A., et al. (2005) Treatment of anterior cruciate ligament injuries, part 1. The American Journal of Sports Medicine, 33(10), 1579-1602.

Beynnon, B.D., Johnson, R.J., Abate, J.A., et al. (2005) Treatment of anterior cruciate ligament injuries, part 2. The American Journal of Sports Medicine, 33(11), 1751-1767.

Chappell, J.D., Creighton, R.A., Giuliani, C., et al. (2007) Kinematics and electromyography of landing preparation in vertical stop-jump: risks for non-contact anterior cruciate ligament injury.

The American Journal of Sports Medicine, 35, 235-241.
Chen, H.Y., Chien, C.C., Wu, S.K., et al. (2012) Electromechanical delay of the vastus medialis obliquus and vastus lateralis in individuals with patellofemoral pain syndrome. Journal of Orthopaedic & Sports Physical Therapy, 42(9), 791-796.
Christoforakis, J., Bull, A.M., Strachan, R.K., et al. (2006) Effects of lateral retinacular release on the lateral stability of the patella. Knee Surgery, Sports Traumatology, Arthroscopy, 14(3), 273-277.
Christou, E.A. (2004) Patellar taping increases vastus medialis oblique activity in the presence of patellofemoral pain. Journal of Electromyography and Kinesiology, 14(4), 495-504.
Escamilla, R.F., MacLeod, T.D., Wilk, K.E., et al. (2012) Anterior cruciate ligament strain and tensile forces for weight-bearing and non-weight-bearing exercises: a guide to exercise selection [Review]. The Journal of orthopaedic and sports physical therapy, 42(3), 208-220.
Escamilla, R.F., MacLeod, T.D., Wilk, K.E., et al. (2012) Cruciate ligament loading during common knee rehabilitation exercises. [Review]. Proceedings of the Institution of Mechanical Engineers Part H. Journal of Engineering in Medicine, 226(9), 670-680.
Evans, K.N., Kilcoyne, K.G., Dickens, J.F., et al. (2012) Predisposing risk factors for non-contact ACL injuries in military subjects. Knee Surgery, Sports Traumatology, Arthroscopy, 20(8), 1554-1559.
Ford, K.R., Myer, G.D. & Hewett, T.E. (2003) Valgus knee motion during landing in high school female and male basketball players. Medicine and Science in Sports and Exercise, 35, 1745-1750.
Ford, K.R., Myer, G.D., Schmitt, L.C., et al. (2011) Preferential quadriceps activation in female athletes with incremental increases in landing intensity. Journal of Applied Biomechanics, 27(3), 215-222.
Fox, A.S., Bonacci, J., McLean, S.G., et al. (2014). What is normal? Female lower limb kinematic profiles during athletic tasks used to examine anterior cruciate ligament injury risk: a systematic review [Review]. Sports Medicine, 44(6), 815-832.
Gagnier, J.J., Morgenstern, H. & Chess, L. (2013) Interventions designed to prevent anterior cruciate ligament injuries in adolescents and adults: a systematic review and meta-analysis [Review]. The American Journal of Sports Medicine, 41(8), 1952-1962.
Gigante, A., Pasquinelli, F.M., Paladini, P., et al. (2001) The effects of patellar taping on patellofemoral incongruence: a computed tomography study. The American Journal of Sports Medicine, 29(1), 88-92.
Giles, L.S., Webster, K.E., McClelland, J.A., et al. (2015) Atrophy of the quadriceps is not isolated to the vastus medialis oblique in individuals with patellofemoral pain. The Journal of orthopaedic and sports physical therapy, 45(8), 613-619.
Gwinn, D.E., Wilckens, J.H., McDevitt, E.R., et al. (2000) The relative incidence of anterior cruciate ligament injury in men and women at the United States Naval Academy. The American Journal of Sports Medicine, 28, 98-102.
Hewett, T.E. & Myer, G.D. (2011) The mechanistic connection between the trunk, hip, knee, and anterior cruciate ligament injury. Exercise & Sport Sciences Reviews, 39(4), 161-166.
Hewett, T.E., Myer, G.D. & Ford, K.R. (2006) Anterior cruciate ligament injuries in female athletes. Part 1: mechanisms and risk factors. The American Journal of Sports Medicine, 34(2), 299-311.
James, E.W., LaPrade, C.M. & LaPrade, R.F. (2015) Anatomy and biomechanics of the lateral side of the knee and surgical implications [Review]. Sports Medicine and Arthroscopy Review, 23(1), 2-9.
Jones, P.A., Herrington, L.C., Munro, A.G., et al. (2014) Is there a relationship between landing, cutting, and pivoting tasks in terms of the characteristics of dynamic valgus? The American Journal of Sports Medicine, 42(9), 2095-2102.
Khayambashi, K., Fallah, A., Movahedi, A., et al. (2014) Posterolateral hip muscle strengthening versus quadriceps strengthening for patellofemoral pain: a comparative control trial. Archives of Physical Medicine & Rehabilitation, 95(5), 900-907.
Kulas, A.S., Hortobagyi, T. & DeVita, P. (2012) Trunk position modulates anterior cruciate ligament forces and strains during a single-leg squat. Clinical Biomechanics (Bristol, Avon), 27(1), 16-21.
Lee, S.P., Souza, R.B. & Powers, C.M. (2012) The influence of hip abductor muscle performance on dynamic postural stability in females with patellofemoral pain. Gait & Posture, 36(3), 425-429.
Liederbach, M., Kremenic, I.J., Orishimo, K.F., et al. (2014) Comparison of landing biomechanics between male and female dancers and athletes, part 2: influence of fatigue and implications for anterior cruciate ligament injury. The American Journal of Sports Medicine, 42(5), L1089-L1095.
Liu, F., Gadikota, H.R., Kozanek, M., et al. (2011) In vivo length patterns of the medial collateral ligament during the stance phase of gait. Knee Surgery, Sports Traumatology, Arthroscopy, 19(5), 719-727.
Mandelbaum, B.R., Silvers, H.J., Watanable, D.S., et al. (2005) Effectiveness of a neuromuscular and proprioceptive training program in preventing anterior cruciate ligament injuries in female athletes; 2-year follow-up. The American Journal of Sports Medicine, 33, 1003-1010.
Messina, D.F., Farney, W.C. & DeLee, J.C. (1999) The incidence of injury in Texas high school basketballo. A prospective study among male and female athletes. The American Journal of Sports Medicine, 27, 294-299.
Neumann, D. (2017) Kinesiology of the musculoskeletal system: foundations for physical rehabilitation (3rd ed.). St Louis: Elsevier.
Postma, W.F. & West, R.V. (2013) Anterior cruciate ligament injury-prevention programs [Review]. The Journal of Bone and Joint Surgery, 95(7), 661-669.
Powers, C.M. (2003) The influence of altered lower-extremity kinematics on patellofemoral joint dysfunction: a theoretical perspective. Journal of Orthopaedic & Sports Physical Therapy, 33(11), 639-646.
Powers, C.M. (2000) Patellar kinematics. Part I: the influence of vastus muscle activity in subjects with and without patellofemoral pain. Physical Therapy, 80(10), 956-964.
Powers, C.M. (2000) Patellar kinematics. Part II: the influence of the depth of the trochlear groove in subjects with and without patellofemoral pain. Physical Therapy, 80(10), 965-978.
Powers, C.M., Chen, P.Y., Reischl, S.F., et al. (2002) Comparison of foot pronation and lower extremity rotation in persons with and without patellofemoral pain. Foot & Ankle International, 23(7), 634-640.
Powers, C.M., Chen, Y.J., Scher, I., et al. (2006) The influence of patellofemoral joint contact geometry on the modeling of three dimensional patellofemoral joint forces. Journal of Biomechanics, 39(15), 2783-2791.
Powers, C.M., Ward, S.R., Fredericson, M., et al. (2003) Patellofemoral kinematics during weight-bearing and non-weight-bearing knee extension in persons with lateral subluxation of the patella: a preliminary study. Journal of Orthopaedic & Sports Physical Therapy, 33(11), 677-685.
Powers, C.M., Ho, K.Y., Chen, Y.J., et al. (2014) Patellofemoral joint stress during weight-bearing and non-weight-bearing quadriceps exercises. Journal of Orthopaedic & Sports Physical Therapy, 44(5), 320-327.
Salsich, G.B., Brechter, J.H., Farwell, D., et al. (2002) The effects of patellar taping on knee kinetics, kinematics, and vastus lateralis muscle activity during stair ambulation in individuals with patellofemoral pain. Journal of Orthopaedic & Sports Physical

Therapy, 32, 3-10.

Standring, S. (2016) Gray's anatomy: the anatomical basis of clinical practice (41st ed.). New York: Churchill Livingstone.

Stevenson, J.H., Beattie, C.S., Schwartz, J.B., et al. (2015) Assessing the effectiveness of neuromuscular training programs in reducing the incidence of anterior cruciate ligament injuries in female athletes: a systematic review [Review]. The American Journal of Sports Medicine, 43(2), 482-490.

Stijak, L., Blagojevic, Z., Santrac-Stijak, G., et al. (2011) Predicting ACL rupture in the population actively engaged in sports activities based on anatomical risk factors. Orthopedics, 34(6), 431.

Sturnick, D.R., Vacek, P.M., Desarno, M.J., et al. (2015) Combined anatomic factors predicting risk of anterior cruciate ligament injury for males and females. The American Journal of Sports Medicine, 43(4), 839-847.

Suzuki, T., Hosseini, A., Li, J.S., et al. (2012) In vivo patellar tracking and patellofemoral cartilage contacts during dynamic stair ascending. Journal of Biomechanics, 45(14), 2432-2437.

Taylor, K.A., Terry, M.E., Utturkar, G.M., et al. (2011) Measurement of in vivo anterior cruciate ligament strain during dynamic jump landing. Journal of Biomechanics, 44(3), 365-371.

van der Worp, M.P., van der Horst, N., de, W.A., et al. (2012) Iliotibial band syndrome in runners: a systematic review. [Review]. Sports Medicine, 42(11), 969-992.

Voleti, P.B., Tjoumakaris, F.P., Rotmil, G., et al. (2015) Fifty most-cited articles in anterior cruciate ligament research. Orthopedics, 38(4), e297-e304.

Wilson, W.T., Deakin, A.H., Payne, A.P., et al. (2012) Comparative analysis of the structural properties of the collateral ligaments of the human knee. Journal of Orthopaedic & Sports Physical Therapy, 42(4), 345-351.

Witvrouw, E., Danneels, L., Van, T.D., et al. (2004) Open versus closed kinetic chain exercises in patellofemoral pain: a 5-year prospective randomized study. The American Journal of Sports Medicine, 32, 1122-1130.

第11章 足関節と足部の構造と機能

本章の概要

- 用語
- 歩行周期の概要
- 骨学
  - 脛骨遠位部と腓骨
  - 足部の骨
- 足関節と足部の関節学
- 一般的な特徴
- 足関節と足部の運動学
- 足関節と足部の近位の関節
- 足部の遠位の関節
- 筋と関節の相互作用
- 足関節と足部の筋の神経支配
- 足関節と足部の外在筋
- 足部の内在筋
- まとめ
- 確認問題
- 参考文献

学習目標

- 足関節と足部の主な骨と、その特徴を述べることができる.
- 足関節と足部の結合組織を説明できる.
- 距腿関節、距骨下関節、横足根関節の主な運動を述べることができる.
- 距腿関節が最も安定する肢位を説明できる.
- 足関節と足部の背屈／底屈、回外／回内、内転／外転における、それぞれの運動面と回転軸を述べることができる.
- 足関節と足部の外がえしと内がえしの構成要素を説明できる.
- 内側縦アーチの機能を説明できる.
- 足関節では、内側の靱帯に比べて外側の靱帯のほうが損傷されやすい理由を説明できる.
- 足関節と足部の筋の起始と停止から、その部位の筋活動を説明できる.
- 足関節と足部の筋の神経支配を述べることができる.
- つま先立ちを行う主な筋の相互作用を説明できる.
- 背屈筋の弱化によって生じる、一般的な異常歩行のパターンを説明できる.
- 不整地（平坦でない場所）での立位あるいは歩行において、距腿関節、距骨下関節、横足根関節はどのように相互作用し、足部を地面に適応させるのかを説明できる.

キーワード

内がえし	下垂足	底屈	ほぞ穴
凹足	下腿三頭筋	内転	遊脚相
回外	足底面	背屈	立脚相
外転	足背面	扁平足	
回内	外がえし	歩行周期	

　足関節と足部の骨・関節・筋は、それぞれが協調することによって、下肢の末端部として幅広い適応能力を獲得している．例えば、人が岩場を登る場面を想像してみよう．地形の変化に適応するためには、足関節と足部に十分な柔軟性が必要となる．しかし同時に、体重を支えるための基盤としての頑丈さと、筋収縮による強い力を備える必要がある．このようなさまざまな要因により、足関節と足部の関節構造は、柔軟性と安定性を必要に応じて使い分ける機能をもった、三次元の立体的な組み合わせであるといえる．

本章では，この三次元の組み合わせを構成する筋と関節について概説する．

用語

足関節や足部の構造の記載には，特別な用語を用いる必要がある．**足底面** plantar aspect は，sole や bottom ともよばれ，**足背面** dorsal aspect は，top や superior portion ともよばれる．

後足部，中足部，前足部という名称は，足部の特徴的な部位を表す臨床的な用語である（**図11.1**）．

歩行周期の概要

足関節と足部の最も重要な機能は，**歩行** gait の際にみられる．歩行の運動学は，歩行周期の範囲内で体系化されている（**図11.2**）．**歩行周期** gait cycle とは，歩行において，一側の下肢の踵が接地してから，同側の下肢の踵が再び接地するまでの周期である．

歩行周期は，立脚相と遊脚相に分けられる．**立脚相** stance phase とは，足が地面に接地している期間をいい，**遊脚相** swing phase とは，下肢が地面から離れ，次の一歩に向かって空中を前方移動する期間をいう．立脚相は一般的に，①**踵接地** heel contact, ②**足底接地** foot flat, ③**立脚中期** mid stance, ④**踵離地** heel off, ⑤**足指（趾）離地** toe off の5つの事象に分割される．遊脚相は一般的に，①**遊脚初期** early swing, ②**遊脚中期** mid swing, ③**遊脚終期（後期）** terminal (late) swing に分割される．それぞれの相で起こる事象の運動学については，第12章で述べる．

骨学

脛骨遠位部と腓骨

内果は脛骨の遠位内側部の突起であり，外果は腓骨の遠位外側部の突起である（**図11.3**）．内果と外果は，足関節の側副靱帯の起始である．

腓骨と関節をつくる脛骨遠位の凹状の部分を腓骨切痕といい，遠位脛腓関節を形成する（**図11.3**）．また，この関節の主な機能は，距骨を受け入れるための，安定した矩形の凹面（ソケット）としての役割であり，これが距腿関節（狭義の足関節）である．

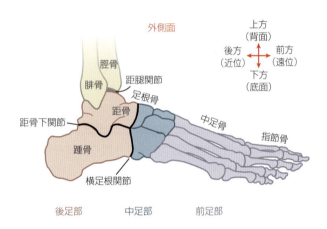

図11.1 右の足関節と足部の外側面
(Neumann DA: Kinesiology of the musculoskeletal system: foundations for physical rehabilitation, ed 2, St Louis, 2010, Mosby, Fig. 14.1 より)

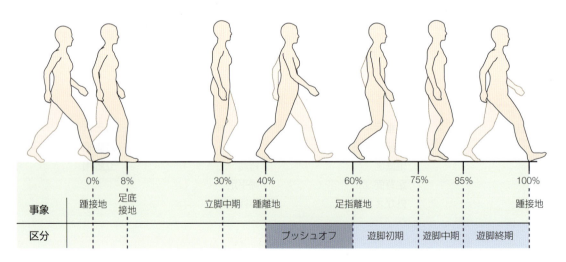

図11.2 歩行周期の区分
(Neumann DA: Kinesiology of the musculoskeletal system: foundations for physical rehabilitation, ed 2, St Louis, 2010, Mosby, Fig. 15.11 より)

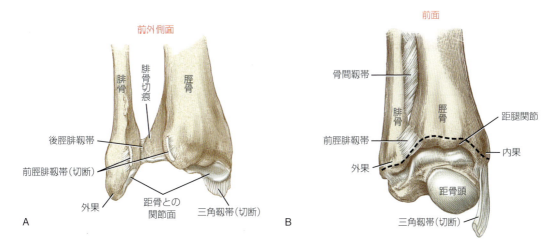

図 11.3　右の遠位脛骨と腓骨の前方側面図
A：末梢部の脛腓関節の関節表面を示すために腓骨を反転させた．B：遠位脛腓関節の安定化構造を示す（骨間膜と前脛腓靱帯）．この関節の形状は距骨につながり，安定したほぞ継ぎ構造となる．距腿関節である．(Neumann DA: Kinesiology of the musculoskeletal system: foundations for physical rehabilitation, ed 2, St Louis, 2010, Mosby, Fig. 14.3 および 14.11 より)

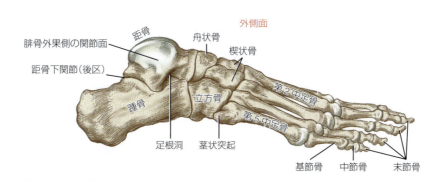

図 11.4　右の足関節と足部の骨の外側面
(Neumann DA: Kinesiology of the musculoskeletal system: foundations for physical rehabilitation, ed 2, St Louis, 2010, Mosby, Fig. 14.7 より)

足部の骨

足部の骨は，①足根骨，②中足骨，③指節骨が集合したものであり，**図 11.4** に骨の配列を示す．以下，それらの重要な特徴を記載する．

▶足根骨

足根骨は，**距骨** talus，**踵骨** calcaneus，**舟状骨** navicular，**立方骨** cuboid，**内側楔状骨** medial cuneiform，**中間楔状骨** intermediate cuneiform，**外側楔状骨** lateral cuneiforms から構成される．足根骨の重要な特徴については，**表 11.1**，**図 11.4～6** に示す．

足関節と足部の関節学

一般的な特徴

足関節と足部は多くの関節から構成されるが，構造的には近位の関節と遠位の関節に分類される（**表 11.2**）．本章での解説の大半を占める近位の関節群は，**距腿関節** talocrural joint，**距骨下関節** subtalar joint，**横足根関節** transverse tarsal joint から構成される（**図 11.1**）．遠位の関節群には，**足根中足関節** tarsometatarsal joints，**中足指節 (MTP) 関節** metatarsophalangeal (MTP) joints，指節間関節がある．他にも小さな関節は存在するが，本書では触れない．

表11.1 足根骨

骨		重要な特徴	図
後足部	距骨	距骨滑車：ドーム型である．距骨の上方部分 底面には，踵骨との関節面が3面ある 距骨頭：舟状骨との関節接合である	11.5 11.6
	踵骨	踵骨粗面：アキレス腱の付着部 上方(背側)面には，距骨との関節が3面ある 載距突起：距骨の内側を支える棚となる，踵骨の内側の突起である	11.5 11.6
中足部	舟状骨	舟状骨粗面：ばね靱帯と後脛骨筋の遠位の付着部	11.5 11.6
	楔状骨 (内側, 中間, 外側)	足の横アーチの内側半分を形成する	11.5
	立方骨	足の横アーチの外側半分を形成する	11.4 11.5
前足部	中足骨	5個の中足骨は，すべて底, 体, 頭をもつ ・底(近位の側面) ・体 ・凸面の頭(遠位の側面)	11.4 11.5
	指節骨	14本の指節骨は，すべて底, 体, 頭をもつ ・凹面の底 ・体 ・凸面の頭	11.4 11.5

足関節と足部の運動学

　足関節と足部の運動は，複雑である．足関節と足部の関節は，不規則な形をしたものが多く，独特な運動が可能である．足関節と足部の複雑な運動を説明するためには，基本的な運動に関する用語に加えて，応用的な運動に関する用語の双方が必要となる．

　基本的な運動とは，3つの回転軸(内側-外側方向，前-後方向，垂直方向)での運動である．ただし，これらの概念だけでは，足関節と足部のすべての関節運動を適切に説明できるわけではない．例えば，距骨下関節や横足根関節で生じる傾斜運動を説明するためには，外がえしや内がえしという用語が必要となる．本章を読み進むにつれて，基本的な運動の用語と応用的な運動の用語の定義が，より明確になるであろう．

▶基本的な運動の用語
1. 背屈と底屈

　背屈 dorsiflexion と **底屈** plantar flexion は，矢状面における内側-外側軸での運動である(**図11.7A**)．背屈とは，足の背側部(上部)を脛骨の前方へ近づける運動である．底屈とは，足部を下方に押す運動，正確には足背側部が脛骨前面から離れる運動である．例えば自動車のアクセルを踏む動作は，足関節の底屈である．

2. 回外と回内

　回外 supination と **回内** pronation は，前額面における前-後軸での運動である(**図11.7B**)．回外とは，足底面

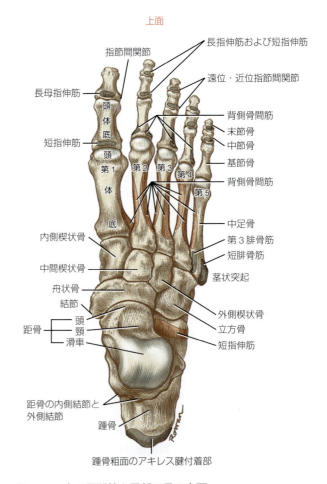

図11.5　右の足関節と足部の骨の上面
各筋の起始部を赤色で，停止部を灰色で示す．（Neumann DA: Kinesiology of the musculoskeletal system: foundations for physical rehabilitation, ed 2, St Louis, 2010, Mosby, Fig. 14.4より）

足関節と足部の関節学

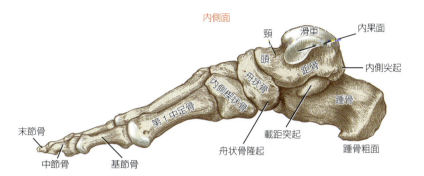

図11.6 右の足関節と足部の骨の内側面
(Neumann DA: Kinesiology of the musculoskeletal system: foundations for physical rehabilitation, ed 2, St Louis, 2010, Mosby, Fig. 14.6 より)

表11.2 足関節と足部の関節：接合と重要な特徴

	関節	接合	重要な特徴	解説
近位の関節	距腿関節	遠位脛骨と腓骨によって形成される硬い凹面と距骨の滑車面とで接合する	主に背屈と底屈を行う 歩行に重要な役割を果たす	関節は、木工で使用される"ほぞ継ぎ"に似ている（図11.10参照）
	距骨下関節	距骨の3面と踵骨が適合して、踵骨の上面で接合する	後足部での、回外と内転、回内と外転の複合運動に重要な役割を果たす 立脚相では、距骨下関節は、足部をわずかに回旋させる。これは、固定された踵骨（踵部）からは独立した動きである	距骨下関節の効果的な運動には、距骨の滑車（ドーム）が、距腿関節のほぞ穴に安定することが重要である
	横足根関節	2つの関節（距舟関節と踵立方関節）からなる	横足根関節は3つすべての面での運動に重要な役割を果たす（最も純粋な形の外がえし・内がえしに重要な役割を果たす）	足部のさまざまな運動に対応する
遠位の関節	足根中足関節	5本すべての中足骨底と、3個の楔状骨および立方骨の遠位面とで接合する	関節面は比較的平らであり、さまざまな運動が可能である	第2足根中足関節の指列は、足部中央の縦列支柱として安定性に寄与する
	中足指節関節	凸面である中足骨頭と凹面である指節骨底とで接合する	この関節は自由度2である。屈曲と伸展、内転と外転を行う	歩行のプッシュオフ（踏み切り）において、第1中足指節関節の60〜65°の過伸展が必要である
	指節間関節	凸面である基節骨頭と凹面である末節骨底とで接合する	この関節は、伸展と屈曲のみを行う	第1足指は、指節間関節は1つだけである。他の4指は、近位および遠位の指節間関節をもつ

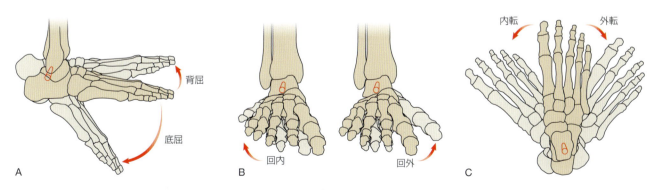

図11.7 回転軸によって定義される足関節と足部の運動
A：背屈と底屈．B：回外と回内．C：内転と外転．運動の回転軸を、赤色の円筒によって示す．

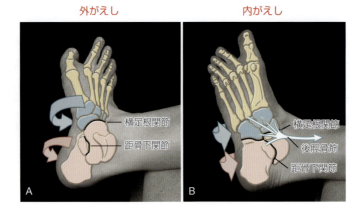

図11.8 外がえしと内がえし
外がえし(A)は，回内，外転，背屈が組み合わさった運動である．一方，内がえし(B)は，回外，内転，底屈が組み合わさった運動である．これらの斜め方向の運動が，主に距骨下関節と横足根関節を交差するように発生する点に注意しよう．(Neumann DA: Kinesiology of the musculoskeletal system: foundations for physical rehabilitation, ed 2, St Louis, 2010, Mosby, Fig. 14.26B, D より)

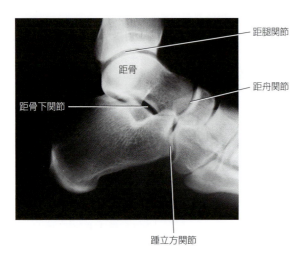

図11.9 健康な右の足関節と足部のX線写真でみた足関節と足部の近位の関節（距腿関節，距骨下関節，距舟関節，踵立方関節）
距舟関節と踵立方関節は，大きな横方向の足根骨関節を構成している．(Neumann DA: Kinesiology of the musculoskeletal system: foundations for physical rehabilitation, ed 2, St Louis, 2010, Mosby, Fig. 14.9 より)

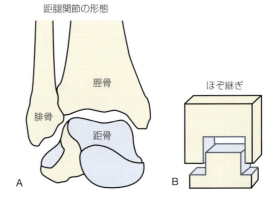

図11.10 距腿関節の形態
距腿関節の形態(A)は，木工の"ほぞ継ぎ"(B)と似ている．(Neumann DA: Kinesiology of the musculoskeletal system: foundations for physical rehabilitation, ed 2, St Louis, 2010, Mosby, Fig. 14.13 より)

を正中線の方向に向ける運動であり，回内とは，足底面を正中線から離れて外側方向へ向ける運動である（訳注：原書では，ここで"回外"とよんでいる運動のことを"内がえし"，"回内"とよんでいる運動のことを"外がえし"としており，日本で広く用いられているものとは逆の定義を用いている．本書では，日本における教育に即して翻訳を行った．これ以降も同様である）．

3. 内転と外転
内転 adduction と **外転** abduction は，水平面における垂直軸での運動である（**図11.7C**）．内転とは，足部の先端を正中線の方向へ向ける水平面での運動であり，外転とはその逆に，足部の先端を正中線から離れる方向に向ける運動である．

▶応用的な運動の用語
1. 外がえしと内がえし
足関節と足部の運動は，前述した基本的な運動の組み合わせによって説明できる．

外がえし eversion（**図11.8A**）とは，足関節と足部の複数の関節によって生じる回内，外転，背屈の複合運動である．**内がえし** inversion とはその逆に，回外，内転，底屈の複合運動である（**図11.8B**）（訳注：既述の通り，日本の教育に即して原書とは異なる表現をあてていることに注意すること）．

図11.8に示すように，これらの運動は，距骨下関節と横足根関節で最も頻繁に行われる運動である．詳しい説明は，後述する．

表11.3 距腿関節を支持する靱帯等

構造	機能	解説
下腿骨間膜	脛骨と腓骨を結合する．遠位脛腓関節および距腿関節の安定性に寄与する	足関節と足部にある多数の筋の起始である
前・後脛腓靱帯	遠位脛腓関節を結合する．ほぞ継ぎでの安定性に寄与する	前・後脛腓靱帯の損傷は，足関節の捻挫（高位での足部捻挫）によることが多い
三角靱帯	回内を制限する	内果を起始として三角形に形づくられた靱帯である．脛舟靱帯，脛踵靱帯，脛距靱帯の3つで構成される
外側側副靱帯	回外を制限する	前距腓靱帯，踵腓靱帯，後距腓靱帯の3つで構成される．最も損傷を受けやすい靱帯は前距腓靱帯であり，過度の回外と底屈によって生じる

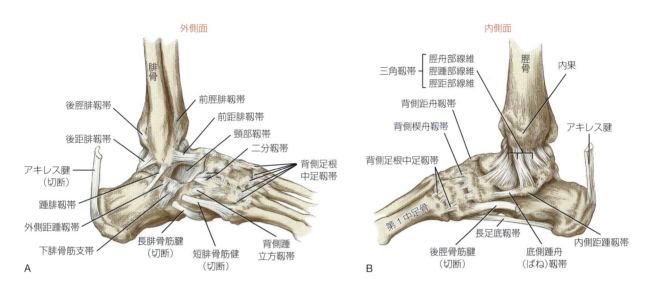

図11.11 右の足関節
Aにて外側面の外側側副靱帯と遠位脛腓靱帯を，Bにて内側面の三角靱帯（内側側副靱帯）を強調した．（Neumann DA: Kinesiology of the musculoskeletal system: foundations for physical rehabilitation, ed 2, St Louis, 2010, Mosby, Figs. 14.14および14.15より）

足関節と足部の近位の関節

足関節と足部の近位の関節の中でも，距腿関節，距骨下関節，横足根関節は大きく，非常に重要な関節である（図11.9）．

距腿関節は，背屈と底屈を行う．距骨下関節は，斜め方向に弧を描く運動が可能であり，回外と内転，または回内と外転の複合運動を行う．これらの運動の組み合わせは，それぞれ内がえしと外がえしにおける3つの構成要素のうち，2つに該当する．横足根関節は，斜め方向の運動が最も可能であり，3つの運動面すべてを通る．したがって横足根関節は，最も純粋な回内と回外を行う．

▶距腿関節
1. 一般的な特徴

一般に足関節とよばれる距腿関節は，距骨の滑車と，脛骨遠位部および腓骨による凹面との関節である．この凹面は，木造建築で使われる"ほぞ穴"によく似ており，**ほぞ穴** mortiseともよばれる（図11.10）．

距腿関節は，ほぞ穴へのしっかりとした距骨の適合の他，多くの側副靱帯や筋による支持，強い遠位脛腓関節等によって安定性が高まっている．

2. 支持構造

以下の構造は，距腿関節を支持する（表11.3）．
- 下腿骨間膜（図11.3B参照）
- 前・後脛腓靱帯（図11.11A）
- 三角靱帯（図11.11B）
- 外側側副靱帯（図11.11A）
  ・前距腓靱帯
  ・踵腓靱帯
  ・後距腓靱帯

3. 運動学

距腿関節は自由度1であり，足関節の背屈と底屈を行う．この運動は，歩行での前進に必須である．また，背屈と底屈は，座位と立位を繰り返し行うスクワットの際に重要である．この運動では，脛骨が足部にあわせて動く点に注目すべきである．例えば，深くしゃがんだとき

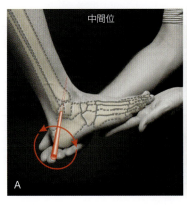

図11.12 距腿関節における回転軸と骨運動学
A：足関節の中間位．B：背屈．C：底屈．（Neumann DA: Kinesiology of the musculoskeletal system: foundations for physical rehabilitation, ed 2, St Louis, 2010, Mosby, Fig. 14.17C～Eより）

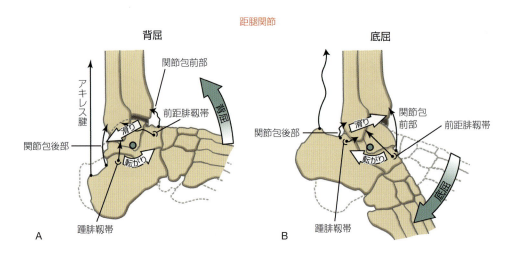

図11.13 距腿関節における背屈（A）と底屈（B）の運動学（側面）
伸張された構造は細長い矢印（⟶）として示し，ゆるめられた構造は波形の矢印（⟿）として示した．（Neumann DA: Kinesiology of the musculoskeletal system: foundations for physical rehabilitation, ed 2, St Louis, 2010, Mosby, Fig. 14.18より）

の足関節の背屈を考えてみよう．

背屈の正常な関節可動域は，0～20°である．0°もしくは中間位（底背屈中間位）とは，第5中足骨と腓骨がなす角度が90°となる位置である．また，底屈の正常な関節可動域は，0～50°である（**図11.12**）．ただし，関節可動域は，測定方法と関節形態によって大きく異なる．

足関節における背屈と底屈は，内果と外果の先端を結ぶ内側-外側軸で生じる（**図11.12A**）．このことから，骨指標を確認しながら軸を観察すると関節の動きを確認しやすく，同時にこの関節をまたぐ筋の機能を理解することもできる．内側-外側軸の前方を走行する筋は背屈を行い，後方を走行する筋は底屈を行う．

距腿関節の運動は，凹面のほぞ穴に対する，凸面の距骨滑車の動きによって説明できる．この動きは足部が地面を離れる際，凸面の距骨滑車が転がり，凹面のほぞ穴の範囲内で反対方向に滑ることによって生じる．図11.13は，距腿関節の背屈と底屈を運動学的に整理したものである．実際の歩行では，足部が地面に固定される立脚相のほうが，遊脚相よりも長い．この場合には，凹面のほぞ穴で凸面の距骨滑車に転がりが生じ，同時に，同じ方向へ滑りが生じる．

4．機能的考察：距腿関節が安定する肢位の範囲

歩行において，足関節の背屈は，立脚相の後半で最大となる．時期的には，踵離地の前（歩行周期の40%のころ，**図11.2**参照）である．立脚相における背屈は，足部と下腿との位置関係で説明できる．歩行周期におけるこの時期では，大部分の側副靱帯とすべての底屈筋が伸ばされるため，足関節は最も安定する（**図11.14A**）．背屈した足関節は，距骨滑車の後方部分よりも大きい前方部分がほぞ穴にしっかりとはめ込まれ，さらに安定する（**図11.14B**）．このような，足関節が安定する"はめ込み

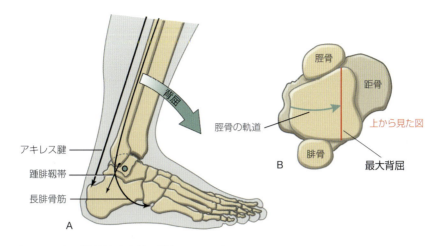

図11.14 距腿関節を背屈した際の機械的安定性を増加させる因子
A：いくつかの結合組織と筋の緊張の増加は，細い矢印で示した．B：距骨の上面は前方になるほど幅が広くなる．背屈するにしたがって，距骨の広い前方の部分が，ほぞ穴の中へ押し込められる状態となり，結果的に楔で止められるような効果となる．（Neumann DA: Kinesiology of the musculoskeletal system: foundations for physical rehabilitation, ed 2, St Louis, 2010, Mosby, Fig. 14.20 より）

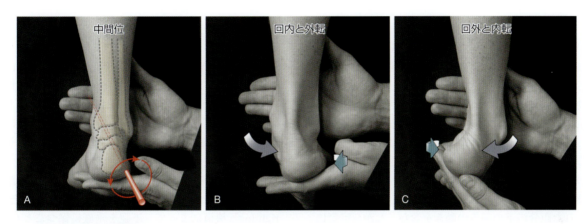

図11.15 距骨下関節の骨運動学
A：回旋の軸と距骨下関節の中間位．B：距骨下関節の回内と外転．C：距骨下関節の回外と内転．紫色の矢印は，運動の構成要素としての回内と回外を示し，緑色の矢印は，同様に外転と内転を示している．（Neumann DA: Kinesiology of the musculoskeletal system: foundations for physical rehabilitation, ed 2, St Louis, 2010, Mosby, Fig. 14.22C〜E より）

"close-packed"は，最大の背屈位である．このような関節の安定性は，立脚終期のジャンプ動作や速歩のプッシュオフ（踏み切り）の際に，足底筋群が強い活動を行うために必要である．

一方，距腿関節で最も安定しない肢位は，最大底屈位である．関節の"ゆるみ loose-packed"である最大底屈では，大部分の側副靱帯とすべての底屈筋がゆるむ．最大底屈位では，脛骨遠位部と腓骨からなる距骨上の凹面のほぞ穴で，関節内にゆるみが生じる．この肢位では距骨上部となるため，両果間（ほぞ穴）内部の緊張がゆるむ．したがって，足関節が最大底屈で体重負荷がかかるような状態は，距腿関節が不安定な状態であるといえる．ハイヒールを履くことや，ジャンプをして底屈位で着地することは，足関節の捻挫や外側側副靱帯の損傷を起こしやすくする．

▶距骨下関節
1．一般的特徴
距骨下関節は，後足部に位置する（図11.1 参照）．この関節は，距骨下面と踵骨上面からなる．この関節は特殊な形状をしており，それにより足部と下腿の間において，前額面と水平面での動きが可能になる．こうした動きは，歩行または走行中に，足を不整地に適応させる際や，急な方向転換を行う際に必要となる．

2．運動学
距骨下関節では，後足部において回外と内転，回内と外転の複合運動が可能である（図11.15）．これらの運動

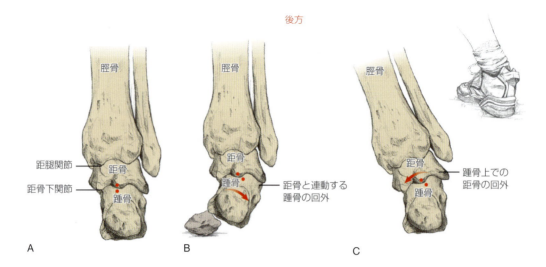

図11.16　右の距骨下関節の後面
A：アライメントで示した距骨と踵骨の全体．B：岩を踏む際，踵骨は回外となる．この動作では，下腿骨と距骨が垂直のままである．C：**切り返し** cutting（素早い方向転換）は，固定された踵骨上を距骨と下腿が内側へ回旋し，回外となることによって起こる．

が内がえしと外がえしの要素であることを，忘れないようにしよう．これらの運動の要素を理解するには，踵を把持して，側方へ動かすと同時に回転させるように，ねじる動きを与えるとよい．側方運動は，回外と回内であり，距骨下関節の筋力と可動域を評価する際にしばしば用いられる．一方，水平面での回転運動は，内転と外転である．距骨下関節における運動では，距骨滑車は距腿関節のほぞ穴でよく安定する．

距骨下関節の運動は，足部が地面を離れる際のような，固定された距骨の下の踵骨の動きを含む．しかし実際には，踵骨が地面に固定される立脚相の体重支持期に距骨下関節は機能する．これは，距骨がほぞ穴の中でしっかりと安定することによる．距骨下関節の動きは，固定された踵骨に対する距骨と下腿の組み合わせの運動として表される．

3. 機能的考察：距骨下関節（運動学的に重要な下腿と足部の連結部）

距骨下関節の運動は，前述したように，次の2つの状態のいずれかで表される．それは，遊脚相での踵骨が自由な状態か，あるいは立脚相での地面に接地した状態である．立脚相では，下腿と距骨は固定された踵骨の上で，一つの機械的な構成単位として動く．距骨下関節の運動は，小さいにもかかわらず重要である．立脚相で接地する際，水平面と前額面において，下腿と距骨のわずかな回転が自然に起こる．仮に，距骨下関節がゆるんだ場合は，下肢の回転に従って，下腿，距骨，踵骨は連動して運動することになる．これにより，凹凸のある不整地を歩くときのバランスと能力をかなり高めることができる．

正常な距骨下関節は，特に不整地の歩行や走行に役立つ．実例を以下に示す．**図11.16A**において，平地における下肢と踵骨を含む距骨の相対的なアライメントについて，距骨下関節を挟んだ赤色の点で示した．次に，不整地では足部に何が起こるのか考えてみよう．**図11.16B**では，足部内側が石の上に乗ったときの，距骨下関節の反応を示した．この際，踵骨が回旋し，距骨下関節が回外となる．このような足部の"立ち直りrighting"機構によって，下腿を垂直に保つことができ，不整地での起立や歩行ができるのである．しかしながら，この動きが過度であった場合は，外側側副靱帯の損傷が起こることも考慮する必要がある．

これらの例以外では，踵骨は下腿（体幹）が内側や外側方向へ急に方向転換するようなときにも，踵骨はしっかりと地面に接地する必要がある．**図11.16C**のように，踵骨が固定された状態で，内側に誘導された距骨と下腿の動きは，距骨下関節の回外とみることができる．**図11.16B, C**では，動く骨は異なるが，どちらも，距骨下関節の最終的な位置は"回外"であるといえる．距骨下関節の運動がなければ，不整地の歩行は非常に困難となり，バランス不良を起こしたり，足関節と足部の損傷を起こすことがある．

▶ 横足根関節
1. 一般的特徴

横足根関節は，中足部と後足部とを分ける（**図11.1**参照）．広範囲にわたるこの関節は，距舟関節と踵立方関節の2つの関節からなる．この一組の関節は，中足部が

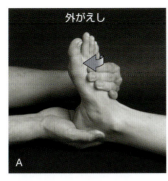

図11.17　横足根関節での他動的な外がえし(A)と内がえし(B)
(Neumann DA: Kinesiology of the musculoskeletal system: foundations for physical rehabilitation, ed 2, St Louis, 2010, Mosby, Fig. 14.27D, Eより)

後足部(すなわち踵骨と距骨)に対して自由に動くことを許す．しかし，この関節の重要な特徴は，純粋な外がえしと内がえしを行うことである．外がえしは，回内，外転，背屈の組み合わせ，内がえしは，回外，内転，底屈の組み合わせであることを思い出すと，容易に理解できるであろう．**図11.17**で，他動的な外がえし(**図11.17A**)と内がえし(**図11.17B**)の可動域を示す．

横足根関節が外がえしと内がえしという斜め方向の運動を行うことによって，足部は幅広い運動が可能となる．中足部から前足部にかけては多様な肢位をとることができ，歩行や走行の際に足部を多様な地形に適合させられる．多くの場合，横足根関節は距骨下関節と同時に機能し，足部全体における外がえしと内がえしの構成要素を調節する．

▶ 足部の内側縦アーチ

内側縦アーチは，足部で最初に衝撃を吸収する機構である．また内側縦アーチは，"足背(足甲)"として知られる(**図11.18**)．静的立位(安静立位)の際，内側縦アーチの高さは，靱帯や関節，足底筋膜のような，主に筋以外の組織に支えられる．その中でも，足底筋膜の役割は最も重要である(**図11.19A**での赤色のばね)．結合組織でできたこの筋膜は，踵骨と近位の指節骨(底)の間に伸びる．足底筋膜は弾性線維束として作用し，内側縦アーチの高さを支えつつ，体重を吸収する(一般に立位では，正常なアーチを支えるのに筋力を必要としない)．

図11.19Aで示す健常な足部と比べて，**B**では内側縦アーチが過度に下垂，あるいは下降した状態である(土踏まずがほとんどなくなった足跡の写真もみてみよう)．この症状は，**扁平足** pes planus として知られる．扁平足は，しばしば足底筋膜の過伸張を伴い，過度に回内した距骨下関節とともに，足底筋膜を弱化させる．多くの場合，このような症例では，内在筋と外在筋の筋力によって内側縦アーチを支える(**図11.19B**にピンク色で示し

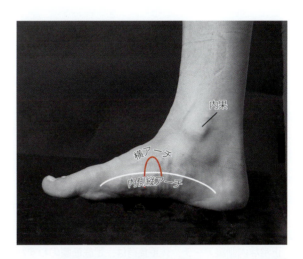

図11.18　内側からみた足部の内側縦アーチ(白色の曲線)と横アーチ(赤色の曲線)

(Neumann DA: Kinesiology of the musculoskeletal system: foundations for physical rehabilitation, ed 2, St Louis, 2010, Mosby, Fig. 14.28より)

た)が，この代償は大きく，内在筋と外在筋に過度の負担をかけることになる．結果として，足底筋膜炎を含む疲労，踵骨棘，その他多くの炎症性疾患に至ることが予測される．このような状態に陥った場合の治療としては，炎症の鎮静化，筋組織の強化，相応の**足底挿板** arch support といった治療が推奨される．リハビリテーションでの足底挿板の使用は，内側縦アーチ本来の役割の補助を目的としており，正しいアライメントで足部を保ち，また酷使された筋組織をやわらげるので，ときに有益である．

歩行において，内側縦アーチと局所の筋は，相互に作用して足部の動的な**衝撃吸収装置** shock absorber として主に機能する．通常，内側縦アーチは立脚相の初期にわずかにたわむ．それによって，足部は段階的に体重負荷を受けることができる．この機構の一部として，距骨下

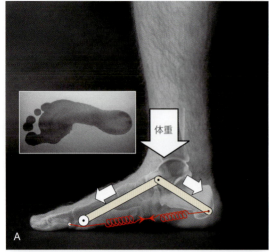

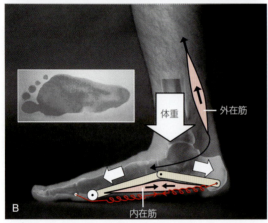

図11.19　立位における体重負荷を内側からみた図
A：正常な内側縦アーチ．体重負荷は，足底筋膜のわずかな伸張を通して吸収される．図では，赤色のばねで示した．B：内側縦アーチが異常に下がった状態（扁平足）．足底筋膜の過伸張は，適切に体重を吸収することができない．図では，伸びたばねで示した．結果として，いくつかの内在筋と外在筋によって，弱化した内側縦アーチは代償される．（Neumann DA: Kinesiology of the musculoskeletal system: foundations for physical rehabilitation, ed 2, St Louis, 2010, Mosby, Fig. 14.29 より）

関節（後足部）はわずかに回内となる（これは，後方から歩行を観察するとわかる）．内側縦アーチの低下と距骨下関節のわずかな回内は，後脛骨筋と前脛骨筋のような回外筋の遠心性収縮によって調節される．遠心性収縮は，内側縦アーチを徐々に低下させ，足部を保護する機能をもつ．これは，筋の遠心性収縮によって骨と関節が保護されることの優れた例である．立脚相の初期での，この重要な荷重処理機構は，足部を保護するうえで最も重要である．

興味深いことに，立脚相の後期には，プッシュオフ（踏み切り）に備えるように内側縦アーチが上昇する．距骨下関節のわずかな回外と，内在筋と外在筋の強い活動が組み合わさることで上昇した内側縦アーチは，足部を安

臨床的な視点＞＞凹足

凹足 pes cavus は，足部の内側縦アーチが異常に高くなった状態である（図11.20）．凹足は，その原因によって軽症なものと重篤なものとがある．

アーチの位置により足部がとても堅い（固い）状態となるため，体重負荷により力を与えたとき，十分に吸収することができにくい．したがって，凹足の人は，足部だけでなく下肢全体のストレスに弱く，怪我をしやすい．

凹足の治療は，その重症度と原因により変化する．保存的治療は，堅い筋組織（腓腹筋，ヒラメ筋，足の内在筋）の伸張と，特殊な靴や矯正装具の使用である．重症例には，手術が必要になるかもしれない．

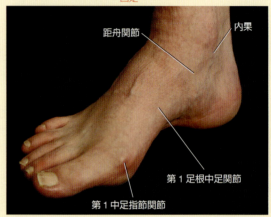

図11.20　内側からみた右の凹足
（Neumann DA: Kinesiology of the musculoskeletal system: foundations for physical rehabilitation, ed 2, St Louis, 2010, Mosby, Fig. 14.30 より）

定させて強固にする．このとき足部では，プッシュオフ（踏み切り）に必要な底屈筋の強い活動が行えるようになる．しかし扁平足では通常，立脚相において過度の回内（低下した内側縦アーチ）が残存する．そのため，健常な場合でより大きな安定性が必要とされるときと比べて，足部は不安定な状態となる．

足部の遠位の関節

足部の遠位の関節には，足根中足関節，中足指節関節，指節間関節がある．これらの関節は，歩行において重要な役割を果たす．

▶足根中足関節

足根中足関節は，中足骨底，3個の楔状骨，立方骨の遠位面との関節である（図11.21）．これらは，中足部と前足部で接合し，放射状に伸びる足部の基部としての役割を果たす．各関節は，第1足根中足関節を除いて比較

的強固であるが，中等度の背屈と底屈，わずかな回外と回内に機能する．第1足根中足関節は，立脚相において，わずかに関節がたわむ．また，第2足根中足関節は，骨底が内側および外側楔状骨の間に楔で止められるような状態となるため，すべての足根中足関節の中で最も安定する．

▶中足指節関節

中足指節（MTP）関節は，中足骨の凸面頭部と近位指節骨の浅い凹面からなる（図11.21）．手の中手指節関節に類似した運動（伸展（背屈），屈曲（底屈），外転，内転）を行う．60～65°の過伸展が可能であるが，これは歩行のプッシュオフ（踏み切り）において必要な可動域である．この可動域は，つま先立ちをして自分自身の足部をみれば，容易に確認できる．

▶指節間関節

手指と同様に，母指を除くそれぞれの足指には，**近位指節間（PIP）関節** proximal interphalangeal（PIP）joints と**遠位指節間（DIP）関節** distal interphalangeal（DIP）joints があり，母指には指節間関節だけがある（図11.21）．これらの関節運動は，主に屈曲と伸展に限られる．通常，伸展は0°，つまり中間位まで可能である．

表11.4に，足関節と足部の関節の特徴をまとめた．

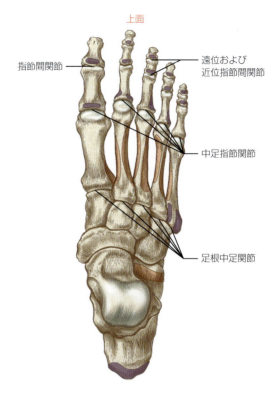

図11.21 足根中足関節と中足指節関節を上方から観察した図

（Neumann DA: Kinesiology of the musculoskeletal system: foundations for physical rehabilitation, ed 2, St Louis, 2010, Mosby, Fig. 14.4 より）

表11.4 足関節と足部の関節：運動，可動域，運動面

関節	主な運動	参考可動域（自動）	主な運動面	解説
距腿関節	背屈	0～20°	矢状面	真の足関節と考えられる
	底屈	0～60°		
距骨下関節	回外／内転と回内／外転	一般に前額面だけの記録： 回外…0～25° 回内…0～12°	前額面と水平面の組み合わせ	体重負荷の際，下腿の矢状面を外れた運動が起こる
横足根（足根中央）関節	外がえしと内がえし	3つすべての面での運動：測定困難	傾斜面	最も純粋な外がえしと内がえしを行う
足根中足関節	背屈と底屈（主に第1関節）	測定困難	矢状面	
中足指節関節	屈曲	0～35°	矢状面	過伸展はプッシュオフ（踏み切り）に重要である
	伸展	0～65° （最大のつま先立ち0～85°）		
	内転と外転	制限あり	水平面	歩行と立位のバランスを向上させる
近位および遠位指節間関節	屈曲と伸展	0～70°（制限あり）	矢状面	足指の屈曲は，皮膚と床面との摩擦の増大を補助する

臨床的な視点 >＞足関節と足部の触診

筋骨格系を触診する能力は，セラピストが正しく関節，骨，筋を特定できる重要な臨床技術である．触診技術により，①伝達と検証の改善，②特定の重要問題(例えば，靱帯や骨の負傷部位の推定)に対処する能力，③基礎的治療の有効性を示すことができる．

図11.22，23は，一般的な足関節と足部の触診部位のリストである．これらの構造を触診することにより，臨床的な評価を行う．写真は，健康な23歳男性の，右足の内側面と外側面である．X線写真を構造の特定のために挿入した．

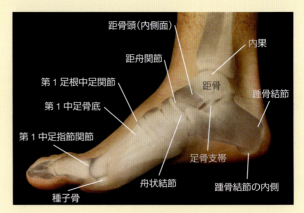

内側からの透視

構造	触診部位	触診の理由
足関節		
内果	脛骨の遠位端	三角靱帯の起始部の柔軟性を評価する 脚長を評価する 距腿関節の回転軸を評価する 足根管の構造の解剖(下記参照)を理解する： ・脛骨後面の腱 ・長指屈筋 ・脛骨神経と終末枝(内側と外側の足底神経)
踵骨隆起	足底後方の踵部	アキレス腱を評価する 異常な骨形成(アキレス腱の過度のストレスとの関連性)をチェックする
踵骨結節の内側	足底内側の踵部	足の内在筋の起始部の炎症，踵骨棘，足底筋膜炎を評価する
距骨の支持性	内果の尖端から2～3cm下部	距骨下関節の内側面を解剖学的に確認する ①および②の柔軟性を評価する： 　①三角靱帯の脛踵線維の停止部 　②底側踵舟靱帯(ばね靱帯：スプリング靱帯)の起始部
足部		
舟状骨隆起	比較的鋭い隆起である内果の尖端の約4cm前下部	近位距舟関節，および第1楔舟関節を含む舟状骨を発見する 内側縦アーチの高さを評価する 後脛骨筋の腱障害を評価する
種子骨	母指の中足指節関節足底面(関節と交差する屈筋腱と識別することが典型的に困難)	ダンサーに好発する種子骨炎，もしくは骨折に随伴する圧痛を評価する
第1中足指節関節	足背，あるいは中央部：第1中足骨の骨頭からすぐ遠位	外反母趾(腱膜瘤)，あるいは強直母趾(芝生の趾先)の重症度を評価する
第1中足骨の骨幹	前足部の足背，もしくは中間部分	前足部のアライメント(例えば，外反足または内反足)，および全面的な柔軟性を評価する 凹足にしばしば関連するような底屈した第1中足骨の放射状の線(内側縦アーチ)，あるいは長腓骨筋の緊張の増加を評価する
足根中足関節	中足骨底直近部	第1指の関節の弛緩，あるいはアライメントを評価する リスフラン関節の脱臼(典型的には第2指)を評価
距舟関節	舟状骨隆起の直近後部(かつ，わずかに上方)	横足根関節の内側構成要素の捻挫，柔軟性，および一般的な可動性を評価する 内側縦アーチの要となる関節の安定性を確認する
距骨頭	内側からみた場合：内果と舟状骨隆起の間の前方遠位端	内側縦アーチの高さを評価する

図11.22 内側からみた健康な右の足関節と足部
(Neumann DA: Kinesiology of the musculoskeletal system: foundations for physical rehabilitation, ed 2, St Louis, 2010, Mosby, Fig. 14.54 より)

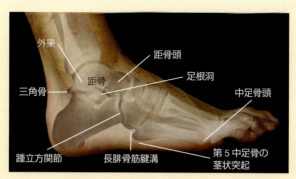

外側からの透視

構造	触診部位	触診の理由
外果	腓骨遠位端	距腿関節の回転軸を推定する 長腓骨筋と短腓骨筋の腱(腱鞘)の場所を探索する 遠位脛腓関節の安定性とアライメントをテストする
足根洞	外果の最遠位前方にみられるわずかなくぼみ.この足根洞とそれに連なる溝は,距骨下関節を斜めに貫いている	前距腓靱帯の圧痛を評価する 足根洞内に位置する距踵関節部の靱帯損傷の浮腫(腫脹)を評価する
距骨頭	足根洞の直上	内側からの触診により,"距骨下関節の中立な位置関係"がわかる
中足骨頭	中足骨遠位端の足底面	中足骨痛(しばしば,第2,3指に発症)の重症度を評価する
第5中足骨の茎状突起	足部外側のおよそ中央部に位置する尖った突起	裂離骨折と短腓骨筋腱の断裂の可能性を評価する
立方骨の溝(長腓骨筋腱溝)	第5中足骨の茎状突起の近位部	長腓骨筋腱の圧痛を評価する
踵立方関節	第5中足骨の茎状突起の約2cm近位部	立方骨に関連した亜脱臼,または外傷を評価する
三角骨(通常,距骨の後外側にみられる外観でも補助的な骨)	足関節(外果)後面(サイズに応じて,すぐに触知できない場合がある)	距腿関節内での三角骨のインピンジメントの有無を評価する(通常,過度な底屈時に生じる)

図11.23 外側からみた健康な右の足関節と足部

(Neumann DA: Kinesiology of the musculoskeletal system: foundations for physical rehabilitation, ed 2, St Louis, 2010, Mosby, Fig. 14.55 より)

筋と関節の相互作用

足関節と足部の運動は，外在筋と内在筋によって制御される．下腿または大腿遠位部に起始があり，足部に停止があるものを外在筋，起始と停止がともに足部にあるものを内在筋という．外在筋と内在筋の双方が働くことによって，下肢の遠位端は，静止，推進，衝撃吸収が可能となる．

足関節と足部の筋の神経支配

外在筋は，下腿の前方，側方（外側），後方の3区画を通る．各区画は，異なる神経によって支配され，それぞれの神経は坐骨神経を起点とする．坐骨神経は，大腿後面にわたる長さをもつ太い神経であり，膝関節後面の近くで，脛骨神経と総腓骨神経に分枝する（図11.24A）．

脛骨神経は，下腿後面を遠位に向けて縦走し，足関節底屈筋群を支配する．（図11.24B）．総腓骨神経は，腓骨小頭から前面に回った後，浅腓骨神経と深腓骨神経へ分かれる（図11.25A）．浅腓骨神経は，長腓骨筋と短腓骨筋を支配する（図11.25B）．深腓骨神経は，足関節背屈筋群を支配する（図11.25B）．これらの神経によって支配される筋のリストをBox 11.1にまとめた．

脛骨神経は，内果の後面で，内側足底神経と外側足底神経に分かれる（図11.24A）．この2つの神経は，短指伸筋を除く足部の内在筋すべてを支配する（短指伸筋は，腓骨神経の深枝によって神経支配される）．

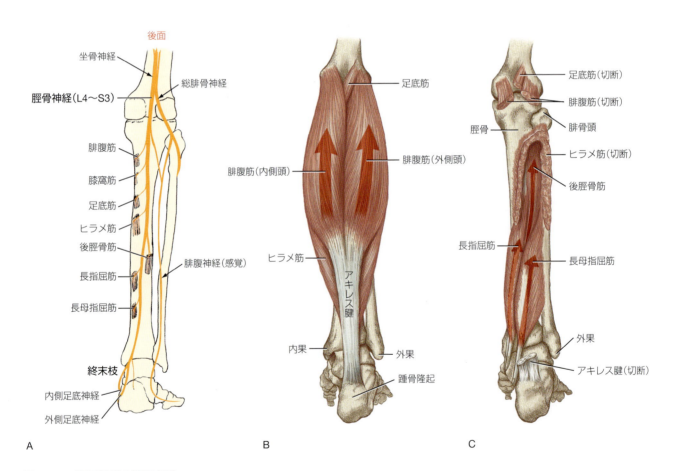

図11.24　脛骨神経の神経支配
A：脛骨神経の走行と神経支配．脛骨神経は，内側足底神経と外側足底神経に分かれることに注目しよう．B：右の脛骨神経によって支配される表層筋を後方から観察した図．C：右の脛骨神経によって支配される深層筋を後方から観察した図．（A：Neumann DA: Kinesiology of the musculoskeletal system: foundations for physical rehabilitation, ed 3, St Louis, 2017, Mosby および DeGroot J: Correlative neuroanatomy, ed 21, Norwalk, Conn 1991, Appleton & Lange から許可を得て変更．BおよびC：Neumann DA: Kinesiology of the musculoskeletal system: foundations for physical rehabilitation, ed 2, St Louis, 2010, Mosby, Figs. 14.48 および 14.49 より）

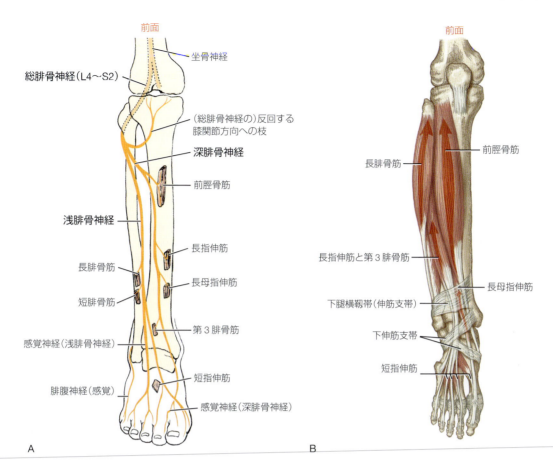

図 11.25 深腓骨神経と浅腓骨神経の走行と神経支配(A)と右の深腓骨神経と浅腓骨神経によって支配される複数の筋を，前方から観察した図(B)

(A：Neumann DA: Kinesiology of the musculoskeletal system: foundations for physical rehabilitation, ed 3, St Louis, 2017, Mosby および DeGroot J: Correlative neuroanatomy, ed 21, Norwalk, Conn, 1991, Appleton & Lange から許可を得て変更．B：Neumann DA: Kinesiology of the musculoskeletal system: foundations for physical rehabilitation, ed 3, St Louis, 2017, Mosby, Fig. 14.44 より)

Box 11.1　足関節と足部の外在筋の神経支配

脛骨神経(図11.24A)	下腿の後方区画のすべての筋を支配する(図11.24B)．これらの筋の主な作用は底屈，もしくは底屈と回外とを組み合わせた運動である．**深層の底屈筋** bottom three が，この図ではみえないことに注意しよう．そこで，表層筋をはがした状態を図11.24C に示し，わかりやすくした	● 腓腹筋　● 長指屈筋 ● ヒラメ筋　● 長母指屈筋 ● 足底筋 ● 後脛骨筋
深腓骨神経(図11.25A)	下腿の前方区画のすべての筋を支配する．これらの筋の主な作用は背屈である(図11.25B)．これらは，背屈の主動作筋である	● 前脛骨筋　● 長母指伸筋 ● 長指伸筋　● 第3腓骨筋
浅腓骨神経(図11.25A)	下腿の側方区画の2つの筋を支配する．これらの筋の作用は，底屈と回内である(図11.25B)	● 長腓骨筋 ● 短腓骨筋

足関節と足部の外在筋

外在筋は，複数の関節と回転軸をまたぐので，足関節と足部は多様な運動を行うことができる．これら外在筋の作用は，他のすべての筋と同様に，回転軸と関連した牽引線の位置によって決定される．図11.26は，距腿関節や距骨下関節の回転軸と外在筋との関係，つまり，外在筋の潜在的な作用を示す（簡単にいえば，回外と回内だけは，距骨下関節を横切る筋群によって行われるということもできる）．図11.26の筋には，2つの作用がある．一つは，距骨下関節での背屈と底屈で，もう一つは，距腿関節での回外と回内である．

▶ 前方区画の筋群

前方区画には，前脛骨筋，長指伸筋，長母指伸筋，第3腓骨筋という4つの筋がある．これらの筋は，筋群として脛骨近位部，腓骨，下腿骨間膜に起始があり，深腓骨神経によって支配される．主な作用は，背屈である．

1．機能的考察

(1)背屈筋の弱化による臨床徴候は，下垂足とフットスラップである

背屈筋は，歩行において2つの重要な機能をもつ．まず遊脚相では，背屈筋は収縮して，足底を地面から遠ざけるため，足部を持ち上げるように働く．次に，立脚相の初期（踵接地と足底接地の間）では，背屈筋は足底をゆっくりと地面に近づけるために，遠心性に収縮する．深腓骨神経は皮膚表面に近く，傷つきやすい．深腓骨神経の損傷によって，背屈筋の不全麻痺（脱力），または完全麻痺が生じることがある．この筋群が弱化すれば，歩行を妨げることになる．**下垂足** foot drop とは，遊脚相において，下肢の前進の際に足部が底屈方向に下がる状態である．地面に足指を引きずるのを防止するために，しばしば下肢全体を高く上げて進む歩行となり，仮想の障害物をまたぐようにみえる．

背屈筋が踵接地と足底接地の間で十分な遠心性収縮ができない場合，前足部は急速に地面と接触することになってしまう．この機能障害は，足底が床を叩く素早い音によって，**フットスラップ** foot slap といわれる．

背屈筋の弱化に伴うこれらの状態は，背屈筋を選択的に強化することによって治療できる．また装具は，足部の背屈位の保持，底屈筋の過度の短縮や硬直等を防止するために使用される．

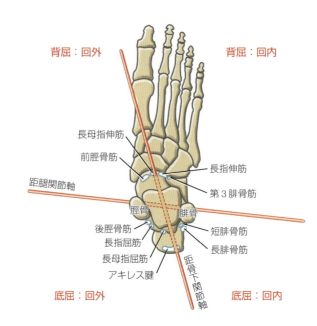

図11.26　距腿関節軸と距骨下関節軸の交差
距腿関節と距骨下関節の交差を上方から観察し，筋の多様な活動がわかるようにした．各筋の作用は，2つの関節のそれぞれの回転軸に対する筋の位置によって決定される．
(Neumann DA: Kinesiology of the musculoskeletal system: foundations for physical rehabilitation, ed 3, St Louis, 2017, Mosby, Fig. 14.43 より)

(2)脛骨疲労性骨膜炎

脛骨疲労性骨膜炎 shin splints は，一般に有痛性で，脛骨の内側と後側に付着する筋に影響を及ぼす．この疾患はさまざまな条件で発生し，さまざまな病理像を呈するが，通常は背屈筋群の炎症を伴っており，陸上競技のランナーに多くみられる．走行中の背屈筋群は，下肢を持ち上げるときには求心性収縮を，踵接地時には足部に衝撃を与えないように遠心性収縮を，連続的に切り替えながら行う必要がある．背屈筋群が弱化しているにもかかわらず過剰に使用されれば，炎症をきたすことになる．

また，足部を無理に回内させた状態で走ったり歩いたりすると，背屈筋群が過伸張の状態で繰り返し活動することになり，炎症をきたすことになる．こうした事態を避けるために，臨床においてセラピストは足部を保護する装具の装着を勧める．装具は，炎症を起こした背屈筋群を安静に保つ．また，氷による冷却療法，超音波療法，治療テーピングの施行は，炎症を起こした筋組織の疼痛を軽減するため有用である．

ATLAS

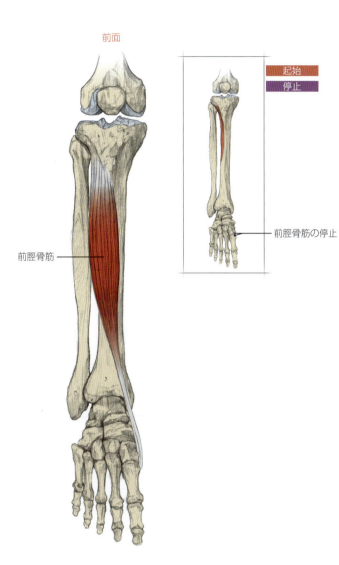

■ 前脛骨筋

起始 脛骨の近位 2/3 と下腿骨間膜.

停止 内側楔状骨の内側および底側面と第1中足骨底.

神経支配 深腓骨神経.

作用 背屈,回外.

解説 この筋の腱は,背屈と回外を組み合わせた運動において,容易に触診可能である.この筋の麻痺や弱化は,歩行の遊脚相で下垂足を引き起こす.

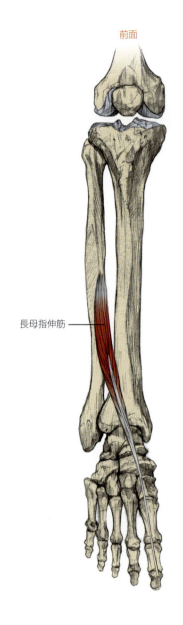
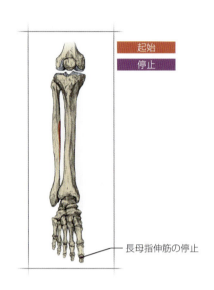

■ 長母指伸筋

起始 腓骨の中央部分と隣接した下腿骨間膜.
停止 母指末節骨底の背側.
神経支配 深腓骨神経.
作用 母指の伸展，背屈.

解説 この筋は，直接，距骨下関節の回転の前-後軸上を通って付着する（図 11.25B）ため，内がえしも外がえしも行わない.

筋と関節の相互作用

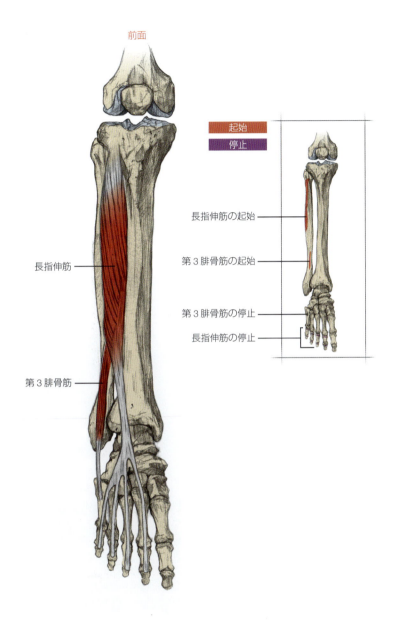

■ 長指伸筋

起始 脛骨外顆，腓骨内側面の近位2/3と隣接した下腿骨間膜．

停止 母指（第1指）を除く4指の中節骨と末節骨の背面に，腱として分かれて付着する．

神経支配 深腓骨神経．

作用 第2〜5指の伸展（中足指節関節，近位指節間関節，遠位指節間関節），背屈，回内．

解説 この筋の名前は，主要な作用を示す．この筋は，距腿関節の回転軸の前側を交差して走行するので，背屈筋となる．前脛骨筋が弱化した例では，長指伸筋の筋力によって足関節背屈を代償する．この筋の短縮，痙縮または酷使により，第2〜5指の**鈎指** claw toe 変形が起こる（中足指節関節の過伸展，近位指節間関節と遠位指節間関節の屈曲）．

■ 第3腓骨筋

起始	腓骨内側面の遠位 1/3 と隣接した下腿骨間膜.
停止	第5中足骨底の背面神経.
支配	深腓骨神経.
作用	第2〜5指の伸展(中足指節関節, 近位指節間関節, 遠位指節間関節), 背屈, 回内.

解説 この筋の強化は, 足関節内反捻挫の治療において重要となる. 第3腓骨筋の機能である背屈と回内は, 底屈と回外に拮抗する動きである. 底屈と回外は, 外側側副靱帯(特に前距腓靱帯)に損傷を与える動きである.

▶ 側方区画の筋群

下腿の側方区画の2つの筋は, 長腓骨筋と短腓骨筋である. これらは, 足部における主要な底屈筋と回内筋である. 最近では, それぞれ"peroneus"から"fibularis"への変更が進められている. この変更には, "common peroneal nerve(common fibular nerve)", "deep peroneal nerve(deep fibular nerve)", "superficial peroneal nerve(superficial fibular nerve)", "peroneus tertius(fibularis tertius)"も含まれている. 一貫性を保つために, 本書では, 最初に挙げた筋の名称に統一する.

1. 機能的考察

長腓骨筋と短腓骨筋は, 足関節と足部の外側を安定させる重要な役割をもつ. 立脚相の後期において, プッシュオフ(踏み切り)の準備のために踵部が若干持ち上がる際, この外側の安定性について, 部分的にではあるが確認できる. 立脚相の後期では, すべての底屈筋が収縮することによって, 身体を上方と前方へ推進させる. また図 11.26 でわかるように, 大部分の底屈筋は, 足部の回外筋である. この図のような状況では通常, 長腓骨筋と短腓骨筋(これら2つの筋は, 底屈筋でもあり回内筋でもある)の同時収縮によって均衡を保つ. つま先立ちを観察すると, 回外筋と回内筋の間の力学的平衡がよく理解される(図 11.27). 腓骨筋が脱力した場合は, 足部は回外の方向に強く引かれてしまう. このようになると多くの場合, 足関節の外側捻挫が起こる.

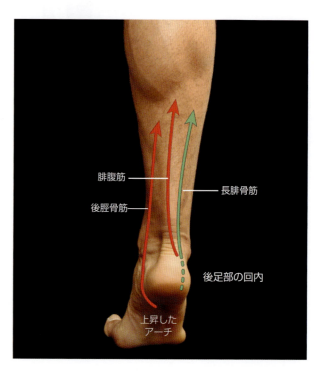

図 11.27 つま先立ち(底屈)の筋群の作用を示す線
長腓骨筋(緑色)と後脛骨筋(赤色)が, 中足部のあたりを吊り紐のように吊ることに注目しよう. 長腓骨筋には, 後脛骨筋の回外を制御するという重要な役割がある. (Neumann DA: Kinesiology of the musculoskeletal system: foundations for physical rehabilitation, ed 3, St Louis, 2017, Mosby, Fig. 14.47 より)

筋と関節の相互作用 315

ATLAS

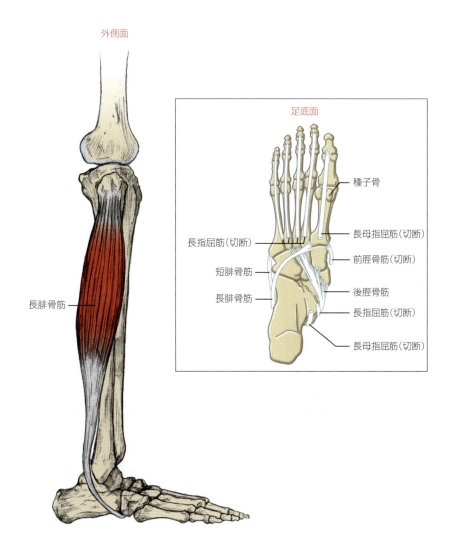

■ 長腓骨筋

起始	腓骨小頭ならびに腓骨外側面の近位2/3.
停止	内側楔状骨外側面と第1中足骨底（右上の足底面の図参照）.
神経支配	浅腓骨神経.
作用	回内，底屈.

解説 長腓骨筋は，立方骨に付着し，底屈と回内を起こすために外果後方から長腓骨筋腱溝を通って，生体力学的な滑車となる．この滑車は，関節の回転軸と筋の力線の維持に重要である．足底面にて，第1中足骨底に付着するまでの長腓骨筋腱を観察しよう．

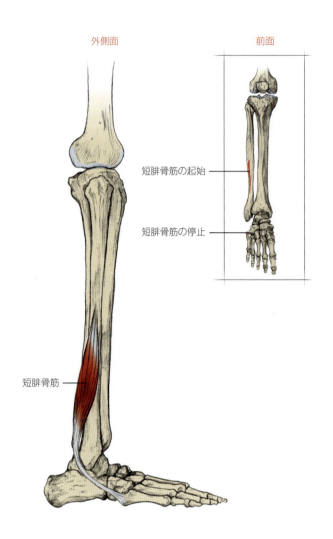

■ 短腓骨筋

- **起始**　腓骨外側面の遠位 2/3.
- **停止**　第 5 中足骨の茎状突起.
- **神経支配**　浅腓骨神経.
- **神経作用**　底屈, 回内.

解説　短腓骨筋の腱は, 第 5 中足骨の茎状突起の剥離骨折にしばしば関係する. これは, 腱と茎状突起部分が骨底から引きはがされる際に起こる. この損傷は, しばしばダンサー骨折とよばれるが, 足関節や足部で過度の回外が起こった場合, それを制動しようとする短腓骨筋の強い収縮によって骨折が生じる. また, この激しい回外によって起こる足関節の損傷では, 複数の外側側副靱帯も断裂される.

▶後方区画の筋群

後方区画の筋は，表層の筋と深層の筋の2群に分けられる．表層の筋群は，腓腹筋，ヒラメ筋（両筋をあわせて**下腿三頭筋** triceps surae とよぶ）という底屈筋群である．深層の筋群は，後脛骨筋，長指屈筋，長母指屈筋である．後方区画の筋はすべて脛骨神経によって支配されており，主な作用は底屈である．

1．機能的考察

(1) ヒラメ筋 vs 腓腹筋：その形態と機能

ヒラメ筋と腓腹筋は，足関節の底屈トルクの主要な供給源である．しかしながら，これらの筋は互いに異なる特性をもつ．

ヒラメ筋は，膝関節を曲げる能力をもたず，純粋な足関節の底屈筋といえる．この筋は主に，遅筋線維からなる．例えば，起立や動揺下での姿勢制御等の，比較的小さい力を長時間持続させる作用がある．

一方の腓腹筋は，速筋線推からなり，全力疾走やジャンプのような瞬発的な活動に適している．腓腹筋は運動学的に足関節の底屈と膝関節の伸展を組み合わせた運動を行えるため，瞬発的な活動には理想的であるといえる．この組み合わせた運動を行えることによって，二関節筋が陥りやすい過度の短縮は防止される．具体的には，腓腹筋が底屈のために収縮すると，同時に，膝関節の伸展によって伸ばされることが挙げられる．この機能によって，筋活動の最大化を図ることができ，効果的に筋力が発揮できる．

(2) つま先立ちの生体力学

腓腹筋のような底屈筋の筋力は，つま先立ちによって評価できる．つま先立ちは通常，たとえ一側下肢で行ったとしても，比較的簡単である．しかし，全体重をつま先だけによって支える，という観点から考えると，これは驚くべきことである．つま先立ちが容易であるのは，主に腓腹筋による大きいモーメントアームがあるからである．**図11.29**のように，つま先立ちで背伸びをするような動作では，腓腹筋が作用する回転軸は，足関節（距腿関節）の位置から中足指節（MTP）関節の位置へ移動する．作用する関節が変わることによって，活動筋に有効なモーメントアームを増大することになる（**図11.29B**）．

また，重心線が回転軸と腓腹筋の力線との間に落ちるので，筋は"第2種てこ"として作用する．これは，手押し車（一輪車）の操作に似ている．つまり，下腿三頭筋の内的モーメントアーム（**図11.29B**）は，重力の外的モーメントアーム（**図11.29C**）よりも3倍長いため，"第2種てこ"として作用する．これにより，約80 kgの人はつま先立ちの際，約27 kgだけの底屈でよいことになり，これは有利な機能といえる．さらに，筋収縮の長さの1/3だけ，重心の位置が持ち上げられることを理解できるであろう．

考えてみよう！ ▶▶ 足関節の外側捻挫

足関節と足部の内反捻挫は，最もよくみられる下肢の損傷の一つであり，しばしば外側側副靱帯の損傷と関係する（図11.28）．外側側副靱帯が，三角靱帯（内側側副靱帯）より高頻度で捻挫する理由は，大きく3つある．

○ 大きさ

外側側副靱帯は，比較的薄い．内側側副靱帯は，強く，厚く，幅が広い．

○ 回外の傾向

距骨下関節の回外への可動域は，回内の2倍である．例えば，ジャンプの着地に失敗したとき，過度に内反となった足関節に体重がかかってしまうことがある．これは，すでに伸張した外側側副靱帯の上に，多くの負荷をかけてしまうことになる．

○ 筋組織を保護する素早い反応の欠如

一般的に外側側副靱帯の捻挫は，過度の内反（回外）から起こる．過度の内反による捻挫を防ぐための筋は，腓骨筋群である．しかし残念なことに，ほとんどの内反捻挫は，腓骨筋群が反応する前に起こる．したがって，腓骨筋群を強化することは，慢性的な足関節の不安定性に備える方法の一つといえる．他の治療法としては，固有受容器のトレーニングがある．例えば，**不安定板** wobbleboard の使用，トランポリンの使用，片足立ち運動等が挙げられる．また，不整地での歩行やスポンジ上の歩行は平衡を制御する活動となり，足関節と足部の急速な回外に対して，筋群が素早く反応できるようになる．

図11.28　右足関節の内反捻挫を受傷するサッカー選手

臨床的な視点 ＞＞ 第1中足指節関節捻挫：芝生の趾先

"芝生の趾先 turf toe"は，一般に母指の中足指節関節における外傷性過伸展に起因する損傷である．過伸展の結果として関節包が裂け，母指の基節骨底に腫脹と疼痛がみられる．例えば，サッカー，アメリカンフットボール，ラグビーのような競技の選手は，走行中の素早い切り返し cutting を要求されるため，受傷することが多い．

この疼痛への初期対応は，安静，冷却，そして抗炎症薬の投与である．第1中足指節関節捻挫を受傷した場合は，足指の不必要な伸展を予防し，足指を保護するために，靴内に足底挿板を挿入するとよい．

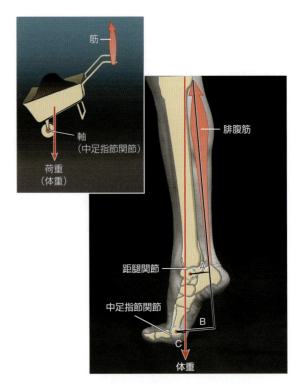

(3) 後方区画の深層の筋群の役割は，内側縦アーチの支持である

これらの筋群は，後脛骨筋，長指屈筋，長母指屈筋からなっている．これらは足部の主要な内がえしの筋（または回外筋）であり，遠心性に働き，立脚相の初期において，足部の回内（外がえし）に抵抗する方向に作用する．この機能は，特に後脛骨筋にとって重要である．内側縦アーチに過伸張と弱化が生じた場合，後脛骨筋は過度に収縮する必要がある．最終的に，疲労が蓄積し疼痛を生じる．**過用症候群** overuse syndrome に陥る可能性もある．

図 11.29 つま先立ちが，手押し車（一輪車）の操作に似ていることを示す生体力学のモデル

つま先立ちの際，回転軸は，距腿関節（作用するモーメントアームは A）から中足指節関節へ移動する．つま先立ちでの腓腹筋に有効な内的モーメントアーム（B）は，体重に有効な外的モーメントアーム（C）に比べて，3倍長い．（Neumann DA: Kinesiology of the musculoskeletal system: foundations for physical rehabilitation, ed 2, St Louis, 2010, Mosby, Fig. 14.52 より）

考えてみよう！ ＞＞ 膝関節の間接的な伸筋としてのヒラメ筋

ヒラメ筋は，足関節の底屈筋として重要な役割をもつが，同時に，重要な膝関節の伸筋であり，スタビライザーでもある．地面にしっかり足底をつけた状態でヒラメ筋が活動すると，閉鎖運動連鎖で底屈が起こる．この動きは，脛骨の上部の面（膝関節）を動かし，効果的に膝関節を伸展させる（**図 11.30**）．大腿四頭筋が弱化した人は，膝関節の伸展トルクの供給源として，ヒラメ筋のこの機能を使用する．

しかし，ヒラメ筋が過度に活動（痙縮）すると，下肢が体重を支えている際にも，不必要な膝関節の過伸展が起こる．このような例は，脳卒中において，ヒラメ筋の痙縮が増強した状態でしばしば起こる．ヒラメ筋の活動が亢進した状態で，体重が繰り返し下肢にかかり続ければ，反張膝（膝関節の過伸展）の一因となる．

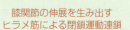
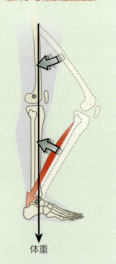

図 11.30 ヒラメ筋による膝関節の伸展
床面に確実に固定された足部によって，ヒラメ筋は，膝関節の伸展を生み出す．これは，足関節の底屈の閉鎖運動連鎖の結果である．（Neumann DA: Kinesiology of the musculoskeletal system: foundations for physical rehabilitation, ed 2, St Louis, 2010, Mosby, Fig. 14.56B より）

臨床的な視点 >> 腓腹筋 vs ヒラメ筋の選択的な伸張

腓腹筋とヒラメ筋が短縮した状態は，比較的観察されやすい．しばしば足底筋膜炎，アキレス腱炎，脛骨疲労性骨膜炎を含む痛みを伴う状態の要因と考えられる．これらの状態の保存的治療は，腓腹筋とヒラメ筋の伸張である．両筋は強力な足関節底屈筋であるが，両方の筋が確実かつ適切に伸張されるためには，個々に違った伸張をされる必要がある．

図11.31Aは，右腓腹筋の伸張を行っている少女を示している．注目すべき点は，足関節が完全な背屈位となっているため，右膝関節が完全伸展位を保持できている点である．ここで，腓腹筋が膝関節をまたいでいることを思い出そう！　この伸張方法は，膝関節と足関節にわたる腓腹筋を引っ張る方法であり，完全に膝関節を伸展させておくことが重要である．膝関節のどのような屈曲でも，腓腹筋の伸張の有効性を減少させる．図11.31Bは，主にヒラメ筋の伸張を行っている．このとき，膝関節は屈曲位で保持され，腓腹筋はゆるめられている．それにより，単関節筋であるヒラメ筋に伸張を集中させることができる．

図11.31　腓腹筋とヒラメ筋の自動運動での伸張
A：右の腓腹筋の自動運動での伸張を示す．膝関節が完全伸展していることに注意しよう．B：ヒラメ筋の自動運動での伸張を示す．膝関節屈曲位で保持されていることに注意しよう．

ATLAS

表層の筋群

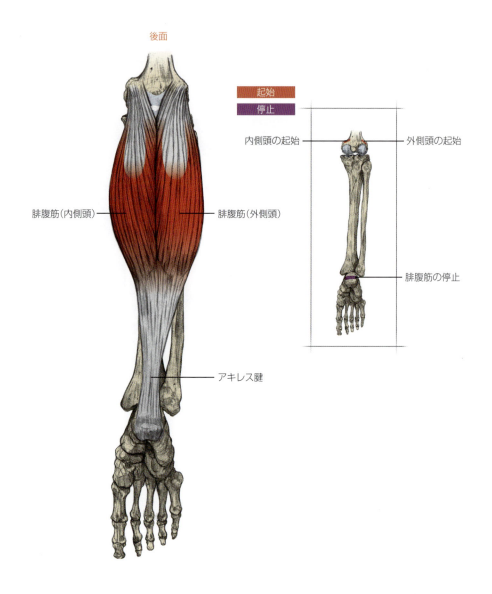

■ 腓腹筋

起始 　　[内側頭]大腿骨内顆の後側面．
　　　　[外側頭]大腿骨外顆の後側面．
停止 　　アキレス腱を経由して踵骨隆起．
神経支配　脛骨神経．
神経作用　底屈，膝関節の屈曲．

解説　腓腹筋は，突出した踵骨隆起によって大きな内的モーメントアームを与えられ，その比較的大きく交わる部分によって，大きな底屈トルクを生み出すことができる．例えば，走ったり，跳んだりする際は，大きなトルクが身体の体重を上方と前方へ推進するために必要となる．

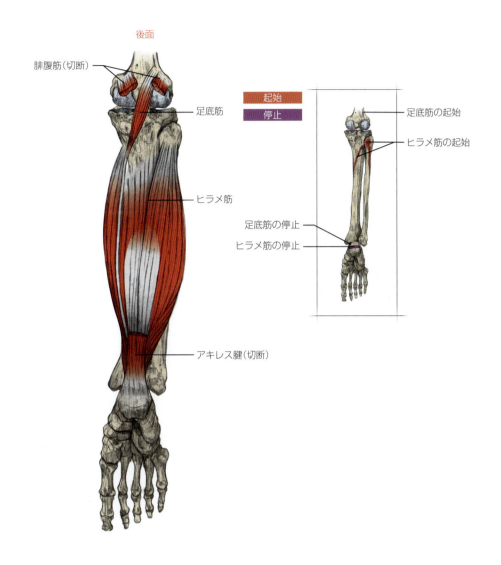

■ ヒラメ筋

起始	腓骨後面の近位 1/3，腓骨小頭，脛骨後側面．
停止	アキレス腱を経由して踵骨隆起．
神経支配	脛骨神経．
神経作用	底屈．
解説	腓腹筋とヒラメ筋は，ふくらはぎの筋群である．これらの筋のうち，どちらか一方の筋だけを分離して筋力テストを行いたい場合，セラピストは以下のことを考慮するとよい．この 2 つの筋が異なる付着部をもつことを知っていれば，筋力テストはやりやすくなるであろう．例えば，ヒラメ筋の底屈力を測定したい場合，セラピストは患者に，膝関節を最大に屈曲させた状態で，最大筋力で底屈を行わせるとよい．膝関節の屈曲位では，二関節筋である腓腹筋はゆるむが，単関節筋であるヒラメ筋の長さは変化しない．結果的に，ゆるんだ腓腹筋は足関節を底屈させる能力を失う．したがって，セラピストが測定した底屈力は，その力が主にヒラメ筋によって発揮されていると考えてよい．

■ 足底筋

起始	大腿骨の外側顆上線．
停止	踵骨隆起に付着するアキレス腱の内側面．
神経支配	脛骨神経．
作用	底屈，膝関節の屈曲．
解説	足底筋は小さく，足関節の全体的な底屈力への寄与はほとんどない．

深層の筋群

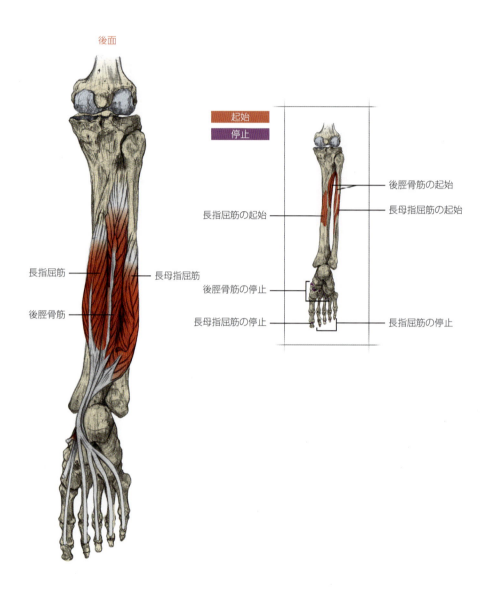

■ 後脛骨筋

起始	脛骨後面の近位 2/3, 腓骨, 下腿骨間膜.
停止	距骨以外の足根骨. 第 2～4 中足骨底. 主な付着部は, 舟状骨粗面.
神経支配	脛骨神経.
神経作用	底屈, 回外, 内転.

解説 後脛骨筋の広範囲にわたる停止と牽引線は, この筋が距骨下関節の最も効果的な回外筋, そして横足根関節の内がえしの筋であることを示す. この筋によって, 足部の内側縦アーチが支えられる. 断裂された後脛骨筋腱は, しばしば外傷性の扁平足を生じる.

■ 長母指屈筋

起始	腓骨後面の遠位 2/3.
停止	母指末節骨底.
神経支配	脛骨.
神経作用	母指の屈曲, 底屈, 回外, 内転.
解説	長母指屈筋は, 走行やジャンプでのプッシュオフ(踏み切り)の最終段階で強く活動する. このとき, 母指は過伸展位である. この活動によって, つま先と床面との間に摩擦が発生する.

■ 長指屈筋

起始	脛骨後面の中央部 1/3.
停止	腱は4本に分かれ, 外側4指の末節骨底に付着.
神経支配	脛骨.
神経作用	第2～5指の屈曲, 底屈, 回外, 内転.
解説	長指屈筋の痙縮や緊張は, 足関節の底屈, 足部の回外, 足指の屈曲を引き起こす.

足部の内在筋

一般に足部の内在筋は, 歩行や走行におけるプッシュオフ(踏み切り)期に最も活動する. これらの筋群は, 内側縦アーチの挙上を補助するために, 共同して収縮する. この機能によって, 底屈筋はプッシュオフ(踏み切り)を行うために収縮し, 同時に足部を安定させる.

内在筋の解剖学的な解説を, 表11.5～9に示す.

▶ 足背面

足背面には内在筋が2つ存在するが, それは短指伸筋と背側骨間筋である(図11.32, 表11.5). 短指伸筋は, 足指(趾)の伸展を行う. 背側骨間筋は, 第2指, 第3指, 第4指の外転を担っている(第2指に対して). これらの筋の起始は深い部位である. すなわち, 足部内在筋の最深部である第4層である.

▶ 足底面

足底面の内在筋は, 4層で構成される(図11.33). 強靭な足底筋膜は, 最も浅層を覆う.

1. **第1層**

   第1層は, 短指屈筋, 母指外転筋, 小指外転筋からなる(図11.33A, 表11.6).

2. **第2層**

   第2層は, 足底方形筋, 4つの虫様筋からなる(図11.33B, 表11.7).

3. **第3層**

   第3層は, 母指内転筋, 短母指屈筋, 小指屈筋からなる(図11.33C, 表11.8).

4. **第4層**

   第4層は, 背側および底側骨間筋からなる(底側骨間筋は, 図11.33C, 表11.9).

まとめ

足関節と足部には, 主に2つの機能がある. 第一の機能として, 足部は地面の形への適応性だけではなく, 衝撃吸収という柔軟性をもち, 立脚相の初期での体重負荷に耐えることが挙げられる. 衝撃の吸収は, 筋組織や結合組織が, 足部を回内(外がえし)させて, 内側縦アーチをゆっくりと下げることによって行われる. またこの作用は, 体重負荷によって生じる圧縮力を吸収するものでもある.

第二の機能として, 足部は頑丈性をもち, 立脚相の中期から後期にみられるプッシュオフ(踏み切り)の際に, 筋が生み出す推進力に耐えることが挙げられる. このときの足部は, 内在筋と外在筋の自動的な制御のもとに, 内側縦アーチが上昇し, 足部がわずかに回外(内がえし)することによって, 安定性が増すのである.

足関節と足部の構造と機能の特徴は, まず立脚相において, わかりやすく的確に表れる. 立脚相では, 踵骨は床面に接地するが, 足部としては, 連続した底背屈と下肢全体の前進を行わなければならない. 足関節と足部の機能は, 下肢全体の運動と機能に大きく関与しているのである.

股関節, 膝関節, 脊柱等に発生した機能障害が, 足関節や足部で起こる問題に関連することも, しばしばみられる. すなわち, 足関節と足部の機能を最適な状態にすることは, 下肢全体での筋や骨格に生じた問題の解決につながる.

表11.5　足部の内在筋：足背面

筋	起始	停止	作用	神経支配
短指伸筋	踵立方関節に最も近い踵骨の背側の外側面	腱は第1〜4指に分割され，外在伸筋腱に合流する	第1〜4指の伸展	深腓骨神経

表11.6　足部の内在筋：足底面（第1層）

筋	起始	停止	作用	神経支配
短指屈筋	踵骨隆起と足底筋膜の足底面	第2〜5指の中節骨底へ分割した腱となって付着	第2〜5指の中足指節関節および近位指節間関節の屈曲	内側足底神経
母指外転筋	屈筋支帯，踵骨の内側突起と足底筋膜	母指基節骨底の内側	母指の外転	内側足底神経
小指外転筋	踵骨隆起の内側および外側突起，第5中足骨底	第5指基節骨の外側	第5指の外転	外側足底神経

表11.7　足部の内在筋：足底面（第2層）

筋	起始	停止	作用	神経支配
足底方形筋	踵骨の足底面に2つの頭部で付着	長指屈筋腱の外側面	長指屈筋腱の安定性に寄与する．下方への力を発揮することによって，長指屈筋腱が内側に移動することを防止する	外側足底神経
4つの虫様筋	長指屈筋の腱	第2〜4指の背側へ広がって付着	中足指節関節の屈曲と指節間関節の伸展	第2指：内側足底神経 第3〜4指：外側足底神経

表11.8　足部の内在筋（第3層）

筋	起始	停止	作用	神経支配
母指内転筋	斜頭：第2〜4中足骨底（足底面），および長腓骨筋の腱鞘 横頭：第3〜5 MTP関節の支帯の足底面	2頭は，母指の基節骨底（外側）に収束される	母指MTP関節の屈曲と内転	外側足底神経
短母指屈筋	立方骨と外側楔状骨の足底面：後脛骨筋の腱の部分	2頭は，それぞれ母指の基節骨底の内側面と外側面に付着	母指MTP関節の屈曲	内側足底神経
小指屈筋	第5中足骨底の足底面	第5指の基節骨底の外側	第5指MTP関節の屈曲	外側足底神経

MTP：中足指節 metatarsophalangeal.

表11.9　足部の内在筋：足底面（第4層）

筋	起始	停止	作用	神経支配
背側骨間筋（4筋）	第1：第1，2中足骨 第2：第2，3中足骨 第3：第3，4中足骨 第4：第4，5中足骨	第1：第2基節骨底の内側 第2：第2基節骨底の外側 第3：第3基節骨底の外側 第4：第4基節骨底の外側	第2〜4指の外転	外側足底神経
底側骨間筋（3筋）	第1：第3中足骨の内側 第2：第4中足骨の内側 第3：第5中足骨の内側	第1：第3基節骨の内側 第2：第4基節骨の内側 第3：第5基節骨の内側	第3〜5指の内転	外側足底神経

まとめ 325

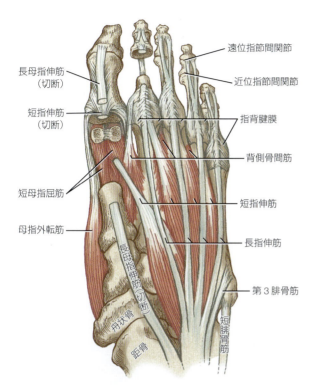

図11.32 右前足部背側の筋と関節
短指伸筋と背側骨間筋を強調している．（Neumann DA: Kinesiology of the musculoskeletal system: foundations for physical rehabilitation, ed 3, St Louis, 2017, Mosby, Fig. 14.38 より）

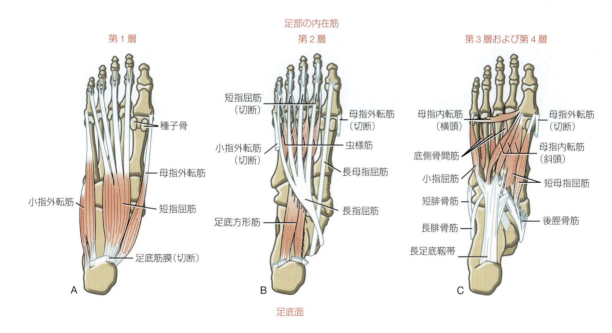

図11.33 足部の内在筋
足部の内在筋は，4つの層に分かれる．A：第1層（最も浅層）．B：第2層．C：第3層および第4層（最も深層）．（Neumann DA: Kinesiology of the musculoskeletal system: foundations for physical rehabilitation, ed 3, St Louis, 2017, Mosby, Fig. 14.53 より）

臨床的な視点　>> 足底筋膜炎と扁平足

足底筋膜炎は，足底足筋膜の炎症を含んだ痛みを伴う状態である．この状態は，足底筋膜に対して，走ったり，ジャンプしたりする等の反復的にストレスをかけるようなレクリエーション活動としばしば関係している．扁平足のランナーやアスリートは，足底筋膜炎を発症する危険がある．

通常，走ったり，ジャンプしたりしている間のつま先立ち，もしくは"プッシュオフ（踏み切り）"の動作は，足底屈筋（後脛骨筋のような"深い"足底屈筋を含む）の強い収縮によって行われる．腓腹筋とヒラメ筋のような筋は，踵骨を持ち上げることにより，身体を挙上させることができる．正常な強い内側縦アーチをもつ足部においては，この筋活動によって，つま先を過伸展とし，中足骨頭上に体重を移すことができる．図 11.34A に示されているように，足底筋膜（赤色のばね）は，中足指節関節の過伸展により，緊張（伸張）する．その後，アーチを持ち上げて，縦方向に中足部と前足部を安定させる．足部の内在筋の同時収縮は，後脛骨筋と同様に，プッシュオフ型の運動の際，アーチの持ち上げを支える（図 11.34A）．

扁平足は，支持が不十分あるいは弱化している縦アーチのことで，"flatfoot"と記載される．これは，後脛骨筋の弱化，骨アライメントの異常，結合組織の全般的なゆるみ，足底筋膜の過伸張による筋力低下に起因する場合がある．つま先で持ち上げている間，扁平足では，正常とは違った生体力学が働く．そしてこれは，足底筋膜炎の一因となるおそれがある．図 11.34B は，扁平足の人がつま先で立ち上がろうとしている例である．足関節底屈筋が収縮している間，弱化したアーチが落ちるか，体重によって下がるかを注意深く観察しよう．通常，この下方へのたるみは，縦アーチの強さによって防ぐことができる．しかし，図 11.34B に示されるように，足底筋膜（赤色のばね）と足の内在筋はさらに無理を強いられて，足底筋膜炎に陥ってしまう．

表 11.10 は，一般的な足関節の関節可動域測定で参照される表である．関節可動域の治療と評価に使用される解剖学的な基準である．自動関節可動域の正常値も記載されている．これらの関節可動域に誤差が生じる場合，数種類の理由による．

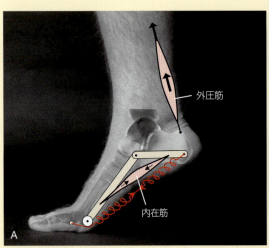
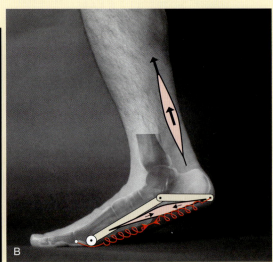

図 11.34　つま先立ち
A：正常な縦アーチによるつま先立ちの姿勢を示す．足底筋膜の緊張（赤色のばね）は，縦アーチの持ち上げを助ける．B：扁平足でのつま先立ち．縦アーチの落ち込みは，足底筋膜と内在筋の過伸張に伴って起こり，足底筋膜炎の一因となる．（Neumann DA: Kinesiology of the musculoskeletal system: foundations for physical rehabilitation, ed 2, St Louis, 2010, Mosby, Fig. 14.40 より）

表 11.10　足関節の関節可動域測定

運動	回転軸	基本軸	移動軸	参考可動域（自動）
背屈	外果	腓骨頭を通る下腿の中心線	第5中足骨に平行な線	10～20°
底屈	外果	腓骨頭を通る下腿の中心線	第5中足骨に平行な線	50～60°
後足の回外（距骨下関節）	内外果間のアキレス腱上	後面の下腿中心線	後面の踵骨中心線	10～15°
後足の回内（距骨下関節）	内外果間のアキレス腱上	後面の下腿中心線	後面の踵骨中心線	0～5°

確認問題

1. 距腿関節の主な運動はどれか.
   a 背屈と底屈
   b 回外と回内
   c 内転と外転
   d 上記のどれでもない

2. 距骨下関節はどの接合か.
   a 距骨と遠位脛骨, 腓骨
   b 距骨と立方骨
   c 距骨と踵骨
   d 踵骨と舟状骨

3. 足関節と足部で, 背屈, 回内, 外転を組み合わせた動きはどれか.
   a 内がえし
   b 外がえし
   c 過伸展
   d 回外

4. 足部の内側縦アーチの主な機能はどれか.
   a 足部の過度の内がえしを制限する
   b 体重負荷を安全に吸収する
   c 距腿関節での過度の底屈を予防する
   d 第2〜4中足指節関節での過屈曲を予防する

5. 回外と回内を表すのはどれか.
   a 内側-外側方向の回転軸まわりに生じる
   b 前-後方向の回転軸まわりに生じる
   c 前額面での運動である
   d aとc
   e bとc

6. 3つすべての運動面で運動する関節はどれか.
   a 距腿関節
   b 距骨下関節
   c 横足根関節
   d 母指の中足指節関節

7. 足関節における内側-外側軸の後方を通る筋の作用によって生じる運動はどれか.
   a 背屈
   b 底屈
   c 回外
   d 回内

8. 一般に, ほぞ継ぎ関節 mortise joint としてあてはまるのはどれか.
   a 距骨下関節
   b 横足根関節
   c 近位指節間関節
   d 距腿関節

9. 足関節(距腿関節)のはめ込み close-packed とみなされる, 最も安定した肢位はどれか.
   a 最大の内転位
   b 最大の外転位
   c 最大の背屈位
   d 最大の底屈位

10. 距骨下関節の主な運動はどれか.
    a 背屈と底屈
    b 回外と回内
    c 外転と内転
    d aとb
    e bとc

11. 前-後軸の内側を通る筋の作用によって生じる運動はどれか.
    a 背屈
    b 底屈
    c 回外
    d 回内

12. 足関節の内側-外側軸の後方を通る筋はどれか.
    a 前脛骨筋
    b 短腓骨筋
    c 第3腓骨筋
    d 長母指伸筋
    e aとd

13. 下腿三頭筋の一部とみなされない筋はどれか.
    a 長指屈筋
    b 腓腹筋
    c ヒラメ筋
    d aとb
    e aとc

14. 扁平足の説明で最も適切なのはどれか.
    a 背屈筋群の完全麻痺または不全麻痺
    b 足部の内側縦アーチが慢性的に下垂した, もしくは下降したもの
    c 足部の内側縦アーチが異常に高いか, もしくは持ち上げられたもの
    d 母指の中足指節関節での外反変形

15. 足部のほとんどの背屈筋に分布する神経はどれか.
    a 脛骨神経
    b 深腓骨神経
    c 浅腓骨神経
    d 外側足底神経

16. 脛骨神経の損傷によって最も低下する運動はどれか.
    a 背屈
    b 底屈
    c 回内
    d 第1〜4指の伸展

17. 下垂足を生じたり, 歩く際に床を叩くパタパタ音を起こすのは, どの筋の弱化によるものか.
    a 前脛骨筋と長指伸筋
    b 長腓骨筋と短腓骨筋
    c 腓腹筋とヒラメ筋
    d 長母指屈筋と後脛骨筋

18 ▶ 足関節の底屈と膝関節の屈曲を行う筋はどれか.
　ⓐ 長母指屈筋
　ⓑ ヒラメ筋
　ⓒ 第3腓骨筋
　ⓓ 腓腹筋

19 ▶ 足関節と足部における過度の内反の予防を補助するのはどれか.
　ⓐ 三角靱帯
　ⓑ 足関節と足部の外側側副靱帯
　ⓒ 第3腓骨筋の収縮
　ⓓ aとc
　ⓔ bとc

20 ▶ 足部が地面にしっかりと接地している場合に,膝の伸展の補助ができる筋はどれか.
　ⓐ 長母指伸筋
　ⓑ 前脛骨筋
　ⓒ ヒラメ筋
　ⓓ 第3腓骨筋

21 ▶ 後脛骨筋と長腓骨筋の類似点を表しているのはどれか.
　ⓐ 両筋ともに,足関節の内側-外側軸の前方を走行する
　ⓑ 両筋ともに,回内を行う
　ⓒ 両筋ともに,底屈を行う
　ⓓ 両筋ともに,脛骨神経支配である

22 ▶ 腓腹筋とヒラメ筋の停止は,アキレス腱を経た踵骨隆起である.
　ⓐ 正しい
　ⓑ 誤り

23 ▶ 短腓骨筋は,後脛骨筋に分布する神経と同じ神経によって支配される.
　ⓐ 正しい
　ⓑ 誤り

24 ▶ 距腿関節は,背屈よりも底屈の位置で安定する.
　ⓐ 正しい
　ⓑ 誤り

25 ▶ 足底筋膜の主な機能は,内側縦アーチの補助である.
　ⓐ 正しい
　ⓑ 誤り

26 ▶ 前脛骨筋は,背屈と回外を行うことができる.
　ⓐ 正しい
　ⓑ 誤り

27 ▶ 短指屈筋,母指外転筋,小指外転筋は,すべて内在筋である.
　ⓐ 正しい
　ⓑ 誤り

28 ▶ 後脛骨筋は,長母指屈筋に分布する神経と同じ神経によって支配される.
　ⓐ 正しい
　ⓑ 誤り

29 ▶ 腓腹筋は,背屈および膝関節の最大屈曲位で,最大限に伸ばされる.
　ⓐ 正しい
　ⓑ 誤り

30 ▶ 足部の回外および回内は,主に距腿関節で生じる.
　ⓐ 正しい
　ⓑ 誤り

参考文献

Anderson, D.E. & Madigan, M.L. (2014) Healthy older adults have insufficient hip range of motion and plantar flexor strength to walk like healthy young adults. Journal of Biomechanics, 47, 1104-1109.

Backman, L.J. & Danielson, P. (2011) Low range of ankle dorsiflexion predisposes for patellar tendinopathy in junior elite basketball players: a 1-year prospective study. American Journal of Sports Medicine, 39(12), 2626-2633.

Basmajian, J.V. & Stecko, G. (1963) The role of muscles in arch support of the foot. Journal of Bone Joint Surgery American Volume, 45, 1184-1190.

Beazell, J.R., Grindstaff, T.L., Sauer, L.D., et al. (2012) Effects of a proximal or distal tibiofibular joint manipulation on ankle range of motion and functional outcomes in individuals with chronic ankle instability. Journal of Orthopaedic and Sports Physical Therapy, 42(2), 125-134.

Buchanan, K.R. & Davis, I. (2005) The relationship between forefoot, midfoot, and rearfoot static alignment in pain-free individuals. Journal of Orthopaedic and Sports Physical Therapy, 35(9), 559-566.

Campbell, K.J., Michalski, M.P., Wilson, K.J., et al. (2014) The ligament anatomy of the deltoid complex of the ankle: a qualitative and quantitative anatomical study. Journal of Bone & Joint Surgery American Volume, 96(8) e62(1-10).

Cavanagh, P.R., Rodgers, M.M. & Iiboshi, A. (1987) Pressure distribution under symptom-free feet during barefoot standing. Foot Ankle, 7(5), 262-276.

Doherty, C., Bleakley, C., Hertel, J., et al. (2015) Dynamic balance deficits 6 months following first-time acute lateral ankle sprain: A laboratory analysis. Journal of Orthopedic & Sports Physical Therapy, 45(8), 626-633.

Durrant, B., Chockalingam, N. & Hashmi, F. (2011) Posterior tibial tendon dysfunction: A review. [Review]. Journal of American Podiatric Medical Association, 101(2), 1761-1786.

Fousekis, K., Tsepis, E. & Vagenas, G. (2012) Intrinsic risk factors of noncontact ankle sprains in soccer: a prospective study on 100 professional players. American Journal Sports Medicine, 40(8), 1842-1850.

Gerard, R., Unno-Veith, F., Fasel, J., et al. (2011) The effect of collateral ligament release on ankle dorsiflexion: An anatomical study. Journal of Foot & Ankle Surgery, 17(3), 193-196.

Hoch, M.C., Andreatta, R.D., Mullineaux, D.R., et al. (2012) Two-week joint mobilization intervention improves self-reported function, range of motion, and dynamic balance in those with chronic ankle instability. Journal of Orthopaedic Research, 30(11), 1798-1804.

Hubbard, T.J., Hertel, J. & Sherbondy, P. (2006) Fibular position in individuals with self-reported chronic ankle instability. Journal of Orthopaedic and Sports Physical Therapy, 36(1), 3-9.

Kulig, K., Burnfield, J.M., Reischl, S., et al. (2005) Effect of foot orthoses on tibialis posterior activation in persons with pes planus. Medical and Science in Sports and Exercise, 37(1), 24-29.

McPoil, T.G., Knecht, H.G. & Schuit, D. (1988) A survey of foot types in normal females between ages of 18 and 30 years.

Journal of Orthopaedic and Sports Physical Therapy, 9, 406-409.

McPoil, T.G., Warren, M., Vicenzino, B., et al. (2011) Variations in foot posture and mobility between individuals with patellofemoral pain and those in a control group. Journal of American Podiatric Medical Assocication, 101(4), 289-296.

Murray, M.P., Guten, G.N., Sepic, S.B., et al. (1978) Function of the triceps surae during gait: compensatory mechanisms for unilateral loss. Journal of Bone and Joint Surgery American Volume, 60(4), 473-476.

Neumann, D. (2017) Kinesiology of the musculoskeletal system: foundations for physical rehabilitation (3rd ed.). St Louis: Elsevier.

Pavan, P.G., Stecco, C., Darwish, S., et al. (2011) Investigation of the mechanical properties of the plantar aponeurosis. Surgery & Radiology Anatomy, 33(10), 905-911.

Piazza, S.J. (2005) Mechanics of the subtalar joint and its function during walking. Foot and Ankle Clinics, 10(3), 425-442.

Postle, K., Pak, D. & Smith, T.O. (2012) Effectiveness of proprioceptive exercises for ankle ligament injury in adults: A systematic literature and meta-analysis. [Review]. Manual Therapy, 17(4), 285-291.

Resende, R.A., Deluzio, K.J., Kirkwood, R.N., et al. (2015) Increased unilateral foot pronation affects lower limbs and pelvic biomechanics during walking. Gait & Posture, 41(2), 395-401.

Standring, S. (2016) Gray's anatomy: the anatomical basis of clinical practice (41st ed.). St Louis: Churchill Livingstone.

Terrier, R., Rose-Dulcina, K., Toschi, B., et al. (2014) Impaired control of weight bearing ankle inversion in subjects with chronic ankle instability. Clinical Biomechanics, 29(4), 439-443.

Vicenzino, B., Branjerdporn, M., Teys, P., et al. (2006) Initial changes in posterior talar glide and dorsiflexion of the ankle after mobilization with movement in individuals with recurrent ankle sprain. Journal of Orthopaedic and Sports Physical Therapy, 36(7), 464-471.

Watanabe, K., Kitaoka, H.B., Berglund, L.J., et al. (2012) The role of ankle ligaments and articular geometry in stabilizing the ankle. Clinical Biomechanics, 27(2), 189-195.

第12章

歩行の基礎知識

▶ 本章の概要

用語	矢状面における歩行のまとめ	まとめ
歩行周期の詳細	前額面における歩行のまとめ	確認問題
立脚相	水平面における歩行のまとめ	参考文献
遊脚相	異常歩行	

▶ 学習目標

- 歩行周期の主な事象を説明できる.
- 歩行における用語を定義できる.
- 踵接地における筋と関節の相互作用を説明できる.
- 足底接地における筋と関節の相互作用を説明できる.
- 立脚中期における筋と関節の相互作用を説明できる.
- 踵離地と足指離地の間に起こる筋と関節の相互作用を説明できる.
- 遊脚初期,遊脚中期,遊脚終期(後期)における,筋と関節の相互作用を説明できる.
- 歩行の立脚相における股関節の外転筋の役割を説明できる.
- 正常歩行からの逸脱を引き起こしうる障害を含め,一般的な異常歩行を説明できる.
- 歩行周期の主な事象を説明できる.

キーワード

踵接地	重複歩	歩行速度	遊脚中期
踵離地	重複歩距離	歩行率	立脚相
ステップ	トレンデレンブルク徴候	歩幅	立脚中期
足指離地	プッシュオフ	遊脚終期(後期)	両下肢支持期
足底接地	歩隔	遊脚初期	
単下肢支持期	歩行周期	遊脚相	

　歩行は一般に,生体力学的にきわめて効率の良いプロセスであり,比較的小さなエネルギーしか必要としない.このプロセスが自然で単純なものにみえるにもかかわらず,実際のところ,歩行は複雑かつ高水準の運動である.

　正常な歩行には健常な身体,特に神経系および筋骨格系が必要である.これらの系に病変が生じたり損傷が起こると,多くの場合,容易で効率の良い歩行ができなくなる.適切なリハビリテーションを行わなければ,歩行のプロセスは必要以上に努力性となり,非効率なものとなるであろう.そうなれば,歩くための代償戦略を発達させることになるが,それによって筋の短縮や弱化が生じる可能性がある.安全に歩行する能力は,どれくらい早くリハビリテーションを終えることができるかに影響する.したがって,まずは患者の歩行を評価・分析することが重要となる.これは,治療において最善の計画を決定するための必要条件である.

　歩行は,体幹と下肢における正確でさまざまな運動が極まったものであるといえる.本章では,股関節,膝関節,足関節における筋の運動と関節の可動域に重点を置いて,正常歩行の主な運動学的特徴を学ぶ.また,異常歩行についても検討する.さらに根底にある疾患を効果的に治療するための基礎となるよう,いくつかの代表的

な異常歩行を説明する．

用語

歩行の運動学を記述する際においても，専門的な用語は必要となる．これらの用語のほとんどは，歩行周期に関するものである．**歩行周期** gait cycle とは，一側の踵が接地してから，同側の踵が再び接地するまでの周期である（**図12.1**）．歩行は動的で連続したものであり，歩行周期は，0〜100％に細分化されて説明される（図12.2）．

図12.2で示すように，歩行周期のはじめの60％の期間において足部は地面と接するが，これは**立脚相** stance phase として知られる．この立脚相には，次の5つの事象がある．

- **踵接地** heel contact：踵が地面に接地する瞬間（歩行周期の0％）．
- **足底接地** foot flat：全足底面が接地する時期（歩行周期の8％）．
- **立脚中期** mid stance：体重がまさに支持側（立脚側）

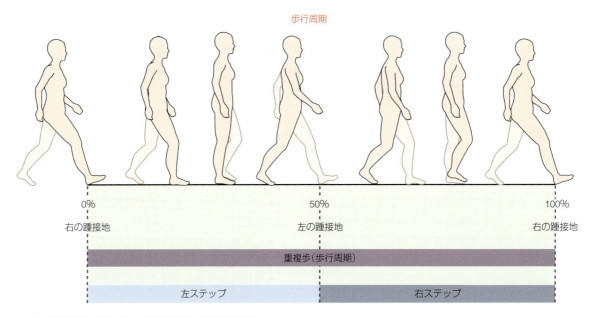

図12.1　右の踵接地から次の右の踵接地までの歩行周期
（Neumann DA: Kinesiology of the musculoskeletal system: foundations for physical rehabilitation, ed 2, St Louis, 2010, Mosby, Fig. 15.6 より）

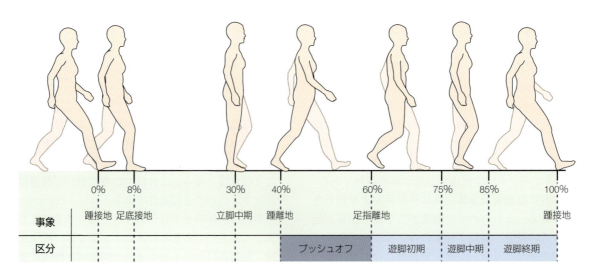

図12.2　歩行周期の区分
（Neumann DA: Kinesiology of the musculoskeletal system: foundations for physical rehabilitation, ed 2, St Louis, 2010, Mosby, Fig. 15.11 より）

下肢の上を通過する地点（歩行周期の30%）であり，下肢が垂直になるのと同時期である．
- 踵離地 heel off：踵が地面を離れる瞬間（歩行周期の40%）．
- 足指離地 toe off：足指が地面を離れる瞬間（歩行周期の60%）．

プッシュオフ（踏み切り）push-off とよばれる期間は，踵離地と足指離地の間にあり，足部が次の一歩のために"地面を押し離す"ときである．一般に，歩行周期の40～60%の時点にあたる．

歩行周期の終わりの40%の期間において，足部は地面を離れて遊脚相 swing phase となる．この遊脚相は，次の3つの事象に分けられる（図12.2）．

- 遊脚初期 early swing：足指離地から遊脚中期までの期間（歩行周期の60～75%）．
- 遊脚中期 mid swing：遊脚側の足部が立脚側の足部の横を通過する期間（歩行周期の75～85%）．これは，反対側下肢の立脚中期に相当する．
- 遊脚終期（後期）terminal（late）swing：遊脚中期から踵接地までの期間（歩行周期の85～100%）．

歩行周期中の事象を定義する用語の他，図12.3の数値や概念は，歩行の研究に有用である．しかし，これらの数値は，平均的な速度で歩行する健常な成人に基づくものであることに注意すべきである．各数値は，歩行速度によって大きく変化する．

- 重複歩 stride：同じ足部の連続した2つの踵接地の間に起こる事象．1重複歩におけるすべての事象は，1歩行周期の中で起こる．
- ステップ step：例えば左の踵接地と右の踵接地のように，一側の踵接地から反対側の踵接地までに起こる事象．
- 歩幅 step length：1歩で進む距離．健常な成人の平均は約70 cm．
- 重複歩距離 stride length：1回の重複歩に進む距離．健常な成人では約140 cmであり，歩幅の2倍となる．
- 歩隔 step width：接地した左右の踵の中央部の距離．健常な成人では約8 cm．
- 歩行率 cadence（step rate）：1分間あたりの歩数．健常な成人の平均的な歩行率は，1分間あたり110歩である．
- 歩行速度 walking velocity：歩く速さ．正常な歩行速度は，約4.8 km/時である．歩行速度は，歩行率または歩幅の増大，もしくは両者の増大によって速くなる．

歩行周期の詳細

先に述べたように，歩行周期は，例えば足底接地，足指離地等の事象に分けられる．この項目では，筋と関節の運動に焦点をあて，歩行周期の各事象に固有の運動を説明する．

正常歩行は3つの運動面すべての運動を伴うが，ここでは骨盤，股関節，膝関節，足関節（距腿関節）の矢状面での運動に焦点をあてる．図12.4は，歩行周期全体を通しての股関節，膝関節，足関節の矢状面での可動域を表す．本章の学習を進める際，図12.4はたびたび参照することになるであろう．

以下の説明は，平地における典型的な成人の，平均的な速さの歩行であることに留意しよう．

立脚相

歩行における立脚相は，歩行周期のはじめの60%の期間である．5つの事象を次に示す．

立脚相の5つの事象
- 踵接地：歩行周期の0%
- 足底接地：歩行周期の8%
- 立脚中期：歩行周期の30%
- 踵離地：歩行周期の40%
- 足指離地：歩行周期の60%

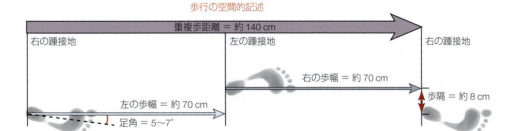

図12.3　歩行の空間的記述とその正常値
（Neumann DA: Kinesiology of the musculoskeletal system: foundations for physical rehabilitation, ed 2, St Louis, 2010, Mosby, Fig. 15.7 より）

臨床的な視点 ▶▶ 歩行における股関節周囲の短縮による可動域制限への代償

股関節が硬く短縮しているか股関節に痛みをもつ人は，しばしば股関節の屈曲または伸展の範囲が制限される．しかし，それにもかかわらず，多くの人は比較的正常な重複歩距離で歩くことができる．これはどうすれば可能だろうか？ しばしば，人は矢状面で過剰な骨盤運動を行うことによって股関節運動の損失を代償することを学習する．例えば，踵接地で，骨盤がほぼ正中位の場合，股関節は通常では約30°まで屈曲する（図12.4A，B）．股関節屈曲が制限されている人は，骨盤を極端に後傾することによって，正常な重複歩距離（したがって，地面の正常な踵接地点）を実際的に維持することができる．骨盤後傾を利用可能な股関節屈曲に加えることは，股関節と骨盤による全体としての"下肢の機能的リーチ範囲"を増加させる．そして，それによって重複歩距離を保つ．反対に，股関節伸展が制限される場合，人は股関節と骨盤で"機能性伸展範囲"の合計を増加させるために，立脚期の終わりに骨盤を極端に前傾することで代償する可能性がある．腰椎と骨盤の運動が力学的に連結しているため，骨盤の繰り返される過剰な前傾・後傾運動は，腰椎の構造に過剰なストレスと損傷を引き起こす場合がある．したがって，セラピストがこれらの代償を確認できることが重要であるだけでなく，骨盤を安定させるための構造の強さと制御を改善している間に，選択的に股関節の硬く短縮した構造を伸張する治療を行うことが重要である．

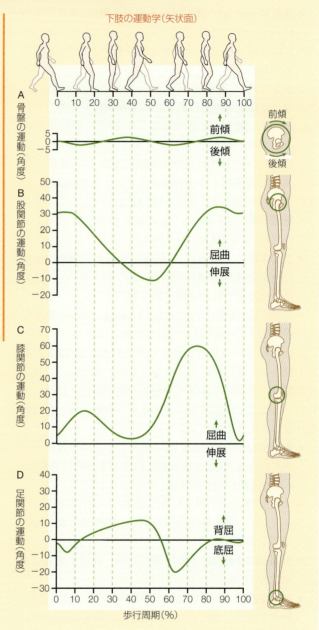

図12.4 歩行周期における矢状面での，骨盤(A)，股関節(B)，膝関節(C)，足関節(D)の正常な関節可動域
(Neumann DA: Kinesiology of the musculoskeletal system: foundations for physical rehabilitation, ed 2, St Louis, 2010, Mosby, Fig. 15.15 より)

▶踵接地（歩行周期の0%）

踵接地は，歩行周期の起点であり，踵が地面に接することを示す（図12.5左）．この時点では，身体の重心は，歩行周期において最も低い位置にある．踵接地において，足関節は背屈筋の等尺性収縮によって，底背屈0°（底背屈中間位）に保たれる．足関節が次の足底接地に移行するにつれて，背屈筋（例：前脛骨筋）は，足関節を底屈させるため，遠心性収縮を行う．

踵接地において，膝関節は接地時の衝撃を吸収するため，わずかに屈曲する．膝関節の伸筋である大腿四頭筋は遠心性収縮を行い，膝関節を少し屈曲する一方で，体重が立脚下肢に移ると，膝関節が屈曲するのを防止するように働く．

股関節は，30°の屈曲位にある．下肢への荷重が続くため，股関節の伸筋は等尺性収縮を行い，体幹が前方へ傾いてジャックナイフ姿勢となるのを防止する（図12.5左）．

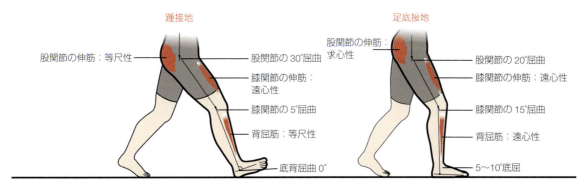

図12.5 歩行周期の立脚相における筋・関節の主な運動：踵接地，足底接地

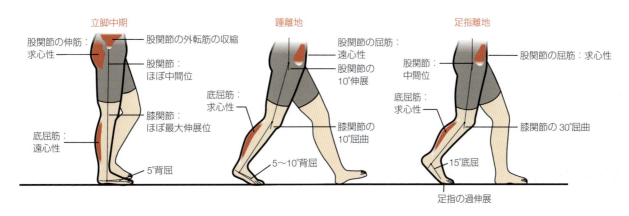

図12.6 歩行周期の立脚相における筋・関節の主な運動：立脚中期，踵離地，足指離地

▶足底接地（歩行周期の8％）

足底接地は，全足底面が接地する地点と定義される（**図12.5**）．また足底接地期は，しばしば荷重応答期といわれる．この期間では，下肢が受け入れる体重量が増え続けるために，下肢の筋と関節がその衝撃吸収を担う．足底接地の直後に，反対側の下肢は地面を離れ始めて，遊脚初期に入る．

足底接地では，足関節は急速に5～10°底屈する．この運動は，背屈筋の遠心性収縮によって制御される．足底接地の直後に足部の上を下腿が前方へ進むにつれて，足関節が背屈し始める．踵骨が体重で固定されるため，下腿が固定された足部の上を進むにつれて，立脚相における足関節の背屈が起こる．

膝関節は15°まで屈曲し，衝撃吸収のばねとして作用する．膝関節の伸筋は遠心性収縮を続けることによって，股関節の伸筋の活動が等尺性収縮から若干の求心性収縮へと変化するにつれて，股関節を伸展に導く（**図12.5右**）．

▶立脚中期（歩行周期の30％）

立脚中期では，下腿が垂直位に近づく（**図12.6左**）．反対側下肢がなめらかに前方へ振り出される際，この下肢は単下肢支持の状態となる．足関節が背屈を続けるにつれて，股関節と膝関節は伸展する．

立脚中期において，足関節は5°背屈に近づく．ここでは背屈筋は収縮しないが，その代わりに底屈筋が遠心性収縮を行い，下腿が足部の上で前進する（背屈する）速度を制御する．この際，膝関節はほぼ最大の伸展位に達する．重心線が膝関節の内側-外側軸のちょうど前方になるため，膝関節は伸展位に固定される．したがって，この時点では大腿四頭筋の収縮はほとんど必要とされない．

股関節は，0°伸展に近づく．身体が前進するとき，大殿筋のような股関節の伸筋は，股関節を安定させるためにわずかに収縮するだけである．この収縮は，平地においてゆっくり歩行する場合では最小であるが，歩行速度の増大や歩行する斜面の勾配の増大により，大きくなっていく．

立脚中期において，反対側下肢が次の一歩に向けてなめらかに振り出される際，立脚側下肢は単下肢支持状態になる．したがって立脚側下肢の股関節の外転筋（例：中殿筋）は，前額面で股関節を安定させるために収縮し，反対側骨盤が過度に下がることを防止する（図12.6左）．

▶ 踵離地（歩行周期の40％）

立脚中期のすぐ後に，下腿と足関節がプッシュオフ（踏み切り）を始め，身体を上方と前方に推進し始めるとともに，踵離地が起こる（図12.6中央）．踵離地は，文字通り，踵が地面との接地をやめることから始まる．

踵離地のはじめに，足関節は背屈を10°まで続ける．この動作はアキレス腱を伸ばし，腓腹筋は前進の準備をする．踵離地が進行するにつれて，底屈筋は，下肢の前方運動を制御するために遠心性から求心性へと収縮を切り替える．この求心性収縮によって，前進するための底屈，またはプッシュオフが生じる．

踵離地において，伸展した膝関節は屈曲の準備をする．この展開は通常，ハムストリングスの急激で短い収縮によって生じる．股関節は，10°まで伸展を続ける．股関節の屈筋（特に腸腰筋）の遠心性収縮は，股関節の伸展の速度と範囲を調整する（図12.6中央）．股関節の硬く短縮した靱帯または硬く短縮した屈筋は，この時点での股関節の伸展を減らすことになり，それによって重複歩距離が短くなる．

考えてみよう！ ＞＞ 単下肢支持期と両下肢支持期の移行：歩行のバランス

立脚期には，2回の両下肢支持期と，1回の単下肢支持期がある．

両下肢支持期 double-limb support では，両方の下肢は地面と接する．これは，立脚期のはじめの10％と終わりの10％である（図12.7）．歩行中の両下肢支持期において，歩行周期中，重心は最も低い位置にある．両側性の支持に加えて重心が低い位置にあるため，全身は安定し，また体重負荷は両下肢間を移動しやすくなる．

歩行周期の10～50％は，**単下肢支持期** single-limb support である（図12.7）．立脚中期（単下肢支持期のちょうど中間点）において，身体は一側の下肢のみによって支持されると同時に，重心は地面から最も離れた高い位置にある．一輪車でバランスをとるのが難しいことからわかるように，これら2つの因子は全身の安定性を損なう．

幸いにも立脚中期の後，0.5秒以内に反対側の下肢が地面に接地し，身体のバランスと安定性を回復するので，不安定で不均衡な時間は短いものとなる．

健康な状態では，歩行の運動はほとんど無意識的なものである．しかし，片麻痺，運動失調症，感覚障害あるいは痙縮といった神経障害によって，歩行は大きく障害される．神経障害をもつ人の歩行を観察することによって，正常な歩行に不可欠な，多数の複雑な過程が明らかとなる．

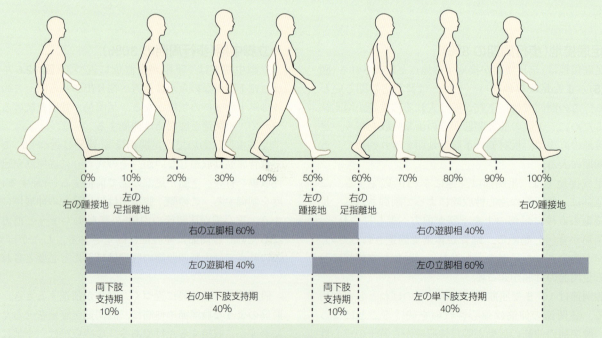

図12.7 歩行周期を区分した際の，単下肢支持期と両下肢支持期の比較
（Neumann DA: Kinesiology of the musculoskeletal system: foundations for physical rehabilitation, ed 2, St Louis, 2010, Mosby, Fig. 15.10より）

▶ 足指離地（歩行周期の 60％）

足指離地は，立脚相の最後の事象である（図12.6 右）．この事象は，プッシュオフを完了して，遊脚初期を開始することを目的とする．足指離地は，文字通り足指が地面から離れる事象である．このとき反対側下肢は足底接地を開始し，体重をさらに受け入れ始める．

足指離地において，足指の中足指節関節は過伸展を示す．足関節は，底屈筋の求心性収縮によって，15°まで底屈する．プッシュオフのための筋力は，一般に底屈筋と股関節の伸筋とによって生じる．平地をゆっくりした速度で歩く際，腓腹筋とヒラメ筋の収縮は最小であるが，これらの筋の活動は，歩行速度の増大や斜面の勾配の増大によって大きくなる．

足指離地において，膝関節は 30°屈曲する．足指離地の最後に，わずかに伸展していた股関節は，股関節の屈筋の求心性収縮によって，屈曲し始める（図12.6）．

遊脚相

歩行周期の遊脚相は，遊脚初期，遊脚中期，遊脚終期に分けられる．遊脚相とは基本的に，下肢を前進させるものであり，次の 1 歩へと続くものである（図12.8）．

遊脚相の 3 つの事象
- 遊脚初期：歩行周期の 60～75％
- 遊脚中期：歩行周期の 75～85％
- 遊脚終期：歩行周期の 85～100％

▶ 遊脚初期（歩行周期の 60～75％）

遊脚初期において，下肢は前方に加速し始める．底屈した足関節は，背屈筋の求心性収縮によって背屈し始める．この背屈を始めた足関節により，足部は床に接触しないように前方に進むことができる．続いて膝関節が屈曲するが，これは主に股関節の屈曲の間接的な作用によるものである．股関節の屈筋は，伸展された大腿を前方に引くために，収縮し続ける（図12.8 左）．

▶ 遊脚中期（歩行周期の 75～85％）

遊脚中期においては，反対側下肢は立脚中期であり，すべての体重を支える．足関節は，背屈筋の等尺性収縮によって，底背屈 0°（底背屈中間位）で保たれる（図12.8 中央）．

遊脚中期において，膝関節は 45～55°屈曲する．これは，遊脚下肢を容易に前進できるように，下肢を接地面から持ち上げることになる．股関節は，屈筋が求心性収縮をすることによって 35°まで屈曲する．

▶ 遊脚終期（歩行周期の 85～100％）

遊脚終期において，下肢は踵接地に移行するために減速し始める（図12.8 右）．遊脚終期の最終段階では，下肢は身体の前方に位置づけられる．足関節の背屈筋は等尺性収縮を続け，足関節を底背屈 0°（底背屈中間位）に保って，踵接地のための準備をする．

膝関節は，遊脚中期の屈曲位から，ほぼ最大伸展位へ移行する．興味深いことに，ハムストリングスは急速に伸展する膝関節を減速するために，遠心性収縮を行う．踵接地の前に，ハムストリングスを収縮させる能力が不足した例では，踵接地で膝関節が速く動いて強制的に伸展されるので，膝関節が損傷しやすい．また，股関節を 35°屈曲させた股関節の屈筋は，遊脚終期では収縮しなくなる．股関節の伸筋は，大腿の前進を減速するために，遠心性収縮を行う（図12.8 右）．

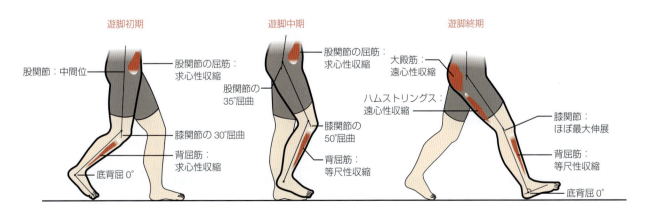

図12.8　歩行周期の遊脚相における筋と関節の主な運動：遊脚初期，遊脚中期，遊脚終期

考えてみよう！ ＞＞ 歩行周期における垂直移動

正常歩行の間，身体は上下左右に，わずかに動く．これらは自然に生じる運動であり，意味があるものである．図12.9Aは，歩行中の身体の質量中心の，自然な垂直移動を示す．体重が立脚下肢へ荷重されるために，歩行周期において最も質量中心が低くなる地点が，踵接地の直後に現れる．この股関節と膝関節の屈曲によって特徴づけられる下降作用は，衝撃を吸収する機能をもつ．この衝撃吸収機能がなければ，踵接地での体重負荷の衝撃は，歩行の回数を重ねるごとに，下肢と脊椎を傷つけることになる．

歩行周期で最も質量中心が高くなるのは，立脚中期である．この地点で，立脚下肢は完全な直立状態となり，遊脚側下肢を前方に振り出すことが可能となる．

正常歩行では，身体の質量中心が上下に垂直移動するだけでなく，左右にも側方移動する．この側方移動は，比較的小さな動きであるにもかかわらず，質量中心を効果的に立脚下肢上に移動させる．図12.9Bで示すように，最も大きな側方移動は，反対側下肢が遊脚相となる立脚中期に起こる．

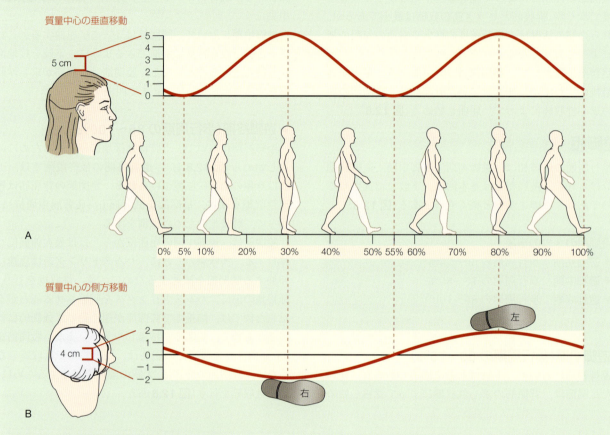

図12.9 歩行における平均的な質量中心の移動
A：質量中心の垂直移動．B：質量中心の側方移動．（Neumann DA: Kinesiology of the musculoskeletal system: foundations for physical rehabilitation, ed 2, St Louis, 2010, Mosby, Fig. 15.13 より）

矢状面における歩行のまとめ

初期接地における股関節，膝関節，足関節（距腿関節）は，下肢を伸展する．この運動の目的は，重複歩距離を最大にすることである．

踵接地の直後，膝関節の屈曲と足関節の底屈が機能して，踵接地の際に生じる衝撃を吸収する．これによって，全体重の負荷を円滑に支えることができる．このとき股関節と膝関節が伸展し，身体の質量中心を必要な高さに保つことによって，反対側下肢が前方へ振り出されて地面から離れる．

遊脚相の前半において，下肢のすべての関節は屈曲し始め，下肢を短縮する．遊脚終期において前進中の下肢は，次の踵接地に備えて減速される．

前額面における歩行のまとめ

股関節の外転筋は，単下肢支持期において，前額面で股関節を安定させる．観察側（支持側）下肢が立脚中期に入る際，反対側下肢は遊脚相であり，床と接しない．支持側下肢の股関節の外転筋収縮は，正常な骨盤の高さを保ち，遊脚側下肢が前進して次の1歩に続けることを可

能にする．支持側下肢の股関節の外転筋に十分な筋力がなければ，反対側の骨盤は，重力によって過度に下がるであろう．この異常な反応は，**トレンデレンブルク徴候** Trendelenburg sign 陽性として知られ，股関節の外転筋の弱化を強く示唆する．

前額面において膝関節は，主に骨の形状と内側・外側側副靱帯の緊張によって安定する．この安定性は，靱帯損傷によって失われる可能性がある．例えば，断裂した内側側副靱帯は，外反膝を生じさせ，正常な歩行の仕組みを変えるおそれがある．また，興味深いことに，膝関節の不安定性が，股関節や足部の障害から生じる場合もある．例えば，股関節の外転筋の弱化，または足部の過度の回内，あるいはその両方は，立脚相において，膝関節に過度の外反力を生じさせるであろう．時間の経過とともに，この外反力は，内側側副靱帯を過度に伸ばすであろう．

歩行において距骨下関節と横足根関節は，足部の前額面での運動に強く関与する．これらの関節は，足部を立脚初期の柔軟な状態から立脚後期のより強固な状態へと変化させる．距骨下関節の運動を理解することによって，この足部の変化を理解することができる．初期踵接地の後，内側縦アーチが下がるにつれて，距骨下関節は外反（回内）する．これによって，足部はより柔軟になる．これが，立脚初期の衝撃吸収機構の不可欠な要素になっている．立脚中期から立脚後期で，距骨下関節は内反（回外）へ移行するが，これは内側縦アーチの高さを元に戻す．内反することによって，足部の骨を最も安定な位置に配置し，プッシュオフのための強固な生体力学的てこを形成する．

水平面における歩行のまとめ

歩行において，下肢の水平面の運動はわずかであり，これを測定することは難しい．しかし，これらの運動は，きわめて重要である．この水平面での運動は，主に下肢の両端で制御される．具体的には，近位では股関節によって，遠位では距骨下関節と横足根関節によって制御される．ここでは，主に歩行周期の間に起こる股関節の水平面での回旋に注目する．

歩行において，股関節は回旋の垂直軸のまわりで，水平面で内旋，外旋する．これは，骨盤が相対的に固定された大腿骨のまわりを回旋することで起こる．

例えば，上面から観察される（大腿に対する）骨盤の回旋を考えてみよう（**図12.10**）．右下肢の足底接地期に，左下肢が遊脚初期を開始しようとするとき，右股関節は外旋している（**図12.10A**）．続いて，骨盤は右下肢のまわりで回旋する（立脚側の右股関節の内旋）．そして，相対的に両股関節を内・外旋中間位にする（**図12.10B**）．**図12.10C**は，踵離地期近くの右下肢を示す．右の股関節は，12°内旋して，骨盤の左側を前進させる．

上方からみると，基本的に歩行は，"遊脚側"の骨盤が行う前方回旋として起こっている．興味深いことに，歩行では体幹はあまり動かないので，腰椎は回転する骨盤を胸郭から分離するために，反対方向にわずかに回転しなければならない．腰椎が固くて動かない，またはひどい腰痛をもつ人が歩いているのを観察すると，腰椎における，微妙であるが，重要な運動学的機能の必要性が明らかになる．この場合，胸郭は回旋している骨盤に続いて同様に回旋しなければならない．皮肉にも，この胸椎の回旋が実際には，腰椎の回旋の不足から生じているのに，体幹回旋を誇張するようにみえる歩行パターンになる．

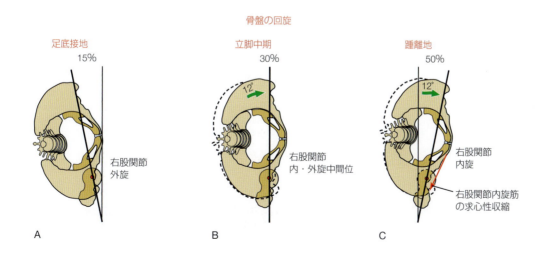

図12.10 上面図にて歩行周期の，足底接地（A），立脚中期（B），踵離地（C）の地点における水平面での骨盤の回旋
この右下肢の3つの地点は，左下肢の遊脚初期，遊脚中期，遊脚終期に相当する．骨盤の左側が前方回旋することによって，左下肢は前進する．（AおよびB：Neumann DA: Kinesiology of the musculoskeletal system: foundations for physical rehabilitation, ed 2, St Louis, 2010, Mosby, Fig. 12.36より）

異常歩行

正常な歩行には，歩行に関係するすべての筋が十分な筋力を備え，またすべての関節が十分な可動域をもつ必要がある．さらに，全身の運動と姿勢を調整するためには，固有感覚のフィードバックとバランスが必要となる．これらのいずれかが損傷するか，病変を生じると，歩行は難しくなるか，最悪の場合，不可能になることもある．

幸いにも，人の身体は非常に適応性が高いため，しばしば患者が無意識に行う，ある種の生体力学的な代償動作によって，標準的な歩行に必要な力と可動域を補うことができる．患者は，受けた障害の結果や代償に結びついた特徴的な異常歩行を示すのである．

以下，よくみられる異常歩行を説明する．

臨床的な視点 >> 歩行の簡単な測定

歩行の測定には，多くの高度な技術を要するものもあるが，より簡単な測定方法を用いても，価値のある情報を得ることができる．

例えば歩行速度は，ストップウォッチと歩行距離によって測定することができる．また歩幅と歩隔は，床に大きな紙を敷き，靴または足にインクのマークをつけることによって，測定できる．

臨床ではこれらの測定は，病状改善の評価や機能の限界を記録するために用いられる．

以下は，正常歩行での平均的な数値である．

歩行の正常値
- 歩行速度：4.8 km/時
- 歩行率：110 歩/分（1.87 歩/秒）
- 歩幅：70 cm

考えてみよう！ >> なぜ，患者は歩行することで，それほど疲れるのか

歩行中のエネルギー消費量は，通常，体重1 kgで歩行1 mあたりのカロリー消費量によって測定される．臨床的には，エネルギー消費量は酸素消費量を測定することによって間接的に測定することができる．通常，歩行はかなり効率的な動作である．私たちの身体は，体重を左右に移すときに，運動量を制御し，質量中心の偏位を最適化（制限）することによってエネルギーを節約する．

一つの関節の損傷，疾患または関節可動域制限は，対象者に代謝的に非効率な代償的な歩行戦略を採用することを強いる可能性がある．これは，比較的短い距離の歩行でも，関節に損傷を受けた多くの人が疲労を訴えるのかを説明するのに役立つ．

表12.1は，さまざまな一般的な病状を抱えている個人のエネルギー消費の増加率を示している．

表12.1 特定の条件と関連づけられる歩行のエネルギーコストの増加

条件	エネルギーコストの増加（%）＊
一側の足関節の固定 （Ralston, 1965；Waters, 1988）	3～6
完全伸展位で膝関節固定 （Kerrigan, 1995；Lewek, 2012；Waters, 1982）	23～33
45°屈曲位で膝関節固定 （Ralston, 1965）	37
関節固定術による一側の股関節の固定 （Waters, 1988）	32
一側の脛骨での切断，義足による歩行 （Fisher, 1978）	20～38
一側の大腿骨での切断，義足による歩行 （Fisher, 1978）	20～60
脳血管障害後の中等度から重度の障害 （Corcoran, 1970）	55

＊：正常歩行のエネルギーコストに基づく増加率
（Neumann DA: Kinesiology of the musculoskeletal system: foundations for physical rehabilitation, ed 3, St Louis, 2017, Mosbyより）

異常歩行　341

ATLAS

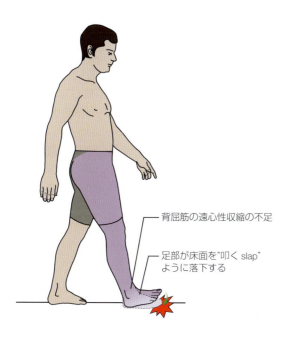

背屈筋の遠心性収縮の不足
足部が床面を"叩く slap"ように落下する

■ フットスラップ

機能障害	背屈筋の弱化．深腓骨神経や末梢神経の障害によって，または片麻痺によって生じる．
異常の説明	踵接地において足部が急速に底屈するため，音をたてて床にぶつかる．
異常の理由	背屈筋の機能が不足し，足関節の底屈を緩徐に行えない．

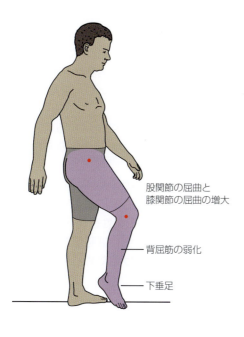

股関節の屈曲と膝関節の屈曲の増大
背屈筋の弱化
下垂足

■ 鶏歩

機能障害	背屈筋の著しい弱化によって下垂足が生じる．
異常の説明	想像上の障害物を越えて歩くようにみえる．そのため，"**高いステップ** high stepping"ともよばれる．
異常の理由	床に足部が接触しないように，股関節と膝関節を過剰に屈曲させて下肢を前進させる．

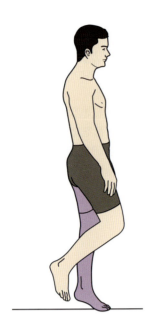

■ 伸び上がり歩行

機能障害　遊脚側の下肢を曲げる能力の障害（例：股関節や膝関節の屈曲不全）.

異常の説明　遊脚側下肢が床に接触しないよう，立脚側の下肢がつま先立ちをする（図の左下肢）.

異常の理由　つま先立ちをすることで，遊脚側の下肢が床に接触しないよう，床面との間に**すき間** clearance をつくるために伸び上がる.

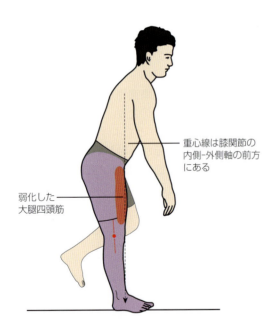

重心線は膝関節の内側-外側軸の前方にある

弱化した大腿四頭筋

■ 弱化した大腿四頭筋による異常歩行

機能障害　大腿四頭筋の弱化または収縮の不全.

異常の説明　膝関節は立脚相全体を通して完全に伸展したままであり，また体幹が過度に前方傾斜する.

異常の理由　体幹が前方に傾斜することによって，膝関節の内側-外側軸の前方に重心線が移動する.
この体幹の運動は，膝関節を伸展位に固定することによって，大腿四頭筋が収縮する必要性を低下させる.

解説　この異常歩行は膝関節の関節包後部に負荷をかけるため，反張膝に陥る可能性がある.

■ 反張膝

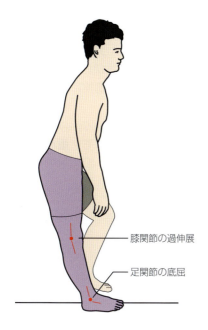

膝関節の過伸展
足関節の底屈

機能障害（2種類の経過）
A：膝関節の関節包後面の過度の伸張を伴う，大腿四頭筋の長期間の麻痺によって起こる．さらに，膝関節の屈筋の麻痺を伴う場合がある．
B：足関節の重度の底屈拘縮によって起こる．

異常の説明 歩行の立脚相における膝関節の過伸展．

異常の理由 A：膝関節の関節包後面の過度の伸張，または膝関節の屈筋の麻痺によって，膝関節の伸展を制限できない．
B：足関節の底屈拘縮によって，下腿は足関節よりも後方に偏位する．これにより，膝関節は強制的に過伸展され，最終的に関節包後面は過度に伸張する．

■ 股関節または膝関節の屈曲拘縮による異常歩行

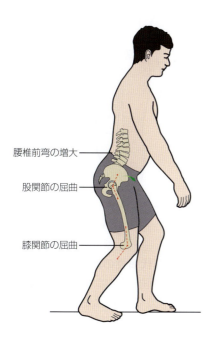

腰椎前弯の増大
股関節の屈曲
膝関節の屈曲

機能障害 股関節または膝関節の屈曲拘縮．
これには，股関節の屈筋あるいは膝関節の屈筋の痙縮や短縮，股関節の伸筋の弱化，関節炎による可動域の制限や疼痛等の病変が伴うこともある．

異常の説明 歩行の立脚相において，股関節と膝関節が屈曲位をとる．

異常の理由 通常は股関節と膝関節を最大伸展させる筋の短縮が増大した．

コメント この異常は，しばしば腰椎前弯の増大と重複歩距離の減少を伴う．脳性麻痺例での歩行パターンを説明する際，この異常歩行はよく，**かがみ歩行** crouched gait として言及される．股関節の屈曲拘縮例では，しばしば股関節の内転筋と内旋筋の短縮を伴う．

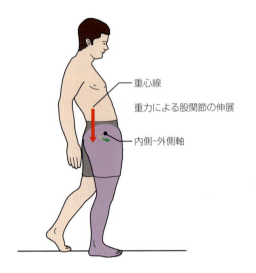

■ 弱化した大殿筋による異常歩行

機能障害	大殿筋のような股関節の伸筋の弱化．ポリオ（急性灰白髄炎）．
異常の説明	歩行の立脚初期において，体幹が後方へ傾く．
異常の理由	立脚相において，体幹が後方に傾斜することによって，重心線を股関節の後方に移動し，股関節の伸筋への要求を減少させる．

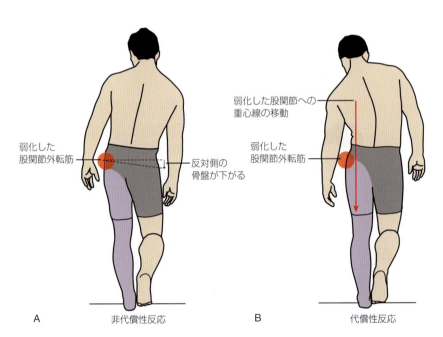

A 非代償性反応　　B 代償性反応

■ 弱化した股関節外転筋による異常歩行

機能障害	股関節外転筋の弱化．ギラン・バレー症候群，ポリオ（急性灰白髄炎），筋ジストロフィー，股関節痛，股関節炎，肥満，その他，股関節外転筋の活動の低下に続いて起こる．
異常の説明（2つの形状）	[非代償性の反応] 単下肢支持期において，骨盤は弱化した股関節外転筋の反対側に傾く（A）． [代償性の反応] 単下肢支持期において，体幹と骨盤は弱化した股関節外転筋と同じ側に傾く（B）．
異常の理由	[非代償性の反応] 立脚側下肢の股関節外転筋（左）は，骨盤の高さを保つのに十分な力を発生できないので，骨盤，またしばしば体幹も，大きく反対側（右）に傾く．これを，トレンデレンブルク徴候陽性という（A）． [代償性の反応] 弱化した股関節外転筋と同じ側（左）に，骨盤と体幹を故意に傾ける．この代償動作では，重心線を左に移動させて，立脚側股関節の回転軸により近づける．その結果，外的トルクは股関節上で減少する．それによって，弱化した股関節外転筋への要求を減少させる（B）．

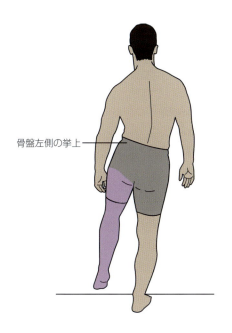

■ 股関節挙上による異常歩行

機能障害　例えば股関節の屈筋が弱化したときのように，遊脚下肢を短縮できない．

異常の説明　遊脚側の骨盤の過度の挙上．

異常の理由　骨盤は前進している下肢を挙上することによって，足部が床面にぶつからないようにする．

コメント　この代償動作は，股関節の分回しや伸び上がり歩行と同様の理由によって，同時に起こる．

骨盤左側の挙上

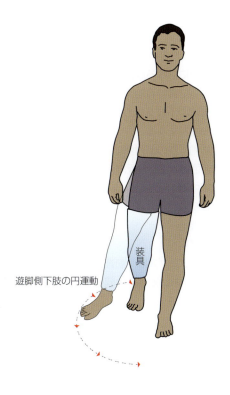

■ 股関節の分回し

機能障害　遊脚側の下肢を短縮することができない．例えば，自動的または他動的な股関節の屈曲や膝関節の屈曲の減少や，または，下肢を伸展させる装具の着用による．

異常の説明　遊脚側の下肢は，半円形の弧を描いて前進する．

異常の理由　分回しでは，長い下肢を前進させるために，足部が床面にぶつからないようにする．

コメント　この運動では，遊脚側の下肢の前進を補助するために，股関節の外転筋にさらなる活動を要求する．

遊脚側下肢の円運動

まとめ

歩行の運動を理解するには，下肢全体の筋と関節との相互作用について，確実に理解しておく必要がある．歩行の運動を理解することは，理学療法による治療と評価に不可欠である．

適切な歩行訓練によって，歩行速度，安全性，代謝効率は高まる．これらは，歩行機能の最終評価にしばしば用いられる．

確認問題

1 ▶ 足底接地は通常，両下肢支持期と同時に起こる．
   ⓐ 正しい
   ⓑ 誤り
2 ▶ 踵接地について，間違っているのはどれか．
   ⓐ 踵接地は，歩行周期のはじめ(0%)に起こる
   ⓑ 踵接地で，足関節は一般に底屈20°で保たれる
   ⓒ 踵接地で，初期の体重負荷の衝撃吸収を補助するために，膝関節はわずかに屈曲する
   ⓓ 踵接地で，股関節の伸筋は，体幹が前方へ傾くのを防止する
3 ▶ 立脚相の事象はどれか．
   ⓐ 踵離地
   ⓑ 遊脚中期
   ⓒ 足底接地
   ⓓ aとc
   ⓔ 上記のすべて
4 ▶ 単下肢支持期に下肢で起こるのは，どの事象か．
   ⓐ 踵接地
   ⓑ 足底接地
   ⓒ 立脚中期
   ⓓ aとb
   ⓔ 上記のすべて
5 ▶ 立脚中期に続くのは，どの事象か．
   ⓐ 足底接地
   ⓑ 踵離地
   ⓒ 足指離地
   ⓓ 遊脚初期
6 ▶ 遊脚終期の説明で，最も適切なものはどれか．
   ⓐ 足部を前方に運ぶための底屈筋の強い求心性収縮
   ⓑ 股関節と膝関節の最大伸展位
   ⓒ 膝関節の伸展速度を減じるためのハムストリングスの遠心性収縮
   ⓓ 股関節のすべての伸筋の求心性収縮
7 ▶ 弱化した大腿四頭筋の異常歩行の説明で，最も適切なのはどれか．
   ⓐ 膝関節の内側-外側軸の前方に重心線を保つために，体幹の前方傾斜に立脚相を通して最大伸展位の膝関節が組み合わされる
   ⓑ 立脚相を通して，遊脚側の下肢を振り出すために，つま先立ちをする
   ⓒ 遊脚相における股関節の過伸展
   ⓓ 立脚相における膝関節と股関節の過度の屈曲
8 ▶ 健康な成人の平均的な歩行速度と考えられるのはどれか．
   ⓐ 約 4.8 km/時
   ⓑ 約 8 km/時
   ⓒ 約 9.6 km/時
   ⓓ 約 1.6 km/時
9 ▶ 膝関節を装具で伸展位に保っている人による異常歩行や代償動作のうち，最も行うのはどれか．
   ⓐ 非代償性の弱化した股関節外転筋による歩行
   ⓑ 鶏歩
   ⓒ 股関節の分回し
   ⓓ aとb
   ⓔ 上記のすべて
10 ▶ 重心が最も高い位置になるのは，歩行周期のどの時期か．
   ⓐ 踵接地
   ⓑ 遊脚初期
   ⓒ 立脚中期
   ⓓ 足底接地
11 ▶ 伸び上がり歩行の説明で，最も適切なものはどれか．
   ⓐ 立脚相における膝関節の過伸展
   ⓑ 立脚相における股関節と膝関節の屈曲
   ⓒ 遊脚側の下肢を振り出すために，立脚側の下肢でつま先立ちをする
   ⓓ 立脚側下肢の反対側に，骨盤が過度に下がる
12 ▶ 股関節屈筋の求心性収縮は，どの時期に起こるか．
   ⓐ 立脚中期
   ⓑ 遊脚初期
   ⓒ 足底接地
   ⓓ 遊脚終期
13 ▶ ハムストリングスは，前進中の下肢を減速するために，遊脚終期において遠心性収縮をする．
   ⓐ 正しい
   ⓑ 誤り
14 ▶ 両下肢支持期は，歩行周期で最も不安定な時期と考えられる．
   ⓐ 正しい
   ⓑ 誤り
15 ▶ 立脚初期において，距骨下関節と横足根骨関節は，足部を柔軟な基礎に変化させるために協調する．これは，体重負荷の衝撃を吸収するための重要な要素である．
   ⓐ 正しい
   ⓑ 誤り
16 ▶ 右下肢の股関節屈曲拘縮の例では，同じ(右)下肢で反

張膝となるおそれがある.
- ⓐ 正しい
- ⓑ 誤り

17 ▶ 遊脚中期において，背屈筋は足部が底屈するのを防ぐために等尺性収縮をする.
- ⓐ 正しい
- ⓑ 誤り

18 ▶ 立脚相は，歩行周期のはじめの60%である.
- ⓐ 正しい
- ⓑ 誤り

19 ▶ 左股関節外転筋の弱化に対して代償性の反応を示す例では，左に体幹を傾斜するであろう.
- ⓐ 正しい
- ⓑ 誤り

20 ▶ 異常歩行におけるフットスラップは，どの機能障害によるか.
- ⓐ ハムストリングスの拘縮または緊張
- ⓑ 大腿四頭筋の弱化
- ⓒ 背屈筋の弱化
- ⓓ 股関節の外転筋の弱化

参考文献

Abbas, G. & Diss, C. (2011) Patellar tracking during the gait cycle. Journal of Orthopaedic Surgery, 19(3), 288-291.

Beaulieu, M.L., Lamontagne, M. & Beaule, P.E. (2010) Lower limb biomechanics during gait do not return to normal following total hip arthroplasty. Gait & Posture, 32(2), 269-273.

Bergmann, G., Graichen, F. & Rohlmann, A. (1993) Hip joint loading during walking and running, measured in two patients. Journal of Biomechanics, 26(8), 969-990.

Biewener, A.A., Farley, C.T., Roberts, T.J., et al. (2004) Muscle mechanical advantage of human walking and running: implications for energy cost. Journal of Applied Physiology, 97(6), 2266-2274.

Boyer, K.A., Andriacchi, T.P. & Beaupre, G.S. (2012) The role of physical activity in changes in walking mechanics with age. Gait & Posture, 36(1), 149-153.

Cimolin, V. & Galli, M. (2014) Summary measures for clinical gait analysis: a literature review. Gait & Posture, 39, 1005-1010.

Corcoran, P.J., Jebsen, R.H., Brengelmann, G.L., et al. (1970) Effects of plastic and metal leg braces on speed and energy cost of hemiparetic ambulation. Archives of Physical Medicine and Rehabilitation, 51, 69.

DeMers, M.S., Pal, S. & Delp, S.L. (2014) Changes in tibiofemoral forces due to variations during walking. Journal of Orthopaedic Research, 32, 769-776.

Dubbeldam, R., Buurke, J.H., Simons, C., et al. (2010) The effects of walking speed on forefoot, hindfoot and ankle joint motion. Clinical Biomechanics, 25(8), 796-801.

Fisher, S.V. & Gullickson, G. (1978) Energy cost of ambulation in health and disability: a literature review. Archives of Physical Medicine and Rehabilitation, 59, 124.

Gottschall, J.S. & Kram, R. (2005) Ground reaction forces during downhill and uphill running. Journal of Biomechanics, 38(3), 445-452.

Kerrigan, D.C., Viramontes, B.E., Corcoran, P.J., et al. (1995) Measured versus predicted vertical displacement of the sacrum during gait as a tool to measure biomechanical gait performance. American Journal of Physical Medicine Rehabilitation, 74, 3.

Leung, J., Smith, R., Harvey, L.A., et al. (2014) The impact of simulated ankle plantarflexion contracture on the knee joint during stance phase of gait: a within-subject study. Clinical Biomechanics (Bristol, Avon), 29, 423-428.

Lewek, M.D., Osborn, A.J. & Wutzke, C.J. (2012) The influence of mechanically and physiologically imposed stiff-knee gait patterns on the energy cost of walking. Archives of Physical Medicine and Rehabilitation, 93, 12-128.

Mann, R.A., Moran, G.T. & Dougherty, S.E. (1986) Comparative electromyography of the lower extremity in jogging, running, and sprinting. American Journal of Sports Medicine, 14(6), 501-510.

Murley, G.S., Menz, H.B. & Landorf, K.B. (2014) Electromyographic patterns of tibialis posterior and related muscles when walking at different speeds. Gait Posture, 39, 1080-1085.

Neumann, D. (2017) Kinesiology of the Musculoskeletal System: foundations for Physical Rehabilitation (3rd ed.). St Louis: Elsevier.

O'Connor, K.M. & Hamill, J. (2004) The role of selected extrinsic foot muscles during running. Clinical Biomechanics (Bristol, Avon), 19(1), 71-77.

Ralston, H.J. (1965) Effects of immobilization of various body segments on energy cost of human locomotion. Ergon Supply, 53.

Roos, P.E., Barton, N. & van Deursen, R.W. (2012) Patellofemoral joint compression forces in backward and forward running. Journal of Biomechanics, 45(9), 1656-1660.

Salbach, N.M., O'Brien, K.K., Brooks, D., et al. (2015) Reference values for standardized tests of walking speed and distance: a systematic review. Gait Posture, 41, 341-360.

Schache, A.G., Blanch, P., Rath, D., et al. (2002) Three-dimensional angular kinematics of the lumbar spine and pelvis during running. Human Movement Science, 21(2), 273-293.

Semciw, A.I., Green, R.A., Murley, G.S., et al. (2014) Gluteus minimus: an intramuscular EMG investigation of anterior and posterior segments during gait. Gait Posture, 39, 822-826.

Stackhouse, C.L., Davis, I.M. & Hamill, J. (2004) Orthotic intervention in forefoot and rearfoot strike running patterns. Clinical Biomechanics (Bristol, Avon), 19(1), 64-70.

Steele, K.M., Demers, M.S., Schwartz, M.H., et al. (2012) Compressive tibiofemoral force during crouch gait. Gait & Posture, 35(4), 556-560.

Terrier, P. & Reynard, F. (2015) Effect of age on the variability and stability of gait: a cross-sectional treadmill study in healthy individuals between 20 and 69 years of age. Gait Posture, 41, 170-174.

Waters, R.L., Barnes, G., Husserel, T., et al. (1988) Comparable energy expenditure after arthrodesis of the hip and ankle. Journal of Bone Joint Surgery American volume, 70, 1032.

Waters, R.L., Campbell, J., Thomas, L., et al. (1982) Energy costs of walking in lower-extremity plaster casts. Journal of Bone Joint Surgery American volume, 64, 896.

Wesseling, M., de Groote, F., Meyer, C., et al. (2015) Gait alterations to effectively reduce hip contact forces. Journal of Orthopaedic Research, 33, 1094-1102.

第 13 章

咀嚼と換気のキネシオロジー

> 本章の概要

顎関節
　骨学および関連構造
　運動学
筋と関節の相互作用
　顎関節の筋

顎関節のまとめ
換気
　肺気量
　吸気と呼気
　換気時における筋の作用

換気のまとめ
確認問題
参考文献

> 学習目標

- 顎関節に関連する骨とその特徴を説明できる．
- 顎関節を支持する関節包と靱帯を述べることができる．
- 関節で起こる運動を説明できる．
- 開口に関わる筋と関節の相互作用を述べることができる．
- 閉口に関わる筋と関節の相互作用を述べることができる．
- 顎関節の主動作筋の作用を，各筋の起始と停止から考えて説明できる．

- 吸気と呼気の過程に関するボイルの法則を説明できる．
- 安静呼気と強制呼気の仕組みについて説明できる．
- 吸気の主動作筋を述べることができる．
- 呼気の主動作筋を述べることができる．
- 強制吸気筋の相互作用を述べることができる．
- 強制呼気筋の相互作用を述べることができる．
- 慢性閉塞性肺疾患(COPD)例において，吸気補助筋が頻繁に使用される理由を説明できる．

🗝 キーワード

安静換気	強制吸気	呼気	ボイルの法則
下制	強制呼気	前突	慢性閉塞性肺疾患(COPD)
換気	挙上	側方運動	
吸気	後退	咀嚼	

顎関節

　咀嚼masticationとは，歯で食物を噛み，砕き，潰していく過程のことである．この過程は，咀嚼筋，歯，舌，左右顎関節の相互作用を伴う．**顎関節** temporomandibular joint(TMJ)は，下顎骨の関節突起と側頭骨の下顎窩からなる．顎には左右2つの顎関節があり，下顎が動く際，耳のすぐ前方で触診できる．噛む，話す，飲み込む等，顎のどのような動きにおいても，顎関節の運動は欠かせない．

　顎関節は使用頻度が高く，多くの感覚神経が分布するため，顎関節に異常や外傷があると大きな痛みを伴い，その人を弱らせる．顎関節に起因する痛みは，しばしば他の部位に影響し，頭痛や頸部の痛みとして感じられる．

　本章では，種々の疾患を理解し治療するうえで基礎となる，顎関節の解剖学とキネシオロジー(身体運動学)に焦点をあてる．

骨学および関連構造

下顎骨，側頭骨，上顎骨，頬骨，蝶形骨，舌骨は，すべて顎関節の構造と機能に関係する．本章では，これらの骨の重要な特徴について述べるが，参考のために，詳細な解剖学的特徴を図13.1に示す．

▶下顎骨

下顎骨は，顔面骨の中で最も大きい骨である（図13.2）．非常に可動性のある骨で，筋，靱帯，顎関節の関節包によって頭蓋から吊り下げられる．下顎骨の重要な特徴を，以下に述べる．

下顎体は，下顎骨の水平部分で下側の永久歯16本を収める（図13.2）．下顎枝は，下顎体から垂直に突出する．左右の下顎角には，咬筋と内側翼突筋が付着する．関節突起は，下顎枝から始まる骨の凸面部分である．各関節突起は，凹面の側頭骨の下顎窩と顎関節を形成する（図13.1）．鉤状突起は，下顎枝の前面から始まる薄い三角形の骨である．筋突起と関節突起との間が，下顎切痕である（図13.2）．

▶側頭骨

側頭骨の下顎窩は，下顎骨の関節突起と顎関節を形成する．下顎窩の前面は，関節隆起（図13.3）によって特徴づけられる．下顎窩のすぐ後方は外耳道で，耳の外部への開口部である．側頭骨の頬骨突起は前方に突出し，頬骨弓の後半分を形成する（図13.3）．頬骨弓は，側頭

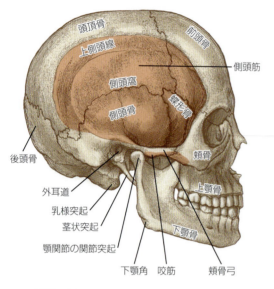

図13.1　頭蓋の側面
顎関節に関わる骨（訳注：ここでは舌骨は示されていない）の特徴を強調した．側頭筋と咬筋の起始を赤色で示す．
(Neumann DA: Kinesiology of the musculoskeletal system: foundations for physical rehabilitation, ed 2, St Louis, 2010, Mosby, Fig. 11.1 より)

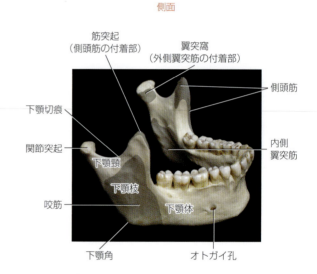

図13.2　下顎骨の側面
骨の重要な特徴を示す．筋の付着部は濃い灰色で示す．
(Neumann DA: Kinesiology of the musculoskeletal system: foundations for physical rehabilitation, ed 2, St Louis, 2010, Mosby, Fig. 11.2 より)

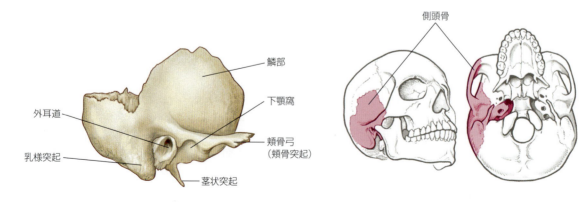

図13.3　右側頭骨
(Muscolino JE: Kinesiology: the skeletal system and muscle function, ed 2, St Louis, 2011, Mosby, Fig. 4.12B より．Thibodeau GA, Patton KT: Anatomy and physiology, ed 7, St Louis, 2010, Mosby より改変)

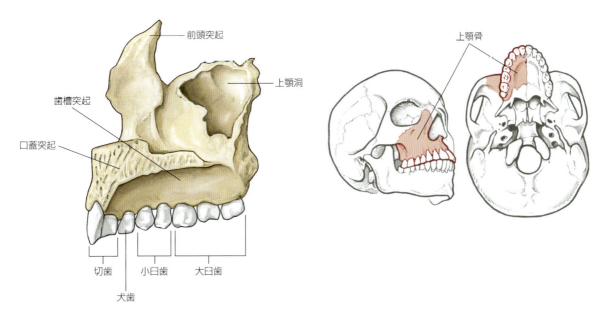

図13.4　右上顎骨の内側面（A）と右上顎骨の側面および下面（B）
（Muscolino JE: Kinesiology: the skeletal system and muscle function, ed 2, St Louis, 2011, Mosby, Fig. 4.15A より．Thibodeau GA, Patton KT: Anatomy and physiology, ed 7, St Louis, 2010, Mosby より改変）

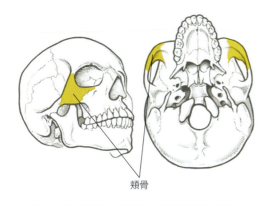

図13.5　右頬骨を強調した頭蓋の外側面および下面
（Muscolino JE: Kinesiology: the skeletal system and muscle function, ed 2, St Louis, 2011, Mosby, Fig. 4.15C より．Thibodeau GA, Patton KT: Anatomy and physiology, ed 7, St Louis, 2010, Mosby より改変）

骨の頬骨突起と頬骨の側頭突起からなる（図13.1）．頬骨弓は咬筋の起始となる．側頭窩は，5つの異なる頭蓋骨からできており，頭蓋骨側方の少しくぼんだ部分である（図13.1）．

▶上顎骨
　左右の上顎骨が一緒になって上顎をなす．上顎骨は蝶形骨，鼻骨，頬骨等，近くの顔面の骨としっかりと癒合する．上顎骨の下面は，上側の歯を収める（図13.4）．

▶頬骨
　頬骨は，頬にあたる部分と眼窩の外側部とを形成する（図13.5）．頬骨の側頭突起は，頬骨弓の前半分を形成する（図13.1）．

▶蝶形骨
　蝶形骨は頭蓋全体を横切って走行する，深部にある単一の骨である（図13.6）．大翼は頭蓋の両側にあり，側頭骨のすぐ前方に位置する．下方に飛び出すのは，翼状突起内側板および外側板である（図13.6）．翼状突起外側板は，内側翼突筋と外側翼突筋の起始となる．

▶舌骨
　舌骨は，喉頭の底部にあって第3頸椎のすぐ前方に位置する．舌骨は可動性に富み，舌の運動，嚥下，開口を司る，いくつかの筋が付着する（図13.11 参照）．

▶支持構造
支持構造は以下の通りである．

- **関節円板**：顎関節の関節円板は，関節突起と側頭骨の下顎窩との間にある（図13.7A）．この顕著な構造は，密な線維性結合組織でできている．関節円板は，関節を安定させ，関節の接触圧を減らし，関節突起が側頭骨の粗い関節隆起をうまく越えられるように誘導する．
- **関節包**：顎関節は，線維性関節包によって包まれる．関節包は外側が厚く，これを顎関節の外側靱帯という．噛む動作において，関節包と外側靱帯は顎関節を安定させる（図13.7B）．

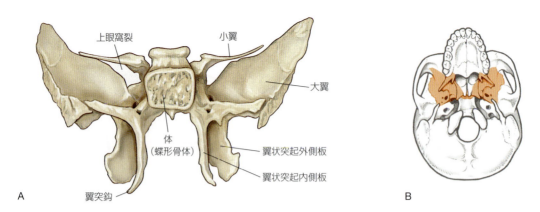

図13.6　頭蓋から取り出した蝶形骨の後面(A)と蝶形骨を強調した頭蓋の下面(B)
A：翼状突起外側板および内側板に注目しよう．（Muscolino JE: Kinesiology: the skeletal system and muscle function, ed 2, St Louis, 2011, Mosby, Fig. 4.13C より．Thibodeau GA, Patton KT: Anatomy and physiology, ed 7, St Louis, 2010, Mosby より改変）

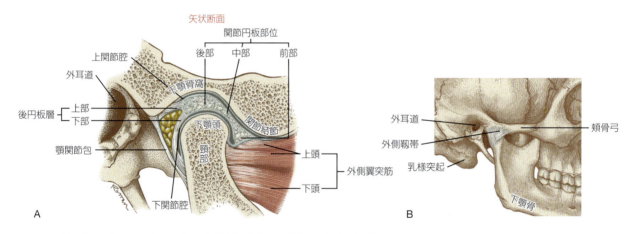

図13.7　関節円板を強調した右顎関節の矢状断面(A)と関節包の外側部（頭蓋の側面）(B)
顎関節の外側靱帯がみえる．（Neumann DA: Kinesiology of the musculoskeletal system: foundations for physical rehabilitation, ed 2, St Louis, 2010, Mosby, Fig. 11.10 および 11.11A より）

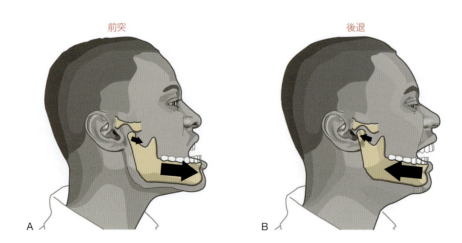

図13.8　下顎骨の前突(A)と後退(B)
（Neumann DA: Kinesiology of the musculoskeletal system: foundations for physical rehabilitation, ed 2, St Louis, 2010, Mosby, Fig. 11.13 より）

運動学

顎関節の主要な運動は，**前突** protrusion と**後退** retrusion，**側方運動** lateral excursion，**挙上** elevation と**下制** depression である．これらの運動はすべて，咀嚼（噛む動作）において重要な役割を果たす．

▶前突と後退

前突 protrusion（protraction）とは，下顎骨の前方への並進である（**図13.8A**）．前述のように，前突は開口の重要な要素である．

後退 retrusion（retraction）は，前突とは反対の運動である．この運動は下顎骨が後方に並進する際に生じ，閉口において重要となる（**図13.8B**）．

▶側方運動

側方運動 lateral excursion とは，下顎骨の側方への並進である（**図13.9**）．この運動は，上下の歯の間で食物をすり潰すのに用いられる．

▶下制と挙上

下顎骨の**下制** depression で口を開き，**挙上** elevation で口を閉じる（**図13.10**）．どちらの運動も食べる，あくびをする，あるいは話す際に重要な役割を果たす．成人の口は，平均で5cmか，それをわずかに上回って開く程度である．開口の程度は，指3本を縦に並べたときの近位指節間（PIP）関節部分が，口の中に入るかどうかによって測ることが多い（訳注：健常成人では十分に入る）．

図13.10Aのように，下顎骨を十分に下制させて口を開くには，左右の下顎窩に対し，関節突起が前方へ最大に並進（前突）する必要がある．通常，関節円板は各関節突起と一緒に前方へ並進し，運動を適切に誘導する．閉口の際に，下顎骨が挙上し後退するにつれて，関節円板は再び元の位置に戻る（**図13.10B**）．口の開閉運動のどちらにおいても，関節円板は，下顎骨の関節突起と側頭骨の関節隆起との接触圧を最小にするために，必要不可欠である．

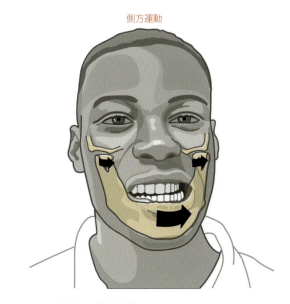

図13.9　下顎骨の側方運動
（Neumann DA: Kinesiology of the musculoskeletal system: foundations for physical rehabilitation, ed 2, St Louis, 2010, Mosby, Fig. 11.14Aより）

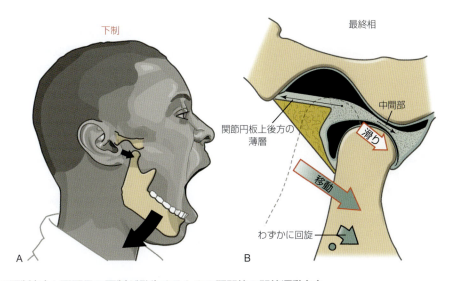

図13.10　下顎骨の下制（A）と下顎骨の下制が発生するときの顎関節の関節運動（B）
（Neumann DA: Kinesiology of the musculoskeletal system: foundations for physical rehabilitation, ed 2, St Louis, 2010, Mosby, Fig. 11.15Aおよび11.16Bより）

ATLAS

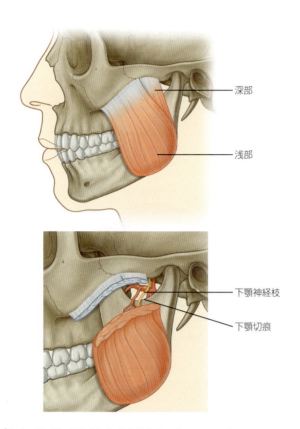

(Drake RL, Vogl W, Mitchell AWM: Gray's anatomy for students, ed 2, St Louis, 2010, Churchill Livingstone より)

■ 咬筋

起始	頬骨弓.
停止	下顎骨の外面で，下顎枝の下顎角と筋突起の間.
神経支配	第5脳神経（下顎神経の分枝）.
作用	[両側の同時収縮]下顎の挙上（閉口）. [一側のみの収縮]下顎の側方運動（同側へ向かう）.
解説	咬筋は厚く強力な筋であり，噛む動作の際に，下顎角の真上で容易に触診できる．咬筋の両側性収縮は下顎骨を挙上し，咀嚼のために歯が接触するように下顎骨を動かす．咬筋の主要な機能は，臼歯間に大きな力を加えて食物を効果的にすり潰し，粉砕することである.

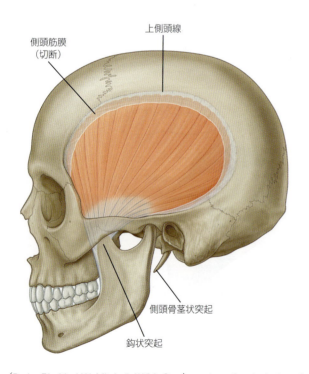

(Drake RL, Vogl W, Mitchell AWM: Gray's anatomy for students, ed 2, St Louis, 2010, Churchill Livingstone より)

■ 側頭筋

起始	側頭窩.
停止	下顎枝の筋突起および前縁.
神経支配	第5脳神経（下顎神経の分枝）.
作用	[両側の同時収縮]下顎の挙上（閉口），下顎の後退（後部線維）. [一側のみの収縮]側方運動（同側へ向かう）.
解説	側頭筋は，側頭窩の凹面の大部分を覆う扇形の筋である．側頭筋は，頬骨弓と頭蓋の外側面との間の空間を，末梢にいくにつれて細くなり，平らな腱となる．この筋は，下顎骨の挙上と後退という閉口に必要な運動に貢献する.

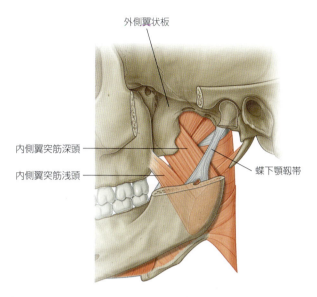

(Drake RL, Vogl W, Mitchell AWM: Gray's anatomy for students, ed 2, St Louis, 2010, Churchill Livingstone より)

■ 内側翼突筋

起始	蝶形骨の翼状突起外側板の内側面.
停止	下顎枝と下顎角の内側面.
神経支配	第5脳神経（下顎神経の分枝）.
作用	**[両側の同時収縮]** 下顎の挙上（閉口）. **[一側のみの収縮]** 側方運動（反対側へ向かう）.
解説	内側翼突筋と咬筋は，下顎角の周囲で吊り紐を形成する．この吊り紐の作用によって，これらの筋に同方向の牽引線が生じる．特に，噛む動作に役立つ．これらの筋が両側の同時収縮をすると，健常成人で平均45kgの噛む力を生み出す．

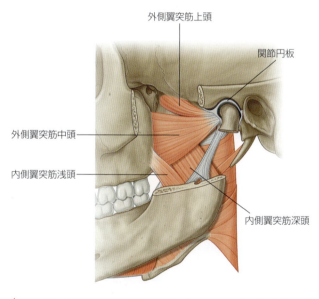

(Drake RL, Vogl W, Mitchell AWM: Gray's anatomy for students, ed 2, St Louis, 2010, Churchill Livingstone より)

■ 外側翼突筋

起始	**[上頭]** 蝶形骨の大翼. **[下頭]** 翼状突起外側板の外側面
停止	下顎骨の関節突起の付近．上頭も顎関節の関節円板に付着する．
神経支配	第5脳神経（下顎神経の分枝）.
作用	**[両側の同時収縮]** 下顎の下制（開口は下頭のみの収縮による），下顎の前突. **[一側のみの収縮]** 側方運動（反対側へ向かう）.
解説	外側翼突筋上頭および下頭は，下顎の前突と外側への動きを補助する．下頭による下顎の下制は，関節運動学的に重要である（詳細は後述）．下頭は下顎骨（および関節円板）を前下方に引き，開口するように下顎を回転させ，前方へ移動させる．この運動はどちらも，大きな開口のために重要である． 外側翼突筋下頭は，開口の主動作筋である．興味深いことに，上頭は強く閉口する際に，最も活発に収縮する．

筋と関節の相互作用

顎関節の筋

▶主動作筋

顎関節の主動作筋は，咬筋，側頭筋，内側翼突筋，外側翼突筋である．これらの筋は口を開閉する際，どちらかというと複雑な方法によって，共同して働く．これについては後述する（**図13.12**参照）．

▶補助筋

舌骨上筋（**表13.1**）と舌骨下筋（**表13.2**）は，咀嚼における補助筋とみなされる（**図13.11**）．これらの筋はいずれも，下顎骨の下制と，それに続く，口を開く，舌を動かす，飲み込む，話すという一連の運動に関わる．舌骨下筋は舌骨を固定し，舌骨上筋が下顎骨の下制を補助できるようにする．

舌骨上筋には顎二腹筋，オトガイ舌骨筋，顎舌骨筋，

表13.1　舌骨上筋

筋	起始	停止	作用
顎二腹筋	前腹：下顎体の内側面	舌骨	下顎骨の下制
オトガイ舌骨筋	後腹：乳様突起	舌骨	下顎骨の下制
顎舌骨筋	下顎体の内側面の正中	舌骨	下顎骨の下制
茎突舌骨筋	側頭骨の茎状突起	舌骨	下顎骨の下制

表13.2　舌骨下筋

筋	起始	停止	作用
肩甲舌骨筋	肩甲切痕近くの肩甲骨上縁	舌骨	舌骨の固定
胸骨舌骨筋	胸骨柄と鎖骨内側部	舌骨	舌骨の固定
胸骨甲状筋	胸骨柄	甲状軟骨	舌骨の固定*
甲状舌骨筋	甲状軟骨	舌骨	舌骨の固定

＊甲状舌骨筋の作用のために甲状軟骨を固定した結果として生じる，間接的な作用である．

臨床的な視点＞＞顎関節症

顎関節症 temporomandibular disorders（TMD）とは，咀嚼機構に関係する多くの臨床上の問題を含む，幅広く漠然とした用語である．顎関節症は通常，関節，関節円板，関節周囲の筋組織の機能障害を伴う．一般に，筋の機能障害に対する保存的治療は，関節円板を含む病変に対する保存的治療よりも有効である．徴候と症状（症候）としては，運動中の痛み以外に，クリック音（カクッというような音），ポッピング音（ポコポコという音），顎関節のロッキング（嵌頓症状）等がある．その他に，噛む力の減少，緊張性頭痛，開口制限がみられる．

顎関節症に対する一般的な保存的治療法を記載する．
- 運動療法と姿勢の改善
- バイオフィードバック／リラクゼーション法
- 寒冷療法と温熱療法
- 患者教育
- 関節モビリゼーション
- 超音波
- 行動変容
- スプリント療法

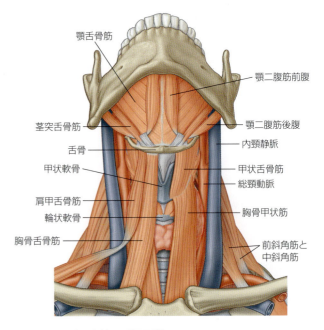

図13.11　舌骨上筋と舌骨下筋
舌骨上筋と舌骨下筋は舌骨に付着して示されている．（Drake RL, Vogl W, Mitchell AWM: Gray's anatomy for students, ed 2, St Louis, 2010, Churchill Livingstone より）

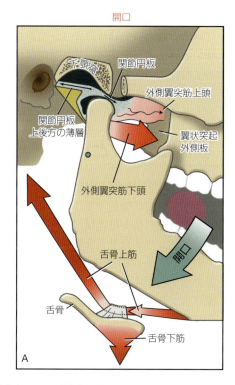
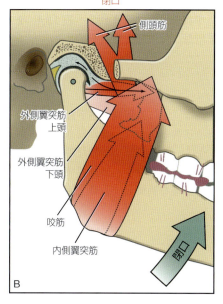

図13.12 開口時(A)と閉口時(B)の筋肉と関節の状況
(Neumann DA: Kinesiology of the musculoskeletal system: foundations for physical rehabilitation, ed 2, St Louis, 2010, Mosby, Fig. 11.22 より)

考えてみよう！＞＞異常な頭部位置と顎関節症

舌骨上筋と舌骨下筋は共同して作用し，開口の際に落ち込んでいる下顎骨を効果的に引きつけることを可能にして，舌骨筋を安定させる．舌骨下筋は舌骨上筋を効果的に下顎に引き上げることができ，舌骨筋を安定させる．しかし，頭部と頸部の異常なポジショニングが，これらの筋全体を牽引し，そのため**顎関節** temporomandibular joint（TMJ）のストレスを増大させる．図13.13に示すように，頭部前方位の姿勢は一般に，上部胸椎と下位頸椎のわずかな屈曲を伴う．この姿勢は肩甲舌骨筋や胸骨舌骨筋のような舌骨下筋を引き伸ばし（ストレッチし），舌骨を後方および下方に引きつける．この力は，その後，舌骨上筋を介して下顎骨に移行し，下顎骨を後方および下方へ引く力を生じる．

時間の経過に伴い，関節窩における下顎頭の持続的な後方への圧力が関節円板を圧縮し，過度な痛みや炎症を引き起こす．一部の人は外側翼突筋に疼痛を伴うスパズムを経験することがあるが，それは下顎を前方に引き出すことでTMJへの負荷を軽減させる自然な防衛メカニズムとして役立っている可能性がある．この外側翼突筋の慢性スパズムは，関節円板のずれを引き起こす．外側翼突筋があまりにも下顎を前方に引きつけると口の開閉中に下顎の異常クリック音を引き起こしてしまうからである．もし関節円板が"脱臼"したままであれば，下顎の些細な動きですら関節円板へ大きなストレスを与えてしまい，永続する痛みを伴う病的機構を引き起こす．

顎関節症の治療では，セラピストは特に，頭部と頸部との解剖学的，運動学的に密接な関連を考慮すると同時に，肩甲胸部との関連も深く考慮する必要がある．

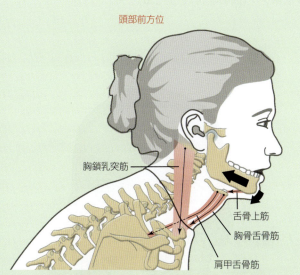

図13.13 頭部前方位の姿勢
下顎が後方-下方へ牽引されることにより，受動的な緊張が引き起こされることを示す．（Neumann DA: Kinesiology of the musculoskeletal system: foundations for physical rehabilitation, ed 2, St Louis, 2010, Mosby, Fig. 11.32 より）

茎突舌骨筋が含まれ，舌骨下筋には肩甲舌骨筋，胸骨舌骨筋，胸骨甲状筋，甲状舌骨筋が含まれる．**表13.1，2**に，これらの筋の起始部，停止部，作用を示した．

1．機能的考察
(1)開口運動の概要

大きく開口する運動は，主に外側翼突筋下頭の収縮によって生じる．舌骨上筋群と重力は，この働きを補助する．**図13.12A**のように，開口では，下顎骨の下制と関節突起の前方への並進(前突)を伴う．外側翼突筋(下頭)は関節突起の前方への並進を制御し，舌骨上筋群は下顎骨の下制に働く．

(2)閉口運動の概要

歯で噛み砕く場合のように，しっかりと閉口する運動では，咬筋，内側翼突筋，側頭筋の強い収縮が必要となる．**図13.12B**のように，閉口は，下顎骨の挙上と後退を伴う．閉口している間，外側翼突筋上頭が最も活発に収縮し，関節内で関節円板が元の位置に戻るのを誘導する．興味深いことに，上頭の腱だけが関節円板にしっかりと付着する．

口を開閉する際，関節円板は位置を調整することによって開閉運動をなめらかにする．外側靱帯と外側翼突筋(上頭)は，顎関節が最適なアライメントとなるように，関節円板の運動を導く．関節円板と顎関節の運動が同期せず，非対称の動きになると，しばしば痛みを引き起こしたり，クリック音がしたり，極端な場合では顎関節のロッキング(嵌頓症状)を生じる．

(3)側方運動の概要

咀嚼とは食物を噛み砕くことであるが，側方運動は咀嚼の主要な要素である．側方運動は，咀嚼に関わる4つの主動作筋の相互作用を必要とする．例えば左への側方運動には，左の側頭筋と咬筋の収縮，および右の内側翼突筋と外側翼突筋の収縮が，主に必要となる(**図13.14**)．

顎関節のまとめ

発語，嚥下，咀嚼は，日常生活に不可欠な機能であり，顎関節が適切に機能することが必要となる．さまざまな整形外科的外傷や障害は，顎関節に影響を及ぼす他，身体の機能レベルに重大な影響を及ぼしかねない．

セラピストが顎関節の解剖学とキネシオロジー(身体運動学)を理解していれば，顎関節症の治療に役立つ治療プログラムの作成や運動プログラムの変更を，より適切に実施することができる．

換気

換気 ventilation とは，肺に空気が吸入され，呼出される過程をいう．換気の仕組みは，軸性骨格に関わる筋群と関節の相互作用に基づく．ここでは，換気の運動の概要を示す．

換気により，肺と血液との間で酸素と二酸化炭素が交換される．この過程は最終的には，身体の関節を動かしたり安定させる筋群の生理的変化に影響を与える．

換気の相対的な強度は，**安静換気** quiet ventilation と**強制換気** forced ventilation という用語で表される．健常者において安静換気は，代謝需要が少ない座位での活動の際に生じることが多い．これとは対照的に強制換気は，運動中のように急速に大量の換気を必要とする活動時や，何らかの呼吸器疾患に罹患している場合に生じる．

肺気量

図13.15は，健常成人の**肺気量(肺気量分画)**lung volumes and capacities を表す．図で示すように，**全肺気量** total lung capacity は約5.5 Lである．しかし通常の呼吸においては，わずかしか使われない．**1回換気量** tidal volume とは，各換気周期において肺に出入りする空気の量と定義される．成人の安静時の1回換気量は，約0.5 L(言い換えれば全肺気量の10%にすぎない)である．

予備吸気量 inspiratory reserve とは，1回換気量以上に努力して，さらに肺に取り入れることができる空気の量(**強制吸気** forced inspiration)である．**予備呼気量** expiratory reserve とは，1回換気量以上に努力して，さらに肺から押し出すことができる空気の量(**強制呼気** forced expiration)である．肺活量とは，肺に出入りできる空気の総量である．

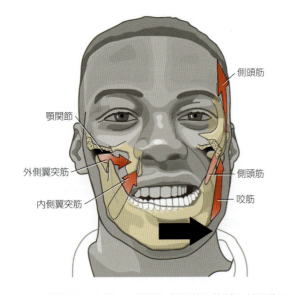

図13.14 下顎骨の左側への移動に伴う筋の複雑な相互作用
(Neumann DA: Kinesiology of the musculoskeletal system: foundations for physical rehabilitation, ed 2, St Louis, 2010, Mosby, Fig. 11.18 より)

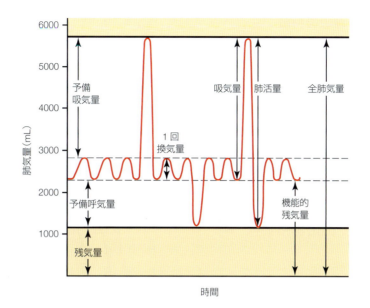

図 13.15　健常成人の肺気量（肺気量分画）
（Guyton AC, Hall JE: Textbook of medical physiology, ed 10, Philadelphia, 2000, Saunders より）

吸気と呼気

　換気は，**吸気** inspiration と**呼気** expiration という 2 つの主要な運動によって行われる．吸気とは肺に空気を取り込む過程であり，呼気とは肺から空気を押し出す過程である．吸気と呼気の大部分は，**ボイルの法則** Boyle's law という物理現象に基づく．ボイルの法則によれば，気体の容積と圧力は反比例する．例えば，空気のような気体が入った容器の容積が増大すると，容器内の圧力は自然に減少する（ある変数が増加すると他の変数が減少する場合，両者の関係は反比例とみなされる）．この減圧が吸入効果を生み，容器の外から空気を取り込もうとする．これを換気に例えると，吸気時は，横隔膜の円蓋部が下降する一方，胸郭（胸部）は広がる．これらの 2 つの要因によって胸腔内の容積は増大し，逆に肺内（胸膜間間隙）の圧力は減少する．

　図 13.16A のように，これらの仕組みは，注射器の中に空気が入るのに似る．注射器のプランジャー（押子）を外側へ引くと，空気は中へ吸い込まれる．同様に，吸気では胸郭が拡張して減圧し，そのため空気は気管を通って肺に入る（**図 13.16B**）．呼気とは，空気を肺から外部に吐き出す過程である．肺から空気を押し出すために胸郭および肺は縮小し，それによって肺内の圧力が上昇する．この圧力によって，空気は外へ押し出される．

　安静呼気 quiet expiration とは通常，筋の収縮によらない受動的な過程である．胸腔内容積の減少は，肺，胸郭，および伸張された吸気筋の結合組織がもつ，自然な弾性力によって生じる．それは，膨らんでいる風船の口元をほどくと，風船から空気が押し出されていくのに似

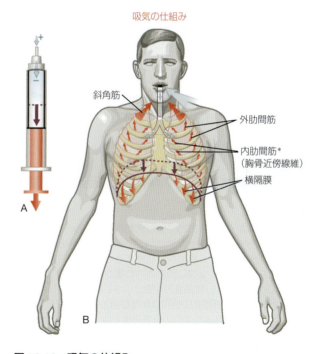

図 13.16　吸気の仕組み
筋による吸気の仕組みをボイルの法則によって示す．A：注射器のプランジャー（押子）を引くとシリンジ（筒）内の容積が増大し，空気が吸い込まれる．B：吸気の主動作筋が収縮すると，胸腔内の容積が増大し，肺に空気が吸い込まれる．
＊（訳注）：内肋間筋の吸気作用については，いまだ定説とはなっていない．(Neumann DA: Kinesiology of the musculoskeletal system: foundations for physical rehabilitation, ed 2, St Louis, 2010, Mosby, Fig. 11.24 より)

考えてみよう！ >> 呼吸の特徴

吸気は随意的な過程であり，多数の筋の働きが必要となる．肺内の圧力を減らすためには，胸腔内の容積は増大しなければならない．これは一般に，次の3つの作用によって起こる．すなわち，①肋骨の挙上，②胸骨の挙上と前方拡大，③横隔膜の収縮によって生じる胸郭の垂直径の増大である．したがって，これらの作用に1つでも関わる筋はすべて，吸気筋とみなされる．

本文で述べているように，安静呼気は本来，受動的な過程である．強制呼気は胸郭をすぼめる筋力を必要とし，それによって胸腔内の容積を減少させる．これは，①肋骨の下制，②胸骨の下制と引き込み，③横隔膜の弛緩によって生じる胸郭の垂直径の減少によって起こる．したがって，これらの作用に1つでも関わる筋はすべて，呼気筋とみなされる．

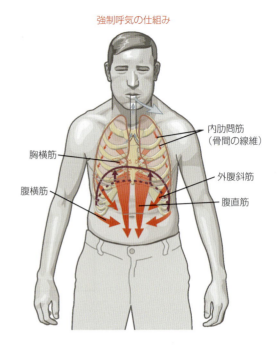

図13.17 強制呼気の仕組み
腹筋と内肋間筋の収縮による作用を赤色の矢印で示す．本文では触れていないが，胸横筋も肺から空気を押し出す作用がある．紫色の垂直矢印は，横隔膜の受動的な弾性力を表す．
（Neumann DA: Kinesiology of the musculoskeletal system: foundations for physical rehabilitation, ed 2, St Louis, 2010, Mosby, Fig. 11.30 より）

る．しかし強制呼気では，腹筋等の呼気筋の随意的な収縮が必要となる（図13.17）．この過程は一般に，咳やくしゃみ，ロウソクを吹き消そうと力強く息を吐き出す場合等でみられる．

換気時における筋の作用

▶吸気筋

吸気における主動作筋は，横隔膜，斜角筋，肋間筋である．これらの筋は，いずれの強度の呼吸においても活動するので，主動作筋とみなされる．

臨床的な視点 >> 横隔膜：吸気の"馬車馬"

横隔膜は，吸気において最も重要な筋である．アトラス形式の頁で図示したように，横隔膜はドーム型の筋で，胸腔の底部をなす．横隔膜が収縮するとドーム（円蓋部）は下方に引かれ，急速に胸腔内の容積が増大する．他の吸気筋とは異なり，横隔膜の収縮によって胸郭の高さ，幅，深さが広がり，胸腔内の容積はかなり増大する．

C3，C4レベルより高位の脊髄損傷では，横隔膜は部分的もしくは完全に麻痺する．横隔膜はC3～C5の神経根からの横隔神経に支配されることを思い出そう．

横隔膜の麻痺で苦しんでいる人は，人工呼吸装置がなければ死亡する可能性が高くなる．生存し続けるためには，人工呼吸装置を付けるしかない．人工呼吸装置は，肺に流入する空気の量を制御して吸気を補助するものであるが，気管切開を行って直接気管に挿管することがしばしばある．したがって感染予防の対策が重要となり，慎重な治療が求められる．これらの患者のリハビリテーションには，介護者への教育が必要となる．その内容とは，人工呼吸装置を効率的に操作する方法や換気不全に対して適切に対応する方法，感染と上気道内への分泌物貯留を予防する方法である．

▶斜角筋群

前・中・後斜角筋は，頸椎および上位2本の肋骨に付着する（第8章のアトラス形式の頁を参照）．頸椎が固定されている際，斜角筋が両側同時に収縮すると上位肋骨が挙上し，吸気を補助する．斜角筋は，吸気の周期のいずれにおいても横隔膜と一緒に活動するが，これらに肥大がみられる場合は，呼吸障害の結果しばしば生じる努力性呼吸があることを意味する．

▶強制呼気に働く筋

前述したように，安静呼気は受動的な過程であり，主に胸郭，肺，弛緩した横隔膜の弾性力によって行われる．咳をする際やランニングの後で強く息を吐き出す際等の強制呼気時では，胸腔内の容積を素早く減少させるために，筋の随意的な収縮が欠かせない（図13.17）．強制呼気に働く筋には，4つの腹筋が含まれ，ときには内肋間筋も関与する．

4つの腹筋とは，腹直筋，外腹斜筋，内腹斜筋，腹横筋である（第8章の『筋と関節の相互作用』体幹の筋を参照）．これら4つの腹筋は体幹を屈曲させ，肋骨を下制させて強制呼気を行う．これらの筋群はまた，腹壁と腹腔内臓器を圧迫して腹腔内圧を上昇させる．その結果，弛緩した横隔膜は上方へ引かれ，胸腔内の容積が減少して，空気は肺から強制的に押し出される．

ATLAS

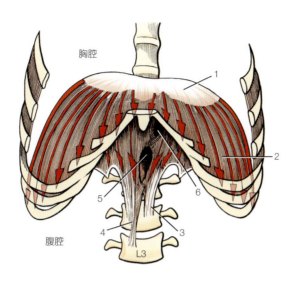

吸気の開始時における横隔膜の動き．1：腱中心．2：筋線維（肋骨部分）．3：左脚．4：右脚．5：大動脈裂孔．6：食道裂孔．（Neumann DA: Kinesiology of the musculoskeletal system: foundations for physical rehabilitation, ed 3, St Louis, 2017, Mosby, Fig. 11.27 より）

■ 横隔膜

起始　[肋骨部]第6～12肋軟骨内側面と隣接する骨部．
　　　[胸骨部]剣状突起の後面．
　　　[腰椎部]左脚と右脚という2つの異なる腱性組織を経由してL1～L3の椎体から起始する．
停止　横隔膜のドームに近い腱中心．
神経支配　横隔神経（C3～C5）．
作用　吸気の主動作筋．

解説　横隔膜は吸気筋の中で最も重要かつ効率的な筋で，吸気の70～80％を担う．効率が良いのは，胸郭の高さ，幅，深さ，の3方向すべてを拡大し，胸腔内の容積を増大させるからである．

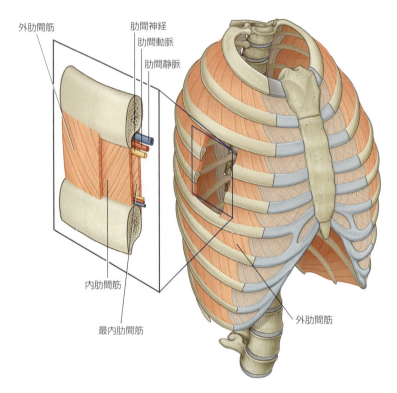

胸部の骨を内肋間筋と外肋間筋を強調して示している．（Drake RL, Vogl W, Mitchell AWM: Gray's anatomy for students, ed 2, St Louis, 2010, Churchill Livingstone より）

■ 外肋間筋

- **起始と停止** 左右11対あり，各筋は肋骨の下縁から起こり，下の肋骨の上縁に付着する．
- **神経支配** 肋間神経（T2〜T12）．
- **作用** 肋骨を挙上することによって胸郭を広げ，吸気を補助する．
- **解説** 外肋間筋は，肋骨を挙上して胸郭を広げる．外腹斜筋と同様，斜め方向に走行することに注目しよう．

■ 内肋間筋

- **起始と停止** 左右11対あり，各筋は肋骨の上縁から起こり，上の肋骨の下縁に付着する．内肋間筋は外肋間筋の深部にあり，筋線維は外肋間筋にほぼ直交する．両者の関係は，外腹斜筋と内腹斜筋の関係に似る．
- **神経支配** 肋間神経（T2〜T12）．
- **作用** 肋骨を下制することによって，強制呼気を補助する．
- **解説** 一般に，内肋間筋は強制呼気を補助する筋とされるが，吸気時にも収縮することが明らかにされている．内肋間筋および外肋間筋の厳密な作用は，いまだ不明である．しかし，これらの筋が一緒に作用することによって肋間隙を安定させ，吸気時に胸壁が内側に引き込まれるのを防ぐということでは見解が一致している．

臨床的な視点 >> 慢性閉塞性肺疾患

慢性閉塞性肺疾患 chronic obstructive pulmonary disease（COPD）とは，一般には3つの疾患，すなわち，①慢性気管支炎，②肺気腫，③喘息が組み合わさった疾患である．多くの場合，この疾患には長期間の喫煙歴が関係する．COPDの症状には，細気管支の慢性炎症と狭窄，慢性の咳，粘液に満ちた気道があり，肺胞壁の過膨張と破壊を伴う．COPDの重大な合併症は，肺内で自然に生じる弾性力の喪失と，細気管支の崩壊である．その結果，安静呼気あるいは強制呼気の終了時も，空気は肺内に閉じこめられたままとなる．この合併症は肺の過膨張とよばれ，ビール樽状胸部（樽状胸）の外観をしばしば呈する．

COPD例では，吸気の主動作筋の働きを補助するために，呼吸補助筋が頻繁に使用される．安静時でさえ，努力性の換気となる．胸鎖乳突筋や小胸筋のような呼吸補助筋は，頻繁に収縮して肋骨と胸骨を挙上させ，吸気を助ける．

1．機能的考察：強制呼気における腹筋の制御

強制呼気は，主として腹筋の筋群によって行われる．腹筋を十分に制御することは，咳をしたり嘔吐反射に適切に反応するというような，生理的機能にとって大切である．どちらの機能も健康と安全にとって不可欠である．咳をしたり力強く「エヘン」といって喉をスッキリさせることは，肺からの分泌物を取り除くための自然な運動であり，また，感染症に罹患する可能性を減らす．さらに，気管に詰まったものを取り除くとき（ちょっとした食物で窒息しそうなとき等）にも，腹筋は強く収縮する．

腹筋の筋力低下や麻痺がある人は，これらの機能を補助するために，咳による排痰法か，徒手を用いる排痰法のどちらかを習得しなければならない．例えば，T4レベルの完全脊髄損傷で，両下肢および腹筋が完全麻痺している人の場合を考えてみよう．このような患者やその介助者に対しセラピストは，効率的な気道クリアランスの重要性および徒手で咳を介助する技術を，注意深く指導しなければならない．

換気のまとめ

換気には，多数の筋と関節が相互に作用する．多数の筋が，同様に胸腔内容積を変化させることで，吸気と呼気が生じる．

適応性が高く敏感な呼吸器系は，このように，多数の筋と関節が作用することによって成立している．これは，換気という不可欠な機能に関わる筋群が，それぞれ異なった作用を同時に行うことによるものである．

確認問題

1 ▶ 下顎の前方への並進を最も表すのはどれか．
 ⓐ 側方運動
 ⓑ 挙上
 ⓒ 前突
 ⓓ 後退

2 ▶ 上顎を形成する骨はどれか．
 ⓐ 下顎骨
 ⓑ 上顎骨
 ⓒ 蝶形骨
 ⓓ 側頭骨

3 ▶ 主に開口運動に関わる筋はどれか．
 ⓐ 側頭筋
 ⓑ 咬筋
 ⓒ 内側翼突筋
 ⓓ 外側翼突筋（下頭）
 ⓔ a と b

4 ▶ 大きく開口するために必要な下顎骨関節突起の運動はどれか．
 ⓐ 前方への並進運動（前突）
 ⓑ 後方への並進運動（後退）
 ⓒ ほとんど必要ない
 ⓓ 側方運動

5 ▶ 右の内側翼突筋と左の外側翼突筋の収縮によって生じる運動はどれか．
 ⓐ 下顎骨の右方への側方運動
 ⓑ 下顎骨の左方への側方運動
 ⓒ 舌骨下筋群の同時収縮
 ⓓ 舌骨の胸骨のほうへの2.5～5 cmの下降

6 ▶ 頬骨弓の近位に付着する筋はどれか．
 ⓐ 内側翼突筋
 ⓑ 外側翼突筋
 ⓒ 咬筋
 ⓓ 側頭筋

7 ▶ 下顎を形成する骨はどれか．
 ⓐ 蝶形骨
 ⓑ 下顎骨
 ⓒ 上顎骨
 ⓓ 頬骨

8 ▶ 最大強制吸気と最大強制呼気の間で肺に出入りする空気の総容量を表すのはどれか．
 ⓐ 1回換気量
 ⓑ 肺活量
 ⓒ 予備呼気量
 ⓓ 予備吸気量

9 ▶ 最も重要な吸気筋はどれか．
 ⓐ 内肋間筋
 ⓑ 横隔膜
 ⓒ 斜角筋群

ⓓ 外肋間筋

10 ▶ 慢性閉塞性肺疾患（COPD）の例で，しばしばビール樽状胸部を呈する理由はどれか．
　ⓐ 安静呼気または強制呼気の終了時も，空気が肺内に閉じこめられるため
　ⓑ 腹斜筋が過度に肥大するため
　ⓒ カルシウムが胸郭内に過度に蓄積するため
　ⓓ 横隔膜が麻痺するため

11 ▶ ボイルの法則に従って，容積が増大した場合を表すのはどれか．
　ⓐ 容積の増大に比例して，内部の圧力は上昇する
　ⓑ 容積の増大に比例して，内部の圧力は減少する
　ⓒ 容積が増大しても，内部の圧力は一定で不変である

12 ▶ 斜角筋群は，どのようにして吸気を補助するか．
　ⓐ 上位肋骨と胸骨の上面を下制させる
　ⓑ 上位肋骨と胸骨を挙上させる
　ⓒ 下位肋骨と胸骨の下面を下制させる
　ⓓ 胸郭の底部を下制させる

13 ▶ 正しいのはどれか．
　ⓐ 安静呼気は，主として肋骨と周囲の結合組織の弾性力によって生じる
　ⓑ 強制呼気は腹筋の活発な収縮を伴う
　ⓒ 胸腔内容積を増大させる筋は，すべて吸気筋とみなされる
　ⓓ aとb
　ⓔ 上記のすべて

14 ▶ 呼気は，胸腔内容積の減少によって生じる．
　ⓐ 正しい
　ⓑ 誤り

15 ▶ 側頭筋は，主として下顎骨の下制に関わる．
　ⓐ 正しい
　ⓑ 誤り

16 ▶ 横隔膜が収縮すると，高さ，幅，深さの3方向すべてが拡大し，胸腔内の容積は増大する．
　ⓐ 正しい
　ⓑ 誤り

17 ▶ 各換気周期において，肺を出入りする空気の容積を1回換気量という．
　ⓐ 正しい
　ⓑ 誤り

18 ▶ 後退とは，下顎骨が前方へ並進することをいう．
　ⓐ 正しい
　ⓑ 誤り

19 ▶ 咬筋，内側翼突筋，側頭筋は，すべて閉口運動に関わる．
　ⓐ 正しい
　ⓑ 誤り

20 ▶ 胸腔内容積が減少すると，肺へ空気が取り込まれる．
　ⓐ 正しい
　ⓑ 誤り

参考文献

Armijo-Olivo, S., Silvestre, R.A., Fuentes, J.P., et al. (2012) Patients with temporomandibular disorders have increased fatigability of the cervical extensor muscles. The Clinical Journal of Pain, 28(1), 55-64.

Baba, K., Haketa, T., Sasaki, Y., et al. (2005) Association between masseter muscle activity levels recorded during sleep and signs and symptoms of temporomandibular disorders in healthy young adults. The Journal of Oral & Facial Pain and Headache, 9(3), 226-231.

Bhutada, M.K. (2004) Functions of the lateral pterygoid muscle. Annals of the Royal Australasian College of Dental Surgeons, 17, 68-69.

Brown, S.H., Ward, S.R., Cook, M.S., et al. (2011) Architectural analysis of human abdominal wall muscles: implications for mechanical function. Spine, 36(5), 355-362.

Cala, S.J., Kenyon, C.M., Lee, A., et al. (1998) Respiratory ultrasonography of human parasternal intercostal muscle in vivo. Ultrasound in Medicine & Biology, 24(3), 313-326.

Campbell, E.J. (1955) The role of the scalene and sternomastoid muscles in breathing in normal subjects: an electromyographic study. Journal of Anatomy, 89(3), 378-386.

Chandu, A., Suvinen, T.I., Reade, P.C., et al. (2005) Electromyographic activity of frontalis and sternocleidomastoid muscles in patients with temporomandibular disorders. Journal of Oral Rehabilitation, 32(8), 571-576.

Chaves, T.C., Grossi, D.B., de Oliveira, A.S., et al. (2005) Correlation between signs of temporomandibular (TMD) and cervical spine (CSD) disorders in asthmatic children. Journal of Clinical Pediatric Dentistry, 29(4), 287-292.

Christo, J.E., Bennett, S., Wilkinson, T.M., et al. (2005) Discal attachments of the human temporomandibular joint. Australian Dental Journal, 50(3), 152-160.

De Troyer, A. (2002) Relationship between neural drive and mechanical effect in the respiratory system. Advances in Experimental Medicine and Biology, 508, 507-514.

De Troyer, A. & Estenne, M. (1984) Coordination between rib cage muscles and diaphragm during quiet breathing in humans. Journal of Applied Physiology: Respiratory, Environmental and Exercise Physiology, 57(3), 899-906.

De Troyer, A. & Estenne, M. (1988) Functional anatomy of the respiratory muscles. Clinics In Chest Medicine, 9(2), 175-193.

De Troyer, A., Gorman, R.B. & Gandevia, S.C. (2003) Distribution of inspiratory drive to the external intercostal muscles in humans. The Journal of Physiology (London), 546(Pt 3), 943-954.

De Troyer, A., Kelly, S. & Zin, W.A. (1983) Mechanical action of the intercostal muscles on the ribs. Science, 220(4592), 87-88.

DiMarco, A.F., Romaniuk, J.R. & Supinski, G.S. (1990) Action of the intercostal muscles on the rib cage. Respiration Physiology, 82(3), 295-306.

Estenne, M., Yernault, J.C. & De Troyer, A. (1985) Rib cage and diaphragm-abdomen compliance in humans: effects of age and posture. Journal of Applied Physiology, 59(6), 1842-1848.

Fregosi, R.F., Bailey, E.F. & Fuller, D.D. (2011) Respiratory muscles and motoneurons. Respiratory Physiology & Neurobiology, 179(1), 1-2.

Goldman, J.M., Rose, L.S., Williams, S.J., et al. (1986) Effect of abdominal binders on breathing in tetraplegic patients. Thorax, 41(12), 940-945.

Goodheart, G. (1983). Applied kinesiology in dysfunction of the temporomandibular joint. Dental Clinics of North America, 27(3), 613-630.

Haggman-Henrikson, B., Rezvani, M. & List, T. (2014) Prevalence of whiplash trauma in TMD patients: a systematic review. Journal of Oral Rehabilitation, 41, 59-68.

Hamaoui, A., Hudson, A.L., Laviolette, L., et al. (2014) Postural disturbances resulting from unilateral and bilateral diaphragm contractions: a phrenic nerve stimulation study. Journal of Applied Physiology, 117(8), 825-883.

Han, J.N., Gayan-Ramirez, G., Dekhuijzen, R., et al. (1993) Respiratory function of the rib cage muscles. The European Respiratory Journal, 6(5), 722-728.

Harrison, A.L., Thorp, J.N. & Ritzline, P.D. (2014) A proposed diagnostic classification of patients with temporomandibular disorders: implications for physical therapists. Journal of Orthopaedic and sports physical therapy, 44(3), 182-197.

Hudson, A.L., Butler, J.E., Gandevia, S.C., et al. (2011) Role of the diaphragm in trunk rotation in humans. Journal of Neurophysiology, 106(4), 1622-1628.

Hugger, S., Schindler, H.J., Kordass, B., et al. (2012) Clinical relevance of surface EMG of the masticatory muscles. (Part 1): resting activity, maximal and submaximal voluntary contraction, symmetry of EMG activity. [Review]. International Journal of Computerized Dentistry, 15(4), 297-314.

Neumann, D. (2017) Kinesiology of the Musculoskeletal System: Foundations for Physical Rehabilitation (3rd ed.). St Louis: Elsevier.

Okeson, J.P. (2013) Management of Temporomandibular Disorders and Occlusion (7 th ed.). St Louis: Mosby.

Osborn, J.W. (1985) The disc of the human temporomandibular joint: design, function and failure. Journal of Oral Rehabilitation, 12(4), 279-293.

Sindelar, B.J. & Herring, S.W. (2005) Soft tissue mechanics of the temporomandibular joint. Cells Tissues Organs, 180(1), 36-43.

Souza, H., Rocha, T., Pessoa, M., et al. (2014) Effects of inspiratory muscle training in elderly women on respiratory muscle strength, diaphragm thickness and mobility. The Journals of Gerontology. Series A, Biological Sciences and Medical Science, 69(12), 1545-1553.

Standring, S. (2017) Gray's Anatomy: the Anatomical Basis of Clinical Practice (41st ed.). St Louis: Elsevier.

Takazakura, R., Takahashi, M., Nitta, N., et al. (2004) Diaphragmatic motion in the sitting and supine positions: healthy subject study using a vertically open magnetic resonance system. Journal of Magnetic Resonance Imaging, 19(5), 605-609.

Verges, S., Notter, D. & Spengler, C.M. (2006) Influence of diaphragm and rib cage muscle fatigue on breathing during endurance exercise. Respiratory Physiology & Neurobiology, 154(3), 431-442.

用語解説

アクチン-ミオシン架橋 actin-myosin cross bridge：2つの筋蛋白質であるアクチンとミオシン間で生じる動的な相互作用であり，筋収縮機構に不可欠である．

亜脱臼 subluxation：関節が不完全または部分的に変位すること．

圧迫力 compression force：関節面で起こるような，2つ以上の物体を互いに圧迫させる力．

安静吸気 quiet inspiration：安静時に肺に空気を取り込むこと．

安静呼気 quiet expiration：肺，周囲の筋や結合組織の受動的な弾性力によって肺から空気を吐き出すこと．安静呼気は通常，筋の収縮力を必要としない．

安定化筋 stabilizer：特定の体節を固定する働きをする筋．

インピンジメント impingement：筋骨格系の2つの要素が，異常かつ過度に接触すること．たいていは肩のインピンジメントのことをいい，肩関節の外転時に上腕骨が肩峰の下面に接触して起こる病態．

ウォルフの法則 Wolff's law：骨は高負荷の部分で発達し，低負荷の部分で再吸収されるという法則．

内がえし inversion：底屈，回外，内転が組み合わさって生じる足部の運動．

運動学 kinematics：力学の一分野．運動を生じる力やトルクは考慮に入れないで，身体の運動を説明する．

運動力学 kinetics：力学の一分野．身体に作用する力の影響を説明する．

エクスカーション excursion：筋長の変化．通常は，ある特定の動きをしている間に，筋がどの程度長くなったか，あるいは短くなったかの程度を指す．

遠位 distal：体幹または身体の正中線から離れたほう．

遠位付着部 distal attachment：筋や靱帯が骨に付着している最も遠位の部位で，しばしば近位付着部（起始）に対比させて用いる．筋の遠位付着部は，停止ともいう．

遠心性収縮 eccentric activation：筋が延長しながら収縮する筋活動．

凹足 pes cavus：足部の内側縦アーチが異常に高い状態．

横断面積 cross-sectional area：筋の厚さの基準．筋の横断面積が大きいほど，収縮力を生産する最大潜在力は大きい．

回外 supination：手掌が上方へ回転する前腕の運動．また足部の前額面における，足底面が内側に回転する運動も指す．

回旋 rotation：回転軸を中心に体節が弧を描いて運動すること．

外旋 external rotation：水平面（横断面）での体節の運動で，骨の前面が正中線から離れるように外側へ回転する体節の動き．

外側 lateral：体節または身体の正中線から離れたほう．

外側上顆炎 lateral epicondylitis：手関節伸筋群の起始が炎症を起こしている状態で，テニス肘ともいう．炎症がなく痛みがある場合，外側上顆痛という．

外的トルク external torque：重力等の外力が生産するトルク．

外的モーメントアーム external moment arm：関節の回転軸から外力に下ろした垂線の長さ．

外転 abduction：正中線から離れる体節の動き．通常は，前額面で起こる．

回転軸 axis of rotation：回転の中心となる軸．関節を通って伸びる仮想の線を指す．関節運動の回転中心である．

回内 pronation：手掌が下方へ回転する前腕の運動．また足部の前額面における，足底面が外側に回転する運動も指す．

外反 valgus：関節や骨の遠位部が，近位部に対して外側に突出している状態．

外反股 coxa valga：大腿骨近位部の頸体角が異常に増大した状態．前額面において大腿骨頸部と大腿骨骨幹軸の内側面のなす角度が，125°より大きいとき，外反股と診断される．

外反膝 genu valgum：大腿骨と下腿の外側面が，前額面でなす角度が正常でない場合．膝伸展位では，この角度が約170〜175°の状態をいう．つまり，下腿が正中線から約5〜10°外側に偏位している．外反膝はX脚の外観を呈する．

外反肘 cubitus valgus：上腕と前腕の内側面が前額面で

なす角度が正常でない場合で，通常は15°である．運搬角とよばれることが多い．

開放運動連鎖 open-chain motion：近位の骨が相対的に固定された状態で，遠位の骨が動く関節運動．

解剖学的肢位 anatomic position：身体のすべての部位の位置と運動を説明するため，基準として用いられる標準体位．

海綿骨 cancellous bone：多孔性で，通常，骨の内側面を構成する．

外力 external force：身体の外部に力源があって，押したり引いたりする力．身体に加えられる重力や身体的接触も，通常は外力に含まれる．

踵接地 heel contact：歩行周期の立脚相の下位区分で，踵が接地するとき．

踵離地 heel off：歩行周期の立脚相の下位区分で，踵が地面から離れるとき．

下垂足 foot drop：通常は，背屈筋の筋力低下によって起こる異常歩行．遊脚相において足部の不必要な下垂が生じる．

下制 depression：体節の下方への動き．

鵞足 pes anserinus：半腱様筋，薄筋，縫工筋がひとまとまりになって，脛骨の近位内側部に付着している部位．

下腿三頭筋 triceps surae：ふくらはぎの大部分を構成する筋の総称で，腓腹筋とヒラメ筋をあわせていう場合の名称．

滑走説 sliding filament theory：筋収縮に関する説．アクチンフィラメントがミオシンフィラメントを通り過ぎるときに生じる力によって筋が収縮するという説で，その結果，1つの筋節が収縮する．

可動関節 diarthrosis：肩関節や股関節のような，2つ以上の骨による関節で，滑液を満たした関節腔をもつ関節．滑膜関節ともよばれる．

過度の外反膝 excessive genu valgum：膝の前額面でなす角度（外側を測定）が，170°より小さい状態．X脚の外観を呈する．

過度の外反肘 excessive cubitus valgus：上腕と前腕の内側面が前額面でなす角度が正常ではなく，15°を著しく上回った状態．正常な外反肘は，通常は15°である．

下方 inferior：下または足部のほう．

下方回旋 downward rotation：関節窩が上方回旋の位置から下方回旋の位置に動く肩甲骨の運動．この運動は，肩を挙上した位置から内転や伸展すると自然に起こる．

換気 ventilation：肺に空気が出入りする機械的な過程．

関節運動学 arthrokinematics：関節の関節面と関節面との間で起こる，転がり，滑り，軸回旋の動きを説明する．

関節炎 arthritis：罹患関節を構成する骨と軟骨の悪化によって生じる変形性関節疾患．

関節固定肢位 close-packed position：多くの関節肢位の中で，関節面が最も適合し，靱帯が最大に緊張している独特の肢位．

関節軟骨 articular cartilage：滑膜関節の関節面を覆う結合組織で，骨と骨の間の衝撃吸収（緩衝）機構として機能する．

関節反力 joint reaction force：関節面の間に生じる圧迫力．ほとんどの場合，筋の収縮によって生じる．

起始 origin：筋や靱帯の近位付着部．

拮抗筋 antagonist：主動作筋の作用と反対の作用をする筋や筋群．例えば，上腕二頭筋の拮抗筋は上腕三頭筋である．

キネシオロジー kinesiology：人体の運動を研究する分野．身体運動学．

逆運動 reverse action：関節の近位の体節を，相対的に固定された遠位の体節に向かって動かす筋の作用．

Q角（大腿四頭筋角） Q-angle（quadriceps angle）：大腿四頭筋と膝蓋腱の相対的な力線を表す臨床的測定値．

吸気 inspiration：肺に空気を取り込む過程．

求心性収縮 concentric activation：筋が短縮しながら収縮する筋活動．

胸郭出口症候群 thoracic outlet syndrome：腕神経叢や鎖骨下血管が胸郭を出るところで圧迫されること．上肢のうずくような痛みや感覚麻痺がしばしば生じる．

狭窄 stenosis：狭くなること．通常は，脊柱管や椎間孔の狭窄をいう．

強制吸気 forced inspiration：肺に空気を強制的に取り込むこと．

強制呼気 forced expiration：腹筋をはじめとする呼気筋を随意的に収縮させて，肺から空気を吐き出すこと．

共同筋 synergists：特定の運動を遂行するために一緒に働く筋．

挙上 elevation：体節の上方への動き．通常は，口を閉じるために下顎（顎）を上げることや，胸郭上で肩甲骨が上がることを指すために用いられる．

近位 proximal：体幹または身体の正中線のほう．

近位付着部 proximal attachment：筋や靱帯が骨に付着している最も近位の部位で，しばしば遠位付着部（停止）に対比させて用いる．筋の近位付着部は，起始ともいう．

筋外膜 epimysium：筋の外層や筋腹を囲む結合組織．

筋原線維 myofibril：筋節の中の収縮性蛋白質を含む．

筋周膜 perimysium：個々の筋束を囲んでいる結合組織．

筋節（サルコメア） sarcomere：筋線維の基本的な収縮単位．それぞれの筋節は，主にアクチンとミオシンという2つの蛋白質フィラメントからなり，筋収縮の

役割を果たす組織である.

筋線維 muscle fiber：筋の収縮要素のすべてを含んだ単一細胞で，多数の核を有する.

筋束 fasciculus：筋線維の束.

筋内膜 endomysium：各筋線維を囲む組織．比較的密な網目のコラーゲン線維からなり，収縮力を腱に伝達する機能がある.

筋の代償運動 muscular substitution：特定の作用を，通常行う筋以外の筋が行うこと.

筋肥大 hypertrophy：筋量が増加すること.

筋腹 muscle belly：筋の胴体部分で，個々の筋の大部分を構成する.

屈曲 flexion：矢状面での骨の運動で，他の骨の屈筋の表面に近づく動き.

頸体角 angle of inclination：前額面で，大腿骨頸部と大腿骨骨幹部がなす角度．通常は，125°である.

牽引線 line of pull：筋が産生する力の方向を示す.

肩甲上腕リズム scapulohumeral rhythm：肩を外転させるときに生じる，上腕骨と肩甲骨の自然な運動比率やリズム．具体的には，肩甲上腕関節が2°外転すると，同時に肩甲骨は1°上方回旋する.

腱板（回旋筋腱板，回旋腱板，ローテーターカフ） rotator cuff：肩の4つの筋の一群で，棘上筋，棘下筋，小円筋，肩甲下筋からなり，肩甲上腕関節を囲んで安定させている.

コアスタビリティ運動 core stabilization exercise：脊柱や体幹の筋の安定性を改善することを目的とした運動や技術.

後屈（起き上がり） counternutation：通常は仙腸関節で生じるわずかな運動で，腸骨に対して仙骨が後方回転することを指す.

拘縮 contracture：筋や結合組織の異常な短縮や硬化をいう．通常は，異常な姿勢と関節可動域の減少により生じる場合が多い.

後退 retraction：通常は水平面で，骨や体節が後方へ並進または回転すること.

後退 retrusion：下顎の後方並進運動.

後部 posterior：後方，もしくは身体の後方.

合力 resultant force：多数の力のベクトルによる作用の総和.

呼気 expiration：肺から空気を吐き出す過程.

骨運動学 osteokinematics：3つの基本面に関する骨の運動を説明する.

骨幹 diaphysis：骨の中央にある幹となる部分.

骨端 epiphysis：骨幹（柄）に続いて広がっている部分で，各長骨には近位の骨端と遠位の骨端がある.

骨内膜 endosteum：骨の髄管の表面を覆う膜.

骨盤（股関節）挙上 hip-hiking：代償歩行で，遊脚下肢がうまく地面から振り出せるように遊脚側の骨盤が挙上する（引き上がる）.

骨盤後傾 posterior pelvic tilt：体幹は直立位のままで，骨盤の上面が後方に傾く運動．この運動は短い弧を描き，大腿骨に対して骨盤を伸展させるため，通常腰椎前弯が減少する.

骨盤前傾 anterior pelvic tilt：体幹は直立位のままで，骨盤の上面が前方に傾く運動．この運動は短い弧を描き，大腿骨に対して骨盤を屈曲させるため，通常，腰椎前弯が増強する.

骨盤（股関節）落下 hip drop：異常歩行で，歩行の遊脚相のときに遊脚側の骨盤が不意に下がる.

骨膜 periosteum：骨の外面を覆う，薄くて丈夫な膜.

コーレス骨折 Colles' fracture：橈骨茎状突起近くの，橈骨遠位端の骨折.

転がり roll：関節運動学の用語．一方の回転する関節面にある多数の点が，他方の回転する関節面にある多数の点と接すること.

最終感覚 end feel：関節が最終可動域に達するときの感覚を評価すること.

軸回旋 spin：関節運動学の用語．一方の関節面にある1点が，他方の関節面にある1点上で回転すること（コマの回転に似ている）.

軸性骨格 axial skeleton：身体の中心の骨性の軸を形成する骨格．頭蓋骨，舌骨，胸骨，肋骨，仙骨と尾骨を含む脊柱からなる.

矢状面 sagittal plane：身体を左右に分ける面．通常は，屈曲と伸展は矢状面で起こる.

膝蓋骨トラッキング lateral tracking of the patella：膝の屈伸時に膝蓋骨が過度に側方へ移動すること．軽度のトラッキングは通常であるが，過度のトラッキングは病的とみなされる.

質量中心 center of mass：物体の質量の正確な中心点をいう．重心ともいう.

自動運動 active movement：筋収縮によって生じる随意的な身体運動.

自動完全 active efficiency：多関節筋の最適な活動パターンで，多関節筋が，ある関節においては短縮するが，同時に他の関節においては伸張する場合に生じる.

自動不全 active insufficiency：多関節筋の主動作筋が過度に短縮するため，自動運動の強さと可動域が減少すること.

尺側偏位 ulnar drift：手指が著しく尺側に偏位した異常な状態．関節リウマチでよくみられる.

尺屈 ulnar deviation：前額面での手関節の運動で，手が内側に動いて尺骨に向かう運動.

重心線 line of gravity：身体に作用する引力の方向を示す線.

自由度 degrees of freedom：関節で運動が可能な独立し

た面の数．関節の自由度は，最大で3である．

重複歩 stride：一側の踵接地から同側の次の踵接地までの期間．1歩行周期ともいう．

重複歩距離 stride length：1重複歩で移動する距離．

終末強制回旋機構 screw-home mechanism：膝の完全伸展と同時に，わずかに脛骨が外旋して膝を固定する機構．

手根管 carpal tunnel：手関節の屈筋支帯と手根骨の間に形成される空間．この管は正中神経と，浅指屈筋・深指屈筋・長母指屈筋の9つの腱の通り道である．

手根管症候群 carpal tunnel syndrome：手根管の中の正中神経が圧迫されて，正中神経の感覚枝が分布する手の領域に痛みや感覚障害が生じる．この症状はほとんどの場合，手関節で激しい運動が繰り返されることによって生じる．

手掌 palmar：手の前面，または手のひら．

主動作筋 agonist：特定の運動が行われるときに，最も直接に関与する筋や筋群．

上方 superior：上または頭部のほう．

上方回旋 upward rotation：関節窩が上を向くように動く肩甲骨の運動．この運動は，肩が外転や屈曲すると自然に起こる．

深 deep：身体の中心部，または内側．

伸展 extension：矢状面での骨の運動で，他の骨の伸筋の表面に近づく動き．

伸展機構 extensor mechanism：指の背面には結合組織があり，それによって手の外在筋と内在筋が同時に指骨間関節を伸展させることができる機構．

伸展ラグ extensor lag：膝関節の自動伸展で大腿四頭筋が最後の15〜20°の伸展をできない状態をいう．通常は疼痛，腫脹，炎症が原因である．

髄核ヘルニア herniated nucleus pulposus：椎間板の線維輪の裂け目を髄核が移動する病態．多くの場合，椎間板の膨隆や，はみ出ている状態をいう．

髄管 medullary canal：長骨の骨幹の中心部にある空洞の管．

水平外転 horizontal abduction：肩の運動であり，肩関節90°外転位において，水平面で上肢を後方へ引く動き．しばしば水平伸展とよばれる．

水平内転 horizontal adduction：肩の運動であり，肩関節90°外転位において，水平面で上肢を前方へ引く動き．しばしば水平屈曲とよばれる．

水平(横断)面 horizontal(transverse)plane：身体を上下に分ける面．肩関節や股関節の内・外旋と体幹の回旋等，回旋運動のほとんどは，水平面で起こる．横断面ともいう．

ステップ(歩) step：一側の踵接地から反対側の踵接地までの期間．

滑り slide：関節運動学の用語．一方の関節面にある1点が，他方の関節面にある多数の点と接すること．

正常な前捻角 normal anteversion：大腿骨長軸の正常なねじれ角．正常な前捻角は，15°である．

正中線 midline：身体の正中を垂直に走る仮想の線．

静的安定性 static stability：特定の骨や体節が安定しており，まったく，またはほとんど運動が生じない状態．

脊髄神経 spinal nerve：前根神経と後根神経からなり，それぞれ運動神経と感覚神経を含む．

脊柱後弯 kyphosis：矢状面での脊柱の正常な弯曲で，後方に凸で前方に凹である．正常な脊椎の胸椎部と仙骨部は後弯を示す．

脊柱前弯 lordosis：矢状面での脊椎の正常な弯曲で，後方に凹で前方に凸である．正常な脊椎の頸椎部と腰椎部は前弯を示す．

脊柱側弯症(側弯症) scoliosis：脊柱が前額面と水平面において異常なカーブを呈した状態．

脊柱の中間位 neutral spine：脊柱が正常な弯曲を示している，あるいは保持している状態．頸椎部と腰椎部は前弯を呈し，胸椎部と仙骨部は後弯を呈する．

脊椎すべり症 anterior spondylolisthesis：下の椎骨に対して上の椎骨が前方へ変位することをいう．第5腰椎と第1仙椎の間で生じることが最も多い．

浅 superficial：身体の外側．

前額面 frontal plane：身体を前後に分ける面．外転運動と内転運動のほとんどは，前額面で起こる．

前屈(うなずき) nutation：通常は仙腸関節で生じるわずかな運動で，腸骨に対して仙骨が前方回旋することを指す．

前部 anterior：前方，もしくは身体の前方．

前方突出 protraction：通常は水平面で，骨や体節が前方へ並進または回転すること．

足指離地 toe off：歩行周期の立脚相の下位区分で，足指が地面から離れるとき．

足底 plantar：足の裏，または底．

足底接地 foot flat：歩行周期の立脚相の下位区分．足底面が地面に完全に接触しているとき．

側方運動 lateral excursion：骨の左右(横)への運動で，歯で食物をすりつぶす等，通常は下顎の側方への動きをいう．

咀嚼 mastication：歯で食物を噛み，砕き，すりつぶす過程．

外がえし eversion：背屈，回内，外転が組み合わさって生じる足部の運動．

対立 opposition：母指が他の4つの指先に正確に触れられること．

他動運動 passive movement：筋収縮以外の力によって生じる特定の身体運動．

他動関節可動域 passive range of motion：筋収縮以外の

力によって起こる，関節での骨の運動範囲．

他動不全 passive insufficiency：拮抗する多関節筋が過度に伸張するため，自動運動の強さと可動域が減少すること．

単下肢支持期 single-limb support：歩行周期の一部で，一側の下肢のみで身体を支持する相．

力 force：押す力や引く力．運動を起こしたり，停止させたり，変更したりする．

椎間関節の配置方向 facet joint orientation：脊柱にある椎間関節の空間的配置方向．通常は，配置方向によってその脊柱領域での優勢な運動が明らかになる．

椎間分節の安定 segmental stabilization：脊柱の個々の体節を安定させるための運動．

底屈 plantar flexion：自動車のアクセルペダルを踏むように，矢状面で足を下方へ動かす運動．

停止 insertion：筋や靱帯の遠位付着部．

適合性 congruency：2つの面の最適な適合をいう．通常は，関節固定肢位にある関節が最も適合している状態を表現するのに用いられる．

てこ leverage：特定の力が有する相対的なモーメントアームの長さ．

テノデーシス作用 tenodesis：ある関節で多関節筋が伸張されることによって，他の関節に受動的な運動が生じること．例えば，手関節の伸展によって長指屈筋が手関節で伸張されると，手指の受動的な屈曲が生じる．

橈屈 radial deviation：前額面での手関節の運動で，手が外側に動いて橈骨に向かう運動．

同時収縮 co-contraction：通常は，主動作筋と拮抗筋が同時に収縮し，関節に安定性をもたらす状態．

等尺性収縮 isometric activation：筋の長さを一定に保ちながら，筋が収縮力を発生すること．

頭側 cephalad：頭方，もしくは身体の上方．

動的安定化 dynamic stabilization：特定の動いている骨や体節を安定させること（訳注：第4章，83頁『腱板』では「動的安定性」）

徒手筋力検査 manual muscle test（MMT）：特定の筋や筋群の力を評価するために行う徒手抵抗検査．

突出 protrusion：下顎の前方並進運動（前突）

トルク（モーメント） torque（moment）：回転を起こす力．トルク＝力×モーメントアームの長さ．

トレンデレンブルク徴候 Trendelenburg sign：トレンデレンブルク検査は股関節外転筋の機能的な強さを評価するために行う．患者は片足で立つように指示され，セラピストは骨盤の位置に注意する．持ち上げた下肢側の骨盤が下がった場合，トレンデレンブルク徴候は陽性となる．この反応は，立脚側下肢の股関節外転筋の筋力低下を示している．片足を持ち上げても骨盤が水平のままであれば，トレンデレンブルク徴候は陰性となる．この反応は，立脚側下肢の股関節外転筋の筋力が正常であることを示している．

内旋 internal rotation：水平面（横断面）での体節の運動で，骨の前面が正中線のほうへ内側に回転する体節の動き．

内側 medial：体幹または身体の正中線のほう．

内側縦アーチ medial longitudinal arch：足部のアーチで，足部の内側につくられる特徴的な凹のアーチ．

内的トルク internal torque：筋等の内力が産生するトルク．

内的モーメントアーム internal moment arm：関節の回転軸から内力に下ろした垂線の長さ．

内転 adduction：正中線に向かう体節の動き．通常は，前額面で起こる．

内反 varus：関節や骨の遠位部が，近位部に対して内側に突出している状態．

内反股 coxa vara：大腿骨近位部の頸体角が異常に減少した状態．前額面において大腿骨頸部と大腿骨骨幹軸の内側面のなす角度が，125°より小さいとき，内反股と診断される．

内反膝 genu varum：大腿骨と下腿の外側面が，前額面でなす角度が正常でない場合．膝伸展位では，この角度が180°以上の状態をいう．つまり，下腿が正中線から約5～10°内側に偏位している．内反膝はO脚の外観を呈する．

内反肘 cubitus varus：上腕と前腕の内側面が前額面でなす角度が正常でない場合で，角度が15°未満のときや，前腕が正中線に向かって偏位している状態をいう．

内力 internal force：身体の内部で発生する力．

背臥位 supine：仰向けの姿勢．

背屈 dorsiflexion：足関節もしくは足部の矢状面での運動で，脛骨のほうへ足背部が引き上がること．

背側 dorsal：体節または身体の後面．

馬尾 cauda equina：腰仙椎部の脊柱管の中にある末梢神経の束．

半関節 amphiarthrosis：多くの場合，身体の正中線に位置する関節で，主に線維軟骨とガラス軟骨でできている．例えば，脊椎の椎体間関節がある．

反張膝 genu recurvatum：膝が著しく過伸展していること．

皮質（緻密）骨 cortical（compact）bone：比較的密度が高い骨で，通常，骨の外面を形成する．

尾側 caudal：身体の下方．

フォースカップル（偶力） force-couple：関節における作用で，2つ以上の筋が異なる直線上で力を発生するが，同じ方向に回転するトルクを発生するときに起

こる.

復位 reposition：完全に対立位にある母指を解剖学的位置に戻す運動.

腹臥位 prone：うつ伏せの姿勢.

付属性骨格 appendicular skeleton：付属器および四肢の骨を指し，肩甲骨と鎖骨を含む上肢のすべての骨と，骨盤を含む下肢のすべての骨を合わせた総称.

プッシュオフ（踏み切り） push-off：歩行周期の立脚相の最終区分で，推進に関係する踵離地から足指離地の期間.

不動関節 synarthrosis：ほとんど，もしくは，まったく可動性がない関節．例として，頭蓋の縫合や遠位脛腓関節がある.

分回し circumduction：2つ以上の運動面を通る体節の円運動.

閉鎖運動連鎖 closed-chain motion：遠位の骨が相対的に固定された状態で，近位の骨が動く関節運動.

並進運動 translation：身体のすべての部位が，他のあらゆる部位と平行で，同じ方向に動く直線運動.

ベクトル vector：速度や力のように，大きさと方向によって完全に特定できる量のこと．例えば，その大きさや方向が特定できる速度や力.

扁平足 pes planus：足部の内側縦アーチが異常に低い状態．flatfoot ともいう.

ボイルの法則 Boyle's law：気体（空気を含む）の容積と圧力は反比例するという，物理学の原理.

歩隔 step width：足底接地から次の足底接地までの，踵中心の左右の距離．通常この距離は，健常成人で約8 cm である.

歩行周期 gait cycle：一側の下肢の踵が接地してから，同側の下肢の踵が再び接地するまでの間に起こる事象.

歩行速度 walking velocity：人が歩くときの速度．通常の歩行速度は，時速約 4.8 km である.

歩行率 cadence（step rate）：1分間の歩数．ケイデンスともいう.

ほぞ穴 mortise：足関節の距腿関節の形の説明．距骨，脛骨および腓骨の遠位端からなる関節が，大工のほぞ継ぎ（接ぎ）に似ていることに由来する（訳注：ほぞ継ぎとは，木材等を接合する際，一方の端部につくったほぞという突起を，他方につくったほぞ穴に差し込んで合わせることをいう）.

歩幅 step length：踵接地から次の踵接地までの距離.

慢性閉塞性肺疾患 chronic obstructive pulmonary disease（COPD）：肺気腫，喘息，慢性気管支炎が組み合わさった慢性肺疾患．慢性の気道閉塞，肺の弾性力の低下，肺の慢性過膨張を特徴とする.

無腐性壊死 avascular necrosis：罹患骨への血液供給が不足することで生じる骨の死や変性.

モーメントアーム moment arm：関節の回転軸から力に直角に下ろした垂線の長さ.

遊脚終期（後期） terminal（late）swing：遊脚相の下位区分で，下肢の前進運動の最後（踵接地の直前）の期間.

遊脚初期 early swing：歩行周期の一部で，下肢が前方移動する最初の期間.

遊脚相 swing phase：歩行周期で，下肢が接地しないで前進している相．歩行周期の最後の40％を占める.

遊脚中期 mid swing：遊脚相の下位区分で，下肢の前方移動の真ん中の期間.

翼状肩甲 winging：肩甲骨の内側縁が胸郭から離れて張り出した異常な状態で，鳥の翼のようにみえる．この状態は，通常，前鋸筋の筋力低下を示している.

立脚相 stance phase：歩行周期で，下肢が接地している相．歩行周期の最初の60％を占める.

立脚中期 mid stance：歩行周期の立脚相の下位区分で，下肢が垂直位の状態．通常，一側下肢の立脚中期は，他側下肢の遊脚中期に対応する.

両下肢支持期 double-limb support：歩行周期の一部で，両足が接地している状態.

確認問題の解答

第1章

1. d
2. b
3. b
4. d
5. b
6. d
7. c
8. d
9. c
10. b
11. b
12. e
13. a
14. a
15. d
16. e
17. c
18. a
19. a
20. a
21. a
22. b
23. b
24. b
25. a
26. b
27. a
28. a
29. b
30. a
31. b

第2章

1. c
2. b
3. a
4. c
5. b
6. c
7. c
8. c
9. b
10. b
11. b
12. b
13. b
14. b
15. d
16. c
17. d
18. a
19. b
20. c

第3章

1. c
2. b
3. e
4. c
5. c
6. b
7. a
8. b
9. d
10. d
11. b
12. b
13. a
14. a
15. b
16. a
17. b
18. a
19. b
20. a
21. b
22. a

第4章

1. c
2. d
3. b
4. c
5. b
6. a
7. b
8. b
9. c
10. d
11. c
12. d
13. e
14. d
15. b
16. a
17. b
18. b
19. c
20. e
21. a
22. a
23. b
24. b
25. a
26. a
27. b
28. b
29. a
30. a

第5章

1. c
2. b
3. d
4. a
5. e
6. b
7. a
8. e
9. e
10. b
11. a
12. b
13. c
14. b
15. a
16. b
17. a
18. a
19. b
20. b
21. c
22. b
23. a
24. b
25. a
26. b
27. b
28. a
29. a
30. b

第6章

1. b
2. c
3. b
4. b
5. a
6. c
7. b
8. a
9. c
10. b
11. c
12. a
13. c
14. b
15. a
16. a
17. b
18. a
19. b
20. a

第7章

1. d
2. d
3. b
4. e
5. c
6. e
7. c
8. b
9. c
10. a
11. a
12. a
13. a
14. a
15. b
16. a
17. a
18. a

19. a
20. a

第8章

1. a
2. b
3. a
4. d
5. b
6. c
7. c
8. a
9. b
10. c
11. d
12. b
13. d
14. d
15. e
16. a
17. a
18. c
19. c
20. b
21. c
22. a
23. b
24. a
25. b
26. b
27. a
28. b
29. b
30. b
31. b

第9章

1. b
2. c
3. a
4. a
5. b
6. d
7. e
8. c
9. b
10. a
11. e
12. b
13. a
14. c
15. b
16. b
17. d
18. d
19. b
20. c
21. a
22. a
23. b
24. a
25. a
26. b
27. a
28. b
29. b
30. b
31. a
32. b
33. b
34. b
35. b

第10章

1. d
2. b
3. b
4. a
5. c
6. b
7. c
8. c
9. d
10. b
11. d
12. b
13. b
14. c
15. e
16. c
17. c
18. b
19. c
20. d
21. a
22. c
23. a
24. b
25. a
26. b
27. a
28. a
29. a
30. b

第11章

1. a
2. c
3. b
4. b
5. b
6. c
7. b
8. d
9. c
10. e
11. c
12. b
13. a
14. b
15. b
16. b
17. a
18. d
19. e
20. c
21. c
22. a
23. b
24. b
25. a
26. a
27. a
28. a
29. b
30. b

第12章

1. a
2. b
3. d
4. c
5. b
6. c
7. a
8. a
9. c
10. c
11. c
12. b
13. a
14. b
15. a
16. b
17. a
18. a
19. a
20. c

第13章

1. c
2. b
3. d
4. a
5. b
6. c
7. b
8. a
9. b
10. a
11. b
12. b
13. e
14. a
15. b
16. b
17. a
18. b
19. a
20. b

和文索引

英数字

1回換気量 358
CMC関節 136, 139, 161
DIP関節 136, 305
IP関節 136, 145, 161
MCP関節 136, 138, 142, 161
MTP関節 295
PIP関節 136, 162, 305
Q角 277, 368

あ

アクチン-ミオシン架橋 38, 367
亜脱臼 67, 367
圧迫力 262, 367
アトラス 176
鞍関節 28
安静換気 358
安静吸気 367
安静呼気 359, 367
安定化筋 367

い

異常歩行 342, 343, 344, 345
インピンジメント 367

う

ウォルフの法則 176, 367
烏口腕筋 78
羽状 40
内がえし 298, 367
腕立て伏せプラス 69
うなずき 370
運動学 2, 367
運動力学 11, 367

え

エクスカーション 38, 367
遠位 367

遠位指節間関節 136, 305
遠位上腕骨 90
遠位付着部 37, 367
円凹背 171
円回内筋 112
遠心性 36
遠心性収縮 36, 367

お

横隔膜 361
凹足 304, 367
横足根関節 295
横断面 4, 370
横断面積 40, 367
横突棘筋 210
起き上がり 369
押す力 11
おそるべき三徴候 268
親指 4

か

回外 7, 296, 367
回外筋 109, 110
外在指屈筋 148
外在指伸筋 148
回旋 367
外旋 6, 367
回旋(筋)腱板 369
外側 367
外側顆 260
外側楔状骨 295
外側広筋 276
外側上顆炎 128, 367
外側上顆痛 128
外側側副靱帯 262, 267
外側翼突筋 355
外的トルク 11, 367
外的モーメントアーム 12, 367

外転 5, 298, 367
回転運動 2
回転軸 2, 4, 367
回転中心 2
回内 7, 296, 367
回内筋 111
外反 93, 367
外反股 221, 367
外反膝 264, 367
外反肘 93, 367
外反の崩れ 271
外腹斜筋 204
開放運動連鎖 7, 270, 271, 368
解剖学的肢位 4, 368
海綿骨 22, 368
外力 11, 368
外肋間筋 362
カウンターフォースブレース 131
下顎骨 350
踵接地 294, 332, 368
踵離地 294, 333, 368
かがみ歩行 343
鉤指 313
顎関節 349, 357
顎関節症 356
下後腸骨棘 219
下肢伸展挙上 238
顆状関節 28
下垂足 310, 368
下制 353, 368
下前腸骨棘 219
鵞足 281, 282, 368
下腿三頭筋 317, 368
滑液 26
滑走説 38, 368
活動 36
滑膜 26
滑膜関節 25

可動関節　24, 25, 368
過度な前捻角　221
過度の外反膝　264, 368
過度の外反肘　368
過負荷の原則　47
下方　368
下方回旋　57, 368
過用症候群　318
感覚神経　26
換気　358, 368
寛骨臼　220
関節　21
関節運動学　8, 368
関節炎　29, 135, 368
関節固定肢位　368
関節軟骨　23, 26, 368
関節反力　29, 246, 368
関節包　26
関節包靱帯　26
環椎　176

き
起始　37, 368
基質　29
拮抗筋　37, 368
キネシオロジー　2, 368
逆運動　368
球(臼状)関節　26
吸気　359, 368
弓弦力　161, 277
求心性　36
求心性収縮　36, 368
胸郭出口症候群　199, 368
胸骨　52
頬骨　351
胸鎖関節　54
狭窄　368
狭窄症　194
胸鎖乳突筋　197
強制換気　358
強制吸気　358, 368
強制呼気　358, 368
胸椎　177
共同運動　51
共同筋　37, 368
胸腰筋膜　203
棘上筋　72, 84
曲線運動　2
距骨　295
距骨下関節　295, 301
挙上　243, 353, 368

距腿関節　295
棘下筋　73, 84
切り返し　302, 318
近位　368
近位指節間関節　136, 162, 305
近位付着部　37, 368
筋外膜　39, 368
筋原線維　39, 368
筋周膜　39, 368
筋節　38, 368
筋線維　39, 369
筋線維束　39
筋束　39, 369
筋内膜　39, 369
筋の代償運動　369
筋肥大　48, 369
筋腹　39, 369

く
偶力　38, 69, 237, 371
楔石　138
屈曲　5, 369
クレピテーション　141

け
脛骨　260, 294
脛骨高原　260
脛骨疲労性骨膜炎　310
傾斜　226
頸体角　221, 369
頸椎　174
頸板状筋　201
鶏歩　341
血管　26
結合組織　28
牽引線　13, 369
肩甲下筋　74, 84
肩甲胸郭関節　56
肩甲挙筋　64, 201
肩甲骨　52, 90
肩甲骨面　61
肩甲上腕関節　58
肩甲上腕リズム　60, 369
肩鎖関節　57
腱板　58, 83, 84, 369
肩峰下インピンジメント　59

こ
コアスタビリティ運動　214, 369
咬筋　354
後屈　195, 369

後脛骨筋　322
後斜角筋　198
後十字靱帯　264
拘縮　46, 224, 369
後退　6, 353, 369
広背筋　75
後部　369
合力　16, 369
後弯　170
コーレス骨折　369
股関節
　——挙上(引き上げ)　228, 369
　——分回し　345
　——落下(引き下げ)　229, 369
呼気　359, 369
骨運動学　4, 369
骨幹　22, 369
骨髄　23
骨端　22, 369
骨底　141
骨内膜　23, 369
骨盤挙上　181, 369
骨盤後傾　192, 228, 369
骨盤前傾　192, 226, 369
骨盤落下　369
骨膜　23, 369
コルセット筋　205
転がり　8, 182, 369

さ
最終感覚　96, 369
細胞　30
鎖骨　52
坐骨　219
鎖骨下筋　66
サルコメア　38, 368
三角筋　80
三角形　40

し
軸回旋　8, 369
軸性回転　270
軸性骨格　21, 369
軸椎　177
示指伸筋　152
矢状面　4, 369
指伸筋　152
指節間関節　136, 145, 161, 305
指節骨　138
膝蓋骨　24, 262

膝蓋骨トラッキング（膝蓋骨の外側トラッキング） 278, 369
膝蓋大腿関節 272
膝窩筋 282
膝関節の鍵 282
質の高いてこ 12
質量中心 3, 369
自動 3
自動運動 3, 369
自動完全 104, 369
自動不全 45, 109, 369
芝生の趾先 318
尺側手根屈筋 130
尺側手根伸筋 127
尺側偏位 160, 369
車軸関節 26
尺屈 7, 369
尺骨 90
尺骨端 90
斜内側広筋 276
十字靱帯 264
収縮 36
舟状骨 295
重心線 171, 369
自由度 5, 369
重複歩 333, 370
重複歩距離 333, 370
終末強制回旋機構 272, 282, 370
手根管 119, 370
手根管症候群 118, 370
手根骨 118
手根中央関節 119
手根中手関節 136, 139, 161
種子骨 24
手掌 370
主動作筋 37, 370
小円筋 73, 84
上顎骨 351
小胸筋 66
衝撃吸収装置 303
上後腸骨棘 219
踵骨 295
小指外転筋 148
小指球筋 156
小指伸筋 152
上前腸骨棘 219
掌側 117
小殿筋 244
衝突 11
上方 370
上方回旋 57, 370

小菱形筋 64
上腕筋 102
上腕骨 52
上腕三頭筋 106
　　── 長頭 79
上腕二頭筋 13, 77, 101, 110
褥瘡 220
深 370
深指屈筋 150
深層の底屈筋 309
伸展 5, 370
伸展機構 151, 370
伸展ラグ 281, 288, 370

す

髄核ヘルニア 191, 370
髄管 23, 370
水平外転 7, 370
水平内転 7, 370
水平面 4, 370
すき間 342
スタビライザー 37
ステップ 333, 370
滑り 8, 182, 370

せ

正常な前捻角 221, 370
生体力学 245
生体力学的てこ 12
正中線 370
静的安定性 67, 370
脊髄神経 185, 370
脊柱後弯 370
脊柱前弯 370
脊柱側弯症 193, 370
脊柱の中間位 214, 370
脊椎すべり症 195, 370
舌骨 351
浅 370
線維 28
前額面 4, 370
前鋸筋 65
前屈 195, 370
前脛骨筋 311
仙骨 177
浅指屈筋 150
前斜角筋 198
前十字靱帯 264
仙腸関節 195
前突 353
前捻角 221

全肺気量 358
前部 370
前方脊椎すべり症 195
前方突出 6, 370
前弯 170, 225, 228

そ

僧帽筋
　　── 下部線維 63
　　── 上部線維 63
　　── 中部線維 63
足根骨 295
足根中足関節 295, 304
足指（趾）離地 294, 333, 370
足底 370
足底筋 321
足底接地 294, 332, 370
足底挿板 303
足底面 294
側頭筋 354
側頭骨 350
足背面 294
側方運動 353, 370
側弯症 370
咀嚼 349, 370
粗線 220
外がえし 298, 370

た

第1頸椎 176
第1種てこ 12
第2種てこ 12
第3種てこ 12
第3腓骨筋 314
大円筋 76
大胸筋 81
代償運動 68
大腿筋膜張筋 236
大腿骨 220, 260
大腿四頭筋 274
大腿四頭筋角 368
大腿直筋 234, 275
大腿二頭筋長頭 240
大殿筋 239
大内転筋 250
対立 141, 370
大菱形筋 64
楕円関節 26
高いステップ 341
多関節筋 45
立ち直り 302

た

他動　3
他動運動　3, 370
他動可動域運動　3
他動関節可動域　370
他動不全　45, 371
単下肢支持期　336, 371
短骨　24
短橈側手根伸筋　127
短内転筋　250
弾撥指　149
短腓骨筋　316
短母指伸筋　153

ち

知恵の隆起　172
力　11, 371
恥骨　220
恥骨筋　248
緻密骨　22, 371
中間楔状骨　295
中間広筋　276
肘関節脱臼骨折　95
肘筋　107
中斜角筋　198
中手骨　136
中手指節関節　136, 138, 142, 161, 260
中足指節関節　295, 305
中殿筋　244
肘内障　99
虫様筋　156
蝶形骨　351
長骨　24
腸骨　218
長指屈筋　323
長指伸筋　313
長掌筋　130
長橈側手根伸筋　127
長内側広筋　276
長内転筋　249
蝶番関節　26
長腓骨筋　315
長母指外転筋　153
長母指屈筋　148, 150, 323
長母指伸筋　153, 312
腸腰筋　206, 233
直線運動　2

つ

椎間関節　173
　　――の配置方向　371
椎間板　173

椎間分節の安定　371
椎骨　172
吊り上げ　220

て

底屈　7, 296, 371
停止　37, 371
適応性短縮　46
適合性　8, 371
てこ　371
テノデーシス作用　148, 371

と

頭蓋骨　172
橈屈　7, 371
橈骨　91
橈骨手根関節　118
同時収縮　37, 371
等尺性　36
等尺性収縮　37, 371
頭側　371
橈側手根屈筋　130
動的安定化　371
動的安定性　83
頭板状筋　201
頭部の前方偏位　68
動力行程　38
特異性の原則　47
徒手筋力検査　371
突出　371
トミー・ジョン手術　95
トルク　11, 371
トレンデレンブルク徴候　246, 339, 371

な

内旋　6, 371
内側　371
内側顆　260
内側楔状骨　295
内側広筋　276
内側上顆炎　131
内側側副靱帯　267
内側縦アーチ　371
内側翼突筋　355
内的トルク　11, 371
内的モーメントアーム　12, 371
内転　5, 298, 371
内転筋部　250
内反　93, 371
内反股　221, 371
内反膝　264, 371

内反肘　93, 371
内腹斜筋　205
内力　11, 371
内肋間筋　362

の

伸び上がり歩行　342

は

背臥位　371
肺気量(肺気量分画)　358
背屈　7, 296, 371
背側　117, 371
背側フード　151
薄筋　249, 281
ばね指　149
馬尾　179, 371
ハムストリングス　279
ハムストリング部　250
はめ込み　300, 327
半関節　24, 371
半腱様筋　240
反作用　68
反張膝　269, 343, 371
半膜様筋　241

ひ

引く力　11
腓骨　262, 294
尾骨　179
皮質骨　22, 371
肘引っ張り症候群　99
尾側　371
ヒップハイカー　69, 206
腓腹筋　282, 320
ヒラメ筋　321

ふ

不安定板　317
フォースカップル　38, 69, 237, 371
不規則骨　24
復位　141, 372
腹横筋　205
腹臥位　372
腹直筋　204
付属性骨格　21, 372
プッシュオフ　333, 372
フットスラップ　310, 341
不動関節　24, 372
踏み切り　333, 372
プライオメトリクス　44

分回し　6, 372

へ
閉鎖運動連鎖　7, 270, 272, 372
並進運動　2, 372
平面関節　26
ベクトル　16, 41, 372
扁平骨　24
扁平足　303, 372
偏菱形　40

ほ
ボイルの法則　359, 372
方形回内筋　112
縫工筋　235, 281
方向転換　271
紡錘状　40
歩隔　333, 372
歩行　294
歩行周期　294, 332, 372
歩行速度　333, 372
歩行率　333, 372
母指球筋　155
母指内転筋　156
ほぞ穴　299, 372
ほぞ継ぎ関節　327

骨の接合　21
歩幅　333, 372

ま
丸肩　68
慢性閉塞性肺疾患　363, 372

む
無腐性壊死　119, 372
無名骨　218

も
モーメント　371
モーメントアーム　372

ゆ
遊脚相　294, 333, 372
　終期（後期）　294, 333, 372
　初期　294, 333, 372
　中期　294, 333, 372
有鈎骨　119
揺り椅子　182
ゆるみ　141, 301

よ
腰仙関節　194

腰椎　177
腰方形筋　206
翼状肩甲　69, 372
予備吸気量　358
予備呼気量　358

り
力線　13
立脚相　294, 332, 372
　中期　294, 332, 372
立方骨　295
両下肢支持期　336, 372
菱形筋　64
リラキシン　219

れ
連結　21

ろ
ローテーターカフ　369
肋骨隆起　193

わ
腕橈骨筋　103

欧文索引

A

abduction 5, 298, 367
abductor digiti minimi 148
acromioclavicular (AC) joint 57
actin-myosin cross bridge 38, 367
activation 36
active 3
active efficiency 104, 369
active insufficiency 45, 109, 369
active movement 3, 369
adaptive shortening 46
adduction 5, 298, 371
agonist 37, 370
amphiarthrosis 24, 371
anatomic position 4, 368
angle of inclination 221, 369
antagonist 37, 368
anterior 370
anterior cruciate ligament (ACL) 264
anterior-inferior iliac spine (AIIS) 219
anterior pelvic tilt 192, 226, 369
anterior spondylolisthesis 195, 370
anterior-superior iliac spine (ASIS) 219
appendicular skeleton 21, 372
arch support 303
arthritis 29, 135, 368
arthrokinematics 8, 368
articular capsule 26
articular cartilage 23, 26, 368
articulation 21
atlas 176
avascular necrosis 119, 372
axial rotation 270
axial skeleton 21, 369
axis 177
axis of rotation 2, 4, 367

B

ball-and-socket joint 26
basilar 141
biceps 13
biomechanical lever 12
biomechanics 245
blood vessel 26
body 2
bone marrow 23
boost 220
bottom three 309
bow-stringing force 161, 277
Boyle's law 359, 372
bump of knowledge 172

C

cadence 333, 372
calcaneus 295
cancellous bone 22, 368
capsular ligament 26
carpal tunnel 119, 370
carpal tunnel syndrome 118, 370
cauda equina 179, 371
caudal 371
cell 30
center of mass 3, 369
cephalad 371
chronic obstructive pulmonary disease (COPD) 363, 372
circumduction 6, 372
claw toe 313
clearance 342
close-packed 301, 327
close-packed position 368
closed-chain motion 7, 372
co-contraction 37, 371
Colles' fracture 369
compression force 262, 367
concentric 36
concentric activation 368
concentric contraction 36
condyloid joint 28
congruency 8, 371
connective tissue 28
contraction 36
contracture 46, 224, 369
core stabilization exercise 214, 369
corset muscle 205
cortical (compact) bone 22, 371
counterforce brace 131
counternutation 195, 369
coxa valga 221, 367
coxa vara 221, 371
crepitation 141
cross-sectional area 40, 367
crouched gait 343
cruciate ligament 264
cubitus valgus 367
cubitus varus 93, 371
cuboid 295
curvilinear motion 2
cutting 271, 302, 318

D

decubitus 220
deep 370
degrees of freedom 5, 369
depression 353, 368
diaphysis 22, 369
diarthrosis 24, 25, 368
distal 367
distal attachment 37, 367
distal interphalangeal (DIP) joint 305
dorsal 117, 371
dorsal aspect 294
dorsal hood 151

dorsiflexion 7, 296, 371
double-limb support 336, 372
downward rotation 57, 368
dynamic stability 83
dynamic stabilization 371

E

early swing 294, 333, 372
eccentric 36
eccentric activation 367
eccentric contraction 36
elevation 353, 368
ellipsoid joint 26
end feel 96, 369
endomysium 39, 369
endosteum 23, 369
epimysium 39, 368
epiphysis 22, 369
eversion 298, 370
excessive anteversion 222
excessive cubitus valgus 93, 368
excessive genu valgum 264, 368
excursion 38, 367
expiration 359, 369
expiratory reserve 358
extension 5, 370
extensor lag 281, 288, 370
extensor mechanism 151, 370
external force 11, 368
external moment arm (EMA) 12, 367
external rotation 6, 367
external torque 11, 367

F

facet joint 173
facet joint orientation 371
fasciculus 39, 369
fiber 28
first-class lever 12
flat bone 24
flexion 5, 369
flexor pollicis longus 148
foot drop 310, 368
foot flat 294, 332, 370
foot slap 310
force 11, 371
force-couple 38, 69, 237, 371
force tax 13
forced expiration 358, 368
forced inspiration 358, 368
forced ventilation 358

forward head 68
frontal plane 4, 370
funny bone 90
fusiform 40

G

gait 294
gait cycle 294, 332, 372
genu recurvatum 269, 371
genu valgum 264, 367
genu varum 264, 371
good leverage 12
gracilis 249
ground substance 29

H

hamate 119
heel contact 294, 332, 368
heel off 294, 333, 368
herniated nucleus pulposus 191, 370
high stepping 341
hiking 243
hinge joint 26
hip drop 229, 369
hip-hiker 69, 206
hip-hiking 181, 228, 369
horizontal abduction 7, 370
horizontal adduction 7, 370
horizontal plane 4, 370
hypertrophy 48, 369

I

impinge 11
impingement 367
in-toeing 222
inferior 368
infraspinatus 84
innominate bone 218
insertion 37, 371
inspiration 359, 368
inspiratory reserve 358
intermediate cuneiform 295
internal force 11, 371
internal moment arm (IMA) 12, 371
internal rotation 6, 371
internal torque 11, 371
inversion 298, 367
irregular bone 24
isometric 36
isometric activation 371
isometric contraction 37

J

joint 21
joint reaction force (JRF) 29, 246, 368
junction 21

K

key of the knee 282
keystone 138
kinematics 2, 367
kinesiology 2, 368
kinetics 11, 367
knee cap 24
knuckle 260
kyphosis 170, 370

L

late (terminal) swing 294, 333, 372
lateral 367
lateral collateral ligament (LCL) 262, 267
lateral condyle 260
lateral cuneiforms 295
lateral epicondylalgia 128
lateral epicondylitis 128, 367
lateral excursion 353, 370
lateral tracking of the patella 278, 369
leverage 371
line of force 13
line of gravity 171, 369
line of pull 13, 369
linea aspera 220
long bone 24
loose-packed 301
looseness 141
lordosis 170, 225, 228, 370
lumbrical 156
lung volumes and capacities 358

M

manual muscle test (MMT) 371
mastication 349, 370
medial 371
medial collateral ligament (MCL) 267
medial condyle 260
medial cuneiform 295
medial longitudinal arch 371
medullary canal 23, 370
metatarsophalangeal (MTP) joint 295
mid stance 294, 332, 372

mid swing 294, 333, 372
midline 370
moment 371
moment arm 372
mortise 299, 372
mortise joint 327
multi-articular muscle 45
muscle belly 39, 369
muscle fiber 39, 369
muscular substitution 68, 369
myofibril 39, 368

N
navicular 295
neutral spine 214, 370
normal anteversion 221, 370
nutation 195, 370

O
open-chain motion 7, 368
opposition 141, 370
origin 37, 368
osteokinematics 4, 369
out-toeing 222
overuse syndrome 318

P
palmar 117, 370
passive 3
passive insufficiency 45, 371
passive movement 3, 370
passive range of motion 3, 370
patella 24, 262
pennate 40
perimysium 39, 368
periosteum 23, 369
pes anserinus 281, 368
pes cavus 304, 367
pes planus 303, 372
pivot joint 26
pivot-point 2
plane joint 26
plantar 370
plantar aspect 294
plantar flexion 7, 296, 371
plyometrics 44
poly-articular muscle 45
posterior 369
posterior cruciate ligament (PCL) 264
posterior-inferior iliac spine (PIIS) 219

posterior pelvic tilt 192, 228, 369
posterior-superior iliac spine (PSIS) 219
power stroke 38
principle of overload 47
principle of training specificity 47
pronation 7, 296, 367
prone 372
protraction 6, 353, 370
protrusion 353, 371
proximal 368
proximal attachment 37, 368
proximal interphalangeal (PIP) joint 305
pull 11
pulled elbow syndrome 99
push 11
push-off 333, 372
push-up-plus 69

Q
Q-angle (quadriceps angle) 277, 368
quiet expiration 359, 367
quiet inspiration 367
quiet ventilation 358

R
radial deviation 7, 371
rectilinear motion 2
relaxin 219
reposition 141, 372
resultant force 16, 369
retraction 6, 353, 369
retrusion 353, 369
reverse action 68, 368
rhomboidal 40
rib hump 193
righting 302
rocking chair 182
roll 8, 182, 369
rotation 2, 367
rotator cuff 58, 369
rounded shoulder 68

S
saddle joint 28
sagittal plane 4, 369
sarcomere 38, 368
scapular plane 61
scapulohumeral rhythm 60, 369
scoliosis 193, 370

screw-home mechanism 272, 370
second-class lever 12
segmental stabilization 371
sensory nerve 26
sesamoid bone 24
shin splints 310
shock absorber 303
short bone 24
single-limb support 336, 371
slide 8, 182, 370
sliding filament theory 38, 368
spin 8, 369
spinal nerve 185, 370
spondylolisthesis 195
stabilizer 37, 367
stance phase 294, 332, 372
static stability 67, 370
stenosis 194, 368
step 333, 370
step length 333, 372
step rate 333
step width 333, 372
sternoclavicular (SC) joint 54
straight leg raising (SLR) 238
stride 333, 370
stride length 333, 370
subacromial impingement 59
subluxation 67, 367
subscapularis 84
subtalar joint 295
superficial 370
superior 370
supination 7, 296, 367
supine 371
supraspinatus 84
sway back 171
swing phase 294, 333, 372
synarthrosis 24, 372
synergists 37, 368
synergy 51
synovial fluid 26
synovial joint 25
synovial membrane 26

T
talocrural joint 295
talus 295
tarsometatarsal joint 295
temporomandibular disorders (TMD) 356

temporomandibular joint (TMJ) 349, 357
tenodesis 371
tenodesis action 148
teres minor 84
terminal (late) swing 294, 333, 372
terrible triad 268
the terrible triad of the elbow 95
third-class lever 12
thoracic outlet syndrome 199, 368
thumb 4
tibial plateau 260
tidal volume 358
tilt 226
toe off 294, 333, 370
Tommy John surgery 95

torque 11, 371
total lung capacity 358
translation 2, 372
transverse plane 4, 370
transverse tarsal joint 295
Trendelenburg sign 246, 339, 371
triangular 40
triceps surae 317, 368
trigger finger 149
turf toe 318

U

ulnar deviation 7, 369
ulnar drift 160, 369
upward rotation 57, 370

V

valgus 93, 367
valgus collapse 271
varus 93, 371
vastus medialis longus (VML) 276
vastus medialis obliquus (VMO) 276
vector 16, 41, 372
ventilation 358, 368

W

walking velocity 333, 372
winging 69, 372
wobbleboard 317
Wolff's law 176, 367

エッセンシャル・キネシオロジー原書第3版（電子書籍付）
―機能的運動学の基礎と臨床

2020年 7 月10日　第 1 刷発行	著　者　Paul Jackson Mansfield,
2024年 2 月20日　第 3 刷発行	Donald A. Neumann

監訳者　弓岡光徳，溝田勝彦，村田　伸
発行所　エルゼビア・ジャパン株式会社
　　　　☎（編集）03-3589-5024
発売元　株式会社　南　江　堂
　　　　〒113-8410　東京都文京区本郷三丁目42番6号
　　　　☎（出版）03-3811-7235　（営業）03-3811-7239
　　　　ホームページ　https://www.nankodo.co.jp/
　　　　　　　　　　　組版・印刷・製本　アイワード

Essentials of Kinesiology for the Physical Therapist Assistant, 3rd Ed
Ⓒ 2020 Elsevier Japan KK.

定価はカバーに表示してあります．　　　　　　　　Printed and Bound in Japan
落丁・乱丁の場合はお取り替えいたします．　　　　ISBN978-4-524-22653-5

本書の無断複製を禁じます．

JCOPY〈出版者著作権管理機構　委託出版物〉

本書の無断複製は，著作権法上での例外を除き禁じられています．複製される場合は，そのつど事前に，出版者著作権管理機構（電話03-5244-5088，FAX 03-5244-5089，e-mail: info@jcopy.or.jp）の許諾を得てください．

本書のコピー，スキャン，デジタル化等の無断複製は著作権法上の例外を除き禁じられています．違法ダウンロードはもとより，代行業者等の第三者によるスキャンやデジタル化はたとえ個人や家庭内での利用でも一切認められていません．著作権者の許諾を得ないで無断で複製した場合や違法ダウンロードした場合は，著作権侵害として刑事告発，損害賠償請求などの法的措置をとることがあります．＜発行所：エルゼビア・ジャパン株式会社＞